Historia del cine español

ROMÁN GUBERN, JOSÉ ENRIQUE MONTERDE,
JULIO PÉREZ PERUCHA,
ESTEVE RIAMBAU Y CASIMIRO TORREIRO

Historia del cine español

SÉPTIMA EDICIÓN

CÁTEDRA
Signo e Imagen

Director de la colección: Jenaro Talens

1.ª edición, 1995
2.ª edición revisada, 1997
6.ª edición ampliada, 2009
7.ª edición, 2010

Diseño de cubierta: aderal

Ilustración de cubierta: Fotograma de *La niña de tus ojos* (Fernando Trueba, 1998)
© ALBUM

Juan Ignacio Luca de Tena, 15. 28027 Madrid
Depósito legal: M. 49.579-2010
I.S.B.N.: 978-84-376-2561-4
Printed in Spain
Impreso en Fernández Ciudad, S. L.
Coto de Doñana, 10. 28320 Pinto (Madrid)

A la memoria de José Luis Guarner,
«sólo porque un amigo es la vida dos veces»

Precariedad y originalidad del modelo cinematográfico español

Román Gubern

A diferencia de lo ocurrido con el cine francés, el italiano, el alemán, el británico, el ruso y soviético, el danés, el sueco o el suizo, por citar sólo cinematografías de nuestro continente, el cine español ha tardado muchos años en generar su relato histórico con criterios científicos y dotados de rigor académico. La primera edición del presente libro apareció en 1995, en versión primero italiana y luego española, es decir, al cumplirse el centenario del invento de Lumière. Es cierto que su irrupción estuvo precedida por abundantes estudios monográficos y sectoriales sobre realizadores, géneros o periodos históricos, algunos ciertamente valiosos, pero faltaba una visión orgánica de conjunto elaborada con criterios académicos modernos, y la acogida que obtuvo esta obra demostró sobradamente la hondura de aquel vacío.

Esta carencia se debía, en buena parte, a dificultades materiales reales y también a prejuicios intelectuales. Tales prejuicios, que venían de antiguo, difundieron con eficacia el tópico de que el cine español era prácticamente inexistente, o irrelevante, o indigno de merecer un estudio. Entre quienes con mayor contundencia defendieron esta opinión figuró un alto funcionario franquista, José María García Escudero, quien ocupó precisamente en dos ocasiones (1951-1952 y 1962-1967) el cargo de Director General de Cinematografía y Teatro en el Ministerio de Información y Turismo. En 1954 García Escudero publicó un libro elocuentemente titulado *La historia en cien palabras del cine español y otros escritos sobre cine*[1]. Las cien

[1] Cine-Club del S.E.U. de Salamanca.

palabras en las que García Escudero resumía su historia del cine español eran las siguientes:

> Hasta 1939 no hay cine español, ni material, ni espiritual, ni técnicamente. En 1929 y 1934 da sus primeros pasos. En 1939 pudo empezar a andar, pero se frustra la creación de una industria, así como la posibilidad de un cine político. Continúan las castañuelas y el *smoking*. Sobre los intentos de cine sencillo se desploman el cine de gola y levita, y un cine religioso sin autenticidad. El neorrealismo, que pudo ser español, se reducirá a una película tardía. Pero nuestro cine supera al de 1936 y puede esperarse que los jóvenes le den el estilo nacional que necesita.

Inesperadamente, en mayo de 1955, en las controvertidas Conversaciones Cinematográficas de Salamanca, el realizador marxista-leninista Juan Antonio Bardem coincidió públicamente con el funcionario católico y franquista García Escudero en decretar la nulidad del cine español desde el punto de vista industrial, estético, político e intelectual. En el lapidario diagnóstico ni siquiera fueron mencionados los aragoneses Luis Buñuel y Segundo de Chomón, que por esa fecha figuraban ya en todas las historias del cine publicadas en el ancho mundo. Pero las historias del cine español publicadas con más de cien palabras —la de Juan Antonio Cabero en 1949 y la de Fernando Méndez Leite von Haffe en 1965— no ayudarían a clarificar la situación; la primera, por constituir un *collage* inorgánico de informaciones diversas y heteróclitas; y la segunda por sus escandalosas lagunas y su tendenciosidad política, que le llevaron a omitir el nombre de Luis Buñuel y a considerar inexistente la producción durante la Guerra Civil. Esta cuantiosa producción, por cierto, no sería reconocida públicamente hasta que el historiador falangista Carlos Fernández Cuenca publicó en 1972, en las postrimerías de la dictadura franquista, sus dos voluminosos tomos sobre *La guerra de España y el cine*[2], de acentuada tendenciosidad ideológica y con algunos errores de bulto. Esta parcela fundamental y largamente eclipsada de nuestra historia cinematográfica resultaría por fin iluminada de modo decisivo al aparecer, más de veinte años después, el voluminoso *Catálogo general del cine de la Guerra Civil*, de Alfonso del Amo en colaboración con María Luisa Ibáñez[3].

Podrá argüirse, como atenuante de tantos olvidos, que del cine mudo español no existe memoria histórica porque no produjo grandes títulos de im-

---

[2] Editora Nacional, Madrid.

[3] Cátedra/Filmoteca Española, Madrid, 1996.

pacto internacional, a diferencia del cine alemán, norteamericano o soviético, y si bien es cierto que no tuvo un Murnau, un Stroheim, un Dovjenko o un Renoir, no pocos títulos suyos se estrenaron en París, Nueva York o Buenos Aires. Matizaremos luego el significado del cine mudo español, pero añadamos inmediatamente que el cine sonoro republicano y el de la Guerra Civil, que tuvieron muchísimo más interés objetivo, fueron reprimidos de la memoria histórica por la victoria bélica del franquismo en 1939.

A los prejuicios acerca del interés histórico del cine español hay que añadir el factor de su desconocimiento, debido en buena parte a la devastadora destrucción del patrimonio fílmico de sus primeras cinco décadas, debido a cuatro incendios en laboratorios importantes, pero también por la incuria o irresponsabilidad de muchos comerciantes e industriales del ramo, por el desinterés de los poderes públicos, por la fragilidad de los soportes de los films, por catástrofes naturales, por vandalismo y, en general, por la subestimación de su valor histórico y cultural. La Filmoteca Nacional no se fundó en Madrid hasta febrero de 1953 y con medios muy escasos, es decir, unos veinte años después que las principales filmotecas europeas y americanas, creadas cuando el cine mudo todavía circulaba por algunos circuitos periféricos o salas rurales y que por ello pudo ser parcialmente salvado. De manera que, como resultado de este desastre, suele estimarse de modo aproximativo que de la producción española anterior a la Guerra Civil se conserva poco más del diez por ciento de su volumen. Y en este parvo patrimonio se detectan ausencias de mucho bulto, como *Zalacaín el aventurero* (1929), de Francisco Camacho, en la que aparecía como actor Pío Baroja y primer film español distribuido internacionalmente por la Metro-Goldwyn-Mayer; como *Las de Méndez* (1927), de Fernando Delgado, que se exhibió con éxito en París y que en junio de 1991 el veterano crítico Florentino Hernández Girbal recordaba como una de las cuatro mejores películas del cine mudo español (las otras, según él, serían *Boy* de Benito Perojo [de la que sólo se conserva un fragmento] y *La hermana San Sulpicio* y *La aldea maldita*, ambas de Florián Rey, desaparecida la primera, así como la versión sonorizada en París de la segunda); como *Lo más español* o *Al Hollywood madrileño* (1927-28), una de las raras nuestras de cine experimental peninsular, realizada por Nemesio M. Sobrevila; como *La traviesa molinera* (1934), realizada en versiones española, inglesa y francesa por Harry D'Abbadie D'Arrast: o como *Nuestra Natacha* (1936), versión de Benito Perojo de la polémica pieza teatral de Alejandro Casona sobre la reforma pedagógica progresista, cuyo material fue confiscado y destruido por la censura franquista al acabar la guerra.

Es sabido que la industria del cine nunca ha aspirado a la preservación de un patrimonio cultural, sino a una preservación de sus fuentes de rentabilidad. En el caso español este fenómeno se ha agravado, pues su debilidad industrial ha hecho que generase un exiguo número de copias de cada título, haciendo más problemática su supervivencia. A ello hay que añadir todavía lo que Alfonso del Amo ha llamado acertadamente la «paradoja del éxito»[4], a saber, que cuanto mayor y más rápido es el éxito de una película, peor se conserva, debido a la sobreutilización de su negativo para sacar copias y a la generación de *remakes* que marginan a las primeras versiones.

En una apretadísima síntesis, señalemos que hasta 1905 la producción española apenas existe. Desde 1905 su volumen asciende, pero sufre una crisis importante en el periodo 1917-1920 y no consigue aprovecharse de la neutralidad española durante la Primera Guerra Mundial, como ocurre en otros sectores de la economía, ni de la pronunciada desaceleración de la producción cinematográfica europea en esos años. Por otra parte, padece un primer castigo institucional al implantarse la censura administrativa de películas por Real Orden del Ministerio de la Gobernación de 27 de noviembre de 1912, ratificada el 31 de diciembre de 1913 a petición de Rafael Andrade, gobernador civil de Barcelona, sede del negocio de distribución desde la que se ejercería la censura para todo el país. Según indica Alfonso del Amo en el artículo citado, de las películas producidas hasta 1916 se conserva aproximadamente un cinco por ciento del material en versión más o menos completa y fragmentos identificados, lo que supone en conjunto un uno por ciento del total del metraje producido hasta entonces. La producción de anteguerra se vio castigada, además, porque hacia 1920, debido a la rápida evolución de las costumbres y hasta de la vestimenta, la producción anterior a la contienda mundial pasó a ser percibida como anticuada y por ello condenada al abandono y la destrucción. A ello debe añadirse que la llegada del cine sonoro al final de la década —coincidiendo con el asentamiento de la II República en España— condenó al patrimonio mudo a la obsolescencia técnica, vendiéndose sus negativos para reciclar su materia prima en la fabricación de peines, botones, lentejuelas, etc.

El cine sonoro español, que despega en 1932, no conocerá una suerte mucho mejor. Al estallar la Guerra Civil, las autoridades franquistas dictaron múltiples disposiciones de represión cultural, que también afectaron al cine. En diciembre de 1936, una orden declaraba ilícitos «la producción, el comercio y la circulación de periódicos, folletos y toda clase de impresos y grabados pornográficos o de literatura socialista, comunista, libertaria y, en general, disolventes». La confiscación de publicaciones, carteles, discos y películas fue una práctica obligada del ejército de Franco en su ocupación de las ciudades enemigas, desde antes de que se instaurase oficialmente su

---

[4] «Bases industriales de la conservación cinematográfica», en *Archivos de la Filmoteca*, núm. 10, octubre-noviembre de 1991, Valencia, pág. 19.

censura cinematográfica especializada en marzo de 1937. Al acabar la guerra, en 1939, el Departamento Nacional de Cinematografía se incautó de todo el material cinematográfico objetable y Carlos Fernández Cuenca recuerda que de Barcelona, capital de la distribución peninsular, se enviaron a Madrid «varios millares de cajas»[5] procedentes de films depositados en sus laboratorios. Este material fue parcialmente manipulado y desguazado por las autoridades, con fines policiales o de documentación de los vencedores, y así, en los noticiarios catalanes de la productora Laya Films, se agruparon las noticias y planos con criterios temáticos monográficos. Todo este material fue depositado en 1943 en los laboratorios Cinematiraje Riera, de Madrid, y sería devastado por un misterioso incendio que se produjo el 16 de agosto de 1945, por causas jamás aclaradas, y que resulta harto sospechoso por coincidir la desaparición de este material inculpatorio con el final de la Segunda Guerra Mundial, que auguraba posibles represalias contra el régimen de Franco por su compromiso político con las potencias nazi-fascistas. El escaso material salvado del desastre, entre el que se hallaban algunos títulos clásicos del cine soviético, constituyó el patrimonio fundacional de la Filmoteca Nacional, creada en 1953.

A esta brutal mutilación del patrimonio cinematográfico español hay que añadir todavía otros obstáculos nada menores para las tareas del investigador. Así, los títulos de crédito de la mayor parte de los films de los años 50 y 60 están falseados, para cumplir ficticiamente las normas administrativas, especialmente en lo tocante a la obligada contratación de trabajadores afiliados al entonces obligatorio Sindicato Nacional del Espectáculo. Estas falsedades se amplían todavía más en el caso de las coproducciones internacionales, por la necesidad de cumplir los cupos de personal nacional y que daban lugar a las ficciones presentes en las fichas de los anuarios profesionales tanto como en las portadas de las películas. Estas abundantes inexactitudes, y muchas otras informaciones inciertas, podrían resolverse con los testimonios personales de los profesionales implicados que todavía permanecen vivos o que nos han legado sus memorias antes de morir. Pero en nuestro país faltan las autobiografías y los libros de memorias. Después de consignar los esquilmados recuerdos del pionero Fructuoso Gelabert, las desordenadas memorias inéditas de Francisco Elías, las evocaciones de Ramón de Baños en Brasil, la autobiografía de Eduardo García Maroto, las elegantes memorias literarias de Fernando Fernán Gómez y de Adolfo Marsillach, los recuerdos plagados de errores de Juan Antonio Bardem y las poco útiles evocaciones de Jesús Franco, este capítulo se cierra con un grave déficit testimonial. Y la interpelación oral de los profesiona-

[5] *La guerra de España y el cine, op. cit.*

les veteranos se revela las más de las veces escasamente productiva, por sus desmemorias voluntarias o involuntarias, a veces para acomodarse a la versión oficial y consagrada de unos hechos conflictivos o lejanos.

Para hacer más compleja la historia del cine español, hay que recordar que su industria estuvo asentada durante mucho tiempo en la bicapitalidad (como ocurrió con el cine italiano primitivo escindido entre Turín y Roma, o el norteamericano entre Nueva York y Hollywood). La actividad cinematográfica protoindustrial se inició en Barcelona en 1906, en la capital industrial y burguesa de la península, y en menor medida en Valencia. Por eso, Palmira González pudo titular su historia del cine mudo en Cataluña *Los años dorados del cine clásico en Barcelona (1906-1923)*[6]. El apogeo de este cine barcelonés tuvo su epicentro en la productora Studio Films, pero desde 1923, y coincidiendo con la dictadura centralista del general Primo de Rivera, la capitalidad se desplaza a Madrid, cuyo puntal industrial será la productora Atlántida, bendecida por Alfonso XIII. Pronto veremos cómo la industria del cine sonoro nació en 1932 en Barcelona, lo que le permitió recuperar su alto nivel de actividad profesional.

Y este zig-zag geográfico nos conduce a la cuestión de la periodización de la historia del cine español, intentando su división en etapas relativamente homogéneas, pero que en todos los casos admiten en realidad el establecimiento de subperiodos y hasta de microperiodos subsidiarios.

El invento de Lumière fue presentado en Madrid el 14 de mayo de 1896, con posterioridad a las exhibiciones iniciales en París, Londres, Bruselas y Berlín, es decir, antes que en la mayor parte de las capitales europeas. Pero a pesar de la pronta instalación en Barcelona de sucursales de Pathé, Gaumont y Méliès, el cine español tuvo una evolución atípica en relación con las dos potencias cinematográficas vecinas de Europa meridional: Francia e Italia. El argumento que invoca el atraso industrial de la sociedad española para explicar su atipicidad cinematográfica resulta de escaso relieve cuando se constata que otros países europeos preindustriales, como Dinamarca o la Italia central-meridional, desarrollaron potentes cinematografías en época temprana. Por eso, si Noël Burch ha considerado el periodo 1900-1905 como la etapa de «plenitud» del llamado Modo de Representación Primitivo[7], en España, en donde el cine anterior a 1905 es casi inexistente, este periodo estético canónico debería ser alargado.

En España, como en otros lugares, la periodización cinematográfica se vio afectada por importantes cambios de regímenes políticos, ajenos al devenir europeo, mientras que no se vio involucrada, en cambio, en las dos

---

[6] Institut del Teatre, Barcelona, 1987.

[7] *El tragaluz del infinito*, Madrid, Cátedra, 1987, pág. 33.

Guerras Mundiales que asolaron Europa y condicionaron su actividad cinematográfica. La periodización política española en este siglo es, sucintamente, la siguiente:

Monarquía constitucional.
Dictadura militar desde septiembre de 1923.
República democrática desde abril de 1931.
Dictadura de 1939 a 1975.
Transición a la democracia desde diciembre de 1975 hasta 1977.
Monarquía constitucional desde 1978.

Y, naturalmente, dentro de cada etapa caben subperiodos y matizaciones de todo tipo. Así, la prolongada dictadura franquista (1939-1975), que constituye el más extenso segmento político de la historia del cine español, podría subdividirse, a nuestros efectos, en diferentes etapas:

Periodo fascista (1939-1943).
Periodo de nacionalcatolicismo (1944-1961).
Periodo de «apertura» (1962-1968).
Crisis del tardofranquismo (1969-1975).

La complejidad de cada uno de los periodos desborda las caracterizaciones simplistas y así, por ejemplo, un historiador de la generación posfranquista, como José Luis Castro de Paz, ha podido proceder a una revalorización selectiva, y a contracorriente de la tradición, del cine de la etapa fascista y autárquica en un libro controvertido[8]. Y aunque algunas veces se han señalado, con razón, las limitaciones de una periodización encorsetada en fenómenos políticos, y no en criterios más específicamente cinematográficos o culturales, la verdad es que no se han propuesto alternativas periodizadoras suficientemente convincentes (por otra parte, la coincidencia entre la llegada del cine sonoro y la implantación de la II República, o el trauma colectivo de la Guerra Civil, imponen una rotundidad específica difícilmente eludible). Y el cine posterior a 1978 aparece modulado por las políticas cinematográficas de los diferentes partidos gobernantes —Unión del Centro Democrático, Partido Socialista Obrero Español y Partido Popular—, pero no sólo por ellas.

A la vista del esquema cronológico propuesto puede concluirse que el cine español ha sido un cine tejido sobre vistosas discontinuidades políti-

[8] José Luis Castro de Paz, *Un cinema herido. Los turbios años cuarenta en el cine español (1939-1950)*, Barcelona, Paidós, 2002.

cas (que han comportado a veces dolorosos exilios profesionales), pero sostenido por continuidades subterráneas a la vida política, proporcionadas sobre todo por la continuidad de sus cuadros profesionales, tanto como por la continuidad empresarial y las políticas de géneros. Así, entre los factores que sueldan el paso del cine mudo al sonoro, y de éste al cine franquista, por encima del precipicio de la Guerra Civil, figuran la perezosa política de adaptaciones literarias o escénicas y géneros tales como la españolada, la zarzuela, el ciclo clerical o las películas con biografías románticas de bandidos.

Su movido telón de fondo histórico permite evacuar los tópicos acerca de la bondad o maldad del cine español, que en la peor de las hipótesis ha sido por lo menos un espejo directo o indirecto de las mentalidades prevalentes en cada época, de sus costumbres, sus modas, sus aspiraciones, sus prejuicios, sus mitos y sus frustraciones. Nuestro cine ha sido testigo de la crisis de la monarquía borbónica, de la Semana Trágica, de la guerra de Marruecos, del advenimiento de la República, de una guerra fratricida, del tránsito de la desmayada España de la autarquía a la del desarrollismo económico y de las libertades públicas recobradas.

La recuperación de la monarquía constitucional en 1978 supuso, ciertamente, novedades importantes. La agobiante censura cinematográfica heredada de la dictadura fue abolida por Real Decreto de 11 de noviembre de 1977 y su vacío fue reemplazado por un sistema de clasificación de las películas según las edades de su público, al tiempo que se preveía el secuestro judicial para las películas cuyo contenido pudiera infringir algún precepto del Código Penal heredado de la dictadura. Eso fue lo que ocurrió, precisamente, con *Salò o le 120 giornate di Sodoma* (1975), de Pier Paolo Pasolini, cuando se presentó en la Semana Internacional de Cine de Barcelona en 1978 y fue secuestrada judicialmente por la denuncia de un particular. Con ello se evidenció que la transición entre la dictadura y la democracia no estaba exenta de inercias de la etapa política anterior ni de turbulencias predemocráticas, la más grave de las cuales fue el secuestro por las autoridades militares de *El crimen de Cuenca* (1979) y el procesamiento de su directora, Pilar Miró.

Pero estos cambios tuvieron lugar en un paisaje en el que coexistieron las continuidades —como la persistencia del doblaje heredado de la dictadura y la hegemonía coercitiva de las *majors* de Hollywood sobre el mercado— y los cambios relevantes, como la integración de la actividad cinematográfica en el vasto complejo mediático del «audiovisual», con nuevos canales y soportes de difusión, con la expansión de las televisiones públicas y privadas, con nuevas cámaras y técnicas digitales y con nuevas fórmulas de producción y de alianzas empresariales, señaladamente en el ámbito europeo. Por no mencionar la descentralización de la producción, atendiendo al nuevo mapa territorial de las comunidades autónomas, aunque a la postre serían muy pocas las que desarrollarían una actividad significativa en este campo, con frecuencia en coalición con los centros televisivos regionales o locales. En un panorama en el que han coexistido cuatro generaciones de directores en activo, el cine español de la etapa democrática consiguió saltar definitivamente a la palestra internacional con los Oscars a la mejor película en lengua extranjera que recibieron *Volver a empezar* (1982) de José Luis Garci, *Belle Époque* (1992) de Fernando Trueba, *Todo sobre mi madre* (1999) de Pedro Almodóvar y *Mar adentro* (2004) de Alejandro Amenábar. Un síntoma elocuente de los cambios operados en el paisaje cinematográfico español.

Es menester señalar que, paralelamente a estas mutaciones en el campo de la creación y de la recepción, los trabajos de recuperación y de investigación de la historia del cine español han progresado espectacularmente en los últimos años, apoyados por la labor de nuevas filmotecas regionales, por tesis doctorales en departamentos universitarios y por el despertar del interés hacia el cine por parte del hispanismo académico internacional, promovido en buena parte por la muy exitosa difusión mundial de la filmografía de Pedro Almodóvar. Se han recuperado en las últimas décadas películas tan decisivas como la primera versión de *La verbena de la Paloma* (1921) de José Buchs, *El misterio de la Puerta del Sol* (1929), experimento paleosonoro de Francisco Elías, las comedias producidas por Luis Buñuel en Filmófono en vísperas del estallido de la Guerra Civil, *Frente de Madrid* (1939) de Edgar Neville, la versión original no censurada de *Raza* (1941) de José Luis Sáenz de Heredia y *Rojo y negro* (1942), de Carlos Arévalo. Y han proliferado las monografías sobre cineastas, como (y sin ánimo de exhaustividad) Pedro Almodóvar, Vicente Aranda, Montxo Armendáriz, José Luis Borau, Luis Buñuel, Francisco Camacho, Jaime Camino, Segundo de Chomón, Eloy de la Iglesia, Víctor Erice, Fernando Fernán Gómez, Rafael Gil, Cesáreo González, Manuel Gutiérrez Aragón, Pilar Miró, Ricardo Muñoz Suay, Manuel Mur Oti, Edgar Neville, José María Nunes, Benito Perojo, Pere Portabella, Florián Rey, Carlos Serrano de Osma, Gonzalo Suárez, Ricardo Urgoiti, José Val del Omar..., además de los imprescindibles diccionarios de guionistas y de productores del cine español confeccionados por Esteve Riambau y Casimiro Torreiro[9], o el exhaustivo panorama ofrecido en *Los orígenes del cine en Cataluña*, de Jon Letamendi y Jean-Claude Seguin[10], o el fundamental estudio *No-Do. El tiempo y la memoria*, de Rafael R. Tranche y Vicente Sánchez Biosca[11].

---

[9] Editados por Cátedra/Filmoteca Española, Madrid, en 1998 y 2008.

[10] Filmoteca de la Generalitat de Catalunya, Barcelona, 2004.

[11] Cátedra/Filmoteca Española, Madrid, 2001.

Y en estos años de proliferación y madurez investigadora ha quedado bien establecido que las producciones cinematográficas pueden ser contempladas o estudiadas desde ángulos muy diversos, como textos, como formas de expresión autoral, como documentos sociales de una época, como muestras de tendencias estéticas y estilísticas, como mercancías elaboradas para generar beneficios económicos, como fantasías de función compensatoria o consoladora, o como síntomas (en sentido psicoanalítico). Las nuevas perspectivas metodológicas —como las de los estudios culturales, o las del feminismo y las de la identidad homosexual— han desembarcado en nuestro mundo académico y han contribuido a la polifonía de los estudios sobre la historia del cine español.

Para estudiar esta historia tan compleja se plantea, como siempre, el problema de la opción del punto de vista. En 1979, en una asamblea de estudiosos que pretendía poner en pie en Sofía una historia del cine mundial escrita por equipos nacionales, abordamos uno de los puntos más arduos de nuestra tarea con el siguiente enunciado programático: «La Historia General del Cine partirá de un análisis de las tendencias (corrientes, escuelas, géneros), profundizando las investigaciones sobre los autores más o menos importantes y sin descuidar, por supuesto, a los cineastas dignos de interés que han creado sus obras al margen de las tendencias dominantes.» En este enunciado se desvelaba la tensión entre el análisis diacrónico y el sincrónico, entre el examen de las tendencias colectivas y el de los textos singulares y de los rasgos característicos de un cineasta. Porque incluso dentro de lo homogéneo coexiste lo heterogéneo. La deseable reconciliación de la lectura textual y la lectura de la causalidad de las formas cinematográficas permitiría demostrar que los textos son producidos por unos sujetos inmersos en una evolución sociocultural —sus contextos— y que esta evolución está inscrita en tales textos, aun siendo dispares y personalizados, y puede por ello ser leída en su textualidad. Creemos que el caso particular de la cinematografía española, inmersa en unos vaivenes sociopolíticos tan pronunciados, permite como pocas detectar estas turbulencias en la escritura de sus textos, incluso más allá de la voluntad o de la conciencia de sus cineastas. El cine español ha sido, visto con la debida perspectiva, un verdadero laboratorio en el que, con grandes precariedades, se han vivido repetidos procesos de ocasos y de reactivaciones: en el cine barcelonés, en el madrileño, en los inicios del sonoro, tras la Guerra Civil, tras la dictadura del general Franco, etc. Y esta atipicidad es la que define su singularidad y, en definitiva, su originalidad y subido interés para la historiografía internacional.

Narración de un aciago destino (1896-1930)

Julio Pérez Perucha

0. 1995

El presente trabajo nace sujeto —como cualquier otro, por lo demás— a una serie de circunstancias generales, particulares e incluso casi anecdóticas, que lo condicionan y circunscriben. Pareciera oportuno que aquí, aun con la mayor brevedad y esquematismo, se diera cuenta de ellas a fin de que el lector o lectora que se adentre en los vericuetos de este texto esté al tanto de sus contornos.

En primer lugar, unos principios generales que atañen tanto a las características de las fuentes disponibles como a la inevitable forma en que se manejan. Por una parte, las fuentes contemporáneas del periodo analizado son necesariamente parciales: las especificidades históricas y las condiciones económicas e industriales del momento, junto a las coyunturas subjetivas que atraviesan los cronistas e informadores de la época, dan como resultado que diversas facetas del vasto poliedro que compone todo periodo histórico, por sectorial que éste sea, queden ocultas en una impenetrable sombra, y que incluso las zonas iluminadas lo sean a consecuencia de entrecruzar, y no sin fricciones, diversas parcelas aparentemente bien alumbradas aunque con frecuencia excluyentes. Por otra parte, y desde nuestro presente, es ineludible verse sometido a similares restricciones (históricas, industriales, personales) a la hora de analizar el lejano periodo que nos ocupa, por lo que el trabajo del historiador viene definido, entre otros factores, por el dificultoso maridaje de dos irreversibles parcialidades cuyo resultado final no podrá evitar situarse al resguardo de imprecisiones y especulaciones. Por tanto, si todo análisis histórico es contingente y un tanto provisional, la manera de exponerlo deberá construirse de forma deliberadamente narrativa, si no quiere que aquellas incertidumbres y oscuridades conviertan ese análisis en fuente de estériles paradojas.

En segundo, una tesitura particular que afecta a nuestra historiografía. Desde hace casi treinta años los estudios históricos de las cinematografías nacionales han entrado en una nueva etapa metodológica —casi una ruptura epistemológica— en la que ha comenzado a tenerse en cuenta aspectos de historia local, cuestiones de recepción pública del producto fílmico, perspectivas antes empresariales y administrativas que globalmente industriales, y abordajes textuales del objeto film en tanto que lugar de encuentro material de las circunstancias que lo hacen posible. Esta nueva etapa, sin embargo, sólo ha sido posible apoyada sobre un trabajo historiográfico previo que atendía al desarrollo completo y universal de los acontecimientos más relevantes, y que apelaba a su generalizada interpretación. Pero en nuestro caso, brutal y decisiva anomalía, este largo periodo preliminar no existe puesto que no disponemos de ninguna historia del cine español homologable con las existentes, y en crecido número, no sólo en naciones de cinematografías desarrolladas, sino incluso en países industrialmente periféricos como, por ejemplo, el mexicano. Todo lo cual nos conduce a que el cinema español esté aún y en buena medida por registrar, cartografiar, catalogar y describir, disponiendo tan sólo y por el contrario de una larga cadena de omisiones, errores y glosas inanes o incompetentes que nos sitúan, salvo estudios parciales trabajosamente aparecidos en la última década, en el páramo más inconfortable. Por tanto, nuestra investigación historiográfica actual no puede ignorar la presencia de esas nuevas corrientes metodológicas, pero al mismo tiempo debe entregarse a una preliminar labor notarial del desarrollo de nuestro cine que en cierta medida es contradictoria con aquellas, por lo que enlazar ambas tareas de manera inteligible se presenta como propósito erizado de escollos.

Y en tercer lugar, y esto es ya una limitación casi anecdótica comparada con las anteriores, el presente trabajo se ve restringido por el espacio lógicamente disponible en este proyecto editorial, lo que me ha llevado en las páginas que siguen, y si no quería condensarlas hasta arriesgar una impenetrable opacidad, a tener que prescindir de algunos aspectos de nuestro cine mudo que aun sin ser relevantes no están exentos de significación: los vacilantes cines «regionales» de los años veinte (gallego, andaluz, balear, canario, asturiano, vasco y valenciano); las curiosas figuras de los inmigrantes Enrique Santos y Mario Roncoroni, ambos relacionados con el cine valenciano; el trabajo del que quizá podría considerarse como cineasta orgánico del protofascismo primoriverista, Fernando Delgado; y la singular y aislada experiencia de Francisco Gómez Hidalgo y su *La malcasada* (1926). ¡Qué le vamos a hacer!

En resumidas cuentas, este trabajo se apoya en el examen de fuentes primarias (las no pocas películas supervivientes; revistas cinematográficas como, por ejemplo, *Arte y Cinematografía, El Cine, Cinema/Cinema Variedades, Fotogramas, Popular Film, La Pantalla*...; publicaciones de información general como *Nuevo Mundo*...; y libros contemporáneos a los hechos como el de Alfredo Serrano *Las películas españolas*, 1925, el de José Román *Frente al lienzo*, 1924, o el de Gómez Carrillo *En el reino de la frivolidad*, 1923); también se apoya en el análisis de fuentes secundarias (estudios posteriores firmados por Piqueras, Hernández Girbal, Villegas López, etc.) cuya lejanía casi las convierte en fuentes primarias; y en la consideración matizada de estudios recientes. Nada de ello evita, sin embargo, que algunos pasajes de la historia de nuestro cine mudo sigan manteniéndose, en mi opinión, en el dominio de la conjetura: lo que decimos conocer sobre los inicios de Patria Films, por ejemplo, se apoya no pocas veces en datos por ahora convencionales y de segunda mano que en ocasiones me ha parecido oportuno modificar desde esa misma convención de origen; valoro también, por ejemplo, la decisiva figura de Chomón de forma diferente a como es usual en otros colegas partiendo, no obstante, de análogas informaciones a las habitualmente utilizadas por ellos...

En todo caso, he pretendido ofrecer, pese a la relativa fragilidad del estado actual de los conocimientos sobre el periodo estudiado, un modelo reducido de su fisonomía, características, avatares y funcionamiento. Modelo reducido que, como tal, sólo aspira a ser sustituido en un futuro lo más cercano posible.

1. 1896. El cinematógrafo llega a España

Cuando a principios de mayo de 1896, un hombre de confianza de los hermanos Lumière, el experto óptico Boulade, llega a Madrid para organizar las primeras demostraciones prácticas del invento de sus patronos, el panorama que se abre ante sus ojos es muy diferente al que conoce en su lugar de origen, ya que nuestro país presenta acentuados rasgos tercermundistas y un plomizo atraso estructural y político.

La sociedad que le acoge tiene aún en la memoria las desgarraduras producidas por la violenta eliminación, veintidós años atrás y a manos de una coalición entre militares ultramontanos y la retrógrada burguesía agraria, de una república constitucional y progresista. De igual forma, todavía perduran en ella las heridas producidas por una cruenta guerra civil carlista que hace veintiún años ha concluido. Asimismo, los estómagos populares aún recuerdan las consecuencias de la gran hambruna padecida catorce años atrás. Se vive en una sociedad que tan sólo hace seis años ha restablecido el sufragio universal y que vegeta bajo una monarquía «constitucionalista» en la que el rey reúne y concentra todas las prerrogativas. Los hipotéticos espectadores españoles del nuevo invento ven transcurrir su existencia presidida por conflictos coloniales y sociales, inmersos en un clima político en donde el riesgo de pronunciamientos militares es continuo, y soportando unos salarios cuyo bajo nivel determina una inestable y precaria escala de consumo. Espectadores cuyo país ha conocido cuatro años antes una sangrienta revuelta campesina en Andalucía, cuyas inversiones industriales dependen casi hasta 1911 del capital extranjero, y que importa productos alimenticios, materias primas textiles y maquinaria industrial, mientras sus exportaciones se reducen a ciertos productos agrícolas (vinos y naranjas), metales vizcaínos y tejidos catalanes que se encaminan hacia unas cada vez más disminuidas colonias: colonias que se pierden dos años más tarde de la presentación del cinematógrafo en Madrid.

La española es una sociedad que al acabar el siglo tiene un índice de natalidad del 77%, cuando el europeo asciende al 81%, y cuya masa campesina supone el 68% de la población, mientras los trabajadores industriales no alcanzan la cifra del 16%; cuya población es analfabeta en un 50% y cuyos habitantes se encuentran dispersos por la geografía hispana (en ciudades de más de cien mil habitantes sólo reside el 9% de los españoles). Y que, además, padece desde 1859 un crónico problema bélico en el norte de África, y cuya legislación laboral sólo se dicta en 1900...

En consecuencia, las tres largas décadas a lo largo de las que se desarrollará el cine mudo español estarán marcadas por esas circunstancias, que sólo de forma débil mitigará el paso del tiempo. Así, aquellas décadas conocerán dificultades coloniales en Marruecos, una sociedad perniciosamente impregnada de una mentalidad castrense sólo preocupada por su autoprestigio, continuas agitaciones obreras y campesinas, feroces represiones, desastres bélicos, semanas y jornadas trágicas, huelgas generales, campañas anticlericales, inoportunos asesinatos anarquistas de presidentes liberales de gobierno, pertinaces y abrumadoras intromisiones de la iglesia y de las numerosísimas órdenes religiosas en la sociedad civil, trienios bolcheviques en el sur, pistolerismo patronal en el norte... Todo ello mientras la burguesía se enriquece a ritmo acelerado sobre los esfuerzos, primero, de la población trabajadora, y, después, a causa de la favorable coyuntura que impulsa la guerra europea. Finalmente, 1923 verá imponerse una dictadura militar de rasgos progresivamente musolinianos...

De todas formas, los comienzos del cine entre nosotros son similares a los de cualquier otro lugar del ámbito occidental. Un nuevo enviado de los Lumière, el joven Alexandre Promio, filma durante las primeras semanas de junio —aunque parece probable que en los primeros días del año Francis Doublier ya rodara, durante un viaje exploratorio por cuenta de Lumière, una corrida de toros— características escenas locales con las que engrosar el Catálogo de Vistas Lumière. Así que las primeras «escenas españolas», las primeras películas que se impresionan entre nosotros por el galo mensajero de los Lumière, son un par de ocasionales panoramas portuarios barceloneses, vistas urbanas madrileñas, ejercicios militares protocolarios y ritos taurinos; es decir, lo más visible o pintoresco para una mirada poco atenta. Tras ello, Promio regresará hacia Lyon. Antes Boulade había dejado preparada la presentación pública del cinematógrafo en Madrid, el 14 de mayo, en un aristocrático salón del centro de la capital.

Todo esto se refiere, claro está, al cinematógrafo Lumière, procedimiento considerado hoy canónico por lo que a la reproducción de imágenes en movimiento se refiere. Sin embargo, entre 1894 y 1896 son numerosos los ingenios mecánico-ópticos patentados para reproducir imágenes en movimiento, algunos de los cuales conocerán un moderado desarrollo industrial por lo que también aparecerán entre nosotros y con mayor presencia, si cabe, que los aparatos de la empresa Lumière, para cuya potencia industrial nuestro territorio no dejaría de ser, por evidentes motivos de evolución económica y demográfica, un mercado relativamente secundario; mercado que, por esa misma lógica, y a la inversa, podría resultar rentable para todos aquellos pequeños empresarios marginales y ambulantes que habrían adquirido esos otros sistemas generalmente menos perfeccionados pero más baratos.

De forma y manera que el certificado de nacimiento del espectáculo de imágenes (analógicas) animadas registradas sobre un soporte de celuloide y consumidas colectivamente mediante entrada de pago (lo que hoy entendemos como cine) tuvo lugar varios días antes, con otro sistema y en un marco bien distinto: el 11 de mayo, de la mano de un madrugador electricista correcaminos llamado Erwin Rousby, mediante un aparato denominado Animatógrafo (que bien pudiera responder, aunque no necesariamente, al sistema del mismo nombre del inglés Robert W. Paul), en un circo (el Parrish), y en compañía de las atracciones correspondientes.

Así pues, a partir de mayo de 1896 el cinematógrafo va presentándose por toda la geografía peninsular: a finales de mayo en Barcelona (un precario Animatógrafo); durante junio también en Barcelona, Zaragoza y Lisboa; y consecutivamente en Madrid, Valencia, Santander (julio), Bilbao, San Sebastián, Murcia (agosto), Coruña, Valencia, Zaragoza, Valladolid, Sevilla (septiembre), Valencia, Pamplona, Barcelona, Madrid (octubre), Vitoria, Murcia, Madrid, Alicante, Andalucía (noviembre)... Y lo hace bajo toda suerte de denominaciones y aparatos entre los que se pueden, trabajosamente y con todo tipo de reservas, identificar los sistemas de Gaumont-Demeny (Cronofotógrafo), Meliés-Reulos (Kinetógrafo), Pathé (Ecnetógrafo), Edison (Vitascopio), Paul (Animatógrafo) y, obviamente, Lumière (Cinematógrafo).

Y, en consecuencia, tras las diversas filmaciones de Promio (las once panorámicas que dan origen a la serie «Vistas Españolas»), comienzan a registrarse las primeras películas españolas filmadas gracias a la iniciativa de algunos exhibidores que quieren presentar a su público temas locales que permitan asegurar cierta fidelidad de sus primerizos espectadores a sus establecimientos en detrimento de la competencia. Sus títulos son *Llegada de un tren de Teruel a Segorbe,* proyectada en Valencia el 23 de octubre y filmada varios días antes posiblemente por Charles Kall (probablemente porque podría ser otra película reutilizada para el caso, sin que ello aminore la importancia política de su utilización); «Siete actualidades» madrileñas presentadas el 11 de noviembre y filmadas días antes por el operador francés Beaugrand; y, finalmente, dos «vistas» valencianas y otras dos «escenas» típicas *(Baile de labradores y Ejecución de una paella)* filmadas por el francés Eugène Lix con la asesoría de dos pintores locales, y exhibidas en Valencia el 17 de diciembre. (Nótese que todos los operadores de este material son o parecen ser franceses...)

A partir de este momento los temas se irán repitiendo pese a que, cabe presumir, la producción de vistas y temas típicos no fuera muy abundante en los años siguientes por elementales razones económicas.

2. 1897-1910. Un prolongado pionerismo

2.1. *Caracterización general*

El punto de partida y la primerísima andadura del cinema español es similar al de otros cinemas nacionales. Es decir, salvando las distancias observables entre cada caso específico —y que atañen tanto a cuestiones de desarrollo histórico como a coyunturas de evolución política, tanto a factores de progreso económico e industrial como a situaciones vinculadas a problemas de estructura social y demográfica, tanto al grado de crecimiento de su medio cultural como a las modalidades bajo las que se presentan los espectáculos populares—, cualquier cine nacional, si quiere existir más allá de la anécdota circunstancial o del episódico sucursalismo, deberá, primero, construir su espectador (o sea, capturar su mirada) convirtiéndose en hegemónico en relación con el resto de espectáculos populares con los que comparte territorio; y deberá, segundo, asegurarse la fidelidad de ese recién conquistado espectador articulando sus propuestas cinematográficas y fílmicas (bien para superarlas, bien para reformularlas) con las tradiciones populares y culturales de la sociedad en que ese espectador crece. Desafíos que tendrá que resolver manejando y elaborando las limitaciones impuestas por las circunstancias de partida arriba señaladas, y suscitando frente a ellas respuestas (tanto organizativas e industriales como de índole textual) que no sólo neutralicen o desactiven esas restrictivas e inevitables condiciones previas, sino que incluso las transformen en la savia nutricia de su desarrollo. Y es en este sentido en el que todo cinema ha debido solventar parecidos problemas en los primeros tiempos de su existencia, sea cual sea la época o territorio en que éstos hayan tenido lugar.

En el caso de nuestro cine, sin embargo, la lentitud, cuando no parálisis, que impregna los primeros años de su devenir explica el abismal retraso evolutivo que lo va separando progresivamente de los restantes cinemas occidentales, como también justifica el interminable pionerismo que exhibe durante la inicial década del presente siglo. Estos años resultan decisivos para el porvenir del cinema español, sobre todo considerando el intenso ritmo de la producción europea por aquel entonces (con sus benefactoras consecuencias en la diversificación de temas, en el desarrollo de hallazgos estilísticos y gramaticales, en el continuado y potente crecimiento industrial, comercial y financiero de sus empresas...); producción que no tardará en ser la más inmisericorde competidora del cine español.

Así, mientras los cinemas europeos (primero Francia e Inglaterra, desde 1906 Dinamarca e Italia) y, poco después, el norteamericano, van edificando auténticos imperios cinematográficos, el cinema español (barcelonés por el momento, y en muy segundo término valenciano) acumula una debilidad crónica que le hace perder casi todas las batallas que se ve obligado a mantener con la potente producción extranjera, y que termina por definirlo con las características de una pertinaz impotencia, o de una aflictiva subsidiareidad de las corrientes extranjeras más en boga; corrientes con las que, pese a todo, tampoco logra entroncar satisfactoriamente al vincularse con ellas a destiempo y de forma tan rezagada y dependiente como la que puede ser capaz de provocar su bajo ritmo de crecimiento, su retraso estructural.

Verdadero y crónico cáncer de la producción española a lo largo del dilatado periodo mudo, las razones que, *grosso modo,* explicarían su raquitismo y endeblez, su negligente y subalterno desarrollo, su perezosa y desarticulada evolución, tendrían que ver con factores tan diversos como a la postre concomitantemente desfavorables. Por un lado —y teniendo siempre en cuenta las sensibles diferencias económicas y culturales existentes entre Cataluña y el resto de España—, el cinema venía a asentarse sobre una sociedad cuyo diseño oscilaba entre la caracterización cuasi tercermundista y de facto pre-industrial de la sociedad española, y el desarrollo urbano e industrial de una Cataluña en la que, sin embargo, el universo burgués, con estar bien alejado de las tímidas y débiles burguesías del resto del país, no alcanzaba aún la potencia y expansión que desplegaba la Europa industrial y colonialista. Por otro, y en estrecha dependencia de lo anterior, el cinema no podía evitar, en tanto espectáculo y fenómeno cultural, relacionarse con las agrias disputas intercambiadas entre una mayoritaria tradición aristocrático-clerical y una minoritaria y progresista ruptura regeneradora; confrontadas ambas a su vez con la específica y singular situación catalana, que si bien participaba progresivamente del cultivado espíritu de cierta burguesía europea en cuanto a hábitos de consumo artístico, en el terreno de la producción agotaba sus esfuerzos en establecer las bases para el reencuentro con una identidad cultural e idiomática que la diferenciara —tanto como ya lo hacía en el terreno económico e industrial— del resto de España, y le permitiera un desarrollo autónomo y normalizado. Preocupaciones en cuyo marco el naciente cinema tendría, lógicamente y visto desde la perspectiva de aquellos años, un peso irrelevante. Y todo ello, según se dijo páginas atrás, en un marco de aguda crisis política, profundo atraso económico, traumático imaginario poscolonial, y acentuados desequilibrios territoriales.

En el interior de tan específicas, inestables, y conflictivas circunstancias histórico-culturales, no debe sorprender que los iniciadores del cinema español se hayan visto impedidos para abordar con la suficiente audacia y desenvoltura un muestrario temático y expresivo que, anclado en sus realidades nacionales, fuera lo suficientemente original para rivalizar con las sucesivas aportaciones europeas, tal y como supieron hacerlo las cinematografías nórdica o italiana respecto a la producción francesa o inglesa. Si a ello añadimos el que los iniciadores del cine español bien podrían ser calificados en líneas generales por su procedencia y características como simples tenderos, hijos de una pequeña y minúscula burguesía más comerciante que comercial, convendremos en la inevitabilidad de que los primeros años de nuestro cine sólo generasen una realidad industrial y expresiva anémica y mal dotada tanto para enfrentarse a la competencia europea como para desarrollar un camino propio desde el que conquistar no sólo a su público natural sino también a eventuales espectadores extranjeros.

Todo lo anteriormente indicado aconseja prolongar la etapa pionera del cine español, y ello no sin desplegar cierto optimismo, hasta 1910 inclusive. En ese dilatado periodo de catorce años, y sobre todo desde 1905, se encuentran ya los gérmenes e incluso algunos desarrollos de lo que va a ser, para mal o para bien, nuestro cine a partir de esa fecha. Es en esos años cuando comienza a acumularse el mínimo capital imprescindible para afrontar la creación de rudimentarias empresas productoras, cuya financiación se origina bien a través del no por precario menos real desarrollo de la producción de actualidades o documentales, bien mediante los beneficios de la distribución o exhibición de films extranjeros. Es en esos años cuando España, y sobre todo Cataluña, se va configurando como un importante mercado consumidor para la producción europea hasta el punto de que ya en febrero de 1906 Pathé dispone de sucursal abierta en Barcelona (Meliés y Gaumont desde 1907). También es en esos años cuando las empresas productoras empiezan a tantear temas cuyo desarrollo configurará la fisonomía genérica de los siguientes años: el melodrama folclórico o populista (Cuesta desde 1906), la zarzuela (Chomón/Fuster desde 1910), el film histórico (Macaya/Marro desde 1905), la escena cómica (Gelabert desde 1897), el drama rural contemporáneo (Films Barcelona desde 1907), el drama romántico (Hispano Films desde 1908)... Y, de igual forma, esos tiempos conocen por vez primera la contratación de grandes figuras de la escena teatral para su actuación en la pantalla (Films Barcelona desde 1907); el surgimiento de decorados corpóreos sustituyendo a, o compartiendo, los telones pintados (Cuesta desde 1906); la ampliación del metraje de cada film (Hispano Films desde 1910); o la aparición de un fenómeno que no será infrecuente a lo largo de los años venideros: la emigración laboral de los más capaces (Chomón desde 1905). Y, por último, es también entonces cuando aparece entre nosotros la prensa cinematográfica especializada: señaladamente la revista *Arte y Cinematografía,* fundada en 1910, año en que también aparecieron un par más de cabeceras menores.

2.2. *La función del documental y del reportaje. Primeras productoras*

Una anémica cinematografía cuyo censo de ficciones se elevaba en los primeros días de 1905 y según todos los indicios a la exigua cifra de dos escenas cómicas y cuatro piezas de trucos —considérese, no obstante y por mera precaución, que futuras investigaciones quizá podrían engrosar esa cifra; aunque mucho me temo que no de manera significativa—, y cuya posterior evolución, por lo que se refiere a films de «asunto», se desarrollaría a lo largo del resto de la década bajo el signo de un discurrir asmático, sólo podía ir creando las bases de su crecimiento mediante el cine documental y de actualidades. Realizar esta clase de películas no requería infraestructura industrial significativa (sólo disponer de tomavistas, celuloide y laboratorio) ni inversión financiera alguna, pero podía exhibirse reiteradamente e, incluso, en función del tema, su actualidad, o su interés internacional, exportarse a Europa o América. Así, tanto pintorescas escenas locales o «panoramas» turísticos como reportajes sobre la actualidad política o la guerra de África, cumplían una triple y no desdeñable función: asegurar una mínima presencia autóctona en las pantallas nacionales; posibilitar una embrionaria tesorería, mediante su distribución o venta al extranjero, a las nacientes empresas productoras; y formar un mínimo elenco de operadores cinematográficos (que en su mayoría procedían del campo de la fotografía estática), técnica y profesionalmente eficaces, que aseguraran cuando menos la visibilidad de los films de argumento que con paulatina regularidad comenzaban a realizarse. Estos documentales y reportajes, salvo en los casos en que fueran producidos por sus propios operadores, se financiaban y filmaban a requerimiento de empresas exhibidoras necesitadas de una cuota razonablemente mínima de material autóctono. La progresiva simbiosis entre unos y otras dio lugar a la formación de pequeñas casas productoras que no tardarían, aun sin abandonar ese aval para la supervivencia que constituían las filmaciones documentales, en abordar la realización de películas «de asunto». Repasemos los casos más significativos.

Entre los operadores de primera hora destaca Fructuos Gelabert, inaugural pionero de nuestro cine, activo desde 1897, en que realiza su primer film argumental: *Riña en un café*. Habilidoso ebanista y posterior aficionado a la fotografía —por lo que no tardaría en construir él

Riña en un café (Fructuós Gelabert; reconstrucción del propio autor, 1954).

mismo cámaras fotográficas—, fabricó su propio tomavistas, desenvolviéndose desde entonces como operador, director y productor; y también como ocasional empresario, instalador de cinemas y, desde 1899, técnico en mantenimiento de aparatos cinematográficos. Sus documentales, alejados de la conflictividad reinante y rodados en no pocas ocasiones aprovechando sus desplazamientos profesionales como técnico, compusieron un atractivo y apacible muestrario de panoramas turísticos y pasajes folclóricos.

Mientras tanto, en el otoño de 1902, se crearía la Sala Diorama, que al año siguiente comenzaría a proyectar películas, primero, y a instalar salas de proyección, fabricar utillaje cinematográfico, y a establecer un laboratorio de revelado, después. Para ocuparse de tales menesteres fue lógicamente contratado Gelabert. Y como natural derivación posterior de la Empresa Diorama no tardará en constituirse Films Barcelona (1906-1913), cuyas producciones documentales y argumentales (éstas frecuentemente en colaboración) fueron realizadas hasta 1910 por Gelabert.

Poco más tarde Ricard Baños, quien aprendió rudimentos fotográficos con su hermano mayor, viajó a París para perfeccionar su dominio técnico en la empresa Gaumont, y regresó a Barcelona en 1905 y en compañía de Alice Guy para rodar números de zarzuela con destino al catálogo del sistema sonoro de Gaumont. Operador, director y productor, espíritu abierto a la realidad circundante, rodó desde «vistas naturales» tanto españolas como extranjeras, hasta una amplia serie de reportajes sobre la guerra de África que haría la fortuna de su productora, la Hispano Films, de la que en breve hablaremos con más detalle.

Llamativo aparece el caso del valenciano Ángel García Cardona, puesto que en su figura confluyen actividades simultáneas de operador y exhibidor. García, a partir de su acreditada labor como fotógrafo, abre un salón de proyecciones con laboratorio en 1899, rodando numerosos reportajes para nutrir sus sesiones, que se veía obligado a combinar con otros espectáculos escénicos. Hasta 1900 filma numerosas películas, pero en 1901 ya se ha visto obligado a cerrar su salón reduciendo significativamente su actividad filmadora.

Paralelamente, Antonio Cuesta Gómez, avispado comerciante en artículos de droguería, fue añadiendo secciones a su establecimiento (venta de material fono y fotográfico, laboratorios de revelado e impresión de cilindros), lo que le llevó a mantener una estrecha relación con García, por lo que no tardará en inaugurar (1904) una sección cinematográfica en su local. La buena marcha del negocio hizo que Cuesta comenzara a producir reportajes encargando las filmaciones a Ángel García. Y desde que a principios de agosto de 1905 hace su aparición el primer título del singular tándem, Cuesta y García Cardona, junto a filmaciones de acontecimientos sociales relevantes dotadas de toques purificadoramente realistas, se entregan a filmar y almacenar con un ritmo casi frenético corrida de toros tras corrida de toros, faena tras faena, hasta el punto de reunir tan voluminoso archivo como para poder organizar con sus fondos y a voluntad del cliente la exhibición de cualquier hipotético festejo taurino con los diestros deseados o las faenas apetecidas. Ni qué decir tiene que Cuesta se convirtió con ventaja en el primer exportador cinematográfico del país durante el periodo que estamos considerando.

Curioso es también, a su vez, el caso del fotógrafo Narcís Cuyás, que, reclamado por los distribuidores Cabot i Puig y Verdaguer Mota (que distribuía seriales franceses desde 1908), inicia, en 1910 y bajo la marca Iris Films, una incontinente producción (diez títulos) de ambiciosos dramas basados en autores de prosapia (Cervantes, el Duque de Rivas, Guimerá, Víctor Balaguer), interpretados por actores teatrales de alcurnia, y sin guardarse las espaldas con los socorridos reportajes y documentales. El peculiar resultado de lo que pareció ser una brutal, suicida e imposible aclimatación del Film d'art francés entre nosotros ya puede suponerse: interrupción de las filmaciones a comienzos de 1911, licenciamiento de Cuyás, separación de los socios fundadores y reorganización de la empresa por parte de Cabot i Puig, quien con este nombre comienza a producir numerosos documentales —que, a buen seguro, lograrían sanear las finanzas de la empresa tras la anterior experiencia— filmados por Gelabert (que, como vimos, había abandonado Films Barcelona en 1910).

Singular y extraordinaria resulta, por último, la decisiva cadena formada por Chomón, Marro, Macaya, Baños y Fuster, por lo que nos ocuparemos de ella con más detalle.

2.3. *Primeros argumentos*

Como se ve, el inicio entre nosotros de la producción cinematográfica es el fruto de la convergencia comercial entre operadores, exhibidores, importadores e instaladores, lo que explica la relativa debilidad de las nuevas empresas productoras que, faltas del suficiente apoyo por parte del capital financiero o industrial, encuentran, en el mejor de los casos (aquellas firmas que consolidan su actividad durante más tiempo: Cuesta e Hispano Films) su necesario margen de maniobra en los éxitos cosechados por su producción documental.

Todo este conjunto de productoras es quien inaugura en Barcelona o Valencia la realización de films de argumento a partir de ciertos géneros bien definidos: en primer lugar, el film cómico. Si, como tantas veces se ha dicho a lo largo de estas líneas, el documental o el reportaje de actualidad opera como fuente de financiación industrial de las empresas, otro tanto puede decirse del film cómico, género que durante estos años aparece frecuentemente a consecuencia de su baratura, su factible improvisación, y su profundo entronque con un público popular acostumbrado al chiste escénico engendrado en el sainete teatral o en el espectáculo de variedades. Además, aunque también cumpla fines de capitalización empresarial, la utilidad del film cómico exhibe un más vasto alcance que la del film documental, ya que, al tratarse en su caso de ficciones, éstas empujan su público natural a familiarizarse con temas locales, rostros autóctonos o fisonomías urbanas reconocibles, abriendo así camino a otros géneros de ficción. De forma y manera que el género es cultivado por Gelabert, iniciador del mismo en 1897, en, por ejemplo, *Los Kikos* (1906) para Films Barcelona; Chomón, en *Se da de comer* (1905) para Macaya y Marro, o *Un portero modelo* (1910) para Chomón y Fuster; Albert Marro y Ricard Baños en *Los polvos del rata* (1909) para Hispano Films. Por el contrario, quizá no resulte ajeno a la efímera vida de Iris Films el hecho de que no cultivara ni el film cómico ni el documental.

Junto a ello, desde 1906, comienza a establecerse el film dramático inspirado en general por exitosos dramas escénicos. Particular interés reviste en este terreno la actividad de Gelabert, quien en 1907 y 1908 lleva a la pantalla para Films Barcelona los dramas de Ángel Guimerá *Tierra baja* y *María Rosa*, este último co-dirigido con Joan M. Codina. Considerando que la obra de Guimerá entroncaba con las aspiraciones populares de su momento, contribuyendo a crear una mitología artística cuasi proletaria (similarmente a lo que ocurría fuera de Cataluña con la obra de Dicenta), la decisión de Gelabert —o quizá del gerente de la empresa, José Mª Bosch, o de Joan M. Codina— de vincular el nuevo espectáculo popular por excelencia con una tradición cultural que no procediera tan sólo de corrientes burguesas o aristocratizantes aparece en toda su oportunidad. Pese a ello y contradiciéndose elocuentemente, Gelabert frecuentó después el drama de origen decimonónico más o menos neorromántico *(Guzmán el Bueno*, 1909, para Films Barcelona), tal y como antes habían comenzado a hacerlo para Hispano Films Albert Marro y Ricard Baños *(Don Juan Tenorio*, 1908, y *Locura de amor*, 1909).

No obstante, será el propio Marro (y Baños) quien abordará en 1910 la filmación de una película, *Don Juan de Serrallonga*, que alejándose de los dramones recientemente practicados supondría una tentativa de acercamiento a ciertas fuentes de la literatura popular, el folletín de aventuras o «romance de cordel», con el objetivo de atraer a un público popular en verdad remiso a los grandes gestos del drama en verso; operación justificable máxime cuando los públicos burgueses no pare-

Don Juan de Serrallonga (Albert Marro, 1910).

cían muy dispuestos a consumir las versiones cinematográficas (ínfimas, según ellos) de su propio espectáculo escénico, por mucho que en la pantalla aparecieran las figuras de los astros del escenario, calamitosa tendencia también iniciada por Gelabert (*Tierra baja* fue interpretada por una compañía teatral) y desplegada *ad nauseam* por Iris Films.

En esta dinámica de búsqueda de los géneros más aptos para el consumo de públicos populares —búsqueda fatal e inevitablemente tardía en relación con el desarrollo de un cine, el europeo, que ya era devorado con regularidad en los cinematógrafos españoles—, ciertas empresas iniciaron su declive (Films Barcelona, que se mantuvo, y no sin esfuerzo, hasta 1913 con sólo unos exiguos asuntos cómicos y algún solitario melodrama; Iris Films, que en 1911 había finalizado sus actividades asfixiada por la guardarropía...), mientras otras empresas consiguieron prolongar su labor durante la siguiente década, en particular la Hispano Films, que desarrolló una producción diversificada en asuntos cómicos y dramático populares, alternándolos más tarde con films de aventuras y seriales.

La otra productora que mantuvo un regular aunque poco intenso ritmo de producción (hasta 1914) fue la valenciana Cuesta, quien ya a finales de 1906 encontró un camino de desarrollo de cine popular de cuyas lecciones, a buen seguro, tomarían nota no sólo los hombres de la Hispano, sino también Joan M. Codina. Desde la filmación del notable *El ciego de la aldea* (García Cardona, 1906), la productora valenciana acomete la realización de un conjunto de melodramas populistas realizados, quizá bajo lo más valioso de la influencia francesa, con un sentido realista, ingenuo y oxigenado (y no sólo por la abundancia de atractivos exteriores) que aseguraba una rápida conexión con los públicos humildes a quienes se destinaba. Sus primeras películas se inspiran en aleluyas y cuentos populares, y antes recrean ambientes y tradiciones castizos, que pergeñan adaptaciones más o menos literales de un material de partida que se quiere culto o burgués, confeccionando, a la postre, un romance de ciego filmado. Esos melodramas fueron sufriendo una sutil y enriquecedora evolución mediante la que se incorporaron a su desarrollo genuinos elementos costumbristas *(La lucha por la divisa*, 1911), o aspectos inspirados en leyendas románticas de sabor andaluz y folclorista *(Los siete niños de Écija*, 1911-1912). Estos últimos films, desplazado por causas desconocidas Ángel García, fueron realizados con un sorprendente instinto popular por Joan M. Codina, personaje que hasta la fecha era el representante comercial de la casa en Barcelona, y que a iniciativa del gerente de Films Barcelona había codirigido el film *María Rosa* con Gelabert, al que finalmente acabaría desplazando de esa productora.

2.4. *Chomón, Marro, Macaya, Baños, Fuster*

Las decisivas figuras de Segundo de Chomón y Albert Marro constituyen —junto a las discontinuas aportaciones de Gelabert— los pilares sobre los que se asentará, en los primeros años del siglo, el preliminar armazón industrial y expresivo del naciente cine español. Vayamos por partes.

Hijo de médico militar, aficionado a la fotografía, dotado de una extraordinaria habilidad manual y no poca perspicacia, y habiendo cursado estudios de enseñanza secundaria (lo que no era poco en una época en que más de la mitad de la población española era analfabeta), Segundo de Chomón llega a París a mediados de la última década del pasado siglo (hay razones, aunque no concluyentes, para situar la fecha en 1895); y lo hace buscando los oxigenados horizontes que le niega la fatalidad de haber nacido en el atrasado y semifeudal Teruel de 1871, y ejercer allí de escribiente. Sin embargo, no parece que haga otra cosa por París que dar tumbos —su oficio no pareciera el más adecuado para un emigrante— y tener amores con una actriz de teatro y variedades de segunda fila, amores cuyas consecuencias aumentan sus agobios económicos (se verá convertido en padre en enero de 1897), por lo que semanas más tarde abandona París, dejando allí al bebé y a la madre, para alistarse como voluntario en el ejército español con destino a Cuba, donde sentará bien remunerada plaza como escribiente y delineante hasta su repatriación en enero de 1899.

Mientras esto último ocurre, Julienne Mathieu, su compañera, comienza a trabajar en el taller de coloreado manual de películas que ha organizado Georges Méliès —actividad sin duda más lucrativa que la interpretación de papeles de reparto en giras teatrales provincianas— lo que le permite observar la progresiva importancia industrial que está adquiriendo el cinema. A la vista de ello, y aprovechando su creciente prestigio en los talleres de Méliès, la mujer no tardará en reintegrar al núcleo familiar parisino a un Chomón ya licenciado de sus compromisos militares (octubre de 1899), introduciéndole profesionalmente en el taller de coloreado donde ella trabaja.

El largo año que pasa en ese taller le sirve a Chomón para perfeccionar sus conocimientos de fotografía, familiarizarse con los procedimientos de filmación, conocer las técnicas de trucaje, dominar los sistemas de coloreado de películas, y maquinar invenciones que agilicen y aceleren esos procesos de iluminación. Y también le sirve para ir tomando contactos con los patronos de la cinematografía francesa y para ir aprendiendo su funcionamiento industrial. Y con tal acervo de útiles conocimientos y relaciones vuelve su mirada hacia una Barcelona cuya práctica virginidad en el campo de la producción cinematográfica sugiere prometedoras expectativas profesionales.

Aunque de familia más acomodada también era hijo de militar (comandante del ejército español en Filipinas) y también tenía raíces aragonesas Albert Marro. Y al igual que Chomón poseía estudios de enseñanza secundaria y similar espíritu inquieto y cosmopolita, por lo que no es de extrañar que 1897 concluya encontrándole como em-

Albert Marro

presario ambulante de una barraca donde ofrecía variedades y cinema. Tal empresa había sido creada por Marro con cierta suma de capital que le había proporcionado su madre para que pudiera huir de un poco estimulante futuro como oficinista en cualquier industria. Y en los tres años que este insólito feriante —no era usual que los primitivos buhoneros de sombras iluminadas se manejaran en francés e inglés y fueran elegantes, cultos y educados— ejerció de trotamundos por el territorio catalán acumuló suficiente dinero como para hacerse con una confortable y acreditada instalación fija en Barcelona. Y es allí cuando en 1901 recibe la visita de Chomón.

Ignoramos si esta visita fue lógica consecuencia de las prospecciones que Chomón habría hecho en el aún débil mundo cinematográfico barcelonés, o si también influyeron en ella las afinidades perceptibles entre ambos personajes. La cuestión es que en esa y sucesivas visitas Chomón persuadió a Marro de la conveniencia de poner en pie una mínima y primaria estructura de producción a la que él aportaría una cámara tomavistas que había adquirido en París, y Marro la disponibilidad monetaria proveniente de su actividad como exhibidor. Esta estructura debería permitir la realización de «vistas panorámicas» que podrían ser vendidas a Pathé. Así, durante 1901 filmaron cuatro «vistas» (de las que haya constancia, aunque nada asegura que no fueran más) al tiempo que Chomón iba y venía entre París y Barcelona. El alentador resultado obtenido por estas preliminares actividades acabó de convencer a Marro, quien ya en las primeras semanas de 1902 (o quizá en los momentos finales de 1901) había logrado la incorporación al proyecto de un benévolo socio capitalista, Luis Macaya, constituyéndose entonces formalmente la primera productora española de que tenemos noticia: Macaya y Marro.

Al mismo tiempo, y desde su intermitente observatorio parisino, Chomón no dejaba de percibir la irreversible importancia que la industria cinematográfica estaba llamada a adquirir en el mundo del espectáculo; como, por otra parte, su mujer gozaba de un asentado prestigio en el sector del coloreado e iluminación de películas, y como, además, sus fluidas relaciones con Marro le aseguraban cierta continuidad profesional entre nosotros, Chomón decide establecerse en Barcelona, donde casi todo sigue por hacer y nadie puede competir con él. De modo que en la primavera de 1902 Chomón abre en Barcelona un taller de coloreado cuya dirección comparte con su esposa y para el que pretende lograr encargos de la francesa Pathé.

Es, pues, 1902 el año en que comienzan a observarse algunos pequeños pero significativos hechos que apuntan hacia el inicio de una mínima infraestructura industrial cinematográfica. Por una parte, Macaya y Marro, con el concurso de Chomón —Chomón era el responsable de fotografía y trucajes; Marro se ocupaba de seleccionar temas y argumentos y de impresionar con Macaya aquellas «vistas panorámicas» cuyo rodaje aburría al turolense—, siguen filmando con irregular ritmo un conjunto de películas cuyo volumen y títulos ignoramos, aunque haya quedado constancia de la realización por un Chomón recién instalado en Barcelona (en mayo) de un atractivo *Choque de trenes* que combinaba maquetas e imagen real, y aunque también quepa suponer razonablemente la existencia de diversas «vistas».

Por otra, Chomón intenta obtener regularmente encargos de Pathé con los que ocupar las instalaciones de su taller de coloreado, propósito no desprovisto de dificultades económicas ya que no parece muy razonable para una empresa de la envergadura de Pathé y en términos de rentabilidad mandar lotes de películas a centenares de kilómetros de distancia en interminables viajes de ida y vuelta (con los inherentes riesgos de pérdida o deterioro de los envíos) cuando en París se dispone de talleres suficientemente acreditados. No puede caber la menor duda de que Chomón pondría en juego todas sus relaciones y el prestigio que hubiera podido acumular para obtener estos problemáticos encargos, que sólo tendrían sentido si la credibilidad de su taller y la calidad de su trabajo superaran todo pronóstico por favorable que fuera. Este proceso no debió desarrollarse al resguardo de reticencias por parte de los responsables de Pathé —resulta elocuente al respecto la correspondencia que sobre el particular facilita Tharrats (cuyo libro supone un antes y un después en los estudios sobre Chomón)—, pero lo cierto es que ya en enero de 1903 la calidad de su trabajo es tan incuestionable que no sólo se le permite expresamente saltarse a la torera las indicaciones cromáticas de origen y colorear según su criterio, sino aumentar unilateralmente su estipendio en un 50%.

Desde 1903 asistiremos, pues, a la consolidación de los convergentes afanes de Chomón y Marro. Por una parte, el taller de Chomón alcanza una bien ganada reputación tanto en las numerosas tareas de iluminado que emprende como en la confección de rótulos y adornos gráficos para los intertítulos, durante cuya ejecución acabará descubriendo la técnica del «paso de manivela», procedimiento que no tardará en aplicar a la creación de un efecto que reste monotonía y confiera vivacidad a los rótulos, y que llamará «letras enredadas». Por otra, la empresa Macaya y Marro asienta progresivamente una cautelosa política productora: algún film de trucos, algún asunto cómico, reportajes y vistas. Y la paulatina solvencia de una y el crédito profesional del otro que, no lo olvidemos, trabaja también para aquélla, coadyuvan a que mediante un viaje de Marro a París la empresa se haga finalmente con la representación del material Pathé para la península, anudándose así el círculo de lo que no es otra cosa que una perspicaz operación empresarial: un reducido capital inicial (los negocios de exhibición de Marro y las colaboraciones materiales de Chomón), más una moderada aportación de nuevo capital (Macaya), más los beneficios obtenidos por la explotación y venta de «vistas panorámicas» y otros pequeños films cómicos o de trucos, más la concesión del material de una potentísima empresa extranjera, facilitan la necesaria tesorería para, pese a las precarias redes de una exhibición que se apoya con frecuencia en empresarios ambulantes, mantener un volumen de producción no por presumiblemente limitado menos real.

Lamentablemente casi no queda rastro de las películas realizadas por la fructífera confluencia de Macaya y Marro y Chomón. Tan sólo han llegado hasta nosotros aisladas referencias de algunas obras significativas dudosamente fechadas y mal documentadas entre las que se cuentan: *Los guapos del parque* (1904, aunque quizá debería datarse a finales de 1903), asunto cómico que excede el chiste escénico filmado para convertirse en un sainete (quizá el primero de nuestro cine) que concluye inmerso en la variante cómica del «film de persecuciones»; la película de trucos *Pulgarcito* (1904) y las más complejas *Gulliver en el país de los gigantes* y *Juanito el forzudo* (ambas de 1905), donde utiliza sobreimpresiones con personajes de distinto tamaño; la reconstrucción histórica *Los sitios de Zaragoza* (1905), dotada de maquetas y efectos pirotécnicos sobreimpresionados... Lo que sí podemos suponer, no obstante, es que prácticamente hasta 1905 la producción se orientaría fundamentalmente, y al igual que en el resto de las nacientes empresas de la época, hacia los reportajes, asuntos cómicos, o sencillas piezas de trucos por obvias razones de baratura; y que la realización de asuntos técnicamente más complejos y económicamente más onerosos —películas fantásticas como *Gulliver* o *Juanito el forzudo*— debieron esperar hasta bien entrado 1905, con una empresa sólidamente cimentada que permitiera los dispendios que en comparación con los elementales films precedentes exigía la realización de tales películas.

Sin embargo, a principios del otoño de 1905 tan bien avenido equipo comenzó a resquebrajarse. Por un lado, Luis Macaya había muerto y sus herederos se mantenían en la empresa con no pocas reticencias; por otro, Chomón cancelaba sus actividades barcelonesas ya que, a la vista de su elevada competencia profesional, Pathé había requerido sus servicios para que no sólo se responsabilizara en calidad de argumentista, director de escena y fotografía, y ejecutor de trucajes, de la realización de «fantasmagorías» (películas de hadas, trucos, magias, transformaciones y sorpresas) que pudieran competir satisfactoriamente con la producción Méliès, sino para que también colaborara como fotógrafo en obras de otros directores; y por si fuera poco, y a la vista de la importancia que estaba adquiriendo el mercado cinematográfico español, Pathé decide inaugurar sucursal en Barcelona (febrero de 1906) retirándole por tanto la representación comercial a Macaya y Marro.

Pese a ello, la sociedad Macaya y Marro, sin el concurso directo de Chomón, mantendría una ralentizada actividad durante 1906, año en que Marro incorpora a la empresa un par de nuevos socios. Pero como éstos no desembolsaban el capital previsto y los herederos de Macaya abandonan el proyecto, Marro liquida la firma, se asocia con los hermanos Baños y, tras rodar algunos reportajes, forman una nueva empresa en la que Marro es socio mayoritario: Hispano Films (1907); empresa que consume su primer año de vida rodando fundamentalmente reportajes y documentales con los que consolidar los recursos financieros que le permitirán iniciar en 1908 y con la notable *Don Juan Tenorio* su brillante trayectoria como productora de films «de asunto».

Trayectoria apoyada en la construcción de unos relativamente bien equipados estudios de rodaje, en la existencia de unos eficaces laboratorios que además de ocuparse de los propios trabajos de la Hispano Films realizan todo tipo de encargos ajenos (rotulado de películas extranjeras, positivado de copias para exhibidores), en la filmación de abundantes documentales diseñados con un saludable criterio cosmopolita (fotografiados por Marro o Baños más de 25 entre 1908 y 1909), en la edición discontinua de actualidades que incluyen provechosos materiales de nuestras campañas bélicas en África, en el rodaje de películas para terceros, y en una equilibrada política de producción que oscila entre dramas neorrománticos y asuntos cómicos. Así, antes de que acabe la primera década del siglo, Hispano Films ya es una sólida empresa productora en el sentido en que hoy entendemos el término.

Pero volvamos a Chomón. Cuando parte hacia París el conjunto de sus aportaciones al cine español de la primera hora, máxime teniendo en cuenta su bajo nivel de desarrollo, no es, según hemos visto, en absoluto desdeñable, aunque en algunas de ellas no debamos olvidar el papel jugado por Marro. Como tampoco resultará baladí su trabajo en los Estudios Pathé: en 51 meses realiza no menos de noventa películas —casi siempre «fantasmagorías»—, construye cámaras especiales, desarrolla la técnica del dibujo animado, inventa las películas protagonizadas por muñecos, idea primitivos «travellings» que hace funcionar como elemento antes expresivo que técnico, pone a punto el sistema cromático Pathécolor...

Sin embargo, a finales de 1909 ya parece una evidencia industrial que la «fantasmagoría» como género tiene los días contados (de hecho su decadencia ya es perceptible desde mediados del año anterior). Y tan es así que Méliès, el mayor competidor en este terreno de Pathé, ha reducido su producción hasta el crítico extremo de que en 1911 será absorbido por éste. Ante tales perspectivas, Pathé, que sólo necesita satisfacer una residual demanda de films fantásticos y de trucos y que dispone para ello del abundante volumen de títulos de ese género que le ha proporcionado Chomón en 1908 y 1909, decide, en buen capitalista, cancelar el contrato que liga al turolense con sus Estudios y que concluye al término del año 1909, por lo que Chomón regresa a Barcelona en la poco novedosa situación de tener muchas ideas y ningún capital para llevarlas a cabo.

No tarda, pese a todo, en convencer a un distribuidor y exhibidor activo desde comienzos de siglo, Joan Fuster Garí, de la oportunidad de emprender un programa de realizaciones orientado por los criterios industriales y casi seriados que inspiran la producción Pathé. El prestigio de Chomón, su experiencia de años en ese emporio industrial que es el cine francés, y sus contactos con Pathé, le proporcionan de cara a Fuster una credibilidad que se engrana suavemente con el indiscutible hecho de que el cinema también es un espectáculo que manifiesta visible crecimiento entre nosotros. De manera que a finales de febrero de 1910 se funda la razón social Chomón y Fuster cuya primera y lógica providencia será edificar unos estudios de rodaje.

La experiencia de la entidad va a conocer un desarrollo inesperado y radicalmente problemático. Por una parte, Chomón, como director artístico de la firma, pone en marcha un incontinente programa de producción —¡veintiuna películas en cuatro meses!— que ni la densidad de las todavía muy desequilibradas territorialmente redes de exhibición del país, ni el todavía moderado consumo de productos cinematográficos allá donde más arraigado se encuentra el nuevo hábito, está en condiciones de absorber, por lo que la amortización de las inversiones puede considerarse casi inexistente. Por la otra, y pese a las optimistas previsiones de Chomón, el material producido resulta inexportable (sólo dos de las veintiuna películas son adquiridas por Pathé) ante la estupefacta desesperación de Fuster.

Perdidas o no disponibles tales películas no estamos en condiciones de especular sobre su calidad o su adecuación al mercado, aunque pueda razonablemente sospecharse de la idoneidad para la tarea de un Chomón que lleva más de cuatro años realizando «fantasmagorías» y del que cabe pensar no tiene mucha soltura en abordar el film dramático o el sainete. Porque no parece que sea responsable del fiasco la política productora diseñada por Chomón con no poca perspicacia y cuyo único problema empresarial sería su inadecuada intensidad de ejecución. Tal política incluyó el rodaje de siete zarzuelas (el material sainetesco de base), siete melodramas, tres películas cómicas, dos fantasmagorías, y dos dramas históricos. O sea, salvados los problemas de su inapropiado frenesí filmador y el consiguiente bloqueo de las amortizaciones, se trata de un inteligente programa que tiene en cuenta tanto el tipo de cine que están cultivando con más reposo otras empresas españolas y que se vincula a segmentos del cine francés popularizado entre nosotros, como aquellos aspectos de nuestra cultura sólidamente implantados en el gusto y el imaginario popular.

Como sea, urgido por su cada vez más contrariado socio, Chomón debe dirigirse a la sucursal barcelonesa de Pathé para conseguir un acuerdo de preventa o distribución con la empresa parisina que pueda proporcionarle tanto cierta liquidez bajo la forma de crédito anticipado como cierta capacidad exportadora a través de las estructuras de la empresa francesa, y así proseguir la actividad de Chomón y

Fuster. El contrato, escandalosamente leonino, que finalmente sólo rubrican Chomón y Garnier (representante barcelonés de Pathé), merece subrayarse por la cláusula en la que se precisa que se le pagará a Chomón por «película aceptada y editada», y que sobre ello decidirá «Garnier o el mandatario de éste». Suponemos que no poco humillado y necesariamente limitado en su iniciativa creadora —si quiere trabajar para Pathé debe prescindir de las zarzuelas— Chomón y Fuster inicia una nueva y esperanzadora etapa lastrada, no obstante, por un sorprendentemente reiterado desenfreno filmador quizá necesario, por otra parte, para acelerar la hasta ese momento remisa amortización. En efecto, en poco más de cuatro meses vuelven a filmarse dieciséis títulos (ocho melodramas, cinco comedias y tres fantasmagorías) de los que, todo parece indicarlo, sólo dos son «aceptados» por los esquivos responsables de Pathé, con lo que el déficit de la firma barcelonesa alcanza profundidades abisales. Ante tal aterrador balance un ya irremediablemente indignado Fuster rompe con Chomón en noviembre de 1910 quedándose con el Estudio como garantía a sus ruinosas inversiones y dejando al turolense con un grave compromiso incumplido con Pathé.

Ignoramos qué gestiones harían sus amigos de la empresa francesa, o qué alternativas arbitraría el representante barcelonés de aquélla para mitigar el desastre sin paliativos en que se vio inmerso el desolado e imprevisor Chomón. Lo cierto es que a partir de febrero de 1911 viose obligado a ejercer una fastidiosa itinerancia para filmar documentales con destino a la casa francesa y así ir enjugando su deuda. Y que a partir del verano, y bajo la égida de Garnier, Pathé creó en Barcelona la Ibérico como tardío componente de la red de empresas asociadas que había ido impulsando años atrás por todo el mundo, firma a cuyo frente situó a un capitidisminuido Chomón en funciones de penitente realizador asalariado, y bajo la estrecha supervisión de sus patronos. Los films para Ibérico que Chomón rodó en hábito de disciplinado funcionario se diseñaron con la mirada puesta en las necesidades de Pathé: once obras rodadas a lo largo de siete meses y pertenecientes a las distintas variantes del ya más que residual género de la «fantasmagoría», en donde Chomón vio limitado su campo de maniobra respecto a lo que, en el mismo género, había hecho años antes, y cuya única excepción sería una juguetona película interpretada por el genial cómico André Deed, «Toribio», aprovechando una gira teatral por Barcelona.

Por fortuna, de tal purgatorio le sacará en la primavera de 1912 la turinesa Itala Films, que le ofrece un providencial contrato para incorporarse a la industria italiana, a la que aportará brillantes servicios, siendo particularmente recordados sus celebérrimos hallazgos visuales de *Cabiria* (1914). Chomón nunca volverá a España.

2.5. *Madrid no existe*

Mientras todo lo anterior sucedía en Madrid no pasaba nada, dicho sea en términos cinematográficos. La razón era tan simple como sorprendente: no había público para el nuevo espectáculo.

Durante los primeros años de implantación del cinema, como sucedía por doquier, las «salas» de exhibición eran simples barracones, mejor o peor instalados, y los diversos públicos acudían a su interior llevados por la curiosidad. Pero ya durante los primeros años del siglo los empresarios fueron observando con no poca alarma el progresivo descenso del número de espectadores y cómo los pocos que se iban manteniendo procedían de las capas sociales con menores recursos económicos. Ante tal situación, que en Madrid llegó a ser particularmente inquietante hacia 1903, los exhibidores comenzaron un proceso destinado a ampliar el número de instalaciones fijas (es decir, a edificar salas estables y dotadas de mayores comodidades), y a mejorar sus servicios, con el fin de alejar de sus posibles espectadores la irregular imagen de la barraca provisional y del feriante trotamundos; este proceso tampoco fue muy distinto al que ocurría por otros territorios peninsulares. La diferencia estribó en que mientras en otras zonas, sobre todo Cataluña, Aragón y País Valenciano, el procedimiento arbitrado generó efectos beneficiosos, en Madrid no dejó sentir resultado palpable alguno; de forma que pocos años más tarde, entre 1906 y 1909, la exhibición cinematográfica madrileña atravesaba un momento tan crítico que los empresarios de salones dedicados al cinema debieron reconvertir su negocio inyectándole diversos espectáculos de variedades, con lo que la situación no pudo ser más paradójica: si en los primeros tiempos del cinema se alternaba la presentación de películas con algún que otro número de variedades, el proceso se había invertido ahora y bajo la denominación «fin de fiesta» se exhibían todo tipo de espectáculos escénicos (variedades, entremeses cómicos, circo y fieras, sainetes, género chico) amenizados con alguna que otra película en guerrilla, quizá para justificar la denominación del local. De modo y manera que ya en el verano de 1907 la prensa madrileña podía aludir al fin de los cines y a la «homeopatía escénica» que en ellos se producía, y a finales de 1908 certificar resueltamente la existencia de los «ex-cines» (léase a «Alejandro Miquis» —Anselmo González— el 13 de junio de 1907, y a «Andrenio» —Eduardo Gómez de Baquero— el 17 de diciembre de 1908, respectivamente, en el semanario *Nuevo Mundo*).

Tan anómala situación se entiende considerando la composición social madrileña. Si, como se dijo más atrás, la burguesía catalana, más desarrollada y europeísta, no dejaba de manifestar ciertas reticencias frente al cinema, qué podría esperarse de una burguesía, la madrileña, destilada de las capas funcionariales y burocráticas de la capital del reino y que debía su estatus a la frondosa presencia de la corte alfonsina; de una burguesía que confraternizaba con la aristocracia borbónica y cuya expresión cultural más avanzada era la práctica de la bohemia. Tal situación veíase agravada además por el escaso peso específico que distinguía al proletariado de Madrid (y que en Cataluña componía el público natural del cinema), ciudad cuyas clases populares se veían nutridas por una pequeña burguesía empobrecida y poco numerosa, por trabajadores dispersos en empresas de dimensiones reducidas o por frágiles comerciantes de barrios populares.

Por otra parte, en pocos lugares como en Madrid se encontraba tan bien implantado el género chico, el sainete, la zarzuela, el espectáculo taurino; hasta el punto de que algunas de estas formas culturales bien podían ser tildadas como genuinamente madrileñas. Su extensión y arraigo evitó que fueran desplazadas por el emergente cinematógrafo, y el espectador madrileño gustaba más de aquellas formas de ocio y expansión que los naturales de otros lugares. El cinema constituía en Madrid una realidad subordinada a otras diversiones populares.

Por si todo ello fuera poco, las salas cinematográficas madrileñas habían acumulado un descrédito del que no les era fácil desprenderse. Situados los locales en el centro de la ciudad, los estrepitosos orquestriones y las desaforadas voces de los explicadores turbaban el relativo sosiego de unos apacibles ciudadanos que desconocían aún la agitación propia de la ciudad industrial moderna y que sufrían el cinema con crispación. A lo que se añadía además el que no fueran infrecuentes los incendios en las salas cinematográficas.

Este conjunto de factores explica que el consumo cinematográfico en Madrid fuera irrelevante y, por tanto, su producción en el periodo considerado nula. Y esta circunstancia se mantendría hasta bien entrada la década siguiente.

El dilatado periodo de la historia del cine mudo español que acabamos de examinar resulta singularmente instructivo, casi modelo reducido en sus aspiraciones, limitaciones y deficiencias, de todo lo que vendrá después, hasta que el cine sonoro haga su aparición. Como si de un sujeto a quien cupiera aplicarle postulados freudianos se tratara, estos catorce años son estructurantes de necesidad para el posterior despliegue del conjunto del cine mudo español, e indicativos de sus repeticiones. De ahí que se le haya dedicado una mayor atención introductoria de la que su verdadera entidad hubiera hecho esperar. Las líneas que siguen a continuación serán, por tanto, más esquemáticas.

3. 1911-1922. Apogeo y decadencia de la producción barcelonesa

3.1. *Caracterización general*

Hipotecada con severidad por la morosa evolución de que había hecho progresivamente gala, indefensa ante la avasalladora producción extranjera, feudataria de temas y tratamientos cristalizados más allá de sus fronteras, la producción barcelonesa —la valenciana tardará poco en extinguirse, aunque se trate de un eclipse provisional, y será necesario esperar bastante tiempo para que la madrileña dé muestras de una mortecina existencia— inicia su andadura en la segunda década del siglo con más entusiasmo y voluntarismo que medios y posibilidades. Y, en el mejor de los casos, con una irreversible demora en financiación, infraestructura y experiencia respecto a las industrias cinematográficas vecinas, demora que concluirá por herirla de muerte a medio plazo.

Cierto es que en este periodo el cine barcelonés da muestras de una incontinente actividad rayana en la exasperación; que surgen nu-

Elva (Albert Marro, 1916).

merosas productoras (y entiéndase el término en sentido relativo); que los primitivos estudios catalanes surten al resto del país con una cantidad nada desdeñable de películas, cordial aliño, en definitiva, de la prepotente y densa invasión de films extranjeros que ocupa las pantallas españolas. Pero cierto es también que, salvo algunas excepciones, esas productoras no permanecen activas más allá de cuatro años, y que su volumen de producción no suele exceder los cuatro o cinco títulos; que, por el contrario, son numerosísimas las empresas cuya existencia se limita a una desamparada película; que entre el elevado censo de realizadores debutantes sólo dos o tres consiguen desarrollar su carrera con regularidad (y sigue debiendo tomarse estas palabras en términos relativos), resultando anormalmente abultada la nómina de aquellos que deben contentarse con la filmación de un solitario, quizá dos, film. Como también es cierto que ninguno de los nuevos directores prolonga su carrera en la década de los veinte, ni en las siguientes; o que los pioneros de la anterior etapa, algunos de los cuales despliegan en el presente periodo una carrera ventajosa y cuantitativamente superior a la de los debutantes más afortunados, tampoco logran atravesar la barrera que les opone los años veinte, suponiendo la experiencia de Gelabert en 1928 *(La puntaire)*, o el film de Baños en 1933 *(El relicario)* tan sólo excepciones episódicas.

Y ello porque aquella irreflexiva alegría productora se asentaba sobre bases harto movedizas. Tal y como ya había ocurrido en la década anterior, la mayoría de las empresas de producción padecía la enfermedad crónica de una capitalización perezosa cuando no incorpórea, de una amortización flácida y tardía consecuencia de las limitadas e inseguras redes de comercialización existentes, de la feroz competencia extranjera, y de la heterogénea y desequilibrada composición social del mercado peninsular; circunstancias que, junto a otras antes culturales e ideológicas que industriales según veremos, poco o nada favorecían una mínima planificación industrial. Si inciertas eran las perspectivas de una simple amortización y más aleatorias aún y por consiguiente lo eran las de una capitalización por beneficio empresarial, bien puede suponerse que las posibilidades de que el capital industrial o financiero se acercara al mundo de la producción cinematográfica eran sumamente exiguas, quedando relegadas al simple y ocasional merodeo por sus arrabales.

Así las cosas, la industria cinematográfica parecía un sector económico resistente y en lucha por evitar su desaparición, donde las inversiones eran escasas cuando no nulas y las posibilidades de recuperar el magro capital invertido precarias. Circunstancias tan inestables no pueden menos que justificar una política de producción improvisada, espontaneísta y diseñada a corto plazo; una apuesta por estilos, tratamientos y temas ya sólidamente implantados por la industria cinematográfica internacional; y una incapacidad crónica para, desdeñando un ya obsoleto individualismo pionero, afrontar la concentración de esfuerzos y materiales[1].

El resultado de unas y otras, desde la dificultosa amortización del producto a la timidez para correr riesgos expresivos, no pudo por menos que dejarse sentir en el proceso de fabricación del film. En consecuencia, las técnicas de rodaje eran abrumadoramente primitivas, la

---

[1] Respecto a la aislada y neblinosa experiencia de Catalonia Films, trust (¿) compuesto por la declinante Cuesta valenciana, las apenas nacidas Solá y Peña y Tibidabo Films, y la agonizante Films Barcelona, no hay constancia de que llevaran a cabo realización alguna.

luz artificial casi una sofisticación desconocida, las filmaciones se solventaban de manera precipitada y vertiginosa, y los procedimientos de maquillaje eran de raigambre teatral. Además, los salarios de artistas y técnicos oscilaban entre la cruda miseria y la lóbrega modestia, las posibilidades laborales no menudeaban, y el censo profesional de la industria veíase compuesto por desahogados improvisadores o agobiados hombres para todo. Actores y actrices eran reclutados en los escenarios teatrales, y las «estrellas» cinematográficas no sólo eran tránsfugas de las tablas, que devoraban insaciables y altaneras la mayor parte del presupuesto de la producción, sino que hacían huir despavoridos a unos incautos espectadores que debían enfrentarse de improviso al abrumador e impropio repertorio de muecas y grandilocuencias de un «astro escénico» que, refractario a ser dirigido por el realizador cinematográfico, creíase llamado a redimir las debilidades de una cinematografía siempre desfallecida.

Permanecer tributaria de temas extranjeros y no saber construir un *star system* adecuado (cuando desde comienzos de la década ya se conocían las precursoras danesas) era una de las razones, junto a las estrictamente industriales, que obstaculizaban el despegue de la industria cinematográfica barcelonesa hacia una producción sólida, estable y con capacidad de convocatoria. Pero otras razones obstaculizaban asimismo su desarrollo.

Desde finales de la anterior década el conservadurismo clerical había declarado una desproporcionada batalla contra un escuálido enemigo: el cinema. Cierto que en otros países diversa carcundia se había embarcado en similar guerra, pero el peso y privilegios de la iglesia católica entre nosotros proporcionaban a uno de los contrincantes armas poderosas. Así, escritores, gobernadores civiles, militares con graduación, asociaciones de damas pías y polvorientas, religiosos capuchinos y jesuitas, galenos, juristas, y lo más granado de la clerigalla patria, unieron a coro sus disonantes voces para proclamar que el cinema era espectáculo disolvente de la moral y provocador de la insania, la idiotez y la ceguera. Lo más grave del proceso es que la misma burguesía nacionalista catalana, el movimiento noucentista, se erigió en vanguardia civil del combate, con lo que al ya de por sí anémico cinema barcelonés se le hurtaba el necesario apoyo de una burguesía presuntamente renovadora en tanto autonomista, pero conservadora y timorata de hecho. Las escasas voces que se alzaron contra esta cam-

Es tan exquisita la sensación que se experimenta al probar el Anis del Mono que desde hoy la declaro mi bebida predilecta.

Barcelona 27 septiembre 1912

Max Linder

paña (por ejemplo, una revista madrileña —*Nuevo Mundo,* nº 934, 30 de noviembre; en el número siguiente ironizaba sobre el libro de Barbens, cfr. infra— se mofaba a finales de 1911, y bajo la firma del diputado, escritor y futuro diplomático republicano Luis de Zulueta, de los sermones anticinematográficos del semanario *Cataluña*; un diario bilbaíno ironizaba a comienzos de 1914 —*El Liberal*, 17 de marzo— a propósito de las campañas clericales) poco pudieron hacer contra folletos como *La herejía liberal*, *La moral en la calle, en el cinematógrafo y en el teatro*, *El cinematògraf en la cultura i en els costums*, o el tardío y vehemente *Es pecat anar al cine?*[2]; folletos y libritos que no eran más que la cúpula visible de una escandalosa proliferación de artículos y notas publicados en periódicos y revistas.

Mediando esta ruidosa campaña nada menos extraño que un gobierno que ignoraba el cine y no le prestaba el más mínimo apoyo comenzara a promulgar una áspera legislación censora. En efecto, sendas órdenes reales del 27/11/1912 y del 31/12/1913 (ésta de policía de espectáculos) instauraban en España la censura previa. Este requisito se cumplimentaba a través de una interminable espesura burocrática y mediante arbitrarios e imprevisibles dictámenes, lo que obstaculizaba con prolongadas demoras el normal desenvolvimiento de un cinema español ya de por sí estancado, razón que llevó a tres distribuidores catalanes a efectuar un infructuoso viaje a Madrid. Tras nuevas protestas, la ejecución de la ley que estipulaba que todo film debía enviarse a la Dirección General de Seguridad para su policíaco visionado se relajó en la práctica, y la censura, esta vez ya no previa, se vino a ejercer en Madrid y Barcelona por organismos «especializados» donde no faltaban eclesiásticos y damas catequistas. Sin embargo, a lo largo del resto de la década, y al calor de una inquisitorial mentalidad anticinematográfica que llevó en 1916 a un fiscal del Tribunal Supremo, refiriéndose a la criminalidad del año anterior, a calificar el espectáculo cinematográfico como «escuela del crimen», brumosos criterios censores eran aplicados de manera tan repentina como desconcertante por

[2] Autores y fecha de publicación: canónigo penitencial —en la Santa Iglesia Primada de Toledo— Ramiro Fernández Balbuena (Bilbao, 1907); capuchino Francisco de Barbens (Barcelona, 1914); «acérrimo moralista» —que así lo llama Barbens— Ramón Rucabado (Barcelona, 1920), quien se permite incluso convocar en su auxilio el Photoplay, 1916, de Hugo Munsterberg; jesuita Ramón María de Bolós (Barcelona, 1924).

todo tipo de autoridades locales según su iletrada interpretación subjetiva, con la inseguridad jurídica y profesional que tal práctica acarreaba, por lo que no dejaron de seguir suscitándose esporádicas y desalentadas críticas. Críticas que volvieron a recrudecerse cuando en la primavera de 1921 un «organismo oficial y benéfico» (según un sarcástico artículo, firmado por Antonio Zozaya, del diario madrileño *La Libertad* —12 de abril de 1921— que llevaba por título «Pobres protegidos») propuso el retorno a la censura previa; la cosa no fue más lejos gracias a la decidida acción de la Mutua de Defensa Cinematográfica, organismo corporativo profesional que se había creado en 1915.

Así pues, ante este agresivo clima ideológico tampoco debe extrañar que amplias capas de la pequeña y media burguesía, así como profesionales y sectores ilustrados de las mismas, dieran la espalda al espectáculo cinematográfico, lo que sobreañadía a los problemas estructurales del cine español una nueva y nada desdeñable orfandad, lacra de la que se veían desprovistos sus potentes competidores extranjeros. Así, las figuras del mundo cultural que se interesaron entre nosotros por el cinema no dejaron de ser excepciones, aun resultando llamativas. Éstas fueron el dramaturgo Adriá Gual, impulsor desde finales de 1913 de la productora Barcinógrafo, para la que dirigiría varios films; el también dramaturgo Eduardo Marquina, ocasional argumentista en 1915 de *Un solo corazón*; el novelista Blasco Ibáñez, que sumamente interesado por el nuevo arte, y tras asesorar a Albert Marro en la versión (1915) de su novela *Entre naranjos,* resolvió, en 1916, codirigir con el francés Max André una adaptación de su *Sangre y Arena*, parcialmente financiada por él mismo; el novelista Eduardo Zamacois, quien no sólo interpretó en 1919 una adaptación propia de su relato *El otro*, que padeció serios contratiempos con la censura, sino que realizó un par de documentales: uno sobre el torero Belmonte, en 1916, y otro sobre escritores y artistas, en 1920 que tituló *Mis contemporáneos;* y el dramaturgo Jacinto Benavente, que ya en 1912 escribía jugosos comentarios laterales sobre el fenómeno cinematográfico (por ejemplo, sobre Max Linder y André Deed, en ocasión de la gira teatral española de ambos), fundando en 1919, en Madrid, la productora Madrid Cines, y dirigiendo dos películas en 1918 y 1919.

En el interior de este sucinto repertorio de nombres también deberían señalarse las figuras del filólogo y crítico literario Federico de Onís y de los novelistas Alfonso Reyes y Martín Luis Guzmán (ambos agrupados bajo el seudónimo «Fósforo»), quienes abordaron en la madrileña revista *España* durante 1915 y, ya estos dos últimos en solitario, en el diario *El Imparcial* al año siguiente, entusiastas y pioneros artículos de crítica cinematográfica propiamente dicha. Todo ello sin olvidar las observaciones, no por esporádicas menos perspicaces, que al cinematógrafo dedicara Manuel Machado entre 1916 y 1920 en el madrileño *El liberal.* Aunque quizá no deberíamos ignorar que dos de estos cuatro hombres, Reyes y Guzmán, eran mexicanos...

Por lo demás, la pertinaz inspiración, cuando no copia casi literal, en temas y asuntos de origen extranjero, puestos a prueba en sus países de origen y de reconocida eficacia entre nuestros públicos, no podía ser una iniciativa estratégica más miope, considerando la debilidad industrial y financiera del cinema barcelonés. En efecto, el perezoso desarrollo evolutivo del cine español, asociado a una realización de sus productos muchas veces desaliñada por imperativos presupuestarios y con frecuencia asentada en un *star system* primitivo y grosero, conducía a que cuando se estaba cerca de dominar expresivamente una fórmula, ya en sus países de origen se encontraba casi agotada, iniciándose la instauración de una nueva. Como, además, y a consecuencia del poder expansivo de la industria cinematográfica extranjera, el público español solía conocer con poco retraso los géneros y estilos foráneos a los que nuestros films se remitían, las películas españolas nacían avejentadas en relación con el mercado a que se destinaban. Así, el desenvolvimiento comercial de nuestros productos, socavados desde su mismo origen en su necesaria competitividad, encontraba su camino erizado de dificultades, alcanzando solamente el éxito algunas escasas películas que en su aislamiento y excepcionalidad mal podían consolidar su propia industria o inspirar confianza a inversores ajenos a ella. Este desfase, tanto histórico como cualitativo, entre nuestras películas y sus modelos de origen, amén de los efectos consignados, fue provocando la hostilidad creciente de los exhibidores, quienes se manifestaban reticentes a estrenar films españoles, viendo éstos demorada su presentación pública muchos meses, cuando no años, envejeciendo ello aún más el poco novedoso carácter de la película. Este cúmulo de circunstancias crónica y estructuralmente adversas sólo podía conducir a que nuestro país fuera colonizado con progresiva intensidad por las cinematografías europeas primero, y después por la norteamericana, gracias al enorme impulso industrial que ésta iba a conocer en función del debilitamiento de sus competidores naturales a resultas de la guerra europea.

Como se ha visto, producción atomizada y aventurera, insuficiente financiación, amortización errática, actitud enemiga por parte de la iglesia y sectores conservadores de la sociedad, desinterés tanto por parte de la burguesía ilustrada como por los sucesivos gobiernos de la nación, hostilidad de los exhibidores, técnicas de fabricación arcaicas, colonización extranjera..., tales características diseñan una situación de crisis larvada que comenzó a resultar evidente a propósito de la primera guerra europea (1914-1918).

El progresivo descenso de la producción francesa, alemana e italiana (ésta desde finales de 1915) como consecuencia del esfuerzo bélico, y su lógica disminución de recursos comerciales —amén de sus comprensibles dificultades exportadoras—, daban pie a una casi inaugural presencia del cine español en el mercado europeo. Sin embargo, tal expectativa exigía unas empresas sólidas, financieramente saneadas, con una política productora ambiciosa y decidida, y con capacidad de penetración internacional; empresas que en nuestro país no se encontraban en lugar alguno. Por si fuera poco, unos productos obsoletos y tributarios de las experiencias temáticas y estilísticas (que no fílmicas) europeas difícilmente podían abrir mercados exteriores, cuando de hecho no habían logrado conquistar ni aún el suyo propio; por tanto, la coyuntura que facilitaba la conflagración europea hubo de ser desaprovechada acentuando el sentimiento de impotencia y frustración de la cinematografía nacional[3]. Y un nuevo factor agravó aún más tal estado; siendo la española una industria subsidiaria en el conjunto de la cinematografía mundial, hizo acto de presencia otro grave problema: la dificultad, ante la evolución de los frentes de batalla y los bloqueos marítimos, de aprovisionamiento de película virgen, que en España no se fabricaba, circunstancia que agudizó la penuria del cinema barcelonés.

Todo lo antedicho vino a confluir de manera llamativa a finales de 1917, en que hizo tímida aparición cierto estado de crisis en la in-

[3] No obstante, ciertas tentativas exportadoras, aunque no sin esfuerzo, se iban consumando pero dirigidas hacia Centro y Sudamérica, mercados ya colonizados y de carácter dependiente, en donde tan sólo se buscaba un nostálgico público de indianos.

dustria del cine catalán, crisis que no tardaría en evidenciarse como definitiva, y que se extendió durante buena parte de 1918. No obstante, algo se remontó la producción durante ese año y aun en los siguientes, pero la realización de films ya no se desarrollaba con el aliento y optimismo de años anteriores. Las razones de esta crisis, que entre 1921 y 1922 liquida prácticamente la producción catalana muda, han sido ya parcialmente expuestas a lo largo de estas líneas. Y a la acumulación crónica de los motivos señalados, vinieron a sumarse dos nuevos factores.

Por una parte, según se iba complejizando la producción cinematográfica y el proceso de fabricación de películas, incrementándose el metraje de las mismas, y elevándose por otro lado el nivel financiero e industrial de las restantes industrias catalanas (muchas de las cuales sí habían realizado un buen negocio durante la guerra), se acrecentaba el coste de los films, viendo aumentar las firmas productoras sus necesidades financieras sin que por ello la situación inversora respecto a éstas se modificase con relación a la de los años precedentes, ni los ingresos por taquilla crecieran en la proporción requerida para paliar tal circunstancia, con el resultado de que su debilidad crónica se agravaba. Por otra parte, las productoras barcelonesas se desenvolvían lastradas por una amortización defectuosa, valorada en función de costes históricos y no según la evolución, en términos actualizados, de los costes de producción y del valor del capital inmovilizado en utillaje, instalaciones, etc.; por tanto, si el beneficio empresarial podía eventualmente amortizar este capítulo económico años atrás, al no crecer aquél no podía procederse a la renovación de un equipamiento envejecido ni satisfacer el aumento de los costes reales del trabajo, llegándose así a una situación de quiebra técnica. Que esta quiebra fuera producto de una calamidad fortuita (el incendio de los Estudios de Hispano Films en 1918), o de la natural erosión a que se veía sometida una compañía cuyo excedente de explotación no se bastaba para sufragar el capítulo de amortizaciones, lo que le impedía a su vez producir en términos competitivos, corroyendo así los mismos cimientos de la empresa (caso de Studio Films hasta 1921), es cuestión que no afecta al resultado final del proceso: la desaparición de la industria cinematográfica catalana hasta la llegada del sonoro.

3.2. *La influencia italiana*

Bien por proximidad geográfica o por raíces culturales comunes, bien porque la conservadora y un tanto aldeana burguesía y pequeño burguesía catalana sintonizase mejor con la grandilocuente mundanidad de la producción romano-turinesa que con el frecuentemente hosco carácter del naturalismo de la escuela francesa, o bien por la influencia de los reiterados desembarcos en costas catalanas de cinematografistas italianos, lo cierto es que el conjunto de la cinematografía barcelonesa por lo que a su producción dramática se refiere exhibe una inequívoca estirpe italiana.

Grandes salones, ropajes de etiqueta, suntuosas residencias, sugerentes automóviles, desbordantes sentimientos y fatales pasiones, audaces pecados, prolongadas expiaciones, corrosivos remordimientos..., todo ello inserto a veces en el marco del film histórico, componen la enfática progenie de tal tendencia. Si bien esta ola italianizante no dejaba de sintonizar con un público de barroca y en ocasiones elemental sensibilidad que degustaba complacido los films italianos, se veía, no obstante, dificultada en su aclimatación por tres factores: el endeble desarrollo económico del cine catalán, que no podía competir con la riqueza escenográfica y visual de su modelo de origen; la áspera moralidad de unas clases medias severamente colonizadas y reprimidas por un potente edificio eclesiástico, que dulcificaba y moralizaba las grandes pasiones adulterinas que no pocas veces constituían la columna vertebral del drama italiano; y la ausencia entre nosotros de un *star system* plausible, que impulsaba a los productores hacia una búsqueda del equivalente a las divas y divos italianos entre nuestras actrices y actores teatrales, con los desastrosos resultados conocidos.

Como fuera, y casi hasta 1915, en que ya se asiste a cierta diversificación genérica, las diversas productoras que surgen en el panorama cinematográfico barcelonés saquean inescrupulosamente el prototipo italiano, saqueo que, de todas formas, no detendrá esa diversificación. De entre los realizadores que cultivan la versión autóctona de ese género quizá quepa destacar a Josep de Togores y a Magí Muriá. Togores, coleccionista, pintor ocasional, *sportman,* campeón de remo y tiro al blanco, anfitrión de músicos y concertistas, y resuelto europeísta[4], supo imprimir ocasionales toques de realismo a sus producciones, y moderó la retórica italianizante con una equilibrada elegancia que le permitía, cuando la circunstancia era favorable, tantear estructuras narrativas plenas de insólita modernidad (cfr. *Prueba trágica*, 1916, en donde sólo está de más el gesticulante divo teatral Morano)[5]. Y por su parte el periodista Magí Muriá parecía centrar sus preocupaciones en desarrollar la verosimilitud fílmica en un medio no poco lastrado por la tradición teatral, mediante minuciosas observaciones naturalistas que suponían una productiva injerencia de la escuela francesa en el marco general y grandilocuente del modelo italiano; productiva en el sentido de intentar moderar sus excesos.

3.3. *Un tardío intento de Film d'Art. La Barcinógrafo*

En 1914, o más precisamente el 5 de diciembre de 1913, se crea en Barcelona Barcinógrafo, singular empresa productora que se propone dignificar el cine catalán con criterios no muy distantes a los que cinco años antes inspiraron a los hermanos Lafitte la fundación de la firma Film d'Art y la labor de sus continuadoras en las «series de arte». Las diferencias entre esta primitiva tendencia y su posterior trasplante barcelonés se reducían a un menor acento en el recurso a famosos actores teatrales.

Fue su promotor el dramaturgo y poeta, pintor y escenógrafo, Adriá Gual, fundador en 1898 del Teatre Intim, iniciativa escénica de talante europeísta que dio a conocer al público barcelonés tanto obras de Maeterlinck como de Ibsen. Vinculada su productora a hombres de la Lliga Regionalista —su bautismo de fuego se produjo al filmar un acto callejero de Solidaritat Catalana—, su creación fue reflejo cultural del potente auge alcanzado por las posiciones autonomistas catalanas, coincidiendo sus primeras realizaciones con la creación de la Mancomunitat (1914).

El interés de Gual por el cinema venía de antiguo. Ya en 1911 ha-

---

[4] Según Hernández Girbal —*Cinegramas*, 96, 12 de julio de 1936— Togores era «una notabilidad como artista decorador. Él fue quien construyó los artísticos pabellones españoles en la Exposición Universal de Bruselas». Ello podía deberse a sus relaciones belgas, toda vez que Togores, que tenía taller abierto en Barcelona (Ronda de la Universidad, núm. 12), era representante en esta ciudad de la potente casa Solvay.

[5] Apoyo esta afirmación en el inesperado, por entusiasta, «análisis más bien pedagógico» que de *Prueba trágica* hace «Fósforo» (Alfonso Reyes) en *El Imparcial*, 21 de junio de 1916.

bía escrito sobre este fenómeno, y en 1904 había tomado parte, con Chomón en funciones de proyeccionista-delegado de la firma Macaya y Marró, en la curiosa experiencia «interdisciplinar» de la barcelonesa sala Mercé, donde se combinaron «visiones musicales y proyecciones habladas» (films de Pathé sonorizados sobre la marcha por el propio Gual). Sus orígenes modernistas le impedían adherirse a la ultramontana campaña anticinematográfica del noucentisme y, por lo demás, ésta había perdido parte de su virulencia en 1914. Sin embargo, las referencias culturales que articulan la primera etapa de Barcinógrafo (adaptaciones de Cervantes y Calderón, Tolstói y Schiller, y una parodia del mundo taurino), se vinculan, con hábil eclecticismo, al universo del particular «Kulturkampf» burgués y pangermánico, cuyo mayor punto de referencia era Wagner, en el que vivía inmersa la Barcelona ilustrada de aquellos años.

Las realizaciones cinematográficas de Gual supusieron en su época, y como no podía ser menos en un hombre de su cultura e intereses intelectuales, la introducción en el cinema barcelonés de unas preocupaciones estéticas que parecían tener por eje la composición visual del plano como elemento expresivo. Así, tanto la disposición de los personajes en el interior del encuadre como la escala de planos se alejaban del mero propósito ilustrativo para alcanzar significaciones muy diferentes a las que cabía esperar de un simple pasatiempo. El deliberado trabajo sobre las composiciones plásticas y unas interpretaciones inusualmente ajustadas no fueron, sin embargo, muy bien recibidas por un público acostumbrado al estrépito italianizante, por lo que en el otoño de 1915 Barcinógrafo, tras un largo proceso en el que se marginó a Gual hasta el extremo de que éste tuvo que abandonar la empresa, cambió de orientación, cultivando, ella también, el melodrama de ascendencia italiana y confiando su interpretación a grandes figuras del teatro, ocupando el lugar de Gual como realizador y director general de producción Magí Muriá (véase supra), quien entre septiembre de 1915 y el verano de 1916 puso en pie los cinco títulos que compusieron la exitosa serie de Margarita Xirgú.

3.4. *Aventuras y episodios. El caso de Hispano Films y sus iniciativas*

Si el cine barcelonés durante los primeros años de la segunda década del siglo fue dominio del reportaje de actualidad (y en menor medida del film cómico) o inabarcable territorio del drama (bien bajo el ropaje de la película histórica, o bien y sobre todo bajo la forma de asunto mundano), parece ser 1913 la fecha en que el cine de aventuras, tras el tanteo preliminar de la Cuesta valenciana *(Los siete niños de Écija*, 1911-1912), hace su cautelosa y tardía aparición de la mano de una productora italiana (la Cines), que a través de una sucursal barcelonesa produjo, como se verá más adelante y a las órdenes del operador Giovanni Doria, cuatro films que combinaban, al decir de los cronistas, el esquema del film de aventuras con elementos melodramáticos. Y como quiera que también los seriales franceses y americanos comenzaban a llegar a nuestras pantallas, no tardaron las productoras barcelonesas en iniciar el rodaje de films de aventuras y, mediando una mínima disponibilidad financiera, películas de episodios.

La Hispano Films llevó la iniciativa en este proceso. Hasta 1914 había desarrollado una política de producción continuadora de la emprendida en la anterior década, y que incluía diversos tipos de drama (histórico: *Don Pedro el Cruel*, 1911; posromántico: *Los amantes de Teruel*, 1912; italianizante: *La fuerza del destino*, 1913); esporádicos films cómicos: *Doña Laura y sus pretendientes*, 1912; y ocasionales zarzuelas: *Amor andaluz*, 1913; todas ellas de Albert Marro y fotografiadas por Ricard Baños. En otoño de 1914, y cabe suponer que a causa de las desavenencias habidas en la filmación del afrancesado dramón *Sacrificio* —codirigido el film por Baños y Marro este último mantuvo con el «astro» Borrás continuas y violentas disputas en una fracasada tentativa por contener su inmoderado y anticinematográfico histrionismo—, Baños abandona la Hispano Film quedando la empresa bajo la responsabilidad de Marro y en precaria situación financiera a causa de los dispendios que exigió el rodaje de *Sacrificio*, y a causa también del desastre económico que supuso su exhibición[6]. Una vez restablecida

[6] Quizá cupiera valorar las querellas surgidas entre Marro y Baños a raíz de la filmación de *Sacrificio* como síntoma de un desacuerdo más amplio entre ellos a causa de la política productora de Hispano Films. Estas discrepancias, aun cristalizadas a propósito de Borrás, posiblemente fueran la expresión de los deseos de Marro por conferir a la empresa un sesgo más populista que el apetecido por Baños, quien de manera demasiado fervorosa fundamentaba su orientación en el drama de repertorio, género al que debióse, téngase en cuenta, un estrepitoso fiasco económico. Pese

la empresa, Marro comienza de inmediato el rodaje de films de aventuras de diversa inspiración.

Estos films comprenden, por una parte, películas que presentaban episodios melodramáticos inscritos en un marco general de films de aventuras, a veces desarrollados en ambientes populares y aderezados con anotaciones costumbristas; y, por otra, films policíacos relacionados, al decir de los contemporáneos, antes con la escuela norteamericana que con la francesa. Así, en noviembre de 1914, Marro rueda en Valencia *La tierra de los naranjos*, sobre el relato de Blasco Ibáñez; filma después una zarzuela, *La chavala* (1914) y, más tarde, otra muestra de casticismo populista, *Diego Corrientes* (1914), cuyo éxito lleva a Marro, siguiendo la pauta de este film, a realizar la pomposamente llamada «serie de oro del arte trágico». Esta «serie», cuya inspiración «comercial» debería buscarse en las llamadas «series de arte» que, como derivación del Film d'Art francés, pusieron en circulación algunas empresas francesas e italianas a partir de 1909 (la serie de Hispano Films pareciera inspirarse en su denominación en la «Serie de oro» que la italiana Ambrosio lanzó aquel año); esta serie, decimos, se apoyó en un par de conocidos actores teatrales (Jaime Borrás y Luisa Oliván, que ya habían intervenido en *Diego Corrientes*) y entre la primavera y el verano de 1915 tuvieron a punto cuatro títulos provistos de los siguientes y atractivos títulos: *Los muertos hablan, El león de la Sierra, La tragedia del destino* y *La deuda del pasado*. La feliz combinación de aventuras, melodrama y conocidos actores teatrales debió resultar exitosamente comercial en sus primeras comparecencias públicas, pues otras productoras barcelonesas dotadas de suficiente tesorería se pusieron,

---

a que las carreras de ambos en solitario no se presenten como llamativamente antagónicas, sí se observa un mayor acento populista en el trabajo de Marro. En todo caso, las diferencias entre ambos (además de proseguir Baños su actividad de forma más pausada que su ex-socio) podrían ser las sugeridas por la distancia que separa una adaptación de Blasco Ibáñez (Marro) de otra de Benavente (Baños). O las que insinúan estos dos hechos divergentes: la posterior creación por parte de Baños de una productora a la que algunos adjudican inclinaciones alfonsinas y aristocratizantes —yo no tengo datos para poder hacerlo, salvo que atienda a las escurridizas implicaciones derivadas de su marca de fábrica: Royal Films—; y la simétrica adaptación por parte de Marro del folletín de un olvidado escritor (murió en 1880) decididamente republicano (gobernador civil de Murcia durante la primera República) y cultivador asiduo y resuelto de textos antimonárquicos: Antonio Altadill, inspirador de *Los misterios de Barcelona*.

Jaime Borrás en *La tragedia del destino* (1915).

El león de la Sierra (1915).

El beso de la muerte (Magí Muriá, 1916).

sin pensárselo dos veces, manos a la obra de edificar «series» basadas en personalidades teatrales de prestigio.

Así, Barcinógrafo inició en el otoño de 1915 una exitosa serie de melodramas aún italianizantes apoyados en la joven pero ya popular Margarita Xirgú, serie *(El nocturno de Chopin, El amor hace justicia, Alma torturada, La reina joven y El beso de la muerte)* cuya filmación se extendió hasta el verano de 1916 bajo la responsabilidad de Magí Muriá. En idéntica dirección, otra productora, Falcó, se embarcó en su particular serie, ésta más subsidiaria de la mezcla genérica propuesta por Hispano Films, apoyada en Ricardo Calvo, comenzada y concluida en el verano de 1915, dirigida por un tal M. Catalán y compuesta de tres películas, *El fantasma negro, La fuerza del mal* y *Pero yo te vengaré.* La Condal, por su parte, volviendo la mirada nuevamente al drama italiano, adobado esta vez con toques de cosmopolitismo aventurero, puso en circulación una limitada pero notable —su realizador era Joan M. Codina— serie estructurada sobre la celebérrima bailarina Tórtola Valencia, y también manufacturada en el verano de 1915. Y para completar la panorámica, Emporium realizó en los primeros meses de 1916 una tripleta inclasificable y potencial-

Elena Bernés, Alexia Ventura y Joaquín Carrasco en *Elva* (Albert Marro, 1916).

mente atractiva, organizada a partir del divo Francisco Morano, y puesta en pie con la elegancia que cabe reconocer a Josep de Togores.

De modo que mientras sus competidores viajan tras sus pasos enhebrando «serie» tras «serie», Marro e Hispano Films mantienen la iniciativa y en el verano de 1915 comienza tanto a plantearse un ambicioso serial (ya se habla de él en mayo y a finales de agosto todavía está preparándose) como a realizar un conjunto de folletines policíacos de aventuras y misterio apoyados en una pizpireta niña prodigio llamada Alexia. Sus prometedores títulos: *El beso de la muerta, Alexia la hija del misterio, La echadora de cartas, Elva...*, películas cuya producción puede situarse entre el otoño de 1915 y el verano de 1916. Entre unos y otros títulos la Hispano Films debió verse en suficientes condiciones financieras —y debe seguir tomándose estas afirmaciones con el sentido relativo que impone un conjunto industrialmente raquítico— como para abordar definitivamente la realización de seriales cinematográficos, propósito finalmente logrado por su más característico éxito: *Los misterios de Barcelona*, obra, por las inevitables dificultades financieras, de lenta y premiosa gestación y precipitado rodaje (mes y medio escaso, según su protagonista, en *Popular Films*, de 28/8/1930).

Casi al mismo tiempo que Hispano Films le daba vueltas a este proyecto de serial, otra empresa lograba rodar a mediados de otoño el que se considera primer serial barcelonés, *El signo de la tribu* (1915), film en cuatro episodios estrenado en diciembre que dirigió Joan María Codina para Condal Films —una de las muchas y efímeras marcas barcelonesas del periodo, creada por un distribuidor, y que sólo produjo, como hemos visto, otros dos títulos en ese mismo año—, y que disfrutaría de buena acogida. Pero el primer serial barcelonés que cosechó gran aceptación pública fue la película en episodios de Hispano Films a la que acabamos de aludir.

Inspirándose esta vez en modelos franceses, *Los misterios de Barcelona* (1916), «pólipo cinematográfico y estorbo universal de la temporada» según irónico calificativo de Alfonso Reyes, desarrollaba su acción a lo largo de ocho episodios, y pese a hacerlo de forma un tanto lánguida conectó con la sensibilidad de los públicos españoles al situar su acción en ambientes castizos y edificarla sobre tipos popularmente reconocibles. Esta nacionalización de fórmulas cosmopolitas fue tan espectacularmente celebrada que no sólo abrió confortables perspectivas económicas a la producción de nuevos seriales sino que impulsó la realización posterior de una segunda parte, *El testamento de Diego Rocafort* (1917), cuyos seis episodios eran continuación de la anterior película.

Así, en virtud de aquel éxito, comenzaron a proliferar seriales. En 1918, por ejemplo, Barcinógrafo, tras filmar, como ya se dijo, bajo la dirección de Magí Muriá varios films sometidos a la influencia italiana interpretados por Margarita Xirgú, inicia la dilatada filmación (el rodaje se prolongó casi un año, suponemos que por dificultades financieras) de *Vindicator* (1918), serie en diez episodios subordinada a la influencia francesa. Un año antes, en el verano de 1917, Boreal Films, fugaz productora (sólo dos films) fundada por Gelabert y el empresario y actor teatral Ramón Caralt, realiza bajo la dirección de este último y con el concurso de su compañía *El doctor rojo*, en tres episodios. Y 1917 será asimismo el año en que Studio Films comience a rodar sus seriales, como más abajo se verá.

1918 es el año que marca el apogeo del serial catalán. Aparte de las cuatro extensas series de Studio Films, Ricard Baños presenta los cuatro episodios de *Fuerza y nobleza;* J. Elda, con una productora creada

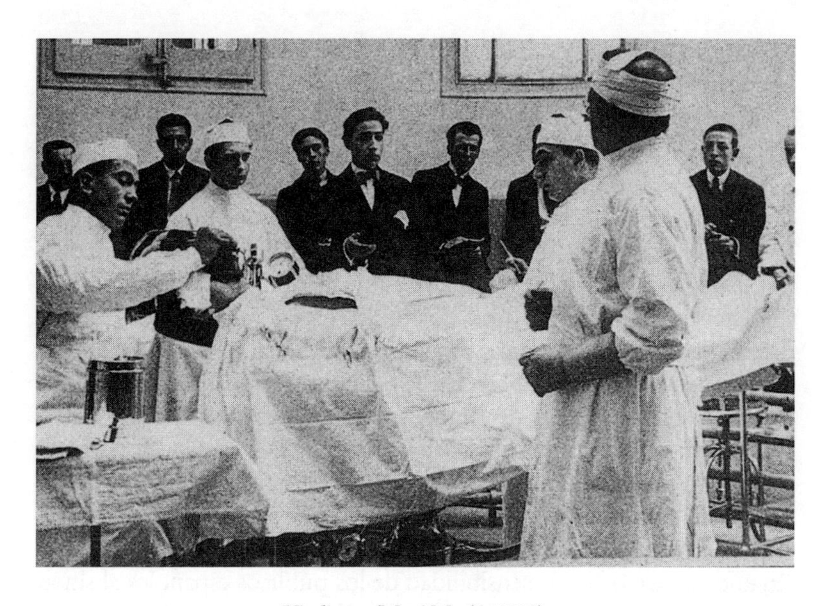

Vindicator (Magí Muriá, 1918).

con el exclusivo fin de rodar un serial (Armando Films), filma diez episodios para *Perfidia;* el también operador Salvador Castelló dirige para la Sociedad Anónima Sanz el italianizante *Voluntad que vence.* Y el italiano Mateldi (véase infra) pone en circulación los ocho episodios de *Los aventureros del crimen.* Sin embargo, 1918 es también el año en que comienza el declive europeo y americano del serial, pese a que Feuillade todavía ruede en Francia una *Nueva misión de Judex* o que en Italia aún filmará Ghione un rezagado *Za la mort* en 1920. Pese a que este declinar del género llegue a nosotros con el previsible retraso, 1919 conoce un descenso en la producción de seriales. Al margen de Studio Films, sólo el pionero Baltasar Abadal —representante de Meliés, operador y corresponsal de la casa inglesa Urban, e instalador de cines y exhibidor en Cataluña desde 1899— funda una productora, Lotus Films, para aprovechar los últimos coletazos del género, dirigiendo *Sueño o realidad* y *El Rey de las montañas* en cuatro y dos episodios respectivamente. Y Ricard Baños, por su parte, desarrolla y concluye una sobre el papel interesante operación, cuyo rodaje iniciara el año anterior: aprovechar estructura y recursos del film de episodios

Sueño o realidad (Baltasar Abadal, 1919).

para desenvolver un tema melodramático y popular (el universo del cuplé y las peripecias del espectáculo taurino) utilizando los servicios de una popular artista: Raquel Meller. El film, en tres episodios, se vio reducido a una cruda españolada y se tituló *Los arlequines de seda y oro*[7].

La Hispano Films, mientras tanto, modera su volumen de producción; diríase que tras el espectacular éxito que van cosechando sus seriales no quiere correr muchos riesgos y dedica los beneficios que sus películas le reportan a un gradual saneamiento económico de la em-

[7] La película no tardó en suscitar cierta polvareda. Poco más tarde, en 1923, con su metraje reducido y en nueva versión titulada *La gitana blanca*, el film fue exportado para aprovechar el prestigio internacional que había conseguido en los escenarios y pantallas europeos Raquel Meller. En la airada campaña de protesta que provocó la burda operación participaron desde el pionero de la crítica cinematográfica Riccioto Canudo, en una de sus últimas intervenciones antes de morir (10/11/23), hasta el bohemio escritor guatemalteco Enrique Gómez Carrillo, ex marido de la diva aragonesa, quien afirmó colérico que los autores de *La gitana blanca*, pastiche de *Los arlequines de seda y oro* y otros films posteriores, debían de ser por lo menos seis... (en carta a Canudo reproducida en *L'usine aux images*, 1927).

presa[8]. Así, a finales de 1916, presenta el pequeño serial en tres episodios *La secta de los misteriosos*, y tras el modesto film de aventuras *Víctimas de la fatalidad* (1917), emprende durante la primavera el relampagueante rodaje (doce días, si hemos de creer a Girbal, en *Cinegramas* del lúgubre 19 de julio de 1936) de *El testamento de Diego Rocafort*, tras lo que se embarca en cierto relato folletinesco, *El manuscrito de una madre* (1917), manteniendo la actividad de sus estudios mediante el rodaje de cortometrajes de encargo o la realización de documentales, hasta que —quizá espoleado por algunas críticas que, laudatorias, sitúan el serial *Diego Rocafort* bajo la advocación de Ponson du Terrail *(La veu de Catalunya*, del 23/XII/17, según recoge Palmira González)— abordará la realización de un nuevo serial en cinco episodios, *Los ladrones del gran mundo*, esta vez sí sobre Ponson du Terrail, en donde lanzó a una nueva estrella (Inma Ribini)... Afanes vanos, en junio de 1918 un incendio reduce sus instalaciones a cenizas algo más que simbólicas.

3.5. *Studio Films como modelo reducido del cinema barcelonés*

Gran parte de los rasgos y caracteres que se han descrito hasta el momento como definidores de las dos primeras décadas del cine barcelonés pueden encontrarse condensados en los contornos de la productora Studio Films (1915-1921).

Los técnicos que fundaron la empresa eran dos operadores, Joan Solá Mestres y Alfred Fontanals, quienes desde 1908 fueron operador y responsable de laboratorio de la casa Pathé en Barcelona, nutriendo el primero con noticias catalanas el noticiario Pathé Journal. En 1914 abandonan la firma francesa y encontramos a Solá Mestres como ocasional productor, con el actor Gerardo Peña, de un par de films que él mismo codirigirá, para, ya en verano y en unión nuevamente como técnico de laboratorio de Fontanals, figurar como operador en el equipo profesional de la casa Barcinógrafo, hasta que en la primavera de 1915 fundan los laboratorios cinematográficos Studio Films.

---

[8] Cabe suponer que Hispano Films no debía de gozar una buena salud económica, si tenemos en cuenta las misérrimas condiciones industriales y salariales en que fueron filmadas tanto *Los misterios de Barcelona* como *El testamento de Diego Rocafort*.

La capitalización de su labor como operadores y los beneficios producidos por la actividad del laboratorio son la pequeña base financiera con la que, en agosto de 1915, realizan su primera producción: un film de aventuras según la moda imperante titulado *La emboscada trágica.* A partir de este momento el proceso de capitalización de la empresa va seguir rutas ya ensayadas con éxito tiempo atrás: el cortometraje cómico y el film documental. Este último alcanzó su mayor relevancia en el conjunto de las actividades de la empresa al fundarse en enero de 1918 el noticiero *Revista Studio* que editó, aunque de manera irregular a causa de los sempiternos problemas financieros, más de cincuenta números hasta 1920.

El film cómico, por su parte, fue sistemáticamente desarrollado por Studio Films mediante la realización de diversas series burlescas. El ciclo comenzó con la titulada *Cuentos baturros*, que bajo la realización de Domenec Ceret, conocido cómico de la escena barcelonesa y actor en films catalanes desde 1912, extendió sus diecisiete breves episodios entre finales de 1915 y el primer semestre de 1916. El éxito que iba cosechando la iniciativa condujo a los responsables del Estudio a producir otra nueva serie cómica casi simultáneamente con la anterior y también bajo la dirección de Ceret, aunque ésta menos autóctona e inspirada con descaro en Charlot, titulada *Serie excéntrica*, cuyos diez títulos fueron asimismo realizados en las mismas fechas. En idéntica dirección Solá y Fontanals se propusieron todavía parodiar los films policíacos de moda a través de una nueva serie que permaneció inédita como tal, pues sólo se rodó, en la primavera de 1916, el primer título de la misma, *Calinez y Gedeón detectives*. Sobre esta segura base económica Studio Films pronto comenzó a filmar comedias (por ejemplo, *A la pesca de los cuarenta y cinco millones*, 1916), dramas a la italiana (p. ej. *La duda*, 1916), films de aventuras policíaco-cosmopolitas (p. ej. *Las joyas de la condesa*, 1916) o popular-folletinescas (p. ej. *La loca del monasterio*, 1916), todas ellas dirigidas por Ceret. Y no tardaría en concluirse el diseño de esta diversificada producción al iniciar el rodaje de seriales en 1917.

Mientras Studio Films iba desarrollando esta política de realizaciones —casi un compendio de todo lo rodado hasta ese entonces en Barcelona—, su actividad aportaba al conjunto de la producción catalana un par de novedades, no por modestas menos desdeñables. En primer lugar, acopió un amplio elenco interpretativo cuyas apariciones se mantenían constantes en las películas de la firma; los actores y actrices que lo formaban no eran grandes astros escénicos, y cuando tenían experiencia teatral previa ésta se había forjado antes en el mundo del sainete y el «vaudeville» que en el universo de la circunspecta alta comedia o el altisonante drama burgués. Así fue creándose un incipiente *star system* que si no llegó a conseguir la categoría de tal fue porque, además de la desigual competencia de las *stars* extranjeras, la producción de Studio Films, y pese a situarse por encima de la de sus colegas catalanes, no llegó a exhibir ni el suficiente volumen de títulos como para hacerlo posible, ni la necesaria regularidad productora, que sufría pasajeros estancamientos en su actividad, como para insertar sólida y permanentemente los nombres y figuras de sus actores y actrices en el imaginario colectivo de los espectadores españoles, siendo la única excepción, y sólo parcial, Lolita París, que había comenzado su carrera en la casa Segre Films a finales de 1914.

La otra novedad fue inscribir en el desarrollo de sus dramas y films de aventuras pasajes y observaciones de carácter realista que supusieron la introducción en el cine barcelonés de ciertos esbozos de crónica social ausentes hasta ese entonces de la producción catalana, ya que cuando excepcionalmente se encontraban anotaciones similares, (*Los misterios de Barcelona*, por ejemplo), sólo lo hacían a título de observación descriptivo-ambiental. Esta tendencia conoció un breve pero hegemónico desarrollo en los dramas de Ceret, *Regeneración* y *Humanidad*, ambos de 1916, para luego diluirse en los seriales.

Es en febrero de 1917 cuando Studio Films acomete la realización de films en espisodios; y como continuación seriada de un éxito anterior, *La loca del monasterio*, produce *La herencia del diablo,* en ocho episodios, dirigida por Ceret y todavía bajo la advocación del serial francés. Este título presenta singular relevancia en la evolución de la productora, pues la sumió en una crisis no por pasajera menos alarmante. Veámoslo. Como quiera que el malo de la película —y esto en una situación de aguda crisis política— se llamaba igual que un político anticatalanista, el film fue prohibido poco después de su estreno. Si a las dificultades crónicas que corroían el cine catalán y que afectaban por igual a todas las productoras se les añadía, en el particular caso de Studio Films, que la tardanza en estrenar y amortizar sus películas le perjudicaba más que a otras empresas dado su volumen de actividad (suponemos que la firma debía de encontrarse cercana a una crisis de crecimiento), puede comprenderse el descalabro que pudo suponer

Mefisto (Joan María Codina, 1918).

para su economía la prohibición, ya no sólo de un título, sino de toda una serie.

De tal manera que estos factores, en concomitancia además con las dificultades de aprovisionamiento de película virgen a causa de la guerra europea, forzaron la parálisis de la empresa, que fue subsistiendo con el fruto procurado por algunos nuevos cortometrajes y con el producto de la exportación a norteamérica de sus documentales taurinos, así como por el lento goteo amortizador de los films ya en distribución. Y según el panorama fue clarificándose, Solá y Fontanals replantearon la política de su empresa apostando en firme y de manera decidida por los seriales. Para ello iniciaron una vía de producción barata y amortización rápida, el noticiero *Revista Studio*; convocaron a Codina —obviamente, el responsable del inoportuno traspiés de *La herencia del diablo* había abandonado la firma y con ello su actividad en el cinema español—, realizador de reconocida eficacia expresiva y, sobre todo, en virtud del nervioso brío con que filmaba, rápido y económico; adquirieron a precio de saldo los infrautilizados estudios de Boreal Films; organizaron una distribuidora filial a cuyo frente pusieron a un hermano de Solá Mestres dotado de amplia experiencia en tareas de comercialización...

Así, a mediados de 1918, y tras más de un año de inactividad en cuanto a la realización de largometrajes, Codina comenzó a filmar seriales siguiendo todavía el acreditado modelo francés: *Codicia* en catorce episodios, *Mefisto* en doce, *El protegido de satán* también en catorce, *La dama duende* en seis. En la primavera de 1919 adapta la novela de Zamacois *El otro*, trama psicológica turbia y crepuscular que se avenía sin problemas a la línea propuesta por las series europeas, mientras *El botón de fuego*, en diez episodios, y *Las máscaras negras*, en seis, los dos seriales rodados en el verano de 1919, tuvieron más en cuenta las enseñanzas norteamericanas. Pero aun así, una nueva interrupción de actividades se abatió sobre Studio Films: *El otro* permaneció prohibida un largo y asfixiante año, las dificultades financieras arreciaban, la debilidad estructural del cine catalán se hacía sentir en toda su crudeza, la producción encarecía sus costes sin que por ello mejorara la presentación del producto, los films se estrenaban tardíamente, los intentos y gestiones de Joan Solá Mestres frente a los poderes públicos para que éstos protegieran un cinema debilitado frente a la pujante competencia extranjera no daban fruto alguno, la moda de los seriales se agotaba velozmente y, en sus estertores, los productos de Studio Films no podían competir con los materiales americanos, franceses, italianos o alemanes producidos en oleadas y dotados no sólo de más medios sino de una desenvoltura expresiva que ponía en evidencia el progresivo agarrotamiento de la producción catalana...

Tras varios meses sin producir y dispuestos a agotar la última oportunidad, Solá y Fontanals depositaron su confianza en un trotamundos inglés que había realizado como actor una carrera secundaria en el mercado cinematográfico internacional, pero que gozaba de cierta popularidad entre nosotros por haber interpretado el papel de protagonista en el serial inglés en cuatro episodios *Ultus* (G. W. Pearson, 1916-1917) y de quien esperaban no sin motivos una renovación tanto de técnicas de rodaje como de temática. Aurelio Sidney, que así se llamaba el contratado, interpretó y codirigió junto a Codina en las primeras semanas de 1920 las películas *Mátame* y *El león*. Pero poco después Sidney moría, la situación económica no mejoraba, las amortizaciones se substanciaban con la lentitud habitual... Tras refugiarse ocasionalmente en el reportaje *(España en el Rif*, 1921) e intentar, en la primavera de 1921, poner en pie un proyecto que hubiera supuesto un esperanzador cambio de orientación en su política productora (la filmación de una versión de la popular novela *La casa de la Troya* dirigida por Pérez Lugín, su autor; cuatro años más tarde tal proyecto supondría una de las locomotoras del cine madrileño), Studio Films cerraba sus puertas y Joan Solá Mestres reiniciaba su carrera en Madrid como operador.

3.6. *Emigrantes y colonizadores*

Siendo el español durante este periodo un cinema tributario del resto de las cinematografías occidentales, y encontrándose inmerso en un subdesarrollo estructural y económico prácticamente tercermundista, fue moneda corriente tanto la emigración más o menos pasajera de nuestros profesionales cinematográficos, como, según ya se dijo, el aterrizaje en nuestro territorio de profesionales de otros países: unos para filmar asuntos que nosotros, miopes, no abordábamos o lo hacíamos de manera raquítica y desaliñada; otros para instalarse aquí cual pícaro colonizador que trae la buena nueva al incauto salvaje.

Entre los que abandonaron nuestro país en busca de más amplios horizontes se encontraban operadores, actores y algún que otro alevín de realizador. En tanto pertenecientes al primer grupo señalemos las figuras de José María Maristany, que trabajó en latitudes tan distantes entre sí como Filipinas y Argentina; Josep Gaspar, que a la vista de la precariedad del cine madrileño se afincó en los circuitos secundarios de Estados Unidos entre 1916 y 1919; y Ramón de Baños, colaborador habitual de su hermano Ricard, que en 1911 partió hacia Brasil, rodando allí reportajes, actualidades y documentales agrícolas para el Gobierno, hasta que su delicada salud le forzó a regresar en 1914. También, persuadido por Segundo de Chomón, emigró a Italia en 1916 el actor Joaquín Carrasco, permaneciendo en aquel país hasta 1924; asimismo, las actrices de Studio Films Silvia Mariategui y Rosarito Calzado viajaron en 1919 a Estados Unidos e Italia respectivamente sin resultados apreciables; muy al contrario que lo ocurrido en el caso del actor Gerardo Peña, que se trasladó a Italia en 1917 siguiendo la estela del retornado Caserini y desarrolló una no desdeñable carrera con aquél (pero también con Roberto Omegna, Ivo Illuminati o Alberto Collo) hasta 1923. Y, de igual manera, el joven realizador Benito Perojo abandona en 1917 la estepa madrileña y se instala en París, no reincorporándose al cine español hasta 1923. Como se puede suponer, todas estas figuras —salvo quizá en el caso de Baños, que viajaba a un país todavía más atrasado que el nuestro, o del actor Gerardo Peña— desempeñaron en las cinematografías que les acogieron tareas secundarias o auxiliares, pero su viaje les sirvió para acopiar una información intermitentemente útil sobre el funcionamiento de industrias más desarrolladas.

Mayor relevancia tuvo el caso de la cosmopolita tonadillera Raquel Meller. Célebre y popular artista ya en la época de su desafortunado debut cinematográfico español (1919), y habiéndose granjeado el respeto y admiración de la más acreditada intelectualidad española —a guisa de ejemplo señalemos que sus padrinos de boda fueron Pérez Galdós, Mariano Fortuny, el conde de Romanones y el torero Machaquito—, se presentó en agosto de 1919 en la parisina Sala Olimpia, comenzando así una larga y provechosa carrera internacional. Con tales precedentes no debe extrañar que en 1922 inicie sus actividades en el seno de la industria cinematográfica francesa, colaboración que se extenderá a ocho películas y durará diez años, durante los cuales también filmará en Hollywood cuatro canciones para la Fox. Innecesario señalar que a un cinema raquítico y no poco pueblerino como el español, la figura de Raquel Meller le venía grande, por lo que no volvería a intervenir en ninguna de sus producciones.

Mención especial requiere el caso del novelista, comediógrafo, diplomático, director teatral y periodista (notorio como «El duende de la Colegiata») Adelardo Fernández Arias, impulsor en Madrid de la «actualidad reconstituida» *Asesinato de Canalejas* (1912) —tardía aportación hispana al género—, quien, impenitente trotamundos, abandonó Madrid en 1914 para incorporarse a la potente industria turinesa como traductor, redactor de rótulos y actor, hasta que en 1915 inicia una desigual pero atractiva carrera como productor, guionista y realizador de siete títulos hasta 1920, incluyendo un largo paréntesis suizo durante el que organizó circuitos de exhibición. Lamentablemente, tan singular personaje jamás se reintegró a nuestro cine.

Entre las diversas figuras del cinema europeo que ocasionalmente recalaron entre nosotros merece citarse a Max Linder que, en septiembre de 1912 y en ocasión de una gira teatral que llevó a cabo por varias ciudades españolas, improvisó una novillada en la Plaza de Toros de Barcelona que fue retenida por las cámaras de la sucursal catalana de Pathé (Louis Gasnier como realizador y Solá y Fontanals como operadores), material que daría lugar a la cinta cómica *Max Toreador;* claro es, su presencia entre nosotros sólo pudo ser aprovechada, por elementales razones presupuestarias, para hacerle anunciar una marca de anís. Dos años más tarde, el popular galán italiano Gustavo Serena realizó en Barcelona y por cuenta de la turinesa Pascuali *La última danza*, que coprotagonizó con una cupletista de segundo orden, Conchita Ledesma, que en 1904 representó a los mercados madrileños en las parisinas fiestas de la Mi-Careme, cuyas cabalgatas y festejos escenificaba (¡) el futuro creador de los seriales, Victorin Jasset; como cabía prever, la estancia del astro italiano entre nosotros fue fugaz.

Un año antes, en el verano de 1913, la también italiana Cines había desplazado a Barcelona un reducido equipo de segundo rango formado por un operador (Giovanni Doria) y un actor (Godofredo Mateldi) para impulsar la creación entre nosotros de una filial que con la marca Film de Arte Español pretendía tanto rodar *in situ* temas hispanos como melodramas baratos —y ello sin olvidar la filmación de actualidades taurinas— con destino a mercados culturalmente subsidiarios en una operación que, a más bajo nivel, podría recordar lo que en su momento (marzo de 1909) había llevado a cabo la francesa Pathé fundando en Roma la Film d'arte Italiana. Este llamativo intento de embrionaria penetración imperialista en el mercado hispano por parte de la que era una de las más sólidas firmas romanas de la época no pareció desplegarse muy satisfactoriamente, de modo que cuando en el otoño se plantearon realizar el que sería su mayor empeño —*Carmen,* una muy atractiva versión de la ópera de Bizet— designaron como realizador a uno de los directivos de la empresa matriz, Augusto Turchi, y como intérpretes a dos estrellas francesas, una de las cuales (el galán Andrea Habay) comenzaría a partir de aquí una nueva y fructífera etapa profesional en los estudios romanos. Como fuera, a comienzos de 1914 la empresa se disolvió, suponemos que por no aconsejar tal tipo de operaciones la evolución del mercado europeo, máxime cuando sus resultados expresivos no sólo no eran esperanzadores sino que obligaban a ejecutar retoques finales en la misma Italia. A lo que parece, y si hemos de creer a Alfredo Serrano *(Las pelícu-*

las españolas, 1925), los restos de la empresa se reagruparon organizando una nueva y efímera productora: Tibidabo Films.

Asimismo, durante 1914, las ciudades de Toledo, Sevilla y Granada conocieron las andanzas de un equipo francés que, bajo las órdenes de Louis Feuillade, rodaba para Gaumont lo que había de constituir una «Serie española» que se vio reducida a tan sólo tres títulos cuando la entrada en guerra de Francia aconsejó el regreso del equipo a París. De igual forma, una vez acabada la contienda europea, diversos realizadores franceses pusieron sus ojos en nuestras tierras y en aspectos de nuestra cultura. Primero aparece Germaine Dulac, que rueda en 1919 el bronco drama *La fête Españole*, cuyos exteriores «andaluces» son filmados en Fuenterrabía. Luego, en 1921, Marcel L'Herbier dirige *El Dorado* en Granada, y *Don Juan y Fausto* (1922) en Segovia, utilizando dramática y expresivamente los materiales urbanos y arquitectónicos de estas dos ciudades españolas, que se transforman de simples marcos ambientales en inductores de la acción; enseñanzas que no fueron recogidas por los cineastas españoles. También la actriz Musidora, fascinada tanto por una España que conoce a consecuencia de su trabajo en el film de ambiente vasco *Pour Don Carlos* (1921) como por un rejoneador que le es presentado a raíz de una posterior gira teatral, filma en 1922 con la colaboración de Jaime de Lasuén el drama taurino *Sol y Sombra / La española* y el cortometraje «promocional» *Una aventura de Musidora en España*, tras lo que dará cima trabajosamente a la curiosa y vanguardista experiencia fílmico-escénica titulada *La tierra de los toros* (1924).

A su vez, otros cineastas extranjeros de muy diverso rango llegaron hasta nosotros dispuestos a desenvolver en nuestro cine unas carreras que no habían podido emprender en sus países de origen, que se habían desarrollado de forma macilenta, o que eran obstaculizadas por la contienda europea. Destaquemos primeramente a Otto Mulhauser, oscuro alemán que en 1911 había fundado la Alhambra Cox, dirigiendo dos películas con Gelabert a la cámara, y manteniéndose posteriormente en Barcelona como distribuidor. Por su parte, Giovanni Doria, el cameraman italiano que había llegado a Barcelona como responsable de fotografía de los asuntos de la Film de Arte Español, permaneció en España como operador cuando esta empresa canceló sus actividades.

A idéntica expedición italiana pertenecía, como vimos, el también actor más bien secundario Godofredo Mateldi, y de igual manera que Doria rehusó volver a su Italia natal, toda vez que tenía más posibilidades de cimentar una carrera profesionalmente satisfactoria en el seno de una cinematografía constreñida y con razonablemente ingenuas posibilidades de expansión, que en el interior del muy frondoso y competitivo cinema italiano; de forma y manera que en 1915 —no consta documentalmente por ahora su casi segura pertenencia al reagrupamiento conocido como Tibidabo Films— logró comenzar entre nosotros una profusa carrera como realizador de dramas a la italiana (uno en 1915, cuatro en 1916, dos en 1917, cuatro en 1918), una moderada actividad como director de películas de aventuras (una en 1917 y, como ya vimos, un serial de ocho episodios en 1918), y una oportunista actividad, desde 1917, como «director» de una «Escuela Cinematográfica» cuya existencia cabe suponer impulsara una coyuntural y poco robusta productora, Estrella Films, activa durante 1917 y 1918, creada para facilitar a sus alumnos una tarea «profesional» que justificase su pertenencia a la citada escuela. También manifestaría querencia por las academias cinematográficas[9] el igualmente italiano Lorenzo Petri quien, corresponsal barcelonés en 1916 de la revista profesional turinesa *Vita Cinematográfica*, ya aparece en 1918 como director de una de las más publicitadas «academias cinematográficas» del momento («Escuela Nacional de Arte Cinematográfico de Barcelona», se rotulaba solemne), a través de la que consiguió rodar entre 1919 y 1922 un trío de ocasionales films y publicar, en 1922, un didáctico tratado: *El artista cinematográfico: manual para los aficionados que quieren ser artistas* (¡él sí que era un artista!).

La inestabilidad bélica arrojó hasta Barcelona a Mario Caserini, uno de los pilares fundacionales de la cinematografía italiana, a quien

[9] Desde finales de la década y aprovechando tanto la popularidad de las estrellas extranjeras como el moderado ritmo de actividad de la cinematografía española, comenzaron a proliferar en Barcelona (y más tarde en otros lugares como Valencia o Bilbao) unas mal llamadas academias cinematográficas que, a cambio de una costosa matrícula, decían asegurar contratos al alumno cuando éste acabara unos interminables y tediosos estudios. Más cerca de la estafa y la picaresca que de las necesidades de la industria, tales «academias» sólo aportaban descrédito al universo cinematográfico español constituyéndose a veces sus chasqueados alumnos en cooperativa con el fin poder realizar, cuando menos, una escueta película que les sirviera de dudosa carta de presentación profesional.

se deben tanto importantes contribuciones a la formalización del film de género histórico, como el inicio en Italia de la comedia pasional mundana y de la implantación de la «diva». Llegado a finales de 1915 a Barcelona oportunamente reclamado por la efímera marca Excelsa Films (no casualmente distribuidora de material italiano), realizó en 1916 varios melodramas utilizando los servicios de tres contundentes estrellas italianas que le acompañaron en su periplo (la emergente diva Leda Gys, el popularísimo y voluptuoso Mario Bonnard y María Gasparini, su esposa), a los que ocasionalmente se unió la española «La argentinita». No debió apasionar a Caserini la experiencia de una cinematografía enclenque y timorata pues en 1917 y pese a los avatares bélicos ya se había reincorporado plenamente a la industria italiana, sin que nuestro cinema, o sus profesionales, se beneficiase de la contigüidad de semejantes pesos pesados del cine latino.

También tenía experiencia en los estudios italianos el actor y realizador inglés Aurelio Sidney, que desde 1908 realizaba trabajos marginales para la francesa Pathé como eventual *partenaire* del cómico excéntrico André Deed y, más tarde, para la Gaumont British o para las romanas Cines o Medusa. El hecho de que dos de sus películas italianas, y particularmente el serial en cuatro episodios, que también produjo, *Il club dei suicidi*, fueran interpretadas por la actriz de Studio Films Rosarito Calzado quizá fue determinante para que Sidney abandonara la por entonces (1919) casi agónica industria cinematográfica italiana y se vinculara a una empresa aparentemente sólida en el panorama barcelonés, la citada Studio Films. Como ya hemos visto, Sidney rodó un par de cintas en Barcelona y murió.

Singular es, sin embargo, el caso del realizador francés Henri Vorins (y de su esposa, la actriz Paulette Landais), quienes, procedentes de Marsella, aparecen en 1921 en Barcelona fundando la marca Principal Films en la creencia —fatalmente errónea— de que la intersección de temas «típicamente españoles» con una producción más barata que la francesa podía originar films rentables tras su venta a Europa, donde se asistía al desarrollo de un moderado interés por el folclore español. Este Vorins no era precisamente un desconocido en su lugar de origen: dirigente del circuito Pathé Consortium, se convierte en uno de los puntales de la marsellesa Phocea para la que dirige entre 1918 y 1920 no menos de siete películas, algunas sobre guión suyo. Existen indicios de que Phocea no tardó en abandonar la producción ya que Vorins se responsabiliza de dos películas de otra empresa antes de independizarse —quizá tras un acuerdo económico con Phocea— como productor en el entonces todavía propicio ambiente barcelonés. Así, tras tantear el melodrama en *Pobres niños* (1921), Vorins rueda en 1922 *Militona*, sobre Gautier, y en la primavera de 1923 *Pedrucho*, presuntas españoladas que sólo consiguen al traspasar nuestras fronteras un severo varapalo por parte del crítico Canudo. Por ello, y tras colaborar como asalariados en el veraniego rodaje de la producción galaico-madrileña *Maruxa* (1923) y no poder materializar su proyecto sobre el cuplé «El relicario», la pareja gala se reincorpora a la industria francesa tras dejar empantanada y en manos de un distribuidor su ya citada tercera realización —hecho al que quizá no fuera ajena la muerte del socio capitalista de Principal Films—, debiendo ejercer Vorins, en un ostentoso descenso profesional tras el fracaso de su aventura barcelonesa, de ayudante de dirección hasta bien entrado 1925.

También de origen francés es el proyecto que daría lugar a *La vida de Cristóbal Colón y el descubrimiento de América* (1917). El «ingeniero» americano Charles Drossner, ex-legionario herido en combate, funda la Films Cinematographiques Ch. Drossner, se asocia con otro francés llamado Émile Bourgeois[10] y, aprovechando difusas recomendaciones diplomáticas, vende un proyecto sobre la vida de Colón, previa alianza con la declinante Argos Films barcelonesa, al gobierno español, que no duda, noble rasgo aldeano, en subvencionar generosamente la iniciativa. El avispado dúo inunda su filmación de acreditados comediantes franceses, entre ellos un gesticulante profesor de mímica que interpreta al Almirante, rueda en numerosos y distantes exteriores, dilapida mucho dinero y concluye una fanfarrona película que deja boquiabiertos a tirios y troyanos, presurosos en proclamar con infantil

---

[10] Más de una vez se ha especulado razonablemente que este Bourgeois sería Gérard y no Émile. Gérard Bourgeois era un conocido realizador francés cuya carrera se extiende entre 1908 (era el director artístico de la Lux) y 1924, y que trabajó para Pathé, Eclair, etc., siendo considerado por algunos discípulo de Victorin Jasset. Sin embargo, y pese a que el genérico de la copia francesa proclama a Gérard como realizador, casi todas las fuentes hispanas tradicionales se refieren a Émile; y eso cuando no omiten su nombre y citan sólo a Drossner. Y digo «casi» porque en el núm. 141 de *Arte y cinematografía* aparece una semblanza publicitaria de Gérard Bourgeois, *alma mater* del film.

porfía que se encuentran ante lo mejor que ha dado hasta la fecha el cine español. Ni que decir tiene que esta ruidosa baratija es uno de los mamotretos más insufribles y mediocres que ha vomitado nuestro cine mudo, y radicalmente obsoleto respecto a sus modelos franceses de origen.

3.7. *Primer ocaso valenciano*

A comienzos de la década que estamos examinando, el cine valenciano —es decir la casa Cuesta— exhibe una cierta vitalidad. Si bien el grueso de su producción se concentra en el rodaje de faenas taurinas, no deja de filmar regularmente melodramas populares que suele realizar Joan María Codina, y que suponen el desarrollo en el cine español de la época de una variante populista muy sugestiva, máxime en comparación con el grueso de la envarada producción barcelonesa de los tres primeros años de la década, periodo en que desarrolla su actividad la empresa valenciana. El universo taurino, el mundo del bandolerismo o el drama rural son los temas que nutren los seis títulos que Cuesta produce en esos años.

Sin embargo, en 1914 Cuesta ya había interrumpido sus tareas. Las dificultades que más atrás se han comentado a propósito del cine catalán en su conjunto se hacían sentir con mayor agudeza y más tempranamente en Valencia. La poco abultada nómina de films de ficción de la empresa, la competencia con el más nutrido cine barcelonés y la progresiva irrupción en el mercado español de un cine extranjero dotado de fórmulas industriales y expresivas más depuradas oponían todo tipo de dificultades industriales a la firma valenciana. Si a eso añadimos que la filmación de reportajes taurinos, y precisamente a causa de su éxito, había dejado de ser patrimonio del pionero valenciano —desde 1910 el operador de Pathé en Valencia también filmaba corridas; otros incipientes productores madrileños o barceloneses se sumaban a esas tareas, igual que los productores zaragozanos; una de las razones que impulsó a la italiana Cines a crear en Barcelona la Film de Arte Español fue disponer de un suministro barato de corridas filmadas...—, entenderemos las dificultades financieras que llevaron a Films Cuesta o Hijos de Blas Cuesta, como también se hacía llamar la firma, a suspender sus actividades cinematográficas. Habrían de pasar muchos años para que Valencia volviera a aparecer en el panorama cinematográfico español.

3.8. *El difícil despertar madrileño*

Por paradójico que pueda resultar, las condiciones que obstaculizaron en la anterior década el surgimiento de una producción cinematográfica madrileña (e, incluso, la misma supervivencia del cinema como espectáculo), fueron las que en el periodo que nos ocupa impulsaron su primer desarrollo.

En efecto, vimos en su momento cómo los cinemas que no se vieron obligados a cerrar sus puertas por falta de público tuvieron que ofrecer en sus sesiones pequeñas piezas de variedades, teatro y zarzuela, adobadas con alguna que otra proyección cinematográfica, para asegurar la asistencia a sus locales de un espectador remiso a los films. Sin embargo, años de mantenimiento de esta peculiar modalidad de espectáculo acarrearon una sorprendente e inesperada crisis teatral: los públicos populares, e incluso algunos más selectos, ya no gustaban de los grandes y dilatados dramones de otrora, modificados como estaban sus hábitos de consumo por la asistencia a unas representaciones mixtas donde la oferta se diversificaba y el material ofrecido —género chico, sainetes, entremeses, pequeños melodramas— conectaba más satisfactoriamente con el espectador popular que la tradicional y un tanto rancia función escénica. Si a ello añadimos la lenta pero continuada penetración en el mercado de films europeos y norteamericanos cada vez menos elementales y de mayor metraje, podrá entenderse cómo el público madrileño fue alejándose poco a poco de las formas de ocio, en cierta medida decimonónicas, que anómalamente había sostenido en la anterior década, para asimilarse de manera cada vez más decidida a un espectáculo que, tanto en su duración como en su complejidad, comenzaba a sustituir con ventaja —la movilidad propia del film, y la posibilidad de contemplar ficciones ambientadas en lugares lejanos o parajes exóticos y encarnadas en un cada vez mejor perfilado sistema de *star system* apoyado en *vamps* y divas— a las formas culturales que hasta ese entonces había consumido. Estos factores, unidos a la lógica desaparición de los desasosegadores orquestriones y al paulatino aumento de la población popular de la ciudad, llevaron a que el espectáculo cinematográfico madrileño ya se encontrara consolidado a finales de 1913, y que la tendencia aparecida varios años antes, la transformación de los cinemas en locales escénicos, sufriera una radical y espectacular inversión: en junio de 1913 sólo dos locales ofrecían teatro sin necesidad de apoyarse en aditamentos fílmicos o de *music-hall*[11].

Así pues, los orígenes de la producción cinematográfica madrileña se vinculan de forma parcial a esta curiosa circunstancia. En 1911 Domingo Blanco, editor de un diario, y su hijo Enrique, instalaron unos laboratorios cinematográficos, fundaron una pequeña productora a ellos supeditada, y comenzaron a rodar documentales diversos, entre los que no faltaron los reportajes taurinos. Como puede observarse, se trataba del mismo proceso seguido en Barcelona casi diez años antes. Sin embargo, teniendo en cuenta que la tardía iniciativa debía enfrentarse no sólo a la competencia catalana sino también a la sólida implantación entre nosotros de los noticiarios extranjeros (donde no faltaban informaciones españolas suministradas por sus corresponsales), y que la comercialización del producto adolecía de unas redes de difusión que otros lugares y empresas tenían puestas a punto casi una década atrás, la experiencia se manifestó inútil —incluso ya durante la década anterior se revelaría estratégicamente precaria— en términos económicos o de acumulación del necesario capital para afrontar experiencias más ambiciosas. Pero la crisis teatral arriba comentada vino en provisional auxilio de Blanco, pues los empresarios teatrales dieron en ofrecer a sus espectadores, en un engañoso intento por competir al

[11] La consolidación del espectáculo cinematográfico como forma de ocio hegemónica ya había comenzado a percibirse con claridad dos años antes. Un comentario estadístico señalaba que la recaudación anual en concepto de sesiones cinematográficas alcanzaba ya la suma de 1.371.000 ptas. Si bien tal cifra era aun superada por las funciones teatrales y de *music-hall*, rebasaba la cantidad lograda por circos, conciertos, bailes, hipódromos y similares (véase comentario en *Nuevo Mundo*, 22 de junio de 1911). Los dos locales a que me refiero eran el Apolo y el Cómico, según crónica de «Caramanchel» —Ricardo Catarineu— aparecida también en *Nuevo Mundo* del 12 de junio de 1913, quien ya había analizado la situación con agudeza en la misma publicación el mes anterior (el 29 de mayo). Y en septiembre y en la misma revista, el crítico teatral «Alejandro Miquis» reconocía que el cine se estaba imponiendo, tras haber dado la voz de alarma el 5 de junio del mismo año. Ni que decir tiene que *Arte y cinematografía*, citando otra publicación madrileña, manifestaba su alborozo ante tal estado de cosas en el núm. 64 (15 de junio de 1913).

avasallador y emergente cinematógrafo, escenas filmadas que se incrustaban en el desarrollo de la obra representada; estos pequeños films fueron rodados por Enrique Blanco en 1913 y 1914, sin que, pese a ello, pudiera estabilizar su producción, debiendo refugiarse la empresa en su primitiva actividad como laboratorio.

Si, como ya se dijo, el documental fue entre nosotros uno de los primitivos medios de financiación y capitalización de una empresa cinematográfica embrionaria, también el film cómico siguió siendo utilizado en los rudimentarios intentos desplegados por consolidar una producción cinematográfica estable en Madrid. Así, mientras Enrique Blanco rodaba documentales e «intermedios» para la escena, un aristócrata desocupado, el conde de Vilana, se puso en 1912 de acuerdo con Francisco Oliver, representante de Pathé, e inició una exigua y tosca serie cómica (tres títulos) inspirada en el comediante francés André Deed («Toribio») e interpretada por el cómico teatral Martínez Palomo («Palomeque»), al tiempo que también experimentaba un breve asunto policíaco fotografiado por el tránsfuga catalán Josep Gaspar, quien, antes de emigrar previsoramente hacia Estados Unidos, se asoció en 1914 a otro ciudadano, Ángel Sáenz de Heredia, para filmar un par de películas policíacas. Como era de esperar, tanto el aristócrata como el civil, cuya firma llamóse Chapalo Films, a la vista del descorazonador resultado de tales experiencias abandonaron las tentativas de producción cinematográfica.

De igual modo, y utilizando el acreditado expediente del film cómico, un joven educado en Inglaterra, Benito Perojo, hijo de un ensayista y filósofo neokantiano, editor y diputado liberal, comienza a explorar en compañía de su hermano la filmación de asuntos cómicos, rodando en 1914 un par de cortometrajes vagamente evocadores en su mecánica del futuro trabajo de Mack Sennett, y creando un tipo cómico descaradamente inspirado en Max Linder, *Fulano de Tal*, que presenta en sociedad durante los últimos días del año. La tolerable acogida acordada a estos ensayos le lleva a crear meses más tarde, en 1915, y en unión de un par de entusiastas —Vargas Machuca, un actor aficionado, y Pedro Soto, un devoto del cinema—, la marca Patria Films para la que realiza, mientras se van construyendo unos elementales estudios cinematográficos, tres modestas películas cómicas en las que diseña un personaje, «Peladilla», inspirado sin pudor alguno en Charlot. La cordial acogida profesional que esos films obtienen a principios de 1916 —«Madrid ha escogido, pues, lo más difícil, y no es mucho que se equivoque», sentenció «Fósforo» en *El Imparcial* (21 de junio de 1916)— anima a los socios a ampliar el negocio incorporando a sus filas al abogado y crítico teatral Julio Roesset, que aporta sus ahorros reorganizando la empresa durante la primavera. Sin embargo, después de filmar un asunto de mayor envergadura e intentar seguir la serie *Peladilla*, Perojo toma conciencia de sus limitaciones, se distancia de la empresa, y en 1917 partirá hacia París buscando paliar su defectuosa formación técnica y artística. A su vez, y durante el verano, Roesset, animoso y obstinado, comienza la realización de películas a un ritmo frenético.

Para ello contará con la valiosa colaboración de las primeras figuras de una acreditada compañía teatral, tal vez movilizadas a causa del conocimiento que Roesset tenía del medio en tanto crítico; y desarrollará una política de producción tendente a ofrecer al hipotético espectador un atractivo panorama genérico: comedias cómicas como *El beso fatal* (1916), melodramas como *Margot* (1916), zarzuelas encubiertas como *De cuarenta para arriba* (1917), o films de aventuras históricas como *Por la vida del rey* (1916), todas ellas inspiradas en la manera de hacer norteamericana al decir de los cronistas.

No obstante, el rodaje barato y precipitado, desidioso y frecuentemente simultáneo de estas obras provoca el que una vez presentadas la crítica se manifieste desdeñosa con ellas y resulte casi imposible estrenarlas; tales circunstancias, añadidas al autocrítico abandono de la empresa por parte de Perojo meses antes, suscitará en Patria Films una crisis de grandes proporciones que se saldará con la ruptura de la sociedad.

Como cabe deducirse de lo hasta aquí expuesto, los retardados inicios de la producción cinematográfica madrileña no pueden ser más insatisfactorios. Y no podía ser de otra manera si consideramos el dramático y desconsolador desfase existente entre unos intentos productores inmersos en un atribulado paleopionerismo, y el marco en el que se desarrollaron, presidido por el hecho incuestionable de que el cinema occidental constituía por esas fechas una realidad industrial y expresiva con casi veinte años a sus espaldas (o diez, en el caso de una experiencia más constreñida y atrasada como la catalana). En circunstancias tan particularmente adversas, el hipotético desarrollo de una protoindustria cinematográfica madrileña sólo podía cimentarse sobre una costosa y agitada consunción de etapas que redujera a sus mínimas proporciones la descomunal demora que acumulaba desde sus mismos orígenes, y de cuyos numerosos e inevitables errores se desprendiera la necesaria experiencia exigible para poder enfrentarse, no ya a la realidad de industrias competidoras más desarrolladas y comunicativamente maduras, sino al simple reto de la propia supervivencia.

Es en este deprimente cuadro en el que se produce la crisis de Patria Films. A consecuencia de ella uno de los socios, Pedro Soto, se queda con los Estudios, mientras Roesset conserva para sí el resto del patrimonio de la empresa, en la que permanece Vargas Machuca como productor asociado. El primero rueda tres películas realizadas por Francisco Camacho (un ¡cómo no! film cómico en las postrimerías de 1916, y en 1917 un film policíaco y otro folclórico) que, tal y como corresponde a la situación descrita, no consigue estrenar, abandonando Soto la producción. Y Roesset, por su parte, emprende febril la realización apresurada de un nuevo lote de películas cómicas o de aventuras policíacas al estilo americano, que suscitan una irregular aceptación, le ocupan el resto de 1916 y 1917, y parecen agotar los reducidos recursos financieros de la empresa. Y finalmente, tras laboriosas gestiones solventadas a lo largo del año, en diciembre de 1918 un grupo reducido de capitalistas, que incluía profesionales y comerciantes, se hace cargo de Patria Films convirtiéndola en sociedad anónima, en la confianza de que los técnicos y actores que intervienen en sus menesteres ya han logrado soltura y familiaridad en el trabajo de hacer películas, y considerando asimismo que de los abultados beneficios producidos por un negocio que sigue creciendo en grandes proporciones sólo disfrutan los exhibidores y las empresas extranjeras.

En consecuencia, se construyeron nuevos y bien acondicionados estudios y Roesset comenzó otra vez a rodar según los criterios de producción ya aplicados a sus anteriores realizaciones. Cabe suponer que los improvisados y vertiginosos métodos de trabajo de Roesset —añadidos tanto a una gestión inhábil (enfrentamientos con la prensa especializada; conflictos con distribuidores a propósito del contrato firmado en enero de 1919 con un declinante y empobrecido Galdós para rodar sus obras) como a inoportunos proyectos faraónicos (la millonaria compra de un gran local de exhibición)— no satisficieron al consejo de administración de la compañía, máxime ante los preocupantes movimientos empresariales que, como veremos, cristalizaban a su alrededor anunciando una ruda competencia, por lo que este retrasado primitivo que no supo convertirse en ágil profesional debió abandonar la empresa en el verano de 1919, dejando tras de sí como herencia dos películas concluidas, tres films inacabados y general estupefacción.

Mientras estos acontecimientos se sucedían, 1918 ve constituirse en Santander una empresa productora impulsada por empresarios católicos, Cantabria Cines, cuyo previsor objetivo, apostando sobre seguro, es impresionar una obra de Benavente. A tal efecto ofrecen al futuro premio Nobel, quien, recordemos, siempre había manifestado vivo interés por el cinema, la adaptación y realización del film *Los intereses creados*, que llevará a término en Madrid y en colaboración con el protagonista de la película, Ricardo Puga. El decepcionante resultado de la experiencia, al que no es ajena la pésima calidad visual del producto —la penuria que provoca la guerra europea obliga a filmarlo en material positivo (según J. Moreno Oña en *Radiocinema*, 30/6/41)—, suscita la irritación de Benavente y el desánimo en los directivos de la empresa. Así, mientras el dramaturgo organiza otra nueva y efímera productora (Madrid Cines) con la que rodar un argumento original suyo, *La madona de las rosas* (1919), los reponsables de Cantabria Cines, en concordancia con las posiciones políticas y culturales que cabe presumir en el empresariado católico, inician gestiones para ampliar capital e involucrar en la empresa a significados miembros de la alta y muy conservadora burguesía madrileña, la aristocracia e, incluso, el rey Alfonso XIII, del que se conocían sus inclinaciones cinéfilas. Los diversos miembros de la aristocracia política y financiera interesados en la operación —en la que los componentes ideológicos culturales tenían un peso singular (impulsar un cine moralizante y conservador que fuera capaz, primero, de neutralizar, y, luego, desplazar a la más populista, desenvuelta y cosmopolita producción que llegaba de Barcelona cuyos abundantes seriales eran, además, considerados poco ejemplarizantes por la «buena sociedad» que impulsaba esta iniciativa)— consideraron como más adecuado a sus intereses crear una productora nueva en vez de diluirse en otra preexistente. De forma y manera que Cantabria Cines no tiene más remedio que autodisolverse en marzo de 1919, ceder sus activos a la nueva entidad y renacer en frondosa compañía de la mejor sociedad madrileña bajo el nombre de Atlántida, S.A.C.E. constituida en mayo de ese año.

Y a la vista de las excepcionales circunstancias concurrentes, la paralizada y estupefacta Patria Films inicia gestiones para unirse a la potente nueva empresa, a la que cederá su capital y patrimonio fílmico, y, sobre todo, su infraestructura (oficinas, laboratorios, almacenes, estudios)[12]. La fusión se consumó en julio y en febrero de 1920 se decidió disolver la fagocitada sociedad.

La entidad resultante, provista del crecido capital que le procura la suma del activo de las empresas precedentes y tras un año largo de inactividad, responsabiliza de sus tareas a un joven actor aficionado, José Buchs, que finaliza como puede el rodaje de las películas inacabadas de Roesset y, seguramente desprovisto de directrices concretas por parte de los dirigentes financieros de Atlántida, pero dispuesto a dominar el oficio sin pérdida de tiempo, comienza, él también, a rodar precipitadamente. El resultado de tan urgente ligereza, entre noviembre de 1920 y julio de 1921 seis títulos de resonancias norteamericanas pero que no ignoran el ya periclitado modelo estructural italiano, fue que las películas, pese a revelar un sorprendente instinto cinematográfico en Buchs, sólo cosecharon un éxito moderado, por lo que la empresa iba mostrando inequívocos y alarmantes signos de descapitalización. Ante ello, el gerente de la entidad, un eficaz alemán que ya había gestionado el Teatro de la Zarzuela, se puso en contacto con un distribuidor, Ernesto González, que tenía la exclusiva de una empresa alemana, y, mediando oportuno adelanto de distribución, decidieron rodar, bajo la responsabilidad de un cada vez más suelto Buchs, una zarzuela: *La verbena de la Paloma* (1921). Su previsible y estrepitoso éxito indicó al cine español una vía de acceso hacia la recuperación de su público natural: temas populares y de eficacia ya probada en los que el espectador se reconociera. De modo que al año siguiente Buchs, un poco más reposado, filmó otras dos zarzuelas que, igualmente, lograron notable acogida.

Pero volviendo a 1918, también ese año había indicado otro camino a seguir en la búsqueda de espectadores para el cine español. Alentado por el gran éxito que logró en su local la adaptación francocatalana de *Sangre y Arena*, rodada por Blasco Ibáñez en 1916, el empresa-

---

[12] Tales avatares han sido ejemplarmente descritos por Joaquín Cánovas en *Hora actual del cine de las autonomías del Estado Español*, actas del II Encuentro de la A.E.H.C. (San Sebastián, 1990, págs. 275-285).

rio Rafael Salvador produce y dirige en 1918 *La España trágica*, folletín taurino-paisajístico que se exhibió triunfalmente y que decidió a su productor y realizador a seguir cultivando el drama y el reportaje taurino a lo largo de un lapso de diez años. Y en idéntica sintonía de intereses, la actriz y danzante Helena Cortesina produce y dirige en 1921 (inaugurando, de paso, la exigua nómina de mujeres realizadoras en el cine español), con el concurso del bohemio clérigo-dramaturgo José María Granada (v.n. J. M. Martín López), el film titulado *Flor de España o la leyenda de un torero*.

Por último, 1922 asiste también al nacimiento de un tema que va a conocer un escueto pero significativo desarrollo a lo largo de los años siguientes. El operador Armando Pou, tras rodar un largometraje sobre la realidad española por encargo de un indiano *(La nueva España*, 1921), produce *Alma rifeña* (Buchs, 1922) e inaugura así una lógicamente modesta aportación española al cinema colonial que con anterioridad sólo había conocido el documental con incrustaciones ficcionales *Por la Patria: memorias de un legionario* (1921) también producida y realizada por Rafael Salvador.

4. 1923-1929. El desarrollo de la producción madrileña

4.1. *Caracterización general*

Como se desprende de las líneas anteriores, la primera e imperiosa necesidad del cinema madrileño era encontrar con la máxima rapidez un público que le dispensara una acogida hospitalaria, garantizándole la supervivencia. Y no podía ser por menos; a la férreamente implantada entre nosotros producción extranjera, sobre todo norteamericana, que había hecho de nuestro territorio uno de sus más estables y provechosos feudos (en 1925 ya había en España 1.497 cines, casi la décima parte del total europeo), debía añadirse el que los exhibidores seguían manifestándose reticentes ante las películas españolas, y que los espectadores estaban cada vez más habituados a la bien fabricada producción ajena. Ello condujo, según estamos viendo, a buscar géneros nacionales y castizos que conectaran con la sensibilidad popular; pero también, a un lógico deseo de reducir riesgos empresariales, a disminuir costes de producción, aunque ello redundara en perjuicio del acabado de la película. Estas dos actitudes produjeron efectos contradictorios entre sí.

La persecución de géneros autóctonos, no por convulsa menos instalada al abrigo de inseguridades financieras, llevó a que productores y realizadores pusieran sus ojos en aquellos asuntos que ya habían demostrado sus probabilidades de triunfo en otros medios artísticos o del espectáculo. Así, la producción madrileña comenzó a exhibir, tras el afortunado tanteo de *La verbena de la Paloma* y *La España trágica*, una desenfrenada profusión de zarzuelas, cuyos libretos se adscribían, por lo demás, al sainete[13]; y, en escalas progresivamente descendentes, tanto melodramas ruralistas que cultivaban no pocas veces un supuesto pintoresquismo local y en los que se dejaba sentir el gravamen ideológico de la poderosa iglesia católica; como films sobre un universo, el taurino, cuya mitología no estaba aún reemplazada por la progresiva influencia del estrellato hollywoodiense, universo muchas veces adobado con elementos folclórico-turísticos inscritos en su desarrollo, en un cauteloso intento por evitar, no siempre con éxito, el deslizamiento del producto hacia la por entonces infamante «españolada».

Esta tentativa por encontrar un género popular y accesible al mayor número potencial de espectadores nacionales se saldó con una inesperada victoria. De pronto, los films españoles —o mejor dicho, y en chusca simetría a lo ocurrido en el anterior periodo, madrileños— comenzaron a gozar de una insospechada popularidad, amortizando su exiguo coste. Pero estos triunfos no tardaron en exhibir su debilidad estratégica.

Por una parte, aquellos éxitos se asentaban en productos deficientemente fabricados cuyos responsables artísticos soportaban tanto bajos salarios por su actividad como continuados requerimientos para que solventaran los rodajes de manera rápida y negligente, en un mio-

---

[13] Aunque a simple vista parezca un despropósito adaptar una zarzuela al cine mudo, la realidad era bien otra. Se sabe que el cinema silente sólo era tal sobre la pantalla, ya que el espectáculo cinematográfico fue casi siempre sonoro, en tanto la película solía proyectarse con un acompañamiento musical cuyos ejecutantes recorrían la escala comprendida entre el solista y la orquesta. Por consiguiente, las adaptaciones de zarzuelas se exhibían con el imprescindible aditamento de su música original convenientemente ajustada a las características de sala e intérprete(s). Y, por otra parte, lo que más interesaba de las zarzuelas era sus populares libretos, filmándose sólo aquellas cuyos conocidos temas facilitaban su transposición cinematográfica.

pe afán por reducir gastos de manufactura al precio que fuera. El resultado de estas desoladoras condiciones de trabajo era la puesta en circulación de un conjunto de películas que adolecía de una penosa tosquedad visual, y cuyas obras, individualmente consideradas, soportaban no pocas veces una desconcertante irregularidad expresiva en su propio desarrollo, factores estos[14] que convertían en dramática la experiencia de confrontar nuestro cine con una producción extranjera que le disputaba de forma draconiana las pantallas.

Por otra parte, el incontrolado abuso de zarzuelas filmadas —nótese que en 1923 más del cincuenta por cien de la producción española fueron zarzuelas o que en 1925 la cifra todavía se aproximaba al

---

[14] Por lo que se refiere al primer aspecto, la precaria financiación de las películas se hacía notar en la presencia de errores técnicos auspiciados por la imposibilidad de repetir tomas o por la mala calidad de los materiales empleados en las filmaciones, de tal forma que el espectador podía asistir estupefacto a la intempestiva y no diégetica entrada en campo de una nube de humo procedente de cualquier anónimo fumador del equipo técnico que rodaba el film —*La Bejarana*, Ardavín, 1926—; observar entre alarmado y perplejo cómo aquello que decía ser sólida pared se bamboleaba sin rubor alguno —*Es mi hombre*, Fernández Cuenca, 1927—; participar en «escenas nocturnas» rebosantes de una deslumbradora luminosidad que el posterior tintado no podía suavizar —*Currito de la Cruz*, Pérez Lugín/Delgado/Noriega, 1925—; advertir con regocijo cómo las escenas en exteriores se beneficiaban de las inesperadas aportaciones de transeúntes que tras entrar inadvertidamente en campo y atisbar sorprendidos el objetivo de la cámara se retiraban presurosos y contritos —*Más allá de la muerte*, Perojo, 1924—; o percibir cómo el «salto de eje» se convertía en una de las más conspícuas instituciones del cinema patrio, «recurso» con el que testimoniar de forma oblicua sobre la forzosa indigencia de sus rodajes.

Y por lo que se refiere al segundo aspecto, aludo al curioso fenómeno según el cual en la superficie de diversas películas españolas coexisten pasajes que remiten sin más al cinema primitivo (escenas frontales, ausencia de contracampos, inexistencia del espacio fuera de campo, planificación elemental) con fragmentos del todo integrados en el conjunto de requisitos formales que definen el lenguaje cinematográfico clásico como entidad establemente constituida, o Modelo de Representación Institucional, en feliz expresión de Noël Burch. Que en el cinema mudo español se dé esta llamativa interrelación entre arcaísmo y clasicismo no debe extrañarnos puesto que la evolución del lenguaje cinematográfico está determinada en última instancia por las condiciones industriales y económicas de que se nutre, y la debilidad industrial y financiera de nuestro cinema no podía sino estorbar una asunción (y una práctica) normalizada de las líneas maestras que iban diseñando el MRI en cinematografías técnica y económicamente más avanzadas. Y es en tal sentido en el que podríamos calificar a nuestro cinema silente como tercermundista. Quede pues esbozada, aunque sea en un largo pie de página, una cuestión que requeriría un más reposado debate.

veinte por ciento del total— acabó generando un relativo cansancio incluso en los espectadores más proclives a este género escénico, al igual que un progresivo y justificado desinterés en ciertas capas de público pertenecientes a las culturas peninsulares más alejadas de esta modalidad expresiva. Ello parece indicar que la reconquista de espectadores para el cine español fue un desafío planteado de forma tan apremiante que se abordó de manera coyunturalista y sin perspectiva. Así, en vez de proceder a una reformulación en términos fílmicos de géneros ya acreditados en otros ámbitos expresivos, productores y cineastas se limitaron sin más a una empobrecida traslación mecánica de los mismos a la pantalla, de manera que lo que debería haber sido un punto de partida se convirtió en concluyente línea de llegada, obstaculizándose de esta forma el posible desarrollo cinematográfico de un universo referencial bien anclado en los gustos populares. Circunstancia agravada, además, por el hecho de que sus materiales de origen (contenidos en el teatro lírico, los sainetes, incluso la mitología taurómaca) padecían ya un acentuado declive a causa precisamente de la extensión del cinematógrafo como espectáculo popular. En consecuencia, en vez de traducir un microcosmos ya arraigado en los hábitos del público al medio ascendente y hegemónico que era el cinema, nuestros anquilosados cinematografistas mimetizaron aquél, situándose a la retaguardia del proceso cultural de la época, impidiendo asimismo la creación de un género cinematográfico propio alimentado por aquellos materiales, con lo que la zarzuela y el sainete lírico sufrieron un rápido deterioro como fuente de inspiración para el cinematógrafo, pese a que en su fase inicial lograran el propósito de recuperar espectadores para nuestro cine.

Tales fueron los efectos contradictorios más arriba señalados: si bien, por un lado, se consiguió un público amable y benevolente, no tardaría en inducírsele, por reiteración temática, una peligrosa fatiga; y si bien, por el otro, la baratura de fabricación posibilitó amortizar los films, la inevitable rudeza expresiva que aquella generaría fue suscitando lenta pero inquietantemente cierta desatención hacia el cine español por parte de sus espectadores potenciales.

Las circunstancias hasta aquí reseñadas —el agotamiento rápido de ciertos géneros tomados en préstamo a otras áreas expresivas; la áspera ejecución de las películas que se presentaban al público— no dejaron de suscitar creciente alarma, puesto que ponían en peligro la gradual aceptación que nuestro cinema iba cosechando entre los espectadores, por lo que productores y directores comenzaron decididamente a invocar en su auxilio los servicios de novelistas, dramaturgos y comediógrafos, en un intento de prolongar, o al menos estabilizar, la desahogada acogida comercial de buena parte de sus producciones; así como acceder a cierta respetabilidad cultural que desfondara la ya legendaria indiferencia, cuando no hostilidad, del capital financiero e industrial español hacia el cinema, aspecto este que se consideraba imprescindible para cimentar y consolidar la industria cinematográfica madrileña.

Esta resolución, involuntario dictamen de cierta desconfianza en las propias fuerzas, fue espoleada, además, por el entusiasmo que suscitaron las consecutivas y aireadas filmaciones de un par de populares novelas de Pérez Lugín, cuyos resultados —*La casa de la Troya*, Pérez Lugín / Noriega, 1924; y *Currito de la Cruz*, Pérez Lugín / Delgado / Noriega, 1925— alcanzaron un clamoroso éxito. Así pues, esa medrosa política productora, apoyada en repetidas adaptaciones de novelas o piezas teatrales, acabó proporcionando al cinema español de la época una muy singular fisonomía debido al hecho de que en el origen de más de la mitad del total[15] de sus producciones (y eso sin contabilizar las veintiocho zarzuelas rodadas en este periodo, más las tres de 1921 y 1922) se encontrase una figura literaria. Este hecho, si bien fue facilitando al conjunto del cinema de la época, y por lo que a su horizonte temático se refiere, un discreto y convincente tono medio, no dejó de resultar a la larga, en tanto subsidiario de iniciativas referenciales ajenas a las propias posibilidades del espectáculo cinematográfico, una medida restrictiva y empobrecedora.

Esta compleja y potencialmente conflictiva situación se extiende más o menos durante los tres primeros años del periodo que nos ocupa. Pero a partir de 1925 se van adoptando nuevas providencias que, pese a ser no poco timoratas e improvisadas, apuntalan una industria estructuralmente frágil estabilizándola en sus necesidades indispensables, permitiéndole un cierto crecimiento cuantitativo, la consolida-

[15] Las cuantificaciones que hasta el momento se han consignado incluyen también la producción valenciana, en tanto sus características la emparentan con la madrileña. Se excluyen, por el contrario, las minúsculas aunque significativas experiencias vasca, asturiana, gallega, balear y canaria, así como la residual cosecha catalana.

ción de su público y un breve periodo de normalización industrial. Esas medidas aluden, fundamentalmente, a una resuelta diversificación genérica (melodramas cosmopolitas, piezas cómicas, películas históricas, comedias urbanas, films de aventuras de ambiente goyesco) en cuya virtud las adaptaciones de zarzuelas sufren un llamativo descenso en su volumen (dieciocho entre 1923 y 1925; diez entre 1926 y 1929); se mantiene una producción estable pero moderada de melodramas ruralistas; se reduce aún más la ya de por sí limitada nómina de films taurinos, que prácticamente concluye en 1925, decadencia acaso impulsada de manera paradójica por *Currito de la Cruz* (1925), cuyo prolongado y arrollador éxito quizá desalojó de su espacio genérico a competidores si cabe más groseros; o, por el contrario, se aumenta el censo de sainetes de exclusiva procedencia literaria o escénica (dos y seis respecto a los periodos antedichos). Pero, sobre todo, y lo que resulta más notable en este proceso, haciéndose visible la tímida aparición de un sainete escrito a propósito para el cinema, fenómeno que puede observarse desde 1926 con *El pilluelo de Madrid* de Florián Rey, y que tiene su continuación en 1928 con *Viva Madrid que es mi pueblo* de Fernando Delgado, o en las significativas experiencias, en 1927 y 1929, de *Al Hollywood madrileño* y *Sexto sentido*.

El resto de disposiciones que se fueron arbitrando, un tanto irrelevantes, se encaminaron a incrementar el censo de asuntos originalmente escritos para la pantalla —incluida la sugerencia a ciertos literatos para que siguiendo el ejemplo benaventino (1923-1924) escribieran ellos también para el cinema, sugerencia que no fue muy atendida—; o a aumentar el volumen e intensidad de peticiones al gobierno para que dictara una política proteccionista al cine español, política que al menos debería materializarse en una cuota de pantalla que lo defendiera en su desigual lucha contra las producciones extranjeras; demandas que la pétrea dictadura de Primo desoyó por sistema, ocupada como estaba en el deportivo ejercicio de la censura, en la resolución del problema marroquí o en el impávido acrecentamiento de los beneficios del capital financiero.

La ayuda que se demandaba, objetivamente imprescindible, era consecuencia no tan sólo de la cada vez más avasalladora y altanera competencia internacional, sino recurso preciso para mitigar el inveterado desdén del capital español hacia el cinema, desdén que no se había visto modificado por el conjunto de medidas hasta aquí enumeradas ni por el hecho de que nuestro cine ya gozara de un público bastante fiel; desdén que sólo obstaculizaba el desarrollo y fortalecimiento de nuestro cinema. Caractericemos, pues, los avatares del capital cinematográfico español durante este periodo.

Sólo dos sociedades de cierta envergadura aparecen en el panorama cinematográfico madrileño, y ambas son elocuente testimonio del irresponsable desinterés del capital financiero al respecto. La primera de ellas, la otrora prometedora Atlántida, manifiesta una evolución tan errática como alicorta, aunque sería injusto achacarle a ella (a sus gestores) toda la responsabilidad de sus penosos avatares. Veamos. Tras producir Buchs a un buen ritmo a partir del otoño de 1920 —casi una película cada mes y medio alternando comedias cosmopolitas a la americana y dramas solemnes a la italiana; en total seis impersonales títulos hasta *La verbena de la Paloma*, rodada en agosto y estrenada en diciembre de 1921— y seguir con más reposo, medios y reflexión la senda indicada por esta última película (sólo cuatro pero exitosos films: dos zarzuelas en 1922 y otras tantas en 1923, aunque la última, una vez preparada, no la realiza al marcharse de la sociedad), Atlántida ve cómo Buchs y su director gerente, fatigados por las continuadas querellas mantenidas contra un consejo de administración remiso a financiar adecuadamente sus actividades so pretexto de que la amortización se solventa con lentitud, abandonan la empresa y crean una marca rival en febrero de 1923. Tras un breve periodo de confusión, y hacerse cargo de la gerencia Andrés Pérez de la Mota, un periodista especializado en cinema desde 1911, la sociedad prosigue su trabajo bajo la responsabilidad directiva del actor Manuel Noriega, que a comienzos de 1924 también se verá obligado a abandonarla, aunque en esta ocasión los motivos, más complejos, no se circunscriban sólo a la desidia o al desinterés de los sectores políticos que comparten la administración de la productora sino también a una actitud irresponsablemente liquidacionista: con la proverbial miopía que muchas veces ha caracterizado a la derecha política española, ésta debió pensar en la inutilidad de dar batalla cultural alguna a través de una productora que, sin embargo y como ya vimos, había nacido para ello; después de todo, Primo de Rivera con su golpe militar ya les había proporcionado una económica y apacible salida a sus afanes y la empresa sólo podía ya justificar su existencia en función de unos improbables beneficios rápidos.

De modo que a finales de 1923, tras haber filmado Noriega de manera rápida y económica una comedia y dos zarzuelas, y haberse embarcado en un costoso e interminable rodaje en la isla de Mallorca, el consejo de administración de la empresa, que no sólo no desembolsaba el capital necesario para la buena marcha de la misma sino que veía con malos ojos planes tan costosos como el proyecto mallorquín (de hecho, con tener a la productora hibernando y en la reserva debía darse por satisfecho), cesa al gerente ya que, para mayor escarnio, el «guión mallorquín» era suyo, y nombra para sustituirle a un joven y a la postre ambicioso banquero de nombre Bauer que ya en en los primeros días de 1924 diseña una brillante operación: economizar inversiones mediante una coproducción con un sólido y, además, internacionalmente prestigioso equipo francés que ya ha rodado dos películas entre nosotros. Así, Atlántida coproduce con Cinegraphique *La barraca de los monstruos*, memorable y germinativa obra dirigida por el «galán» Jacque Catelain, cuyos helados exteriores españoles se ruedan en febrero y los interiores durante marzo en estudios franceses[16]. Mientras tanto, *Venganza*, el proyecto mallorquín, ha concluido finalmente.

Lo que no esperaba Bauer era que la voraz y enloquecida censura primorriverista le prohibiera tajante y contundentemente ambas películas: una por ser un poco edificante melodrama rural incestuoso; y la coproducción por proponer a través de una turbia y violenta atmósfera una agria reflexión sobre la dificultad de vivir en la árida y gélida España castellana de la época, reflexión que bordea tanto la pesadilla como la blasfemia. Innecesario subrayar lo feliz que hizo tal medida a un Consejo de Administración que asistía atónito a tal hecatombe financiera... No tardarían significados miembros de ese consejo en abandonar la nave con lo que los socios supervivientes del desanimado Bauer acabaron controlando una semiparalizada empresa que en poco se parecía a la que comenzó su camino productor cinco años antes.

---

[16] Cinegraphique (1923-1928) era la empresa productora del notabilísimo realizador francés Marcel L'Herbier. Su actividad española durante 1921 y 1922 quizá impulsara su alianza con Atlántida, en una hipotética voluntad de seguir filmando asuntos con sabor español. Los hechos acabaron dándole la razón a Bauer: este ilustre precedente de *Viridiana* fue elegido por votación popular como una de las veinte mejores películas exhibidas durante 1924 en París.

A finales de 1924, y tras casi un año de desconcertada impotencia, se hizo cargo de reiniciar su actividad Florián Rey, quien volvió a la zarzuela barata y al sainete populista y económico, al tiempo que remontaba en vano *Venganza*. Tampoco tardará mucho en desentenderse del asunto (comienzos del verano de 1926), interrumpiendo entonces Atlántida la producción de films y liquidando un año más tarde sus estudios de rodaje, con el nada desdeñable balance de veinte películas producidas entre 1920 y 1926.

Por su parte, la empresa rival creada por Buchs, Film Española, aparece cofinanciada por el banquero Urquijo (recuérdese que también desde 1924 el banquero Bauer participa en Atlántida), consistiendo su primera diligencia en edificar unos estudios de rodaje. Una vez concluidos comienza a producir y el proceso ya examinado en el caso de Atlántida se repite de necesidad en Film Española; pese a estar siempre ocupadas sus instalaciones en el desarrollo de su propio programa de producción, el proceso amortizador sufre una demora tan lógica en el negocio cinematográfico como gravemente perturbadora, a causa de un inconveniente añadido: la hipotética rentabilidad de los films debe servir para amortizar no sólo la cantidad presupuestada en su elaboración, sino también para satisfacer los gastos de construcción y mantenimiento de los estudios, con lo que la construcción previa de estudios cinematográficos se evidencia como iniciativa ruinosa que hipoteca la política productora de la empresa. Obvio, la quiebra técnica se precipita y en 1926 la sociedad liquida atropelladamente sus bienes, ante la alarmante perspectiva de continuar profundizando el déficit. Su resultado artístico: ocho películas entre 1923 y 1924.

Como se ve, la experiencia de Film Española, en su brevedad, resulta iluminadora tanto sobre los avatares de Atlántida como sobre las condiciones industriales que podían hacer viable la realización de películas en España. Parece evidente que las concretas circunstancias del cine español durante la década (extensión todavía irregular del espectáculo cinematográfico, escasa capacidad adquisitiva de los públicos populares, dura competencia extranjera, débiles expectativas exportadoras, imperfectas redes de comercialización, etc.) tan sólo permitían, en el mejor de los casos, amortizar un film de no muy elevado coste, posibilitando sólo en ocasiones excepcionales una moderada cuota de beneficio empresarial, por lo que resultaba impracticable, en términos económicos, hacer confluir en una misma empresa la producción de películas con el mantenimiento permanente de estudios de rodaje y laboratorios de revelado, instalaciones que soportaban elevados gastos de conservación. Bifurcar tales actividades en ramas industriales independientes (por un lado la producción, por otro el manufacturado) era una exigencia económica que fue imponiéndose al cinema español con la despótica certeza de lo evidente: el desastre financiero. Amalgamar las diversas fases de elaboración de las películas en una sola empresa era consecuencia de un aldeano mimetismo respecto a industrias más desarrolladas, lo que revelaba, amén de necedad, un irresponsable desahogo por parte de nuestros hombres de cine. Pero lo que más sorprende es que el mismísimo capital financiero no evaluara las condiciones de ejercicio de su propia actividad. Como fuera, tan suicidas improvisaciones alejaron el capital del negocio cinematográfico con los resultados conocidos: someter la incipiente industria cinematográfica española a un grado de estable pero crónicamente esforzada subsistencia[17].

Todo lo anterior condujo a una producción atomizada, en la que menudeaba la cooperativa y la improvisación financiera, y en donde el dinero, cuando aparecía, era de procedencia comercial, o aportado por repentinos financiadores pertenecientes a profesiones liberales estimulados por los llamativos éxitos de *La casa de la Troya* y *Currito de la Cruz*, involuntarios pero eficaces inductores del espectacular aumento de la producción madrileña desde 1926. Así, aterrizaron, y bienvenidos fueron, en el cine español y en función de «productores», farmacéuticos, perfumeros, arquitectos, boxeadores, anticuarios, ingenieros, relojeros, médicos, escultores, litógrafos, almacenistas, toreros, consignatarios de buques y profesores de instituto. Y también aristócratas, como el conde de Romanones, el marqués de Santo Floro, el marqués

[17] Además de Atlántida y Film Española existían en la capital de España los estudios y laboratorios Madrid Films, creados en 1921. Como los primeros, antes de su obligada clausura, eran generalmente utilizados en las producciones propias de sus empresas, Madrid Films no daba abasto, por lo que empezó a ser práctica corriente realizar películas en interiores naturales, abaratándose de paso la producción. No obstante, en 1927, y para paliar la penuria de instalaciones de rodaje, se crearon otros nuevos estudios: Omnium Cine. Todos estos estudios desaparecerían con la llegada del cinema sonoro. Y también con la llegada del cine sonoro el capital financiero y ocasionalmente industrial aprendió la lección de la anterior década: invirtió primero en estudios de rodaje o en distribuidoras.

de Portago, el conde del Vado, el marqués de Bolarque, el marqués de Aracena... Igualmente, algunos escritores abordan la producción de sus obras, o las de sus progenitores, o las de sus hermanos (López Rienda, Joaquín Dicenta hijo y Carlos Arpe, Eusebio Fernández Ardavín). Además, en el conjunto de este espontaneísta e improvisado florecimiento y como índice de los desorientados criterios que regían nuestra producción, el rodaje de un título podía obedecer a razones tan desconcertantes como halagar a la Reina Madre, ofrecer un generoso regalo de bodas a una hermanita casadera, erigir un vehículo para que otra hermanita pusiera a prueba sus dotes de actriz, repartir la recaudación en taquilla a los pobres del pueblo donde se filmaba la benéfica y providente obra... Por supuesto, y al margen de tan descabellados planteamientos, también produce alguna distribuidora, pero esta experiencia se despliega con un ritmo lento y precavido. De todos modos, justo es señalar que este chisporroteo de pequeñas iniciativas productoras desarrolla la producción madrileña y pone en circulación una oferta fílmica que, al margen de su heterogéneo valor, amplifica la capacidad de convocatoria del cinema español.

Sin embargo, el verdadero elemento motor de la producción cinematográfica española durante este periodo son los propios realizadores o quienes aspiran a serlo. En efecto, encontrándose el capital financiero e industrial débilmente representado en el cinema español y sólo atento a una improbable ganancia rápida, el pequeño capital de origen comerciante y terciario mal podía tomar iniciativas en este campo, desprovisto como estaba de capacidad de planificación económica en un mundo que le era ajeno. Por tanto, las iniciativas productoras son siempre de los trabajadores de un sector que, por la lógica de su propio crecimiento, ve aumentar poco a poco su censo de profesionales, convirtiéndose por ello, y también paso a paso, en un grupo laboralmente deprimido y potencialmente marginal. Es por ello por lo que los componentes de la tribu cinematográfica, si quieren subsistir como tales, deben buscar financiación a sus proyectos allá donde acceden con mayor soltura: profesionales liberales o distribuidoras.

Esta coyuntura conduce a que pueda diseñarse una cartografía de elementos productores o directivos en recíproca concurrencia sumamente particular. Es cada director quien mediante sus relaciones promoverá las empresas cinematográficas —y su facilidad para hacerlo dependerá del prestigio acumulado— que nutrirán de capital a sus proyectos; empresas que, en buena lógica, sólo trabajarán con el realizador que las ha impulsado, no diversificando por tanto ni géneros ni, sobre todo, modos de hacer, por lo que tales empresas se verán abocadas, en términos de amortización o beneficio, a un callejón sin salida. Ello conduce a que cada compañía individualizada sólo produzca uno o dos títulos al año, y que trabaje con «su» director un periodo de tiempo breve que rara vez superará el par de años, resultando laborioso encontrar una productora que sea activa más de un año. Por consiguiente, cada realizador que logra desarrollar su carrera con regularidad trabaja con tres o cuatro firmas sucesivamente, mientras que otros muchos sólo consiguen trabajar con una, testimoniando así una actividad reducida.

Estos últimos, por otra parte, son legión. Frente a nombres como José Buchs (veintinueve títulos entre 1920 y 1930), Florián Rey (trece films entre 1924 y 1930), Manuel Noriega (nueve películas entre 1923 y 1926), Fernando Delgado (nueve obras entre 1924 y 1929) o Benito Perojo (nueve cintas entre 1923 y 1930), nos encontramos con casi tres docenas de autores de película única y con más de diez que sólo han logrado filmar dos solitarios títulos. Como puede deducirse, el periodo que estamos examinando se caracteriza por una auténtica erupción de debutantes, sobre todo en los momentos comprendidos entre 1926 y 1928, que por lo común financian ellos mismos su propio film.

Otra curiosa peculiaridad homogeneiza también las figuras de los realizadores madrileños, diferenciándolas de los protagonistas de la experiencia catalana. Si en Barcelona quienes accedieron a la realización con frecuencia habían sido operadores o empresarios, la nómina de actores que llega a rodar películas en Madrid es sorprendente por su significación. Actores fueron José Buchs, Florián Rey, Manuel Noriega, Fernando Delgado, Benito Perojo; o también, entre los menos activos, León Artola, José Ruiz Mirón, Juan de Orduña, Antonio Calvache, Alfonso Benavides, o, si se apura el concepto, el boxeador Emilio Bautista. Asimismo debe retenerse la reveladora llegada al cine español de hombres procedentes de las artes plásticas: decoradores como Carlos Sierra y Antonio Sánchez, escultores como Adolfo Aznar, arquitectos-pintores como Nemesio Sobrevila...

En suma, la efervescencia productora que presenta el periodo desde 1925, el relativo éxito de significativos fragmentos de la producción, el aumento de profesionales vinculados al negocio cinematográfico, la existencia de actores, realizadores y técnicos cada vez más avezados en su oficio, la importancia ideológica que va adquiriendo el cinema y el lugar de creciente privilegio que va escalando en la industria del ocio, conduce a que, pese a los obstáculos que entorpecen este proceso[18], vaya gestándose una preburguesía cinematográfica que, pese a partir de un auténtico minifundio empresarial, irá fortaleciéndose gradualmente para concluir designando el otoño de 1928 como momento de su eclosión pública.

En efecto, en octubre de 1928 se celebra en Madrid el Primer Congreso Español de Cinematografía, organizado por la revista *La Pantalla.* Pero con antelación a este singular y semifracasado evento, diversas manifestaciones sintomáticas fueron indicando cómo el cinema, en tanto fenómeno no sólo industrial sino también artístico, iba creciendo en estima ante caracterizados sectores de la burguesía española, sobre todo en sus capas liberales e ilustradas, y en reducidas pero significativas zonas de la intelectualidad o del estamento universitario. Entre esas manifestaciones, y como jalones decisivos de las mismas, puede señalarse el aumento de prestigio y poder de convocatoria de las secciones críticas de la prensa diaria, cuyas páginas ya no fueron exclusivo feudo de agentes publicitarios enmascarados, y en las que escribieron figuras como Sebastiá Gasch, Josep Palau o José Sobrado de Onega; el progresivo crecimiento de las revistas cinematográficas especializadas y, en particular, la aparición de publicaciones como la decisiva *Popular Films* (1926) en Barcelona, y *Fotogramas* (1926) y *La Pantalla* (1927), de esplendorosa aunque breve trayectoria, en Madrid; el florecimiento de ensayos y trabajos monográficos y en no pocos casos teóricos sobre estética del cinema, entre los que cabría destacar los primerizos *Frente al cine* (1924) del novelista José Román, o el capítulo dedicado al cinema de «En el reino de la frivolidad» (1923) de Enrique

[18] Parte de los obstáculos ya señalados (atomización productora, ausencia de una planificación económica solvente, proliferación de empresas efímeras, dificultades de amortización, defectuosa fabricación del producto), junto a otros más nuevos *(star system* primitivo y aldeano, criterios selectivos de rostros y fisonomías eclesiástico-agrarias, inadecuadas tipologías actorales), establecen cierto y homogéneo común denominador entre lo ocurrido en Cataluña casi una década antes y lo que sucedió en Madrid, pero con la circunstancia agravante de que el paso del tiempo convertía ahora tales tosquedades en espectaculares y clamorosas insuficiencias.

Gómez Carrillo, al igual que «Fotogenia y Arte» (1927) de Carlos Fernández Cuenca, y «El lienzo de Plata» (1928) de Ramón Martínez de la Riva, o el capítulo de *El arte al cubo* (1927), de Fernando Vela, titulado «Desde la ribera oscura», que ya había visto la luz como artículo en 1925, y el capítulo que Antonio Espina dedica al cinema en *Lo cómico contemporáneo* (1927), o, por último, el singular análisis de Alfredo Serrano «Las películas españolas» (1925). Asimismo, jóvenes escritores e intelectuales de procedencia en muchos casos universitaria manifiestan su interés por el cinema —entiéndase: por el fenómeno cinematográfico; no necesariamente por el cinema español—, interés que se materializará sobre todo en las páginas de la revista *La Gaceta Literaria*, fundada en enero de 1927, publicación que también auspiciará el nacimiento, en octubre de 1928, del primer cineclub español.

De las tres nuevas revistas arriba citadas la que mejor expresa este ascendente estado de cosas es *La Pantalla*. Editada por Rivadeneyra —que también publicó la revista humorística *Gutiérrez* y la revista gráfica *Estampa*— y dirigida por el liberal Antonio Barbero, la publicación (que ofrecería colaboraciones regulares de Jardiel Poncela y Edgar Neville) llevó a cabo diversas iniciativas en favor de un despliegue industrial y comercial para el cinema español, iniciativas que cuajaron en la convocatoria, en marzo de 1928, de un congreso que se celebraría entre el 1 y el 10 de octubre de ese mismo año. Portavoz de los intereses de esa nueva preburguesía cinematográfica en ascenso a que antes se ha aludido, preburguesía que no pocas veces se constituyó con los propios trabajadores del sector, esta revista, además de defender las aspiraciones de ese grupo, abordó algunas pintorescas tentativas populares en un loable esfuerzo por involucrar a los espectadores en el ejercicio de la reflexión o la práctica cinematográficas, como fueron un certamen permanente de crítica —donde publicaron primeras cuartillas nombres como Juan Piqueras o Manuel Villegas López—, competición entre guiones que de forma bien elocuente fue declarado desierta, o concursos de intérpretes que el terremoto del sonoro impidió llevar a buen fin.

Su más ambiciosa propuesta, la celebración del congreso, pretendía desencadenar un amplio debate sobre los problemas del cine español, cuya discusión se desenvolvía hasta la fecha en el interior de pequeños y atomizados grupos desprovistos de vasos comunicantes entre sí, de modo que en el seno del congreso se deliberara sobre cuestiones de financiación, comercialización, exportación, protección, censura, intrusismo «caimán»[19], industrias complementarias, temáticas aconsejables, etc.; cuestiones todas ellas urgentes a la vista del desarrollo del negocio cinematográfico en España, cuyo censo de salas de proyección ya se había elevado a 2.203 locales y cuyo volumen de importación de películas extranjeras durante la temporada 1927-1928 había alcanzado ya la exorbitante cifra de 1.000 títulos. También se pretendía mediante su celebración, y ello apoyándose en las experiencias previas de similares congresos europeos (París 27/9-3/10, 1926; los posteriores de Varsovia, Basilea, La Haya o el de Múnich en julio de 1928, todos ellos fruto de la recomendación de julio de 1924 de la Sociedad de Naciones), homogeneizar y agrupar una profesión dispersa y con escasa conciencia corporativa, de forma que se lograra un sector sólido y expansivo que pudiera hacer frente de manera satisfactoria a la competencia extranjera. Pero para ello era preciso la hasta ese momento esquiva colaboración gubernamental; y el que algunas iniciativas profesionales anteriores —un memorándum sobre la situación industrial enviado al gobierno en marzo de 1928 por la Unión Cinematográfica Española; una petición elevada al gobierno en febrero de 1927 por la Unión Artística Cinematográfica Española solicitando exenciones tributarias a las empresas productoras— no lograran caracterizarse por el éxito de sus propósitos, vino a confirmar indirectamente la oportunidad de la iniciativa de *La Pantalla* y la necesidad de abordar las imperiosas medidas que el momento requería en términos asamblearios. Sin embargo...

Si antes se ha diagnosticado el desenvolvimiento del congreso como un semifracaso ello fue debido, en primer lugar, al acentuado carácter oficialista que éste debió imprimir a sus actividades, lógica consecuencia de las suspicaces características de la dictadura primorriverista, cada vez más cercada por sus numerosos enemigos; y, en segundo lugar, a su propio planteamiento inicial, toda vez que en sus sesiones se dieron cita obligada elementos harto dispares e incluso con-

---

[19] Decíanse «caimanes», o participantes en una imprecisa y difusa «caimanía» a aquellos individuos pertenecientes al amplio conjunto de actores y técnicos que, bien a efectos del paro, bien a causa de sus deseos de integrarse en la profesión, pululaban, trasnochadores famélicos, por ciertos cafés a la caza y captura de un financiador aldeano.

tradictorios, desde monárquicos afines a Primo de Rivera hasta buena parte de los no muy abundantes elementos liberales y progresistas del cinema español. Las transacciones a que obligó la composición y planteamientos del congreso, con sus pomposos patronazgos de honor y bajo la inevitable sombrilla de los jerarcas primorriveristas, se reflejaron en el mismo temario de sus sesiones de trabajo, perdido en vaguedades sobre la fraternidad iberoamericana o en especulaciones decorativas a propósito de cinema y enseñanza, o cinema y propaganda mercantil. Tantas componendas dieron por resultado unas resoluciones finales totalmente diluidas, en las que se deslizaban tímidamente entre sus veintidós farragosos dictámenes un par de observaciones genéricas (resoluciones quinta y decimosexta) sobre la necesidad de un código de censura y sobre la conveniencia de una ley de protección a la industria cinematográfica nacional[20].

Como cabe suponer, tan escandalosas imprecisiones no surgieron sin violentas y agrias controversias en el interior de las reuniones del congreso, donde sus participantes política y culturalmente más avanzados no dejaron de oponerse a tanto compadreo. Este reducido grupo, como reducido era entonces el segmento liberal y progresista del cine español, se había adherido individualmente y por escrito al desarrollo de los trabajos del congreso y estaba formado por las significativas figuras del realizador y arquitecto Nemesio Sobrevila —que presentó una audaz ponencia solicitando la imposición de un canon por cada vez que una película extranjera fuese proyectada en nuestras pantallas, canon concebido con el objeto de crear un fondo de ayuda al cine español—, de los técnicos de laboratorio Manuel Lois y Landelino Wensell, del realizador y documentalista Mauro Azcona, del crítico y periodista Mateo Santos, del operador José María Beltrán, y del «director artístico cinematográfico» Luis Buñuel; así como por los escritores Alberto Insúa, Antonio Hoyos y Vinent, Gregorio Marañón y Ramón Menéndez Pidal; y por los arquitectos Secundino de Zuazo, constructor del madrileño Palacio de la Música, y Fernando García Mercadal. Los esfuerzos de estos hombres por hacer operativo el con-

[20] Entre otras solemnes necedades y a título de ejemplo, se proclamaba la necesidad de homenajear al inventor del autogiro, de educar al ciudadano según fórmula de Mussolini, y de ofrecer mediante el cinema cursillos de perfeccionamiento agrícola a los labradores.

greso se saldaron, a la vista está, con el fracaso, no siendo incluso de extrañar que alguno de ellos se descolgara de sus depreciadas tareas en el último momento[21]; fracaso que ya debieron prever otros miembros de esa débil fracción liberal del cinema español, ya que figuras como el operador y montador Florentino Hernández Girbal o el realizador Benito Perojo también se desentendieron de los trabajos del mismo.

En definitiva, y como suele ocurrir cuando este tipo de asambleas se celebran en el marco de una dictadura y necesitando sus bendiciones, el gobierno primorriverista consiguió neutralizar los posibles aspectos conflictivos del congreso, desactivando sus reivindicaciones, tras lo cual, sin mayores agobios y recuperada una iniciativa que por sí misma jamás tuvo con anterioridad, procedió a dictar en el mes de marzo de 1929 una confusa orden en la que, desoyendo de hecho las resoluciones del congreso e ignorando las ponencias presentadas, abría información pública con vistas a una eventual política proteccionista. Ante la retórica imprecisión de la solicitud gubernamental, la Unión Artística Cinematográfica Española pidió en vano aclaraciones: ya por ese entonces la mohosa dictadura primorriverista tenía otras cosas en que pensar, y los frágiles sectores industriales y financieros del cinema español observaban con redoblada preocupación el rupturista advenimiento del cine sonoro.

Este calamitoso, para el cine mudo español, advenimiento ya se había hecho notar mediante diversas señales de alarma a lo largo de 1928, pero fueron amplificadas cuando diversos cronistas relataron el éxito obtenido en Londres por *The Jazz Singer (El cantor de jazz,* Crosland, 1927), donde se proyectaba desde el mes de octubre. Ya en este momento, coincidente con la celebración del congreso, la situación del cinema español volvía a inspirar serias inquietudes. La euforia productora comprendida entre mediados de 1925 y mediados de 1928 fue seguida por una poco llamativa pero perceptible moderación en el ritmo de realizaciones, reflejo de que las iniciativas profesio-

[21] Buñuel no asistió al congreso. Lo que no sabemos es si ello se debió al cariz vacuamente ornamental que iba tomando su desarrollo; fue consecuencia del insípido y subsidiario lugar al que, contra los compromisos inicialmente adquiridos por los organizadores del Congreso, había sido relegado; o producto de imposibilidades laborales. En todo caso, su carta a Pepín Bello, fechada el 1 de agosto, confirma su asistencia a las sesiones madrileñas del evento.

nales o corporativas se desarrollasen con lentitud; de que el gobierno, pertinaz, ignorase el cinema; de que las escasas disponibilidades financieras de empresas o particulares se agotasen vertiginosamente; de que el capítulo de amortizaciones se mantuviera instalado en una somnolienta indolencia; de que la infraestructura industrial se volviera obsoleta por momentos... En 1928 ya se asiste a cierto declive en la producción; pero en 1929 ese descenso comienza a resultar llamativo, siendo realizadas en su primer semestre la mayor parte de las producciones del año. El verano provoca una nerviosa desbandada y los escasos films preparados con anterioridad y aún sin filmar se ruedan precipitadamente en el otoño, cuyas fechas también traen las primeras exhibiciones sonoras (19 de septiembre en Barcelona, 4 de octubre en Madrid), por lo que estas rezagadas películas, algunas rodadas incluso en el invierno y primavera de 1930, deben ser sonorizadas —quienes tienen medios para ello, que no son todos— *a posteriori* mediante el empleo de discos.

A finales de 1928 la cinematografía madrileña/española sufría una aguda crisis de crecimiento. Si iba a superarla o, siguiendo el agrio precedente barcelonés, iba a sucumbir ante ella, es extremo abonado a la hipótesis; antes de que la situación pudiera resolverse, consolidándose con ello una burguesía cinematográfica, la llegada del cinema sonoro liquidó inmisericordemente el quebradizo cinema español. Éste y aquélla tendrían que esperar varios años para renacer.

4.2. *Las bases de un cinema popular autóctono: José Buchs y Manuel Noriega*

Constituye José Buchs un elocuente ejemplo de las miserias y grandezas —estas últimas más bien escasas— de nuestra producción muda en los años veinte. Tras los desorientados tanteos a la italiana previos al redescubrimiento del filón zarzuelero, toda la obra de Buchs está encaminada a buscar géneros y tratamientos que puedan erigir un cinema de amplia aceptación pública, para lo que se remitirá a reconocibles fuentes de la tradición popular española. Que los materiales de estas fuentes se presenten apenas elaborados, poco parece importar si se le facilita al espectador, a través de la inmediatez, el reconocimiento de un universo que le es familiar.

De esta forma Buchs rueda adaptaciones de zarzuelas cuya base es el sainete *(El Pobre Valbuena*, 1923); más tarde, versiones de los dramas líricos del populista Joaquín Dicenta —hombre de ideas protosocialistas y edificador de mitos proletarios— *(Curro Vargas*, 1923); luego, contradiciéndose —o quizá diversificando—, se zambulle en Echegaray *(A fuerza de arrastrarse*, 1924), para, sobre la marcha, volver presuroso a los dominios del populismo formulando un cine de aventuras romántico-folcloristas a propósito de los bandoleros andaluces *(Diego Corrientes*, 1924; *La hija del corregidor*, 1925). Sin embargo, no tardará en sumergirse en el melodrama burgués (la irregular *El abuelo*, 1925, sobre Galdós; o la muy lograda *Pilar Guerra*, 1926), para regresar nuevamente a su terreno cultivando entonces un atractivo costumbrismo casticista originado en el romance popular *(Una extraña aventura de Luis Candelas*, 1926), no pocas veces de inspiración goyesca *(El Conde Maravillas*, 1927; *Pepe-Hillo*, 1928), y que no tarda en deslizarse hacia la novelización histórica *(El dos de mayo*, 1927; *El Empecinado*, 1929).

Este sugestivo recorrido implica la decidida búsqueda de un cinema de características nacionales cuyo balance resulta irregular y vacilante. Dos son las razones que lastran los esfuerzos de Buchs. En primer lugar, su convicción de que solo filmando rápida y económicamente pueden las películas amortizar su coste e incluso generar los imprescindibles beneficios para continuar produciendo con regularidad; regularidad necesaria para sostener una oferta cinematográfica que mantenga un cupo de espectadores leales a la producción nacional. Ello conduce a rodajes precipitados en los que, en aras de la rapidez, lo más común es que la planificación sea rudimentaria, que los personajes se muevan como en un escenario teatral permaneciendo los segundos términos de la acción envarados y rígidos, que las transiciones entre movimientos se diluyan resintiéndose así la verosimilitud de la acción, o que momentos que podrían solventarse visualmente sean sustituidos por perezosos intertítulos. En segundo lugar, los frenéticos ritmos de rodaje a que se obliga Buchs impulsan una estrategia que adolece de una elaboración suficientemente reposada de los materiales utilizados, a causa de lo cual sus películas exhiben tanto pasajes dotados de un estimulante realismo popular como fragmentos en los que sólo se ofrece superficial tipismo, brecha que abrirá paso, al final de la década, a un progresivo adocenamiento en sus realizaciones.

Sin embargo, pese a su conservadora estrategia industrial —entiendo que los defectos del cine de Buchs son antes consecuencia de sus presupuestos comerciales que producto de incompetencia directiva[22], pues ciertos films pueden resultar formalmente satisfactorios *(Pilar Guerra)* mientras los que le siguen no *(Luis Candelas)*— los films de Buchs, pese a sus desiguales resultados, tuvieron el mérito de erigir un cinema populista y de corte liberal que, gracias al instinto artesano con que estaban realizados, lograron comunicar con el solidario público de su época, manteniendo en el cine español una tradición que iniciada por Cuesta y García Cardona continuaron figuras tales como Codina y Marro.

No muy diferente propósito subyace en la obra española del asturiano Manuel Noriega. Intérprete pionero del cine mexicano (su nombre ya aparece en films de 1906), actor teatral, seguidor de las huestes de Pancho Villa, en 1920 le encontramos trabajando en comedias burlescas norteamericanas y dirigiendo en Nueva York sainetes interpretados por María Conesa con destino a los circuitos hispanos de exhibición, hasta que en 1923 desembarca como realizador en Madrid con la comedia *Problema resuelto,* pasando a ocupar durante ese año el lugar que Buchs deja vacío en Atlántida cuando abandona esta compañía para fundar Films Española. Personalidad que une a su temperamento populista el cosmopolitismo que le procura su vida bohemia y viajera, sus películas entroncan con un realismo popular muy acreditado en la tradición cultural española, realismo que también se insinúa en las mejores películas de Buchs, pero con la ventaja sobre éstas de encontrarse mejor elaborados esos materiales de partida, y estar provisto de una ambientación enriquecida con diversas observaciones cotidianas que confieren a su cine una homogeneidad superior a la de Buchs. Alejado en su modo de hacer de la escena teatral que no pocas veces impera en el cine español de la época, y preocupado por buscar para sus películas localizaciones expresivas, el cálido tratamiento de que hace objeto a temas y personajes populares contrasta con la frialdad de diseño que en ocasiones presentan similares elementos referenciales en manos de otros realizadores.

---

[22] Tan es así que las apuestas genéricas más atractivas, que implican mayor libertad decisoria, suelen ser a su vez las realizadas con mayor tosquedad. No en vano se trataba en estos casos de producciones propias.

Personaje alejado del provincianismo tan común en el cine español, y de sensibilidad equidistante entre su inicial formación popular y el cosmopolita poso cultural que le procuran sus divergentes actividades, Noriega realiza entre nosotros afortunadas adaptaciones de zarzuelas saineteras *(Alma de Dios*, 1923; *Don Quintín el amargao*, 1925); ensaya la comedia burguesa *(José*, 1925); lidia con las exigencias de Pérez Lugín, codirigiendo con él *La casa de la Troya* (1924) y filmando en los Estudios Madrid Film los interiores de *Currito de la Cruz* (1925)[23] —pudiéndose situar en el activo de Noriega las no muy abundantes virtudes, auténticos respiros visuales para el sufrido espectador, de tan estomagantes películas—; aborda de forma solvente una tentativa de cine regionalista asturiano *(Bajo las nieblas de Asturias*, 1926); y emprende la filmación de un insólito proyecto vagamente futurista, presunto cruce de casticismo y cosmopolitismo europeo *(Madrid en el año 2000*, 1925), uno de cuyos objetivos manifiestos es poner de relieve la excelente preparación técnico-profesional de los estudios que lo producen[24]. A partir de 1926 pasó a dirigir el noticiario cinematográfico «Ediciones cinematográficas de la Nación» y, previendo lo que se avecinaba con la llegada del sonoro, Noriega abandona España, parte hacia Cuba —de donde intenta en vano recuperarle el distribuidor Ernesto González en 1929—, e interviene más tarde en las versiones castellanas de las producciones sonoras hollywoodienses, para reencontrarle nuevamente en 1934 ya plenamente integrado en el cine mexicano como actor y ocasional realizador.

---

[23] Tras largos meses de filmar exteriores en Sevilla, Fernando Delgado, codirector oficial con Pérez Lugín de la película, y menos paciente sin duda que Noriega, abandonó el rodaje cuando aún no se habían filmado los interiores. Parece ser que otro tanto hizo Enrique Blanco, el director de fotografía (veáse R. Moreno Oña en *Radiocinema,* 30/9/41).

[24] Si algunas productoras, ya se vio, edificaban estudios con los resultados conocidos, algunos estudios y de forma cautelosa, produjeron esporádicamente algún título con el que ocupar sus instalaciones, financiarse o autopublicitar sus bondades. Es el caso de Madrid Films, que poco después de su apertura produjo la adaptación del muy popular drama prostibulario de Alfonso Vidal y Planas *Santa Isabel de Ceres,* 1923, que sería dirigido por el futuro crítico José Sobrado de Onega. Dos años más tarde haría lo propio con *Madrid en el año 2000,* según Alfredo Serrano en *Las películas españolas,* Barcelona, 1925 (junio).

4.3. *El cinema de la burguesía urbana: Benito Perojo*

Cuando Benito Perojo vuelve a entrar, en la primavera de 1923, en relación con la industria cinematográfica española a propósito de su actividad como asesor general de la producción francesa *La sin ventura* (Donatien, 1923), decide que las condiciones industriales del cinema español impiden la realización de un trabajo, si no competitivo, al menos presentable en las pantallas europeas, que responda a los intereses de una ascendente burguesía urbana española que se ve obligada a consumir producciones extranjeras, y que se integre con plenitud en los modos de hacer que definen un arte en meteórica maduración expresiva. Y de igual modo resuelve que ciertos profesionales cuya labor resulta decisiva para el acabado final de la película (operadores, decoradores) son en nuestro suelo de una mediocridad abrumadora. En consecuencia, Perojo se impone a sí mismo rodar en estudios extranjeros utilizando una bien medida combinación de actores y técnicos europeos[25] y españoles. Sólo la financiación, el capital, serán nacionales.

Adelantado en la construcción de un cine liberal burgués español, Perojo no tarda en suscitar contra su persona una estrepitosa barahúnda de vociferantes desaprobaciones que le dirige, acusándole de antiespañol, la muy granada carcundia patria, aquella que se resguarda bajo la protectora marquesina de la polvorienta dictadura primorriverista. No por ello Perojo deja de rodar películas en las que trae a escena tanto atractivos microcosmos urbanos como puntos de vista liberales sobre universos populares, todo ello vehiculado por lo común a través del melodrama, elección genérica que, en comparación con los géneros adoptados por otros colegas suyos, define aún más si cabe a Perojo como cineasta de la burguesía. Sus películas se presentan caracterizadas, en lo que se sabe, por su cuidadosa composición del plano, por su detallismo ornamental, por la presencia de una puesta en escena y un montaje que por fin pueden tenerse por tales. Y, lo que es más

[25] Perojo se rodeó de operadores tan importantes como Albert Duverger o Maurice Desfasiaux, y solicitó servicios a decoradores tan acreditados como Lazare Meerson y Pierre Schildknecht.

llamativo, por un cuidadoso trabajo sobre ciertas series de imágenes cuya concatenada mostración visualiza estados de ánimo, transmite tanto opiniones morales como disyuntivas narrativas, o pronostica avatares del relato; o sea, una muy productiva injerencia en nuestro cine —y formulada muy prudentemente— de la innovadora sustancia que caracteriza aquello que terminó por conocerse como «Primera vanguardia francesa» (Gance, L'Herbier, Epstein, Dulac), o escuela impresionista. Apoyándose siempre en el confortable soporte de unos materiales literarios adaptados con sorprendente sabiduría y elegidos con hábil eclecticismo —desde el reaccionario académico jesuita Coloma *(Boy*, 1925), hasta los moderadamente republicanos Benavente *(Más allá de la muerte*, 1924) e Insúa *(El negro que tenía el alma blanca*, 1927); desde el populista radical Blasco Ibáñez *(La bodega*, 1929) a los populistas conservadores hermanos Álvarez Quintero *(Malvaloca*, 1926)—, Perojo rueda unos melodramas en los que siempre mantiene un punto de vista cordial y solidario hacia sus personajes, y en los que la narración avanza, insólita circunstancia en el cinema español, bien engrasada y no desprovista de brillantez. Como «animador» de la misma estirpe que Jean Renoir, según acertada observación del siempre perspicaz Emilio Sanz de Soto, las obras de Perojo nunca dejaron de proponer en su aparente y ocasional neutralidad estilística sagaces observaciones visuales sobre las condiciones de vida de sus personajes, a las que supo incorporar, cuando la ocasión fue propicia, la amarga problemática de las guerras africanas *(Malvaloca*, 1926; *La Condesa María*, 1927).

Mientras tanto, el cosmopolita y progresista Perojo también impulsaba productoras de corte liberal y europeísta. Así, contribuye a crear Films Benavente (1923-1924) apoyándose en la figura y aficiones cinematográficas de nuestro comediógrafo; trabaja más tarde para una empresa fundada por un ingeniero y un médico, Goya Films (1925-1927); y gestiona después (1927-1930) los asuntos de la casa de producción que funda la importante distribuidora Julio César, una de las más sólidas entre las empresas adscribibles a esa burguesía cinematográfica a que se hizo referencia más arriba, y cuya caracterización vendría dada tanto por su política de coproducciones europeas como por el hecho de estar interesada en producir, a comienzos de 1929, el primer guión de Buñuel, una historia sobre Goya que debía realizar Dreyer (véase *La Pantalla*, 10/3/1929).

4.4. *Florián Rey o la voluntad autoral*

Si hay algún realizador en el cine mudo español que manifieste una deliberada voluntad autoral, según entendemos hoy el término, ése es Florián Rey (v.n. Antonio Martínez del Castillo). Periodista, escritor vocacional, y más tarde actor de cine y teatro, su obsesión directiva le lleva a impulsar, junto a su amigo el actor Juan de Orduña, una nueva y famélica productora, la ya mencionada Goya Films, con la que realizar en condiciones precarias y a veces clandestinas una barata zarzuela-sainete: *La Revoltosa* (1924). El sorprendente anhelo autoral de Rey ya queda reflejado en los rótulos que, cual paraguas culturalista, encabezan este film, notablemente bien rodado dentro del margen que permite su escuálida financiación y considerando que se trata de una primera obra[26]. A partir de aquí Rey se despliega en tres direcciones: por una parte, filma en sintonía con lo mejor del cine español de la época asuntos populistas dotados de una autenticidad poco común a la que sólo en ocasiones se acercó Noriega; por otra, somete esos materiales de partida a una elaboración formal de un vigor entonces poco común en nuestro cine; y, por último, recorre de forma enciclopédica los diversos géneros que van constituyendo el cine madrileño. Detengámonos en estos dos últimos aspectos.

Tras *La Revoltosa,* Florián Rey rueda su continuación, un nuevo sainete-zarzuela titulado *La chavala*, 1924; adapta un sainete de Arniches significativamente ambientado en un medio rural, *Los chicos de la escuela*, 1925; y realiza una curiosa transposición a la época actual de la novela picaresca, *El lazarillo de Tormes*, 1925, y una nueva zarzuela, esta vez regionalista, *Gigantes y Cabezudos*, 1926. Todas estas películas, salvo la primera, las hace Rey para Atlántida, por lo que quizá sea atribuible a la política de producción de la firma, que en su accidentada trayectoria desde 1920 casi siempre ha producido zarzuelas y sainetes,

[26] Por mediación de Juan de Orduña, auténtico *alma mater* de la operación, la poco robusta empresa que produce este título entraría en contacto con la consolidada Films Benavente y con su responsable Perojo, tras lo que saldría suficientemente reforzada como para modificar su inicial orientación y poder afrontar, de la mano de Benito Perojo, empeños de mayor envergadura industrial y expresiva. Por su parte, y según hemos visto, Rey se hace cargo entonces de la dirección artística de *Atlántida.*

La chavala (Florián Rey, 1924).

la continuidad de Rey en ese tema, pese a las novedades que va introduciendo en tal universo. Tras estas obras, Rey autoproduce el atractivo experimento de rodar el primer sainete escrito directamente para la pantalla, *El pilluelo de Madrid*, 1925; realiza un melodrama con el que clausura la productora Atlántida sus actividades, *El cura de aldea*, 1926; rueda un film de aventuras africanas, *Águilas de acero*, 1927, una típica comedia burguesa y cosmopolita (pese a que la protagonice una novicia), *La hermana San Sulpicio*, 1927; dos ensayos de film histórico y película de aventuras románticas, *Agustina de Aragón*, 1928, y *Los claveles de la Virgen*, 1929; y por último, un melodrama rural que le hará famoso, *La aldea maldita*, 1930. Como puede apreciarse, Florián Rey arranca del sainete populista para bifurcar su trabajo en dos direcciones: la genuina comedia burguesa y el melodrama campesino. En ambas direcciones formalizará un universo muy personal y en ocasiones casi abstracto que aparecerá en toda su riqueza durante la década de los años 30.

Florián Rey, que como actor había trabajado con José Buchs y Manuel Noriega y a quienes habría observado con atención en sus tareas, manifiesta en su obra una voluntad de rigor expresivo de la que *La aldea maldita* es buen ejemplo y culminación. Rodado el film en un momento industrialmente inoportuno (con el cinema sonoro aporreando las quebradizas puertas del cine español) y autoproducido por Rey y su protagonista, el actor Pedro Larrañaga, estos factores resultan sintomáticos de la voluntad de ambos por realizar la película aún en circunstancias adversas. *La aldea maldita* divide su desarrollo en dos partes: la primera pone en pie un estimulante ejemplo de cinema campesino construido desde criterios de análisis y denuncia social, sumergiéndose la segunda en las aguas del melodrama de raigambre calderoniana. Si este último aspecto del film presenta elementos referenciales menos interesantes que el primero, ambos se asientan sobre un trabajo fílmico que los homogeneiza. Planteada toda la película en términos visuales, con una puesta en escena cuajada de significaciones y una composición plástica que vehicula numerosísimas informaciones sobre los avatares de los protagonistas tanto individuales como colectivos, *La aldea maldita* exhibe un inusual repertorio (en el cine espa-

La aldea maldita (Florián Rey, 1930).

ñol) de elipsis, sugerencias, observaciones y audacias, articulados en unas imágenes provistas de una sorprendente fuerza expresiva y encadenadas con una insólita cadencia dramática. El aliento humanista de sus escenas corales y su capacidad de observación de la realidad rural —nada extraña en un director que, por oposición a unos colegas de procedencia urbana, había nacido y crecido en un pueblo aragonés— de que hace gala la película de Rey, junto a todos los factores antedichos, y a los que habría que añadir las pasajeras anotaciones festivas o eróticas que festonean su desarrollo, sitúa a *La aldea maldita* como ejemplo bien consolidado de lo que ha venido a llamarse modelo de representación institucional, sugiriendo así e indirectamente que un film como éste no surge por generación espontánea, tal y como indica la caterva de indocumentados que sostienen que con esta película «nace» el cine español.

4.5. *Emigrantes y colonizadores*

A estas alturas del desarrollo cinematográfico español y mundial, el asunto de «emigrantes y colonizadores» ya ha sufrido, por lógica, ciertos cambios. La práctica desaparición de la industria del cinema en Barcelona y su correlativo desarrollo en Madrid modificaron el sentido de las emigraciones, que se tornaron interiores: de Barcelona a Madrid. Aquellos que resultaban imprescindibles para materializar el film, los operadores, procuraron integrarse en la naciente industria madrileña. No lograron aclimatarse a ella Gelabert, que sólo rodó dos títulos, ni Ricard Baños, que únicamente apareció en un film, pero consiguieron sus propósitos Josep Gaspar, que trabajó con regularidad entre Madrid y Valencia, y José María Maristany, operador habitual de José Buchs entre 1922 y 1925, fecha en que también se traslada a Valencia. Más triste fue el caso de Joan Solá Mestres, pues tras fotografiar su primera película madrileña, *La verbena de la Paloma*, murió.

Extranjeros, sin embargo, siguieron desembarcando en nuestras tierras. Unos eran ciudadanos de oscuro origen de los que nadie está en condiciones de asegurar no fueran unos genios ocultos, pues su escasa obra entre nosotros se ha perdido; sus nombres: el alemán Reinhardt Blöthner, que rodó entre Madrid y Barcelona tres films entre 1926 y 1928; el actor francés Nick Winter[27], que filmó su película barcelonesa en 1927, y un tal Glatjman, ruso que realizó un título tan enigmático como él mismo en la Barcelona de 1929.

Menos brumosos resultaron otros casos que, en vez de querer como los anteriores integrarse en la poco robusta industria española, vinieron con proyectos ya organizados desde sus países de origen. Señalemos aquí los casos del francés Donatien, que llegó con Perojo en 1923; del danés Lauritzen que realizó en 1927 y en los Estudios Madrid Film una versión de *El Quijote* con «Pat» y «Patachón», una escandinava pareja gordiflaca; o del trotamundos chileno Adelqui Millar, actor en Austria con Kertest (luego Curtiz en Estados Unidos), que rodó en 1928 y en Madrid una versión del dicentiano «Juan José» por cuenta de la Whitehall inglesa.

Mayor relevancia tiene la peripecia del cineasta francés Jacques Feyder y la experiencia del realizador mexicano Contreras Torres, quienes también vinieron a España para filmar por cuenta de productoras extranjeras. Feyder acudió hasta nosotros para rodar por encargo de la sociedad francesa Albatros una *Carmen* con Raquel Meller, en la que se trataría de una grave historia pasional extraída directamente de Mérimée, alejándose así Feyder de la visión folclorista de Bizet; pero las violentas disputas habidas con Meller, quien «en» *vedette* ordenaba sobre el rodaje pretendiendo que Carmen era una virtuosa víctima, desactivaron las pretensiones del realizador francés hasta limitar *Carmen* (1926), a un afortunado y breve conjunto de escenas exteriores tratadas con verismo documental; o a la curiosidad hoy suplementaria de rebuscar entre los bandidos comparsas a Luis Buñuel y otros vanguardistas.

Por su parte, el guionista, realizador, actor y productor mexicano Miguel Contreras Torres, que había debutado en su país en 1921, arribó a España en 1926 para rodar en estudios madrileños una versión de *El relicario* (1926), proponiéndose después filmar una película sobre el bandolerismo andaluz, iniciativa que fue violentamente impugnada en su momento. Considerando la personalidad de Contreras —ex oficial de milicias revolucionarias, creador en su país del mexicanismo

[27] Este Winter había creado para Pathé en el lejano 1907 un tipo de detective que alcanzó gran popularidad y presagió al «Nick Carter» de Jasset. Tras numerosas películas y series sobre «Winter, as de los detectives», comenzó a compartir en 1924 ayudantías de dirección... ¡con Vorins!, quien le aconsejaría viajar a la más cálida Barcelona.

nacionalista cinematográfico y realizador en esa misma línea de una reivindicativa película antiyanqui—; considerando asimismo que se pronunció, siguiendo el ejemplo de Perojo, sobre la dificultad de rodar en las mediocres intalaciones españolas, anunciando él también su decisión de filmar los interiores de su película —de la que también se haría una versión gala— en estudios franceses; y considerando que el realizador quizá buscase en el fenómeno del bandolerismo andaluz un trasunto español del popular tema del peonaje y del bandolerismo revolucionario mexicano..., considerando todo ello no es de extrañar la campaña desencadenada contra él y que un gobernador civil de la herrumbrosa dictadura primorriverista le prohibiera rodar en la serranía de Córdoba. La película, cuya trabajosa gestación concitó la ira de los indignados carcamales de turno, se tituló *El león de Sierra Morena* (1928).

Diferente fue el caso de Rino Lupo, pues él sí realizó para una empresa madrileña *Carmiña, flor de Galicia* (1926), película cuyos interiores fueron rodados en los estudios Invicta de Oporto. El trotamundos romano Vitaliano Rino Lupo, que en 1911 había comenzado a trabajar para Feuillade, pasó casi diez años correteando por diversos centros cinematográficos (Copenhague, Moscú, Varsovia) hasta recalar en 1921 en Oporto. Realizador hasta 1929 de seis films portugueses, fundador de escuelas cinematográficas, productoras y revistas de cinema, sus películas han sido consideradas como elementos determinantes en la creación de un cine portugués autóctono, realizado de espaldas a las influencias europeas, y apoyado en una feliz conjunción de tipos y problemáticas rurales vehiculada a través del melodrama y del tratamiento dramático del paisaje. Lupo, a quien también hallaremos durante el curso 1924/1925 en San Sebastián al frente de una academia cinematográfica (téngase en cuenta que el cinema portugués era aún mucho más escuálido que el nuestro), encontró el proyecto de su película española muy próximo a sus intereses creadores en virtud de las analogías existentes entre los materiales sociológicos y plásticos de las realidades gallega y portuguesa. Todo ello convirtió a *Carmiña, flor de Galicia*, versión galaica de su primer éxito lusitano *Mulheres da Beira*, en uno de los films más estimables de la época, en el que tampoco resultó desdeñable su inesperado tono nacionalista y antifeudal.

Inclasificable se nos aparece, por último, el caso del franco-germano-valenciano Armand Guerra (v.n. José María Estívalis Calvo), ya que reúne en su persona la fronteriza experiencia de ser alternativamente emigrante y bienintencionado colonizador, tanto en esta década como en la precedente. Ignoramos el momento y las razones —aunque bien pueden suponerse— que impulsaron a un Guerra de filiación política libertaria a instalarse en Francia, pero lo cierto es que en 1913 ya dirige películas en París y contribuye a fundar la cooperativa sindical obrera Le cinéma du peuple, cuyo propósito es filmar temas de interés social que neutralicen las estupideces burguesas al uso. Tras realizar varios títulos filoproletarios y hacer debutar en uno de ellos, *Les misères de L'aiguille* (1913), a la pronto archifamosa heroína de seriales Musidora, la guerra europea liquida la iniciativa a finales de 1914. Volveremos a encontrar a Guerra en el cinematográficamente atrasado Madrid de 1918, donde ha creado la marca Cervantes Films, rodando durante el verano el drama *El crimen del bosque azul* y un, ¡cómo no!, tema cómico-taurino con los toreros bufos Hermanos Bachiller, en donde se adivinan ecos perojianos *(Melagano y Manivela hacen películas)*, todo ello mientras busca en vano financiación para proseguir una actividad que presenta perspectivas comerciales ante sus contactos europeos. No sabemos si Guerra logrará concluir su tercera película (sus quejas ante el esquivo capital madrileño pueden leerse en el nª 156, 27/11/1918, de *El mundo cinematográfico)* antes de regresar desolado a Francia, pero lo que sí sabemos es que pasará toda la década de los veinte trabajando en Francia, Alemania, Suiza, los Balcanes e, incluso, el Norte de África, desarrollando funciones de director, guionista, intérprete, rotulista y, finalmente, doblador; y que alternará esa actividad internacional con discontinuas y desalentadoras actividades hispanas: el satisfactorio rodaje de un film en el Madrid de 1926 *(Luis Candelas o el bandido de Madrid)* y la intervención regular en periódicos y revistas cinematográficas se contrapondrá a los más ambiciosos y fracasados propósitos de establecer en Valencia y en 1926 un centro productor de cine sonoro utilizando la patente de los daneses Petersen y Poulsen, propósito que volvería a intentar creando en septiembre de 1931 una sociedad (activa hasta junio del año siguiente) para edificar unos estudios «cineparlantes» nuevamente en Valencia y cuyo único e indirecto resultado fue coadyuvar a la creación de una distribuidora pronto famosa (CIFESA); o a las tentativas de impulsar un sistema de coproducciones y colaboraciones regulares entre los cinemas alemán y español saldado también con una frustración relativa (sólo un film: *Batalla de damas,* 1927).

4.6. *Una singularidad: Nemesio Sobrevila*

El productor —con capital proveniente de herencia familiar—, guionista y realizador Nemesio M. Sobrevila es una de las figuras más singulares de la historia del cine español. Arquitecto y vitralista, irrumpió en el desconcertado panorama del cine mudo madrileño con el rodaje en el verano de 1927 de un ambicioso proyecto, *Al Hollywood madrileño*, que parecía satirizar la progresiva colonización del gusto cinematográfico entonces imperante por los cinemas foráneos en general y por el yanqui en particular, al tiempo que ponía en solfa la picaresca con que solía abordarse la producción cinematográfica madrileña. Acabada la película, y tras un pase de prueba a finales de ese mismo año, Sobrevila introdujo en enero de 1928 algunos cambios en el film e intentó estrenarlo. Pero como pasaran los meses sin conseguirlo (pese a que se anunciara su presentación para la temporada 1928-1929), a finales de noviembre de ese mismo año remontó nuevamente su film, añadió escenas suplementarias y, con el remozado título *Lo más español*, volvió a ofrecer otra proyección de prueba a críticos y profesionales a comienzos de diciembre. Ni aun así logró que se estrenara, y tales avatares hipotecarían severamente el siguiente proyecto de Sobrevila, impulsando más tarde la realización de su notable *Sexto sentido*.

En efecto, a comienzos de abril de 1928 Sobrevila anuncia el inmediato rodaje de un proyecto basado en la vida y obra de san Ignacio de Loyola. Sin embargo, los problemas financieros que se generan al no poder estrenar su primera película, unido a los gastos suplementarios que arrastran las modificaciones sucesivas que aquella necesita, traen como consecuencia que la filmación del *San Ignacio* sufra prolongadas y fatales demoras. En noviembre de 1928 Sobrevila parece mostrarse más optimista, incluso anuncia el nombre de su protagonista: el escritor Carranque de Ríos. Sin embargo, nuevas interrupciones del proyecto obligan, semanas más tarde, a sustituir tan poco «comercial» protagonista y a iniciar la búsqueda de una figura más popular. Pero *Al Hollywood madrileño* —ahora *Lo más español*— sigue sin estrenarse y sus problemas de amortización (¡no hablemos ya de beneficio empresarial!) no hacen más que agudizarse. En marzo de 1929 la película no se ha comenzado aún a filmar pese a anunciarse su rodaje inminente, y todavía a finales de abril se tiene la esperanza de poder realizarla en el próximo verano. Todo inútil. En los primeros días de mayo de 1929 Sobrevila ya ha abandonado su proyecto y con sus exiguas disponibilidades financieras comienza a llevar a cabo su segunda película: *Sexto sentido*. Película que no es otra cosa que un barato mediometraje puesto en pie con la ayuda económica y profesional del «clan Ardavín» (Eusebio Fernández Ardavín, Enrique Durán, Antoñita Fernández, Armando Pou...), participación que a veces proporciona al film la fisonomía de una *home movie*[28].

No obstante, *Sexto sentido* resulta ser una de las experiencias más fascinantes y atípicas del cine español. Rescatando algunos elementos presentes en *Lo más español* (burla del casticismo cultural entendido como tópico, puesta en cuestión de la picaresca cinematográfica madrileña —aquella que se llamaba «caimanía»), la película de Sobrevila, aún con las limitaciones de su exiguo metraje, proponía las siguientes novedades: suscita un debate utilizando medios estrictamente fílmicos sobre la función del cinema; reivindica por pasiva la intervención del cineasta como edificador de un sentido que debe ser minuciosamente controlado por el realizador; utilizando tan sabia como astutamente la puerta trasera del costumbrismo, toma posiciones —desde un por entonces moderno liberalismo— en cuestiones ideológicas que atañen a la moral y a la vida cotidiana (no se olvide que la pelícu-

[28] En justa correspondencia, Sobrevila colaboró a finales de mayo en la realización de un reportaje impulsado por la misma tribu: *Las maravillosas curas del doctor Asuero*, una producción Ardavín-Victoria que sería prohibida a causa de ciertos inoportunos sarcasmos fílmicos hacia un personaje muy amigo del dictador Primo de Rivera. La intempestiva interdicción de un reportaje presumiblemente exitoso causó serio quebranto a unos productores confiados en que ese título facilitaría una balsámica inyección dineraria a la debilitada tesorería de sus empresas. En efecto, Producciones Ardavín, creada en 1926 para rodar films sobre obras de Luis Fernández Ardavín que dirigiría su hermano Eusebio, llevaba casi dos años inactiva tras producir en año y medio tres títulos y padecer una presumible e inevitable descapitalización. Por su parte, Victoria Film, empresa creada en el otoño de 1923 por el notable operador Armando Pou en colaboración financiera con un tal Miguel Ángel Ortiz (marca que prolongaría la experiencia Publi-Cines, firma fundada a finales de 1921 por Pou y Juan Antonio Cabero para la realización de dibujos animados y publicidad; suya es *La fórmula del Dr. Nap*), y pese a conseguir en 1924 la corresponsalía española de Fox, International News y Eclair Journal, no debía de encontrarse para estas fechas, inquietantes ante las desasosegadoras premoniciones sonoras, con una economía muy desahogada. Valga, pues, esta digresiva nota para subrayar los efectos de la arbitrariedad censora en ciertos colectivos cinematográficos que se tenían por liberales.

la se rueda en un momento, primavera de 1929, en que la acosada dictadura protofascista de Primo de Rivera se muestra singularmente agresiva); propone un juguetón y aséptico catálogo, utilizando para ello más del 10% del metraje total del film, de procedimientos y retóricas vanguardistas que van desde el cine abstracto al cine puro, pasando por las sinfonías visuales urbanas, mofándose de las actitudes papanatas sobre el particular; y se inserta, finalmente, en una práctica fílmica militantemente vinculada a los modos de representación de la primera vanguardia histórica europea, vinculación rastreable en su trabajo compositivo en el plano o en sus inusuales encuadres.

Esta última cuestión merece un comentario más detenido. Si algo puede causar hoy un infinito asombro en esta película es el que tercie en un debate cultural que, con tintes de agria polémica, se estaba desarrollando más allá de nuestras fronteras y, particularmente, desde algunos años antes, en Francia. Este debate era el que mantenían contra los realizadores conocidos como pertenecientes a la «primera vanguardia» o corriente impresionista aquellos artistas-cineastas que con el tiempo han llegado a ser conocidos como representantes de la «segunda vanguardia» (dadaístas y surrealistas). Los primeros postulaban, *grosso modo,* un trabajo fílmico que supusiera un golpe de timón en un lenguaje narrativo que se iba imponiendo y consolidando a partir del naturalismo literario del XIX, golpe de timón que vendría dado reivindicando una composición referida a las enseñanzas de las modernas artes plásticas, y un montaje atento a las experiencias rítmicas de las obras musicales. Los segundos, a su vez, tildaban a éstos de conservadores y aburguesados, proponiendo, lisa y llanamente, tanto rupturas en el modo de representación entonces (y ahora) imperante como la disolución inmisericorde de los sistemas narrativos en uso, que debían ser sustituidos por algo próximo al relato poético. Pues bien, que *Sexto sentido* se inscriba en una pelea estética de esta naturaleza, máxime cuando resultaba totalmente ajena a los avatares de un cine español que consumía sus afanes en conseguir la mera supervivencia, no puede por menos que provocar una estupefacción sin límites. Y de igual modo, tampoco tiene nada de particular que lo haga tomando partido por los «conservadores» de la «primera vanguardia», cuya escuálida representación entre nosotros la ostentaría, como ya vimos, alguna de las películas de Benito Perojo *(La condesa María, Corazones sin rumbo, pasajes de El negro que tenía el alma blanca).*

Y tampoco debe sorprender que Sobrevila intercalara esta polémica y combativa reflexión en lo que no es más que una productiva reformulación del tradicional sainete; es más, es justo en esta reformulación en donde adquiere su sentido tal actitud, postulando una vacuna anticosmopolita mientras las tareas prioritarias para el cine español fueran, según él, poner al día y desarrollar nuestra cultura fílmica, y asentar la industria de producción de películas, paso previo hacia eventuales impugnaciones vanguardistas. Tal actitud ya la había manifestado en su anterior film que, entre los siete episodios de que constaba, exhibía uno «cubista» y otro «futurista». Y por si su actitud suscitaba algún equívoco, el propio Soldevila se encargó irónicamente de proclamar durante octubre de 1929 en la prensa especializada que la suya era «una película de retaguardia».

Como era de esperar, este apasionante ensayo tampoco llegó a estrenarse, siguiendo el mismo y desolado camino de *Al Hollywood madrileño-Lo más español;* y ello pese a que, tras su pase a la prensa durante la primera semana de noviembre de 1929, ésta afirmara entusiasmada que era una película «plena de aciertos y por momentos salpicada de humor; comercial y justamente artística»[29]. Pero que permaneciera inédita no fue consecuencia necesaria de su talento moderadamente vanguardista. Lo habitual por aquellos tiempos era que el cine español se estrenara con dos o tres años de retraso, o incluso que no lo hiciera nunca. Si a todo ello añadimos que la crisis que supuso la llegada del cinema sonoro ya se anunciaba de forma alarmante en el verano de 1929, entenderemos cómo Sobrevila ha podido llegar hasta nosotros como un bendito cineasta maldito.

---

[29] La calificación de Sobrevila se puede leer en un reportaje de *Popular Film* fechado el 24 de octubre de 1929 (núm. 169). El comentario crítico en el núm. 171 de la misma revista, fecha 7 de noviembre de 1929.

El cine sonoro (1930-1939)

ROMÁN GUBERN

1. DESCONCIERTO Y PRIMEROS TANTEOS

La implantación del cine sonoro en España coincidió con el desplome del régimen monárquico y el establecimiento de la Segunda República, que nació el 14 de abril de 1931, a raíz de las elecciones municipales que demostraron la impopularidad en las ciudades de una corona que había propiciado la dictadura del general Miguel Primo de Rivera, desde septiembre de 1923 a enero de 1930. Al dimitir el dictador, el general Dámaso Berenguer fue nombrado jefe de gobierno por Alfonso XIII, para garantizar la continuidad del trono, pero su tímido reformismo hacia la democracia fracasó y tuvo que ceder, en febrero de 1931, su jefatura al almirante Juan Bautista Aznar, quien convocó las elecciones municipales de abril. El cine sonoro nació, por lo tanto, en la Península en un clima de convulsiones, que condujeron a un régimen modernizador y de libertades civiles, en buena parte inspirado por la Constitución de la República de Weimar, impulsor de una mejora de la condición social de las clases populares (reducción de la jornada laboral e incrementos salariales), que alentó una gran expansión de las industrias del ocio, aunque en el marco de la severa depresión económica mundial. Por otra parte, el cine sonoro abría la tentadora posibilidad de consolidar un mercado hispanohablante en una veintena de países americanos.

Pero el régimen republicano vivió pronunciadas oscilaciones políticas y, durante el llamado bienio negro (noviembre de 1933-febrero de 1936), la hegemonía de los partidos conservadores recortó acentuadamente tanto las libertades como las reformas sociales. Así, en abril de 1935, el gobernador civil de Barcelona prohibió la exhibición de películas nudistas y de gángsters, mientras que en mayo fue vetada *L'Âge d'or* en la programación de la Exposición Surrealista en Santa Cruz de Tenerife. Y en octubre, el gobierno conminó a la Paramount a destruir el negativo de *The Devil is a Woman* de Josef von Sternberg, amenazando con prohibir todas sus producciones en su territorio.

A pesar de su voluntad modernizadora, los gobiernos republicanos demostraron poquísima sensibilidad hacia el cine. Las únicas medidas legislativas que adoptaron sobre este medio fueron: descentralización de la censura en junio de 1931, ejercida por los gobernadores civiles de Madrid y de Barcelona; órdenes del 20 y 22 de marzo de 1932, gravando con aranceles la importación de films extranjeros; libre importación de película negativa y obligatoriedad del tiraje de copias positivas en territorio español; creación en octubre de 1934, por el Ministerio de Industria y Comercio, de un Consejo de Cinematografía, que no resultó operativo; impuesto a los ingresos generados por la explotación cinematográfica, que una ley de marzo de 1932 estableció en el 7,5 %, pero que tras una campaña de protestas profesionales quedó rebajado al 4,5 % para la producción extranjera y al 1,5 % para la española.

Pero si los gobiernos republicanos se ocuparon poco del cine, el cine tampoco se interesó por el nuevo régimen. Solamente se produjo un film políticamente celebrativo de la causa republicana, *Fermín Galán,* del ayudante de dirección Fernando Roldán que aquí debutó como director, quien con medios escasos y con el novel actor José Baviera reconstruyó en el verano de 1931, en los propios lugares de la acción, la biografía de este capitán que en diciembre de 1930 se sublevó contra la monarquía y por ello fue fusilado. Se sonorizó en los estudios Tobis de Epinay y se estrenó en el primer aniversario de su ejecución. Mientras que la discutida Ley de Divorcio de marzo de 1932 tuvo un eco oportunista en la comedia *Madrid se divorcia* (1934), de Manuel Benavides y Adelqui Millar.

El último film mudo español fue *Los hijos mandan* (1930), producido y dirigido en Valencia por Antonio Martínez Ferry. En aquella fecha los experimentos sonoros ya habían menudeado en la Península, pero todos habían fracasado. Si la primera proyección sonora de un filme norteamericano tuvo lugar el 19 de septiembre de 1929 en Barcelona, con *Innocents of Paris (La canción de París)* de Richard Wallace y con Maurice Chevalier, ninguna película española sonorizada había conseguido por entonces una exhibición normal. No obstante, el ingeniero norteamericano Lee De Forest, inventor del Phonofilm con sonido fotográfico, había viajado a España, en donde presentó, en junio de 1927 en el cine Kursaal de Barcelona y en noviembre en Madrid, varios cortometrajes. En 1928 se rodaron con este sistema nuevos cortos cómicos locales y se fundó en Barcelona la Hispano De Forest Phonofilms, para consolidar esta patente. Pero cuando De Forest abandonó la Península tras vender su equipo a Feliciano Vítores, el único largometraje que pudo rodarse con él fue la farsa onírica *El misterio de la Puerta del Sol* (1929), realizado en Madrid por Francisco Elías y que aparentemente sólo tuvo una exhibición pública en Burgos, en razón de su incompatibilidad técnica con las salas. En marzo de 1929 llegó a España el operador sudamericano J. E. Delgado para rodar con un camión Movietone, de la Fox, entrevistas con Alfonso XIII y Primo de Rivera, además de actuaciones del trío musical argentino formado por Irusta, Fugazot y Demare, confirmando la estrategia de expansión lingüística transcontinental del nuevo cine sonoro.

En un clima polémico, en el que Ramón Gómez de la Serna defendió contracorriente el valor artístico del cine sonoro, se ensayaron con poca fortuna en España varios sistemas autárquicos de sonorización con discos, como el Melodión, el Parlophone y el Filmófono, del ingeniero Ricardo Urgoiti y que utilizaba dos giradiscos. En esta confusa etapa de transición al sonoro anterior a mayo de 1932, surgieron cuatro alternativas:

1) La producción por empresas españolas de films sonoros en estudios alemanes, franceses o ingleses. Iniciada por *La canción del día/ Spanish Eyes* (1930), una realización de George Berthold Samuelson producida por Saturnino Ulargui en Elstree, esta política fue proseguida por *El profesor de mi mujer/L'amour chante* (1930), rodada en versión francesa y española por Robert Florey en Berlín, por las realizaciones de Benito Perojo *La bodega* (1929) y *El embrujo de Sevilla* (1930) y *Cinó-*

polis/Elle veut faire du cinéma (1931), rodada en junio de 1930 en París por José María Castellví y Francisco Elías.

2) La sonorización *a posteriori* de films rodados mudos en España, efectuada en estudios sonoros extranjeros. Se sonorizaron así en París *La aldea maldita* (1930) de Florián Rey y por iniciativa de su importador cubano, y *Tiene su corazoncito* (1930) del mismo director y para Producciones Pitouto; *Prim* (1930) e *Isabel de Solís* (1931), ambas de José Buchs; Yo *quiero que me lleven a Hollywood* (1931) de Edgar Neville; *Fermín Galán* (1931) de Fernando Roldán, y el documental *Salamanca* (1930) de Leopoldo Alonso.

3) La sonorización *a posteriori* y con discos, en estudios españoles, de filmes rodados mudos, como *Fútbol, amor y toros* (1929) de Florián Rey, *La alegría que pasa* (1930) de Sabino A. Micón, y algunos más, pocos de los cuales llegaron a estrenarse.

4) La emigración profesional, especialmente propiciada por las empresas norteamericanas, para producir con los profesionales de habla castellana en paro films en ese idioma, capaces de ocupar el vacío de los mercados hispanos y de reemplazar a sus industrias de producción nacionales. Esta operación típicamente imperialista se perpetró sobre todo en los estudios de Hollywood y en los de la Paramount en Joinville, utilizando muchos profesionales latinoamericanos, lo que dio lugar a una «guerra de acentos» y a una controversia lingüística en la prensa. Esta política conoció dos modalidades: las versiones castellanas de filmes angloamericanos y las versiones únicas de guiones originales hispanos, opción iniciada por la Fox con *Mamá* (1931) de Perojo y sobre una comedia de Gregorio Martínez Sierra, lo que permitió a esta empresa mejor aceptación comercial de sus productos y prolongar esta actividad hasta 1936[1]. La producción norteamericana en español, que constituyó la más voluminosa de toda la producción multilingüe, declinó a causa de la implantación del subtitulado y del dobla-

---

[1] El tema de la producción hispanoparlante norteamericana, del que aquí no nos ocupamos, ha sido examinado por Juan B. Heinink y Robert G. Dickson en *Cita en Hollywood*, Mensajero, Bilbao, 1990, y Jesús García de Dueñas, en *¡Nos vamos a Hollywood!*, Nickel Odeon, Madrid, 1993. En tareas como realizadores, ayudantes, supervisores, dialoguistas y guionistas intervinieron los españoles Benito Perojo, Florián Rey, Edgar Neville, Gregorio Martínez Sierra, Eusebio Fernández Ardavín, José López Rubio, Enrique Jardiel Poncela, Salvador de Alberich, Baltasar Fernández Cué y Xavier Cugat.

je. Exclusivas Diana inició la práctica del subtitulado, pero la alta tasa de analfabetismo en España en los años 30 hizo que resultara más funcional el doblaje, que empezó a practicarse desde 1933 en Barcelona (Metro-Goldwyn-Mayer y Estudios Trilla-La Riva), mientras en Madrid, Hugo Donarelli, procedente de Fono-Roma, equipó los Estudios Fono España S. A.

En 1931, de los quinientos films estrenados en Madrid, 260 fueron norteamericanos, 43 norteamericanos hablados en español y sólo tres producciones españolas. Una fue la ya citada *Fermín Galán* y las otras fueron dos realizaciones del veterano director santanderino José Buchs, un director muy proclive a las reconstrucciones de época y de inclinaciones monárquicas. La última película muda de Buchs había sido *El guerrillero* (1930), una exaltación de Juan Martín el Empecinado, el combatiente antifrancés en la Guerra de la Independencia, y en 1931 dio a conocer sus dos primeros films sonoros: *Prim* (1930) y *Doña Isabel de Solís, reina de Granada* (1931). *Prim* fue un film estimable, realizado con grandes medios materiales, que expuso una biografía del general liberal pero antirrepublicano Juan Prim (1814-1870), que batalló por restablecer la monarquía constitucional, consiguiendo sentar en el trono a Amadeo de Saboya, y murió en un atentado. Sus objetivos políticos fueron paralelos a los del general Berenguer, en el momento del rodaje de *Prim,* tratando de restablecer un régimen que ofreciese una salida constitucional a la dictadura de Primo de Rivera. Por eso *Prim* fue un verdadero film-manifiesto en favor del restablecimiento de la legalidad monárquica. Aunque este objetivo no se consiguió, *Prim* quedaría como un film sólido, aunque académico, que ofreció en sus imágenes algunas citas de pinturas célebres. *Doña Isabel de Solís, reina de Granada* se basó en una novela histórica de Francisco Martínez de la Rosa y se rodó en Granada, Tetuán y Alcalá de Henares, siendo recibida con indiferencia.

2. Nace la infraestructura del cine sonoro

El primer estudio equipado técnicamente para rodar films sonoros fue el estudio Orphea, de Barcelona, y tuvo un origen singular. Su fundador fue el pionero andaluz Francisco Elías, quien trabajaba en París tras el fracaso de su ensayo sonoro *El misterio de la Puerta del Sol.*

Allí propuso al productor francés Camille Lemoine, quien había sido administrador de producción del *Napoleón* de Abel Gance, rodar un filme sonoro en Barcelona, contando con la ayuda de exiliados republicanos para obtener la autorización para equipar unos estudios en la ciudad. Cuando las instituciones republicanas se hubieron asentado, Elías y Lemoine viajaron a Barcelona con cuatro camiones que contenían equipo técnico alquilado y con el operador suizo Arthur Porchet (procedente de los estudios de Joinville), contratado por seis semanas. El objetivo de la expedición era equipar el Palacio de las Industrias Químicas de la Exposición Universal de 1929, para rodar allí *Pax,* un guión urdido en los medios republicanos del exilio (en el que también figuraba Ramón Franco, hermano del futuro dictador) y para el que se había conseguido la firma nominal del prestigioso escritor socialista Georges de la Fouchardière, con el objetivo de conseguir financiación francesa. *Pax* se realizó en mayo de 1932 en Orphea y expuso la lucha contra un dictador, que parecía un ajuste de cuentas con Primo de Rivera, pero se rodó solamente en versión francesa, pues Elías no pudo encontrar capital local para rodar una simultánea y barata versión española.

Por ser *Pax* una película francesa, el primer largometraje sonoro español rodado en Orphea con sonido directo fue la zarzuela *Carceleras,* un *remake* de la pieza que ya Buchs había adaptado en 1922 y que esta vez rodó con exteriores en Córdoba y decorados en Orphea. En junio de 1932 ya la prensa informaba de la negociación de este proyecto, que iba a producir la distribuidora madrileña Exclusivas Diana y que era vital para que Elías pudiera retener a Lemoine y a su equipo en Barcelona. Para conseguirlo, el propio Elías, al concluir *Pax,* improvisó el rodaje en el estudio del corto cómico de dos rollos *El último día de Pompeyo,* en español y francés. *Carceleras* resultó una película lamentable, que motivó una protesta pública de su músico, Vicente Peydró. Pero resultó importante porque significó el arranque de la producción continuada en Orphea por parte de empresas ajenas al estudio, como la citada Diana, que reincidió en Orphea patrocinando luego a Buchs *Una morena y una rubia* (1933).

En su calidad de productora, Orphea, con Lemoine como gerente, siguió en activo con *Boliche* (1933) y *Rataplán* (1935) de Francisco Elías; con *Susana tiene un secreto* (1933) y *¡Se ha fugado un preso!* (1933) de Benito Perojo; con *El Café de la Marina* (1933) de Domènec Pruna, y *Sierra de Ronda* (1933) de Florián Rey. En agosto de 1933, Orphea amplió sus actividades al sector de distribución y se reorganizó como sociedad anónima, pasando a ser presidida por un sobrino del jefe del gobierno, Alejandro Lerroux. De la turbia gestión financiera de la empresa daría testimonio la detención de Lemoine por estafa, denunciado por los cantantes Irusta, Fugazot y Demare, que actuaron en *Boliche*. En febrero de 1936 padeció Orphea un violento incendio que deterioró su edificio y, en abril de 1962, fue destruido por otro.

Todas las películas españolas de 1932 y la mayor parte de las de 1933 se rodaron en Orphea, pues los primeros estudios sonoros madrileños no resultaron operativos hasta finales de ese año. Este hecho estableció una bicefalia en la industria del cine sonoro, repartida entre Madrid y Barcelona, con el siguiente volumen de producción:

Años:	1932	1933	1934	1935	1936 (hasta 18-VII)
Rodadas en Barcelona	6	12	8	18	13
Rodadas en Madrid	0	3	13	19	13
Rodadas en otros lugares	0	2	0	0	2
Producción total	6	17	21	37	28

El saldo final indica que se rodaron 57 largometrajes en Barcelona y 48 en Madrid, y tan sólo 4 en otros lugares.

En 1932 se estrenaron en Madrid sólo tres películas españolas, como el año anterior: *Yo quiero que me lleven a Hollywood* de Edgar Neville, *Carceleras* de Buchs y *El sabor de la gloria* de Fernando Roldán. Pero la producción española no tardó en ascender en presencia en las pantallas y en popularidad. En la temporada 1935-36, cuando el costo de un largometraje oscilaba entre 400.000 y 500.000 pesetas, el cine español había conquistado las cotas más altas de popularidad de su historia, cosechando éxitos excepcionales con títulos como *Rumbo al Cairo* (1935), *Don Quintín el amargao* (1935), *Nobleza baturra* (1935), *La verbena de la Paloma* (1935), *La hija de Juan Simón* (1935), *Morena Clara* (1936) y *El bailarín y el trabajador* (1936). Por eso este periodo ha sido calificado con frecuencia como «época dorada» del cine español.

El nacimiento del cine sonoro en Barcelona, y en el clima político de restablecimiento del régimen autonómico catalán en la institución de la

Generalitat, alentó el interés de las autoridades locales hacia este medio. Fruto de esta preocupación fue la creación del Comité de Cinema de la Generalitat, que tras su fundación en noviembre de 1932, se convirtió en abril de 1933 en Comisión Ejecutiva, con el empeño de desarrollar su actividad en el uso propagandístico del cine, en su función pedagógica, en la preparación de una escuela profesional y en la colaboración en infraestructuras para su industria. Pero sus frutos, salvo en la difusión pedagógica, fueron prácticamente inexistentes. El secretario de este Comité fue Miquel Joseph i Mayol, quien en 1936 dirigiría la comedia frívola *Quiero vivir y amar.* En este clima de reivindicación política y cultural catalanista, Domènec Pruna, hermano del pintor Pere Pruna, decidió rodar en versiones catalana y castellana la pieza teatral *El Café de la Marina* (1933), que Josep Maria de Sagarra había estrenado en febrero de aquel año. Se rodaron exteriores en la Costa Brava con Rafael Rivelles como protagonista de la versión castellana y Pere Ventallols de la catalana. Pero a pesar de la colaboración entusiasta de la *intelligentzia* local, los problemas financieros y de todo tipo condujeron el proyecto al fracaso y abrirían un útil debate acerca de la viabilidad económica del cine catalanoparlante para un mercado lingüístico relativamente exiguo. Por las mismas fechas, en cambio, una modestísima cinta valenciana, el sainete *El faba de Ramonet* (1933), del veterano documentalista Juan Andreu, basado en una pieza localista de Luis Martí, sincronizada posteriormente en Barcelona con diálogos en valenciano, alcanzó un enorme éxito en la región valenciana por este hecho, pese a su gran primitivismo técnico. Su ortodoxia lingüística era escasa, por otra parte, pues incluía canciones malagueñas y cuplés en castellano.

Entretanto, en octubre de 1931 había tenido lugar en Madrid el Congreso Hispanoamericano de Cinematografía, promovido desde 1928 por Fernando Viola, con la protección del gobierno de Primo de Rivera. El Congreso quiso ser, en líneas generales, una respuesta al reto del cine sonoro norteamericano, articulando un frente cinematográfico panhispánico, liderado por España. El goloso mercado de cien millones de hispanoparlantes y seis mil salas de cine actuó como motor de unos intereses que aspiraban a reemplazar la hegemonía de Estados Unidos en el continente americano por el dominio comercial español, ante la gran debilidad de las cinematografías iberoamericanas. Pero el Congreso no obtuvo resultados prácticos.

No obstante, en octubre de 1931, con la retórica nacionalista y proteccionista del Congreso como fondo, se constituyó en Madrid la sociedad Cinematografía Española Americana, cuyo consejo provisional se formó en abril de 1932, con Jacinto Benavente como presidente de honor y el banquero y presidente de la Cámara de Comercio de Madrid, Rafael Salgado, como su presidente efectivo. La CEA convocó como socios a un grupo de dramaturgos y músicos que se comprometían a ceder gratuitamente los derechos de sus obras a la nueva empresa. Su capital social era de cuatro millones de pesetas, pero la suscripción de sus acciones se reveló muy dificultosa. Como director de producción de la CEA fue nombrado el veterano realizador Eusebio Fernández Ardavín, mientras el germanófilo Enrique Domínguez Rodiño, agregado de la embajada española en Berlín, aportó el equipo sonoro Tobis. Fernández Ardavín inauguró los estudios con el rodaje del corto musical *Saeta* (1933), al que siguió su largometraje *El agua en el suelo* (1934). Pero en octubre de 1935 Fernández Ardavín abandonó la empresa por disensiones internas, cuando ésta ya había cancelado sus planes como productora para ser un mero estudio de rodaje y había abierto una sección de doblaje, que tradujo las películas de Columbia importadas por Cifesa y las de Warner Bros., supervisadas por Buñuel.

También en octubre de 1931, en el exaltado clima nacionalista aireado por el Congreso Hispanoamericano de Cinematografía, el ayuntamiento de Aranjuez ofreció al Congreso un terreno para edificar unos estudios. Como el Congreso no tenía personalidad jurídica para aceptar la oferta, un grupo de profesionales constituyó Estudios Cinema Español S. A. para aceptarla. En abril de 1932, en un mitin entusiasta, se lanzó una emisión pública de acciones por cinco millones de pesetas, que no fueron suscritas, y un camión tuvo que recorrer España, con vistosos carteles, para intentar captar capitales. Los estudios de ECESA se inauguraron en octubre de 1933, con muchas deudas. Su primer largometraje, *Invasión,* del italiano Fernando Mignoni, quedó inacabado, y pronto se comprobó que la calidad de su sonido era muy deficiente. En octubre de 1934 los estudios fueron embargados por la Philips y otros acreedores, y pasaron a convertirse en Estudios Aranjuez.

Pese a estos contratiempos se abrieron nuevos estudios. En Madrid aparecieron Ibero Films (luego Cinearte) en 1933, los Estudios Ballesteros Tona Film del operador Serafín Ballesteros en 1934, que se inauguraron con *Patricio miró a una estrella,* y Roptence, que debutaron

Rafael Rivelles y M.ª Fernanda Ladrón de Guevara en *El hombre que se reía del amor* (Benito Perojo, 1932).

en 1935 con *Es mi hombre.* Mientras, en Barcelona, los Estudios Trilla se estrenaban en 1935 con *El secreto de Ana María,* el mismo año en que se abrían en esta ciudad los Estudios Lepanto.

3. Las productoras

La aparición del cine sonoro significó cambios importantes en el censo de empresas productoras. Muchas desaparecieron y, entre las nuevas, algunas estuvieron económica y orgánicamente vinculadas, como ocurrió en otros países, a los nuevos estudios de rodaje, como Orphea y CEA. Esta discontinuidad empresarial con el cine mudo estuvo en parte cortocircuitada por la continuidad de los principales profesionales (aunque hubo que lamentar la emigración a América del interesante Manuel Noriega) y de los géneros tradicionales, si bien el sonoro alumbró un nuevo género musical con muchas facetas (opereta, zarzuela, espectáculo arrevistado, españolada andaluza con canciones, etc.). De modo que la discontinuidad industrial y empresarial quedó enmascarada para el público.

Entre las más tempranas productoras del nuevo periodo, además de la ya citada distribuidora Exclusivas Diana, descolló la madrileña Star Film, fundada por la realizadora catalana Rosario Pi, quien fue su gerente, y por Pedro Ladrón de Guevara (hermano de la actriz María Fernanda Ladrón de Guevara), con la aportación capitalista del financiero mexicano Emilio Gutiérrez Bringas. Debutó la Star Film produciendo *Yo quiero que me lleven a Hollywood* (1931) de Neville, sonorizada con discos. Tras esta cinta produjo *El hombre que se reía del amor* (1932), rodada por Perojo en Orphea, el corto *Besos en la nieve* (1932) de José María Beltrán, *Odio* (1933) del peruano Richard Harlan y sobre un guión original de Wenceslao Fernández Flórez, *Doce hombres y una mujer* (1934) de Fernando Delgado, y *El gato montés* (1935) de Rosario Pi. El interés de Star Film se mide por haber producido las tres primeras cintas sonoras autóctonas de tres realizadores del relieve de Neville, Perojo y Delgado.

Pero las dos grandes productoras que constituyeron los pilares emblemáticos del cine republicano, y que evidencian la discontinuidad empresarial antes señalada, fueron Cifesa y Filmófono.

Fèlix Fanés ha escrito que, antes de la aparición de Cifesa, «la producción de films en España no era una industria, sino una aventura»[2]. Y es interesante observar que Cifesa, como Filmófono, Ufisa (de Saturnino Ulargui, representante en España de la firma alemana Cine Allianz-Tonfilm) y Exclusivas Diana, nacieron como distribuidoras antes de convertirse en productoras. Ello indica que la distribución, preferentemente de material extranjero, permitía una acumulación de capital lo bastante sustanciosa como para permitir abordar la más compleja y arriesgada tarea de producción.

Cifesa (Compañía Industrial Film Española S. A.) se constituyó en Valencia el 15 de marzo de 1932, con un capital de 1.500.000 pesetas. En la primera junta general extraordinaria de accionistas, celebrada el primero de marzo de 1933, tras cubrirse la primera emisión de acciones, fue nombrado presidente de la compañía un socio que no había sido fundador, pero que había comprado un buen paquete de acciones: el valenciano Manuel Casanova, quien procedía de una familia

---

[2] *El cas Cifesa. Vint anys de cine espanyol (1932-1951),* de Fèlix Fanés, Filmoteca Generalitat Valenciana, 1989, pág. 89.

de industriales aceiteros que había diversificado sus negocios. En el consejo de administración figuraron también sus hijos Vicente, químico de profesión, y Luis, comerciante. Aparentemente fue Vicente, quien por su profesión efectuaba frecuentes viajes a Alemania, quien incitó a su padre a participar en esta compañía que no había fundado. Al frente de la empresa, Vicente consiguió en el verano de 1933 la exclusiva de distribución en España de la Columbia Pictures, cuando esta productora modesta estaba a punto de crecer espectacularmente en el mercado gracias a las comedias de Frank Capra, quien en 1934 obtuvo un éxito sensacional con *It Happened One Night (Sucedió una noche).* En febrero de 1934 Vicente Casanova se convirtió en vicepresidente de la compañía.

En la temporada 1933-34, Cifesa incluyó por vez primera en su distribución dos cintas españolas: *El agua en el suelo* y *El novio de mamá,* la segunda acogida con frialdad por su deficiente sonorización en ECESA y a pesar de su posterior doblaje. Pero el gran éxito de *El agua en el suelo* facilitó que Florián Rey convenciese a Cifesa para que iniciara sus tareas de producción con *La hermana San Sulpicio* (1934). A ella seguirían hasta 1936 los films de Florián Rey *Nobleza baturra* (1935) y *Morena Clara* (1936); los de Benito Perojo *Rumbo al Cairo* (1935), *Es mi hombre* (1935), *La verbena de la Paloma* (1935) y *Nuestra Natacha* (1936); *La hija del penal* (1935) de Eduardo G. Maroto, *El cura de aldea* (1936) de Francisco Camacho, *El genio alegre* (1936) de Fernando Delgado y *La reina mora* (1936) de Eusebio Fernández Ardavín. Esta copiosa producción, a la que habría que añadir 24 cortometrajes, convirtió a Cifesa en la primera productora española.

En 1935 tenía Cifesa sucursales, además de en Madrid (que era de hecho su sede central), en Barcelona, Sevilla, Bilbao, Palma de Mallorca y Las Palmas, además de corresponsales en Orán, Buenos Aires, Santiago de Chile, La Habana, Manila, París, México y Berlín. Cifesa no tuvo estudios propios y rodó todos sus films republicanos en estudios madrileños, pero copió de las productoras de Hollywood su estrategia de «acaparamiento de talentos», tanto de directores (Florián Rey, Benito Perojo) como de estrellas (Imperio Argentina, Miguel Ligero), así como la producción continuada y una red de distribución con prolongaciones internacionales, que privilegiaba al mercado iberoamericano.

Aunque más adelante examinaremos las películas de Cifesa, en los apartados de directores o de géneros, avancemos que su perfil ideológico fue predominantemente conservador, como correspondía a las convicciones de la familia Casanova, llegando en ocasiones a la exaltación ruralista y clerical *(El cura de aldea, Nobleza baturra)*, aunque las cintas de Perojo aportaron un contrapunto liberal y cosmopolita. En este periodo el capital católico beligerante llegó a introducirse en la industria, como evidenció la creación en mayo de 1935 de Ediciones Cinematográficas Españolas S.A., situada en la órbita de influencia de Acción Católica y del diario confesional *El Debate*, y que contó con colaboraciones literarias de José María Pemán. Pero el estallido de la guerra interrumpió sus breves actividades tras producir *Currito de la Cruz* (1936).

Filmófono supuso un claro contraste con el perfil ideológico de Cifesa, como ambiciosa empresa de la familia Urgoiti, típica representante de la burguesía ilustrada y liberal vasca, que había demostrado un temprano interés por las industrias culturales. Nicolás María de Urgoiti había fundado la Papelera Española, los diarios *El Sol*, *La Voz* y la Editorial Calpe. Su hijo, el ingeniero Ricardo Urgoiti, fue director de Unión Radio de Madrid en 1924 y en mayo de 1929 ya experimentaba la sonorización cinematográfica con discos, en la proyección de *Greed (Avaricia)* de Stroheim, en el Cineclub Español. Inició la comercialización de su sistema sonoro Filmófono con *Fútbol, amor y toros*, de Florián Rey, estrenada en enero de 1930. En agosto de 1931 inició sus actividades de distribución, con films seleccionados por Juan Piqueras desde París (films soviéticos, de Clair, Dreyer y Pabst, pero también exitosos cortos de Walt Disney), actividad que se completó en el sector de exhibición con una importante cadena de salas en Madrid. Para promocionar sus films importados de carácter minoritario, Luis Buñuel organizó el Cineclub Proa-Filmófono, en donde se exhibió por única vez *L'Âge d'or (La edad de oro)*.

En el otoño de 1935, atendiendo a una sugerencia de Buñuel, quien aportó además al proyecto 150.000 pesetas prestadas por su madre (la mitad del costo de un film en la época), inició su política de producción. Con un equipo estable formado por Buñuel en calidad de productor ejecutivo y eventual guionista, el escritor Eduardo Ugarte (yerno de Carlos Arniches), el operador José María Beltrán y el músico Fernando Remacha, Buñuel acometió la producción de comedias y melodramas baratos que proponían, en palabras de Pérez Perucha, «una relectura moderna y progresista de ciertos temas tradicionales de la cultura popular española»[3].

Su primera producción fue *Don Quintín el amargao* (1935), el sainete de Arniches ya adaptado por Noriega en 1925. Por estar Perojo atareado en Cifesa, encargó Buñuel su dirección al novel Luis Marquina, hijo del poeta Eduardo Marquina e ingeniero de sonido de CEA, a quien conocía a través de Dalí y de sus estancias en Cadaqués, pues ello le garantizaba una banda sonora aceptable en aquella fase de tanteos técnicos inciertos. El film mostraba cómo don Quintín (Alfonso Muñoz), personaje agriado y suspicaz, expulsa de su casa a su esposa a causa de celos injustificados. Ella da a luz en la maternidad y mendiga por las calles de Madrid con su hijita, hasta que es entregada a un humilde matrimonio para que la cuide, con dinero enviado anónimamente por don Quintín. Años después, en su lecho de muerte, la esposa revela a don Quintín que él es el padre de su hija y, a partir de este momento, el hombre intentará recuperarla, ya que la chica ha marchado del hogar de sus padres adoptivos para emparejarse con un joven taxista. El azar hace que el iracundo don Quintín tenga un enfrentamiento en un café con éste y con su hija, sin reconocerla. Finalmente, gracias a la hija del matrimonio que la adoptó y que trabaja en un teatro de variedades, don Quintín descubre la identidad de la chica, se reconcilian y asume su papel de abuelo de un hermoso bebé que se le mea encima.

En *Don Quintín el amargao* no sólo se presentaba a un personaje víctima de unos celos enfermizos, precursor del protagonista de *Él* (1953), sino que se desplegaba un retablo coral (escenas del casino de juego, del café) en el que adquirían especial relieve los personajes secundarios, de acuerdo con las pautas del sainete. La vocación artística de la hermana de adopción de la protagonista fue utilizada para ofrecer algunos graciosos comentarios acerca del *star-system* de la época y para aseverar que el cine que se hacía entonces en España era muy malo.

Tras el gran éxito de *Don Quintín el amargao,* Filmófono adaptó *La hija de Juan Simón* (1935), una «comedia flamenca» de 1930 escrita por el clérigo José María Granada y Nemesio M. Sobrevila, un realizador

---

[3] *Cine español. Algunos jalones significativos (1896-1936),* de Julio Pérez Perucha, Films 210, Madrid, 1992, pág. 44.

que había coqueteado con el cine de vanguardia. Buñuel eligió a Sobrevila como director y escenógrafo, pero tras dos semanas de rodaje, vista la excesiva lentitud del trabajo, le sustituyó por José Luis Sáenz de Heredia. En este film Carmela (Pilar López), hija del enterrador Juan Simón, ama al humilde cantaor Angelillo, pese a la oposición de su autoritaria madre, Angustias. Ángel decide ir a Madrid para triunfar en el cante, ganar dinero y poder así casarse con Carmela. Pero en una taberna de Madrid, en un altercado con un señorito, éste es herido de un navajazo y Ángel es injustamente acusado y encarcelado. Al leer la noticia de la condena de Ángel por la reyerta pasional, se produce una tensa discusión en casa de Carmela, quien decide huir a Madrid. El hijo que tuvo como madre soltera al ser seducida por un señorito será confiado a su familia, mientras ella se pone a trabajar en un cabaret como chica de alterne. Entretanto, Ángel ha recibido con pesar, poco antes de salir de la cárcel, la falsa noticia de su muerte. Angelillo triunfa como cantaor, con una gira por América Latina, mientras Carmela malvive humillada de su trabajo en el cabaret. Ángel, en posición acomodada, hace traer a su hijo del pueblo para que esté con él. Es informado por una confidencia de que Carmela vive y la encuentra en su camerino cuando acababa de ingerir unas pastillas de veronal para suicidarse. Salvada *in extremis,* concluye el film con un epílogo feliz de Ángel, Carmela y el niño en el latifundio andaluz de aquél. *La hija de Juan Simón* obtuvo un éxito inmenso, potenciado por la venta de sus discos.

Este film fue fundamentalmente un vehículo para explotar la gran popularidad de Angelillo, recién revelado con el éxito de *El negro que tenía el alma blanca* de Perojo, quien cantaba una docena de coplas a lo largo de la película, entre las que alcanzó especial fama la anticarcelaria *Si yo fuera presidiario,* coreada por presos y por guardianes. En este aspecto, resultaba interesante la descripción en el film de su ascenso al estrellato, con cartas de admiradoras y con todo el proceso de mitologización propio del mundo del espectáculo. Algunos toques ocasionales mostraban, por otra parte, una voluntad de originalidad en una historia melodramática muy estereotipada, de desventura femenina y triunfo social desarrollados simétricamente hasta converger los destinos de los dos protagonistas. Por ejemplo, el *flash-back* de evocación de las relaciones de Ángel y de Carmela al principio del film, desencadenado como recuerdo cuando ella contempla una foto de ambos que cobra vida en la pantalla, tomada en un puesto fotográfico de feria, o las inscripciones políticas republicanas e izquierdistas en las paredes de la celda en que Angelillo está encarcelado, o la cómica alusión a Schopenhauer en el cabaret, eran rápidas pinceladas que no alteraban, no obstante, la esencia lacrimosa del folletín.

Satisfecho con la docilidad de Sáenz de Heredia, Buñuel le confió la siguiente producción, *¿Quién me quiere a mí?* (1936), pensada para el lucimiento de la rubia niña-cantante Mari Tere, una especie de Shirley Temple española, elegida en un concurso. La niña era el eje de una comedia conyugal en la que el divorcio de los padres planteaba el problema de quién se quedaba con la niña. Pero *¿Quién me quiere a mí?* fue la menos productiva e interesante cinta de Filmófono. Por ello Buñuel decidió volver a una fórmula parecida a la de *La hija de Juan Simón,* al adaptar *La alegría del batallón* de Arniches, con el título *¡Centinela alerta!* (1936), confiando su dirección a Jean Grémillon, quien cobró 15.000 pesetas, y a quien Buñuel sustituyó por enfermedad al final del rodaje, estrenándose el film sin el nombre de ningún director.

¡Centinela alerta! relataba cómo Arturo, un señorito de Madrid, seduce a la bella campesina Candelas (Ana María Custodio), quien da a luz a un niña. La madre decide ir a pedir ayuda a Arturo y llega a un pueblo en el que acampa un batallón de soldados de maniobras. En aquel lugar, y puesto que Arturo se ha marchado y abandonado a Candelas, los soldados Ángel (Angelillo) y Tiburcio deciden apadrinar a la niña y el primero de ellos se enamora de la infortunada chica. Ángel se convertirá en un cantante de fama, comprará un estanco para Candelas en Madrid e iniciarán una feliz relación juntos. Pero un día aparece Arturo en el estanco, quien se ha arruinado, y promete a Candelas legalizar la situación de su hija, aunque en realidad pretende obtener dinero de ella. Arturo, en una visita a su hija, aprovecha un descuido de Candelas para robarle la llave del bolso y obtener un duplicado. Ángel les sorprende juntos en el piso y, despechado, abandona a Candelas, a quien envía luego una carta de despedida. Pero Ángel se arrepiente, regresa una noche al estanco y se encuentra con Arturo, cuando está intentando robar la caja. Lucha con él y le derriba, pero en la pelea un recipiente de gasolina se derrama, provocando el incendio del estanco. Ángel actúa como cantante en un espectáculo de revista en vísperas de embarcarse en gira hacia América, para alejarse de su pena, cuando acude

Tiburcio al teatro y le cuenta la verdad de todo lo sucedido, explicando que Candelas ha sido víctima del engaño y deshaciendo todos los equívocos. Su reconciliación amorosa se producirá entre bastidores, cantando su última canción en el escenario junto a Candelas.

Este argumento delata que *¡Centinela alerta!* fue un eco de *La hija de Juan Simón,* con Angelillo repitiendo el papel de generoso protector de una madre soltera, seducida y abandonada. Haciendo gala de una realización más elaborada, con algunos movimientos de cámara de gran amplitud, *¡Centinela alerta!* supuso la culminación de la próspera productora, con números musicales de extensa coralidad, como aquel en que Angelillo canta *Si yo fuera capitán* y en el que no faltan algunas anotaciones surrealistas, y la hilarante escena de la torpe instrucción militar (que satiriza al ejército en vísperas de su sublevación). *¡Centinela alerta!* suponía así la más acabada formulación de un género populista elaborado a partir de las aportaciones del sainete, del melodrama, de la comedia satírica y del cine musical.

Hemos examinado conjuntamente la producción de Filmófono porque permite comprobar sus llamativas recurrencias temáticas, con sus mujeres convertidas en víctimas seducidas o abandonadas, sus inocentes hijos naturales, abandonados o desvalidos, y sus señoritos burgueses presentados como depredadores sexuales. De este modo, Filmófono proponía una mirada laica de complicidad hacia las cuitas de las clases populares perjudicadas por los burgueses, en un universo en el que no faltaba el oropel del espectáculo (el cabaret, el teatro, la canción), que permitió el debut de la gran bailarina gitana Carmen Amaya en *La hija de Juan Simón* y consolidó la popularidad de Angelillo (Ángel Sampedro).

Pero la interesante opción de Filmófono fue yugulada por la Guerra Civil, por la derrota republicana y el exilio de sus profesionales.

4. Los directores

Al producirse el advenimiento del sonoro, pocos supervivientes del cine mudo lo afrontaron dignamente. Benito Perojo y Florián Rey estuvieron a su vanguardia, Francisco Elías se defendió y declinaron irremisiblemente Fernando Delgado, José Buchs, Eusebio Fernández Ardavín y Francisco Camacho. De todos los directores del cine republicano, el único que se mantuvo permanentemente en activo en el difícil tránsito del mudo al sonoro fue Benito Perojo, debido a sus conexiones internacionales y a su prestigio, que le permitieron iniciar la nueva etapa con la coproducción francoespañola *La bodega* (1929), basada en Blasco Ibáñez y sincronizada posteriormente con discos, que se exportó a muchos países. Luego dirigió en Joinville la primera versión española de la primera producción europea de Paramount, que fue *Un trou dans le mur/Un hombre de suerte* (1930); en Sevilla, Berlín y París rodó la accidentada coproducción *El embrujo de Sevilla* (1930), basada en una novela del uruguayo Carlos Reyles, y en Hollywood para la Fox dirigió *Mamá* (1931), el primer film basado en un guión original hispano, tomado de la comedia de Martínez Sierra. Pero todavía, antes de incorporarse al cine peninsular, rodó Perojo en París y Marsella para la Société des Films Osso la versión española del film naval *Le dernier choc/Niebla* (1931), cuya versión francesa corrió a cargo de Jacques de Baroncelli.

En 1931 era Perojo, y dejando a un lado el caso excepcional y marginal de Luis Buñuel, el realizador español de mayor prestigio internacional. La inauguración de los estudios Orphea y la difícil situación del cine francés le empujaron a Barcelona, en donde rodó para la Star Film una versión de la novela de Pedro Mata *El hombre que se reía del amor* (1932), que asombró a la crítica española como la primera película sonora autóctona homologable con las que llegaban del extranjero. Especialmente dotado para la comedia, y muy aficionado a las incrustaciones musicales, Perojo realizó consecutivamente en Orphea *Susana tiene un secreto* (1933), basada en una pieza de Honorio Maura, y *¡Se ha fugado un preso!* (1933), con argumento y diálogos de Jardiel Poncela. La primera era una típica pieza de enredo de alta comedia, tejida en torno a una joven protagonista (Rosita Díaz Gimeno) a la que el sonambulismo la empuja a meterse en la cama de un hombre en vísperas de su boda, y que fue severamente criticada por la prensa católica. Aunque ambos films se han perdido, *¡Se ha fugado un preso!* parece una obra más original e inventiva, con la insurrección del pasaje de tercera clase en un trasatlántico de lujo, en el que viaja también un presidiario fugado (Juan de Landa) que se hace dueño del barco y simula ser un ministro plenipotenciario. Con estos tres films Perojo actuó como un modernizador del cine español, al importar a su producción los modelos narrativos y las técnicas de rodaje que primaban en el cine europeo, sobre todo en Francia y Alemania.

Susana tiene un secreto (Benito Perojo, 1933).

La verbena de la Paloma (Benito Perojo, 1935).

La crisis de Orphea y la inauguración de los primeros estudios madrileños hizo que Perojo produjese y realizase en ECESA *El negro que tenía el alma blanca* (1934), la novela de Alberto Insúa que ya había adaptado en 1927. Esta versión musicada del libro tuvo como protagonistas al mulato cubano Marino Barreto y al cantante Angelillo, con números coreográficos felicísimos y cosechó un gran éxito en Argentina y Cuba. Su comedia *Crisis mundial* (1934) fue uno de los raros films que aludió frontalmente a la depresión, aunque para que su protagonista (Antoñita Colomé) buscase novio en una asamblea de millonarios reunidos en Suiza para afrontar la crisis. A raíz de este film, la revista *Popular Film* reanudó su virulenta campaña contra Perojo, iniciada en 1927, tachando a su obra de frívolamente cosmopolita y culturalmente apátrida. Vicente Casanova salió públicamente en defensa suya, pues desde 1935 pasaría Perojo a trabajar para Cifesa, realizando en este año la cifra récord de tres producciones: *Rumbo al Cairo* fue una brillante comedia musical de enredo, con diálogos de Neville; *Es mi hombre* fue una adaptación de éxito de la «tragedia grotesca» de Carlos Arniches sobre el valor fingido, cuyo costumbrismo madrileño le parapetó de las acusaciones de cosmopolitismo apátrida; y *La verbena de la Paloma* fue la mejor adaptación de una zarzuela realizada en todo el cine español. Bajo el gobierno del Frente Popular acometió Perojo para Cifesa en el verano de 1936 una versión con canciones de la polémica pieza de Alejandro Casona *Nuestra Natacha*, que predicaba la reforma pedagógica y defendía las comunas juveniles, pero este film sería incautado por las autoridades franquistas y destruido luego en un incendio. Con estas nueve películas Perojo confirmó largamente su competencia técnica, en unos films de ritmo eficaz orientados hacia la sensibilidad moderna del público liberal y republicanista, y que forjaron el núcleo del *star-system* republicano (Rosita Díaz Gimeno, Antoñita Colomé, Roberto Rey, Miguel Ligero, Ricardo Núñez, etc.).

El aragonés Florián Rey fue el otro gran realizador del cine republicano. Su primera experiencia sonora fue *Fútbol, amor y toros* (1929), sonorizada deficientemente con discos por Urgoiti, que adaptó el esquema de la rivalidad familiar de *Romeo y Julieta* a unos aficionados al fútbol y a los toros, que finalmente se reconciliaban. Tras este fracaso, Rey acometió su obra maestra, *La aldea maldita* (1930), producida por él y por su protagonista Pedro Larrañaga con un costo de 22.000 pesetas. Rodada en la región segoviana, combinó el realismo y el simbolismo, influido por Murnau, al presentar un drama rural vertebrado en tres generaciones: el abuelo ciego, el joven labrador protagonista (Larrañaga), encarcelado por haber agredido al usurero local, y su esposa Acacia (Carmen Viance), quien emigra a la ciudad y se prostituye, mientras su hijo representa la esperanza del futuro. Juan rescata a Acacia de la mala vida, pero no le perdona su conducta y, cuando su padre muere, la echa de su casa. De este modo el tema del honor sexual femenino se incrusta en un film que comienza con gran fuerza coral y social, mostrando la emigración colectiva de los campesinos que con sus carretas abandonan su pueblo, cuyas tierras han sido castigadas reiteradamente por el pedrisco. Esta recia estampa social, con un aliento épico emparentado al cine soviético, deriva luego hacia una situación familiar más melodramática, pero tratada con sobriedad

La aldea maldita (Florián Rey, 1942).

y dignidad. Sonorizada en los estudios Tobis de Épinay en julio de 1930, con el rodaje de nuevas escenas, se exhibió con éxito de crítica en París. *La aldea maldita,* junto con *La bodega* de Perojo, aportarían al cine español en vísperas del advenimiento de la República una innovadora mirada crítica y poco convencional hacia ciertos aspectos de la deprimida y caciquil España rural.

Durante su estancia en París, Florián Rey ayudó al cómico Pitouto a completar su film sonoro *Tiene su corazoncito/El golfillo de Lavapiés* (1930), ambientado en el hampa madrileña, y realizó algunos trabajos de escaso relieve en la Paramount de Joinville. El desmantelamiento de esta sucursal y la inauguración de Orphea le llevaron a rodar a Barcelona en septiembre de 1933 *Sierra de Ronda,* financiada por su aristocrático protagonista, el marqués de Portago, una cinta sobre el bandolerismo andaluz, visto con el prisma romántico del bandido generoso. Luego, en ECESA, produjo y realizó *El novio de mamá* (1934), que se vio perjudicada por su deficiente banda sonora y por el escándalo que suscitó su asunto, sobre una joven frustrada sentimentalmente (Imperio Argentina) que decide hacerse monja y canta alegres canciones en el convento. Distribuida por Cifesa, esta comedia urbana al estilo de Joinville se constituyó en una especie de borrador para la primera producción de la casa valenciana, que fue *La hermana San Sulpicio* (1934), con la misma actriz y como *remake* de la exitosa versión muda de Rey de 1927. Basada en la novela de Armando Palacio Valdés, narraba cómo un joven médico gallego conoce en un balneario a una atractiva monja, rica heredera sevillana con escasa vocación religiosa. Ésta abandona el convento y, cortejada por el médico y por un intrigante enamorado de su dinero, vence la resistencia familiar y se casa con el primero. A pesar de las cautelas de Cifesa, la novicia aristocrática con un pie en la vida conventual y el otro en las alegrías de la vida profana, que permuta al final su matrimonio con Cristo por el de un joven de este mundo, aportó una tenue brisa picante al conjunto, que esta vez no impidió la clamorosa aceptación del público. El film costó 100.000 pesetas y la carismática actriz cobró 26.000, demostrando así la consolidación de un nuevo *star-system* en la industria.

La hermana San Sulpicio (Florián Rey, 1934).

Nobleza baturra (Florián Rey, 1935).

La alianza entre Florián Rey y Cifesa se consolidó con *Nobleza baturra* (1935) y *Morena Clara* (1936), dos historias de tipismo regional con Imperio Argentina, estructuradas en conflictos de amores interclasistas. *Nobleza baturra* era un *remake* de un film de gran éxito en 1925, que ofrecía cierta afinidad con el mítico drama aragonés de la Dolores. Se rodó en el verano de 1935, con un excelente arranque mostrando las tareas campesinas en tierras aragonesas, y los interiores se rodaron en la CEA, con un presupuesto de 450.000 pesetas. En *Nobleza baturra,* María del Pilar, de familia acomodada, ama secretamente a un hombre humilde (Juan de Orduña), pero es deseada por un joven rico (Manuel Luna), que tiene el beneplácito de su padre. Rechazado y despechado, el joven rico construye una situación calumniosa que mancha el honor sexual de la chica, pero el joven modesto lavará esta afrenta y, con la benévola mediación del cura local, será aceptado como marido. El tema del honor sexual femenino, tan caro a Florián

Rey y que era central en *La aldea maldita*, se completaba aquí con el de la virtud recompensada, haciendo que el muchacho pobre consiguiera casarse con la chica rica, tal como había propuesto el año anterior Frank Capra en *Sucedió una noche* (éxito de distribución resonante de Cifesa). La cámara estática de *La hermana San Sulpicio* dio paso aquí a una agilidad técnica que condujo a rodar las escenas musicales con cuatro cámaras. Esta muestra de «cine racial», que fue exportada a Alemania y complació mucho a Hitler, constituyó un buen documento de la ética sexual tradicional en la España rural de aquellos años, con una fulgurante Imperio Argentina, que cosechó una excepcional popularidad.

Esta popularidad se amplificó con *Morena Clara*, en donde los amores interclasistas fueron además interraciales, pues sus protagonistas eran dos hermanos gitanos, Trini (Imperio Argentina) y Regalito (Miguel Ligero), acusados del robo de unos jamones por un fiscal severo de buena familia (Manuel Luna), que acababa rindiendo su corazón ante la gitana. En esta ocasión, el honor femenino cuestionado no era el sexual, sino la honradez y respetabilidad de la protagonista, vulnerables por su condición gitana. Cuando García Lorca había impuesto su reivindicación con *Romancero gitano* (1928), Florián Rey consiguió con esta adaptación de Quintero y Guillén un film chispeante, cuyo gracejo culminó en la escena del juicio. Estrenado en abril de 1936, amortizó su costo de producción de 520.000 pesetas en su estreno madrileño y se convirtió en la película más taquillera de todo el cine republicano. Durante la guerra se exhibió en ambos bandos, pero se retiró de la zona republicana en marzo de 1937 por la beligerancia franquista de su autor. Tras este éxito, Cifesa iba a coproducir con Francia una versión de *La casta Susana* de Jean Gilbert, dirigida por Rey y con Imperio Argentina, pero el estallido de la guerra yuguló el proyecto.

Otro veterano del cine mudo, Francisco Elías, había efectuado diversas tareas cinematográficas desde 1909, en Francia, Estados Unidos y México, pero no había descollado como director. Artífice de la fundación de Orphea, realizó algunos films interesantes. *Boliche* (1933) fue una opereta en la que el protagonista era un huérfano que viaja de Buenos Aires a España para obtener su partida de nacimiento, que le permitirá heredar una fortuna. En *Boliche* intervino el popular trío argentino Irusta, Fugazot y Demare, y Elías combinó y contrastó diversos acentos (gallego, catalán, argentino), en un film que se convirtió en uno de los más taquilleros y más exportados a América de todo

Boliche (Francisco Elías, 1933).

el cine republicano. El dinero ganado por *Boliche* lo perdió Elías en *Rataplán* (1935), una comedia satírico-policíaca que quiso ser más autoral y que alimentó su prestigio ante la crítica. En *María de la O* (1936) propuso Elías un melodrama andaluz edípico y muy singular, fotografiado por el gran Eugen Schufftan. Muestra Elías cómo un pintor fugitivo (Antonio Moreno), por haber matado al asesino de su esposa gitana, regresa quince años después de California, enriquecido. Su hija María de la O (Carmen Amaya), entretanto, ha crecido en España y no ha aceptado el emparejamiento con un orfebre platero por su humilde condición, aunque ha visto con buenos ojos las aproximaciones de un torero rico. Pero la llegada del padre, más rico todavía que el torero, la retira de circulación y la encierra en su lujosa casa sevillana, para utilizarla como modelo y manteniendo con ella una relación de total castidad, ante la contrariada extrañeza de la chica, que ignora que el pintor es su padre. De modo que una especie de subasta, según el principio de que el pez grande se come al chico y que desvela el valor libidinal del dinero, determina el destino de María de la O, abocada a una extraña situación edípica de deseo frustrado hacia su padre. Cuando rompe con el asexuado pintor para reunirse con el humilde orfebre, conseguirá a la vez su amor carnal y el obsequio de la fortuna paterna.

Antes nos hemos referido a la decadencia definitiva de algunos veteranos realizadores del cine mudo. Así, el pionero catalán Ricardo de Baños, inactivo como director desde 1921, cerró su carrera con la lamentable españolada *El relicario* (1933), en donde demostró su incomprensión hacia el nuevo medio utilizando un apuntador de diálogos. José Buchs se mostró todavía bastante activo y, alejándose de sus frecuentes reconstrucciones históricas ahora excesivamente caras, optó por la comedia en sus adaptaciones de Francisco Camba en *Una morena y una rubia* (1933) y de Concha Linares Becerra en *Diez días millonaria* (1934), en la que una empleada de una casa de modas recibe una gran herencia, que sólo debe gastar en diversiones y gastos suntuarios. Pero luego se deslizó hacia el peor folletín con *Madre Alegría* (1935), basado en una pieza de Fernández de Sevilla y Sepúlveda, y con *El niño de las monjas* (1935), melodrama lacrimoso que supuso una nueva adaptación de la novela de Juan López Núñez (la primera fue de 1925), en la que un niño abandonado a la puerta de un convento de monjas llega a ser un torero de éxito, y vive una turbulenta y desgraciada relación sentimental con una cortesana de lujo y muere de una cornada. Su versión de *El rayo* (1936), de la pieza de Muñoz Seca, fue una banal comedia cortijera de la que sólo llama la atención la presentación de una huelga de los empleados del cortijo, a tono con el clima social del Frente Popular.

La llegada del cine sonoro hizo que el veterano Fernando Delgado, escéptico ante el nuevo medio, se refugiase en el teatro, hasta que acometió para Star Film *Doce hombres y una mujer* (1934), con guión de Rosario Pi, y luego volvió a adaptar la novela taurina de Alejandro Pérez Lugín *Currito de la Cruz* (1936), ya filmada en 1925, con el exorbitante costo de 1.200.000 pesetas y en la que se utilizó por vez primera el sistema de sonido español Laffon-Selgas. También Francisco Camacho, famoso por su *Zalacaín el aventurero* (1929), demostró su total incomprensión del cine sonoro en su lamentable folletín clerical *El cura de aldea* (1936), basado en un novelón de Enrique Pérez Escrich que había ocasionado ya un traspiés a Florián Rey en 1926. Eusebio Fernández Ardavín debutó en el cine sonoro como director de producción de CEA y realizando con competencia técnica un film de propaganda clerical que alcanzó bastante éxito, *El agua en el suelo* (1934), escrito expresamente por los hermanos Álvarez Quintero. En éste relata cómo la maledicencia sobre las presuntas relaciones amorosas entre una muchacha honesta (Maruchi Fresno) y un cura joven hace que ambos tengan que abandonar su pueblo, aunque la historia se cierra con un final feliz. En una vistosa metáfora final, un charco de agua derramada (que cual calumnia que se esparce, no se puede recoger) se absorbe y el suelo queda seco. El film fue prohibido en México, favoreciendo así su publicidad en España. En *Vidas rotas* (1935) adaptó con notables licencias el relato corto *El jayón* de Concha Espina, mientras que en *La bien pagada* (1935) adaptó un éxito popular del novelista José María Carretero, sobre un adulterio que concluye en arrepentimiento, pero suscitó una protesta pública del escritor y no tuvo buena acogida. Luego aportó el guión y la supervisión técnica a la versión de la zarzuela *Los claveles* de José Serrano, que dirigió Santiago Ontañón en 1936.

Pero junto a los directores veteranos, en el periodo republicano apareció una promoción de nuevos realizadores dotados de personalidad, entre quienes descollaron Edgar Neville, Eduardo García Maroto, José Luis Sáenz de Heredia, Luis Marquina y Rosario Pi.

Del diplomático, aristócrata y escritor Edgar Neville ya se dijo que trabajó en Hollywood en las versiones hispanas de la Metro y en donde le unió la amistad con Chaplin y Douglas Fairbanks. Su debut como director se produjo en Madrid para la Star Film, a raíz de un encargo de Rosario Pi, en *Yo quiero que me lleven a Hollywood* (1931), un film rodado sin guión y un tanto descoyuntado, de cerca de una hora de duración, para el lucimiento físico de unas jóvenes aspirantes a actrices y que el crítico comunista Juan Piqueras acusó de «pornografía disfrazada»[4]. Lo cierto es que Neville nunca incluyó en su filmografía este ensayo desenfadado y sincronizado posteriormente con discos, pero prosiguió explorando el medio con cortometrajes cómicos, como *Falso noticiario* (1933) y la parodia musical *Do re mi fa sol o la vida privada de un tenor* (1935), producido por la CEA. Su primer largometraje fue una adaptación de *El malvado Carabel* (1935), que Saturnio Ulargui produjo con capital alemán, basado en la novela homónima

[4] «Panorama del cinema hispánico», en *Nuestro Cinema*, núm. 5, octubre de 1932.

del escritor gallego Wenceslao Fernández Flórez, quien acababa de ensayarse como guionista en *Odio* (1933). Su protagonista era Amaro Carabel (Antonio Vico), un empleado de banco despedido que, con ánimo vengativo, intenta en vano una carrera como delincuente, aunque Neville se vio obligado a atemperar el pesimismo de la obra añandiendo un final postizo que transcurría en un baile de lujo. *La señorita de Trévelez* (1936) fue una versión de la obra de Arniches que inspiraría también a Bardem su *Calle Mayor* (1956) y mostraba, en una radiografía social de aguda observación, a una mujer soltera (María Gámez), víctima de un falso pretendiente amoroso, a quien su edad le condena a la soledad definitiva.

Eduardo García Maroto trabajó desde muy joven en el laboratorio como operador de actualidades y fue montador en la CEA, etapa en la que se inició en la realización con el cortometraje infantil *Cuento oriental* (1933), pródigo en trucajes, pero que quedó inconcluso. Con aportaciones de 500 y 1.000 pesetas de familiares y amigos, inició una brillante serie de cortometrajes que parodiaban los géneros populares: el cine de aventuras africanas, el de terror y el de gángsters. En *Una de fieras* (1934), que costó 14.000 pesetas, los figurantes que con el cuerpo embetunado simulaban ser negros, iban a devorar a unos cazadores blancos cuando irrumpía la guardia civil en la tribu. *Una de miedo* (1935) fue la más elaborada e inventiva, poniendo en evidencia los trucajes del género, y la serie se cerró con *Y ahora, una de ladrones* (1935). El humor desorbitado de estos cortos, a los que aportó sus diálogos Miguel Mihura, implicaba también un componente autorreflexivo acerca de los códigos de los géneros del cine comercial. El proyecto de Maroto de continuar su serie con *Una de... monstruos* en 1942 fue prohibido por la censura.

En 1935, atendiendo a un requerimiento de Cifesa para aprovechar el alquiler de los estudios CEA debido a un retraso en el comienzo de *La verbena de la Paloma*, Maroto alargó un guión de cortometraje para realizar, con diálogos de Mihura, *La hija del penal* (1935), otra comedia de humor disparatado acerca de una cárcel con un solo preso, a quien los funcionarios miman como garantía de sus puestos de trabajo, y quien acaba por casarse con la hija del director del presidio. La novedad de su humor le granjeó un gran éxito comercial.

También en el ámbito de la comedia debutó otra promesa de la «nueva ola» de los años 30, José Luis Sáenz de Heredia. Su debut se debió a las discrepancias entre Serafín Ballesteros, productor y operador de *Patricio miró a una estrella* (1934), y su director Fernando Delgado, que fue despedido. Ballesteros recurrió entonces al joven guionista, quien realizó con torpeza técnica pero con inspiración, no ajena a René Clair, esta historia sobre un ridículo dependiente de mercería (Antonio Vico), enamorado de una estrella de cine, lo que le lleva a trabajar en unos estudios de rodaje en humildes menesteres, hasta conseguir a su admirada actriz. Documento cinéfilo de primera categoría y testimonio de la emergencia de un *star-system* autóctono, *Patricio miró a una estrella* convergió en su autorreflexividad cinéfila con títulos como *Cinópolis/Elle veut faire du cinéma* de Castellví, *Yo quiero que me lleven a Hollywood* y el corto *El veneno del cine* (1935) de Mauro Azcona. Pero también conectaba con las parodias de géneros, como *Falso noticiario* de Neville, con la producción de García Maroto, con la serie *Celuloides rancios* (1933) que Enrique Jardiel Poncela sonorizó en París para la Fox, utilizando viejas películas mudas, y con las parodias *No me mates (Los misterios del Barrio Chino,* 1935), de Pedro Puche, y *Sesenta horas en el cielo* (1935), farsa aérea del ex-operador francés Raymond Chevalier.

De Luis Marquina nos hemos ocupado al glosar su debut en *Don Quintín el amargao,* para Filmófono. Marquina dirigió también el notable *El bailarín y el trabajador,* que empezó a rodarse en marzo de 1936 y se estrenó el 29 de mayo, siendo así la última película española presentada antes de la sublevación militar de julio. Basada en la comedia de Jacinto Benavente *Nadie sabe lo que quiere,* su protagonista (Ana María Custodio) es hija de un rico fabricante de galletas y el protagonista (Roberto Rey) un ocioso bailarín de éxito, mal visto por el padre de ella a causa de su holgazanería. Para ganar su aprecio, el bailarín se emplea como obrero en la fábrica de galletas pero, cada vez más absorto y entusiasta de su trabajo, se distancia progresivamente de la chica. Al final, la ética laboralista y la ética del placer, que son presentadas como antagonistas, se reconcilian en un final feliz de la pareja protagonista.

Rosario Pi merece especial mención como la primera mujer directora del cine sonoro español, en una etapa de ascenso político del feminismo. No sólo Rosario Pi fue gerente de Star Film y guionista, sino que adaptó la ópera *El gato montés* (1935) de Manuel Penella, presentando con vigor los amores contrariados por el destino de Soledad y de Juanillo, amigos desde la infancia. Su desenlace tuvo un tono necrofílico delirante, cuando Juanillo muere en su cueva de un disparo junto al cadáver de su amada, escena que prefiguró el final de *Abismos de pasión* (1953) de Buñuel.

5. Cineastas extranjeros en España

Las convulsiones políticas de los años 30, como el ascenso del nazismo en Alemania, y los avatares cinematográficos, como la crisis provocada por el tránsito del mudo al sonoro, se conjugaron para generar una variopinta emigración profesional hacia la Península, que básicamente puede dividirse en cuatro apartados: 1) los sudamericanos que emigraron al cancelarse el proyecto de la Paramount en Joinville, como el colombiano Carlos San Martín, el chileno Adelqui Millar o el peruano Richard Harlan; 2) los técnicos que establecieron la infraestructura del cine sonoro en España, como Camille Lemoine, los ingenieros de sonido René Renault en Orphea y Fontanel en Madrid, Hugo Donarelli y Jules Zeisler Dixon, responsable de las instalaciones de doblaje de la Metro Goldwyn Mayer en Barcelona, aunque asociados a los primeros proyectos sonoros hay que reseñar también a algunos operadores, como el suizo Arthur Porchet, procedente de Joinville, y sus hijos Adrien y Robert; 3) los alemanes y austriacos fugitivos de la amenaza del nacionalsocialismo, de los que nos ocuparemos inmediatamente; 4) los alemanes pronazis dispuestos a ampliar su terreno de influencia en la Península, con la frecuente cobertura de Alianza Cinematográfica Española, representante de la UFA en España y fundada en 1932 por Manuel Carreras y Pedro de Vallescar: proyecto de Gustav Ucicky para rodar *Camaradas* en el Marruecos español, viaje de Leni Riefenstahl en 1934 para preparar el rodaje de *Tiefland* (no conseguiría rematar este film, basado en Ángel Guimerá, hasta 1954), etc.

La emigración más interesante fue la fugitiva del nazismo, que dio lugar a la fundación en Barcelona en 1934 de Ibérica Films S. A., una empresa con capital de origen hebreo, que produjo la zarzuela *Doña Francisquita* (1934), del austriaco Hans Behrendt y fotografiada por su compatriota Enrique Guerner (Heinrich Gaertner), quien llegaría ser fiel colaborador de Cifesa y gran maestro de operadores españoles, a quienes enseñó el estilo preciosista del claroscuro centroeuropeo. En esta cinta colaboró otro judío alemán famoso, el compositor Jean Gilbert (Max Winterfeld). A ésta siguieron tres realizaciones del polaco Max Nossek: *Una semana de felicidad* (1934), *Poderoso caballero* (titulada primero *¡Alegre voy!,* 1935), sátira a lo René Clair de unos vagabundos convertidos en millonarios, y *Una aventura oriental* (1935).

Entre los productos más exóticos de la emigración figuró una curiosa muestra de «cine étnico», *Alalá* (1933), del alemán Adolf Trotz, adaptación de la novela galleguista *Los nietos de los celtas* de Rafael López de Haro, que se rodó en Galicia y contó con una fotografía pictórica de Frederik Fulgsang y decorados del ruso Alexander Arustam. Pero las dos aportaciones más relevantes de cineastas extranjeros serían *La Dolorosa* (1934) de Jean Grémillon, y *La traviesa molinera* (1934) de Harry D'Abbadie D'Arrast.

La Dolorosa fue la primera producción de la empresa valenciana Producciones Cinematográficas Españolas-Falcó y Compañía, fundada en febrero de 1933 por iniciativa del recaudador tributario Daniel Falcó, quien coprodujo la cinta con Aureliano Campa, yerno del maestro José Serrano, autor de esta zarzuela. A ella le seguiría otra del mismo músico, *Los claveles,* de Santiago Ontañón. El crítico valenciano Juan Piqueras gestionó desde París la contratación de Jean Grémillon, un enamorado del arte y de la música española, quien se trajo a su operador, Jacques Monthérand. *La Dolorosa* fue un melodrama barroco y con un pasaje musical surrealizante, protagonizado por un pintor (Agustín Godoy), que se enamora de su modelo (Rosita Díaz Gimeno) cuando ésta posa para él como Virgen María, pero cuando descubre que ella tiene un amante rompe su obra e ingresa en un convento, mientras ella se convierte en madre soltera y abandonada. De manera que, en *La Dolorosa,* la protagonista que actúa como emblema icónico de la Virgen queda encinta sin haber sido santificada por el sacramento del matrimonio y sin haberse unido al que será al final su marido, su pintor-fraile, en una situación argumental que admite singulares interpretaciones mariológicas. Su situación de virgen-víctima dramática de la lascivia masculina contrasta, a lo largo del film, con una acción paralela jocosa acerca de amores plebeyos, contrapunto cómico en el que la mujer campesina actúa en cambio como incitadora erótica de su desvirilizado novio.

Harry D'Abbadie D'Arrast, nacido en Argentina de padres vascofranceses y antiguo ayudante de Chaplin, fue el elegido para realizar *La traviesa molinera* (1934), un proyecto dialogado por Neville, quien a principios de 1930 ya se lo confiaba a Piqueras[5]. El film se basaba en el romance popular de Arcos de la Frontera que inspiró a Alarcón su novela *El sombrero de tres picos* y a Falla el ballet homónimo y que versa sobre el escarmiento que un molinero de Arcos propina al corregidor anciano y libertino que asedia a su esposa. La película fue coproducida por Ricardo Soriano, marqués de Ivanrey, con United Artists, y se realizó en versiones española, francesa *(Le Tricorne)* e inglesa *(It Happened in Spain)* —estas dos últimas sincronizadas posteriormente—, con la cubana Hilda Moreno en el papel protagonista, mientras Santiago Ontañón interpretó al molinero y fue escenógrafo de esta cinta, elogiada como una de las más frescas, alegres, chispeantes y coloristas de todo el periodo republicano y convertida en una de las favoritas de Charles Chaplin.

6. Los géneros

A lo largo de las páginas anteriores se ha hecho evidente que el grueso de la producción republicana española estuvo basada en una perezosa política de adaptaciones literarias o escénicas, para aprovechar la notoriedad de éxitos previos, por la inhibición de los escritores competentes ante la industria del cine (por su baja retribución o su desprestigio) y por la carencia de guionistas profesionales. Un cálculo estimativo permite proponer el siguiente cómputo de adaptaciones hasta el 18 de julio de 1936:

Año	Producción	Adaptaciones	Porcentaje
1932	6	2	33%
1933	17	6	35%
1934	21	12	57%
1935	37	22	59%
1936	28	14	50%

[5] Entrevista con Neville en *La Gaceta Literaria* núm. 76, 15 de febrero de 1930.

Esta política, que mermaba la originalidad y la creatividad cinematográficas, fue sañudamente combatida por los críticos más responsables, como Florentino Hernández Girbal[6], con escaso éxito.

Por lo que atañe a la cuantificación de géneros, se constata que la comedia y el cine musical se situaron en cabeza, indicando la hegemonía del cine de evasión y de entretenimiento en el agitado paisaje político y social provocado por las reformas republicanas. Pese a las dificultades de una cuantificación precisa, proponemos el siguiente cuadro como indicativo, hasta el 18 de julio de 1936:

Años	Producción	Comedia	Musical	Españolada	Drama	Misterio y policiaco	Otros
1932	6	3	1	1	1	—	—
1933	17	7	3	3	4	—	
1934	21	10	7	1	2	1	—
1935	37	16	6	7	4	3	1
1936	28	11	4	6	6	—	1
	109	47	21	18	17	4	2

Este cuadro estadístico simplificador enmascara las variantes, matices y contaminaciones de los géneros, como las comedias con canciones que cabalgan entre la comedia y el cine musical; o la aparición de subgéneros nuevos, como la farsa militar propiciada por la nueva permisividad republicana, cual eco de *Tire au flanc* (1929) de Jean Renoir, que dio como frutos *El tren de las 8'47* de Raymond Chevalier, *Amor en maniobras* (1935) del bilbaíno Mariano Lapeyra, y *¡Centinela alerta!* (1936) de Jean Grémillon.

El advenimiento del sonoro potenció especialmente al cine musical, en sus múltiples facetas. Prácticamente todas las películas de Perojo en este periodo, exceptuando *Es mi hombre*, podrían incluirse en este apartado. Perojo puso de manera modélica música y canciones a originales literarios que no la tenían y fue llamado repetidamente por la crítica «el Geza von Bolvary español». También Marquina hizo de un texto de Benavente, de su versión de *El bailarín y el trabajador*, un bri-

[6] «Al cine español le sobran los autores teatrales» en *Cinegramas*, núm. 5, 14 de octubre de 1934; «Se ha parado el reloj», alegato contra los *remakes*, en *Cinegramas*, número 38, 2 de junio de 1938.

llante film musical. Ambos directores se inscribieron más cerca de la tradición musical europea, procedente de París y Berlín, que del espectáculo arrevistado norteamericano. El trío argentino formado por Irusta, Fugazot y Demare fue protagonista musical de *Boliche* de Francisco Elías y de *Aves sin rumbo* (1934) de Antonio Gra[illegible]ni. Otras veces se recurrió a la biografía, como la del tenor Juli[illegible]n *El canto del ruiseñor* (1932) de Carlos San Martín. Pero [illegible] Castellví quien exploró el cine musical de estilo mo[illegible] poca fortuna. Castellví, que había trabajado en Be[illegible]s, encontró un capitalista para *Mercedes* (1933), que [illegible] modernizada de *Romeo y Julieta* en registro musical, e[illegible]agonismo de las dos familias derivaba de que uno de [illegible] catalán y el otro madrileño, lo que permitió la inclu[illegible] hablados en catalán. Pero la película fue un fraca[illegible] insistió en la fórmula en *¡Abajo los hombres!* (1935), ve[illegible]reta *S.O.S.* de Pierre Clarel. Pero lo más característico [illegible]ical procedió de la adaptación de zarzuelas, en cuya [illegible] la escenificación de los amores y desamores plebeyos [illegible]e 1893 de *La verbena de la Paloma*, de Ricardo de la Vega [illegible]retón, que Perojo plasmó con una desenvoltura coral [illegible] técnica asombrosas. Se ha mencionado ya *La Dolorosa*, [illegible]a obra del maestro José Serrano, y es hora de añadir que los p[illegible]cos con los músicos resultaron a veces estratégicos. Así, *La reina mora* (1936), de Eusebio Fernández Ardavín, permitió iniciar la colaboración entre Cifesa y el productor Aureliano Campa, casado con una hija de su autor, el maestro Serrano.

Un género que instrumentalizó intensamente la novedad del sonoro fue la españolada, género de origen francés *(espagnolade)* que explotaba intensivamente el tipismo diferencial y el folclorismo de las zonas más deprimidas y premodernas de la España rural, como la Andalucía latifundista, que se presentaba poblada por gitanos y toreros, con criterios atávicos, reaccionarios y machistas. El personaje del torero, como ingrediente de amores contrariados, resultó central en *El sabor de la gloria* (1932) de Fernando Roldán, *El relicario* (1933) de Ricardo de Baños (que aprovechó la trama de la canción que inmortalizó Raquel Meller), *Rosario la cortijera* (1935) de León Artola y en la que debutó Estrellita Castro, en la modesta parodia *El niño de las coles* (1934) de José Gaspar, *El gato montés* (1935) de Rosario Pi y *María de la O* (1936), de Francisco Elías, films en los que no faltaron canciones andaluzas.

Comparado con este género, otros más modernos y cosmopolitas de carácter urbano, como los de misterio y policíaco, apenas fueron frecuentados, con títulos como *El desaparecido* (1934) de Antonio Graciani, *Error judicial* (1935) de Juan Faidella, *Una mujer en peligro* (1935) de José Santugini y *Al margen de la ley* (1935), en el que el catalán I. F. Iquino (Ignacio Farrés Iquino) reconstruyó un suceso célebre de 1924, el crimen y atraco del expreso de Andalucía, pero que fue prohibido por el gobierno conservador. Los productores españoles parecían más proclives a la visión mítica y romántica generada por el bandidismo decimonónico, como se demostró en *Sierra de Ronda* (1933) de Florián Rey, *Diego Corrientes* (1935) de I. F. Iquino y *Luis Candelas* (1936) de Fernando Roldán.

También el peso de la tradición clerical en España, con 80.000 miembros del clero en 1931, se manifestó en las exaltaciones eclesiásticas de *El agua en el suelo, Nobleza baturra, Sor Angélica* (1934) de Francisco Gargallo —que fracasó en su estreno madrileño pero obtuvo una entusiasta acogida en las salas de reestreno—, *Madre Alegría* (1935) y *El niño de las monjas* (1935), ambas de José Buchs, y *El cura de aldea* de Francisco Camacho.

Las películas que acabamos de citar contienen proposiciones ideológicas muy explícitas y de carácter muy conservador, cuando no abiertamente reaccionarias. Es por ello pertinente preguntarse si existió en el seno de la Republica reformista y modernizadora un cine que se hiciese eco de las cuestiones sociales y políticas más polémicas y palpitantes. La respuesta es muy descorazonadora. Fernando Roldán examinó el mundo de la prostitución en *Sobre el cieno* (1933) con criterios ramplonamente convencionales; la miseria familiar inspiró al folletinesco *Los niños del hospicio* (1933) de Miguel Silvestre, mientras Adolfo Aznar rodó para la Sociedad Matritense de Caridad el documental *Mendicidad y caridad* (1935). Poco podemos decir de *Hombres contra hombres* (1935), un alegato pacifista hoy perdido, que produjo, escribió y dirigió el debutante realizador andaluz Antonio Momplet, reutilizando un documental checo de largometraje depositado en Orphea que versaba sobre la Primera Guerra Mundial. *Nuevos ideales* nació en junio de 1936, en vísperas de la guerra, con explícita voluntad polémica. Escrita y producida por el industrial catalán Daniel Mangrané y dirigida por Salvador de Alberich, constituía una llamada a la disciplina laboral de la clase obrera y un elogio del industrial laborioso que llegaba a ser jefe de gobierno y aplicaba su programa de concordia y pacificación social. También en vísperas de la guerra, el 16 de julio, empezó a rodarse *Carne de fieras,* del trotamundos anarquista Armand Guerra (José María Estívalis), que quedó inconclusa, pero cuya versión reconstruida en 1992 ofrece un curioso folletín libertario, con erotismo de choque (la protagonista baila desnuda en una jaula de leones), con niño abandonado y prohijado, amores ilícitos y recorrido por el mundo del espectáculo. Al final, el protagonista infantil asevera, aleccionando al público, que si todos los españoles adoptaran niños, como se hace en la película, se acabarían los niños del arroyo.

7. Cine documental y dibujos animados

Los eventos públicos relacionados con el advenimiento de la República fueron rodados por todos los operadores de noticiarios y tres días después, el 17 de abril, se estrenaba ya *La proclamación de la República,* producido por Información Cinematográfica Española. Una buena compilación de los materiales documentales rodados en aquellas jornadas aparecería en *Cómo nació la República Española* (1932) de Juan Vilá Vilamala.

A principios del sonoro se proyectaban en España los noticiarios extranjeros Movietone, Metrotone, Pathé News, UFA, British Gaumont y Luce, pero en 1932 apareció Actualidades Sonoras Españolas, con laboratorios propios en Madrid y disponiendo de la primera cámara sonora Eclair que entró en la Península. Pero en esta tarea, aunque todavía en fase muda, le había precedido Información Cinematográfica Española (ICE), fundada por Leopoldo Alonso, fotógrafo y operador de la Aviación Española, quien adquirió el equipo Phonofilm de De Forest después del rodaje de *El misterio de la Puerta del Sol,* y por el duque de Estremera. ICE, para la que trabajaron como operadores Agustín Macasoli y Eduardo García Maroto, rodó las celebraciones del Primero de Mayo de 1931 e inició su producción sonora con su documental *Salamanca* (1930), postsincronizado en París y que se exportó a Francia y Alemania. A lo largo de los primeros años 30 fueron surgiendo productoras de noticiarios y documentales, como Noticiario Español, Film España y Cinespaña.

La primera obra maestra del cine documental español fue *Tierra sin pan/Las Hurdes* (1932), que Buñuel rodó en esta inhóspita región montañosa en la que no se conocen ni el pan ni las canciones y que exhibió con un comentario leído al micrófono y con sonorización discográfica. Pero Gregorio Marañón, presidente del Patronato de Las Hurdes, se indignó ante el implacable testimonio y su reacción motivó su prohibición gubernativa. Mucho se ha escrito sobre este insólito documental, que se presentaba como un «ensayo de geografía humana» y que constituye un original cruce del cine etnográfico, del cine de denuncia social y de la sensibilidad y provocación surrealistas. En 1937 Buñuel, agregado en la embajada española en París, lo sonorizó con el mismo texto y la misma música de Brahms que había utilizado en su presentación en el Cine-Studio Imagen de Madrid.

Tras el tremendo impacto del film de Buñuel, que constituyó un episodio aislado, despuntó en el cine republicano una prometedora escuela documental. Así, el gallego Antonio Román, formado en la crítica, realizó *Canto a la emigración* (1934) y *La ciudad encantada* (1935). Pero las contribuciones más importantes procederían del biólogo gallego Carlos Velo, fundador del cineclub de la FUE (Federación Universitaria Escolar) y de Fernando G. Mantilla, influyente crítico de Unión Radio de Madrid. Velo se inició en el cine al tener que rodar un documental científico sobre la comunicación de la reina de las abejas y las obreras, con la cámara acoplada a un microscopio. Mantilla quedó impresionado por su trabajo y se asociaron en la producción de una serie de cortos, ninguno de los cuales costó más de 4.000 pesetas. Confesando su admiración hacia Flaherty, Eisenstein y Dovjenko, Velo realizó con Mantilla una gama de cortometrajes que fue desde la descripción avícola de *La ciudad y el campo* (1935) hasta la exposición de la pesca del atún en la costa de Cádiz en *Almadrabas* (1935), pasando por *Infinitos* (1935), un corto vanguardista inspirado en una idea de Maurice Maeterlinck, que comparaba las estructuras del mundo sideral con el mundo de los microbios. En su Galicia natal rodó Velo *Saudade* (1936), premiado en la Exposición Universal de París de 1937. Y mientras en la Península se desarrollaba esta interesante escuela documental, en las islas Canarias debutaba el adolescente Richard Leacock rodando en 1934 un film en 16 mm sobre los trabajos en la plantación de plátanos de su padre.

En 1930 los dibujantes Joaquin Xaudaró y K-Hito (Ricardo García López) fundaron con Antonio Got la Sociedad Española de Dibujos Animados, empresa que debutó con *El rata primero* (1932). El primer film sonoro de dibujos animados fue *La novia de Juan Simón* (1933) y en 1935 comenzaron a aparecer ensayos de animación con muñecos tridimensionales articulados, tales como *Arte, amor y estacazos* (1935) de Pablo Antonio Béjar y Miguel Ramos, y *Pipo y Pipa en busca de Cocolín* (1936) de Adolfo Aznar. Pero estos esfuerzos se verían truncados por la guerra.

8. Los intelectuales y la batalla de las ideas

Aunque el gobierno español de la llamada «república de intelectuales» se interesó muy poco por el cine, lo cierto es que muchos intelectuales de la época fueron cautivados por este arte de masas que aparecía investido por el atributo de la modernidad y que alumbraba, a la vez, una nueva poesía de imágenes y un potente instrumento de influencia ideológica.

Este interés se infiltró en las Misiones Pedagógicas, creadas por el gobierno en mayo de 1931, y que efectuaban actividades didácticas itinerantes por la España rural, entre las que funcionó también una sección de cine dirigida por Gonzalo Menéndez Pidal y José Val del Omar, que exhibía proyecciones de carácter pedagógico, pero también efectuaba rodajes documentales, en los que colaboró Eduardo G. Maroto.

Pero en donde resultó más evidente el interés intelectual hacia el cine fue en el movimiento cineclubista y en sus actividades conexas. Este movimiento fue iniciado por la importante revista *La Gaceta Literaria* (1927-1932), portavoz vanguardista dirigido por Ernesto Giménez Caballero, que a partir de diciembre de 1927 encargó su sección de cine a Buñuel. Como prolongación natural de esta sección, en diciembre de 1928 inició sus proyecciones el Cineclub Español, cuyos films eran seleccionados desde París por Buñuel. Su primera sesión preveía proyectar *Greed (Avaricia)* de Stroheim, pero fue sustituida por *Tartufo* de Murnau. El Cineclub Español proyectó films de Man Ray, Flaherty, L'Herbier, René Clair, Stroheim, etc. En 1929 apareció en Barcelona la revista *Mirador*, portavoz de la intelectualidad catalana, que también organizó un cineclub y que se anticipó a sus colegas madrileños en la introducción del apreciado cine soviético, pues proyectó *Tempestad sobre Asia* de Pudovkin en noviembre de 1929, mientras que *La aldea del pecado* de Olga Preobrajenskaia no se presentó en el

Hotel Ritz de Madrid hasta enero de 1930, en un local apto para ahuyentar sospechas proletarias. Pero la difusión del cine soviético fue obstaculizada por la censura y *El acorazado Potemkin* no fue exhibido por el Cineclub Español hasta mayo de 1931, tras la proclamación de la República.

Giménez Caballero también realizó algunos cortometrajes de influencia vanguardista, como *Esencia de verbena* (1930), definido como «poema documental de Madrid en doce imágenes», que costó 5.000 pesetas, utilizó un montaje basado en asociaciones visuales y fotos fijas de pinturas de Goya, Picasso, Maruja Mallo y Picabia (fue sonorizado por su autor en 1947). Se proyectó con buenas críticas en el Congreso de Cine Independiente de Bruselas de 1930 y en el Studio des Ursulines de París, por iniciativa de Buñuel. Su *Noticiario del Cineclub* (1930) fue más bien un álbum de familia mudo de los intelectuales aglutinados por esta institución. Feliciano Vítores rodó con el método Phonofilm *El orador bluff* (1928), un curioso monólogo de Ramón Gómez de la Serna (quien aparecía también en *Esencia de verbena),* atribuido a veces a Giménez Caballero[7].

Además de estos cineclubs surgió en 1933 el GECI (Grupo de Escritores Cinematográficos Independientes), que editó en 1936 los libros *Cita de ensueños* de Benjamín Jarnés, *Luz del cinema* de Rafael Gil y *Arte de masas* de Manuel Villegas López, quien el año anterior había publicado ya *Espectador de sombras.* Pero el libro de teoría cinematográfica más interesante de este periodo fue *Una cultura del cinema* (1930) de Guillermo Díaz-Plaja.

Durante los años republicanos funcionaron en España una treintena de cineclubs, que cubrieron la amplia gama ideológica que iba desde el comunismo al falangismo militantes. En el extremo izquierdo del espectro, la revista *Nuestro Cinema* (Madrid-París, junio de 1932-agosto de 1935), fundada y dirigida por Juan Piqueras, defendió con entusiasmo al cine soviético e intentó impulsar los cineclubs proletarios y el cine revolucionario en España. Curiosamente, su Studio Nuestro Cinema inició sus actividades cineclubistas proyectando *La luz azul,* de la futura realizadora nazi Leni Riefenstahl, presentada por

---

[7] Entrevista con Ernesto Giménez Caballero en *Contracampo,* núm. 31, noviembre-diciembre de 1982; catálogo *Cinemadart'89,* Fundació Caixa de Pensions, Barcelona, 1989.

el militante comunista Antonio del Amo. Tomando como contraejemplo el próspero cine *amateur* producido entonces por la pujante burguesía catalana en 16 mm *(Memmortigo,* 1934, de Delmiro de Caralt; *El hombre importante,* 1935, de Domingo Giménez), Piqueras preconizaba la producción de un cine proletario financiado y realizado por colectivos obreros, al modo como se había efectuado en Alemania antes de 1933[8]. Pero este proyecto y llamamiento apareció publicado en el último número de su revista. No obstante, el Cineclub Proletario del Sindicato de Banca y Bolsa de Madrid consiguió producir el film militante *El despertar bancario.* En el extremo ideológico opuesto, en febrero de 1935 inició sus actividades el cineclub de Falange Española, proyectando la cinta fascista *Camicia nera* de Giovacchino Forzano.

Esta bipolaridad política reflejaba la progresiva radicalización de la sociedad española, que conduciría a la victoria electoral del Frente Popular en febrero de 1936 y a la posterior sublevación militar del 18 de julio. Así se truncó la que ha sido llamada reiteradamente «edad de oro» del cine español, en la que éste entró en sintonía con su público, hasta el punto de preferirlo al cine norteamericano. Agustín Sánchez Vidal ha sintetizado bien las virtudes de esta producción al escribir: «El cine populista republicano fue un raro equilibrio entre la tradición localista (incluso los atavismos) y las innovaciones cosmopolitas, a cargo de los mejores cineastas del momento, todos ellos bregados en el extranjero (Florián Rey, Buñuel, Perojo, Neville), con la aportación de técnicos foráneos (sobre todo alemanes que huían del nazismo), actores tan populares como Imperio Argentina o Angelillo y productoras como Cifesa o Filmófono»[9]. Y el historiador Manuel Rotellar designó específicamente las que, según él, fueron las mejores contribuciones al cine republicano: Filmófono, Luis Buñuel, Urgoiti, *La traviesa molinera,* Carlos Velo, Florián Rey, Benito Perojo y el operador José María Beltrán[10].

[8] «Nuestro cine amateur en *Nuestro Cinema*», de Juan Piqueras, en *Nuestro Cinema,* agosto de 1935.

[9] *El cine de Florián Rey,* de Agustín Sánchez Vidal, Caja de Ahorros de la Inmaculada, Zaragoza, 1991, pág. 226.

[10] *Cine español de la República,* XXV Festival Internacional del Cine de San Sebastián, 1977, pág. 181.

9. El estallido de la Guerra Civil

El 18 de julio de 1936, una parte importante del ejército, bajo el mando del general Francisco Franco, se sublevó contra las instituciones democráticas de la República. La guerra de España fue la primera confrontación entre el fascismo militarizado y la revolución popular armada. También se convirtió en un campo de ensayo de armamentos, estrategias militares, experiencias de organización política y técnicas de información y propaganda, que luego serían reutilizadas en la Segunda Guerra Mundial, de la que la guerra española fue su preludio político. Desde el punto de vista de la información y de la propaganda, resultó ser un hito crucial en la historia de cuatro medios de comunicación social: la radio, el cine sonoro, el fotorreportaje y el cartel. Por lo que atañe al cine, debe recordarse que tanto durante la Primera Guerra Mundial, como en la revolución y la guerra civil rusa, el cine era mudo, por lo que la guerra de España supuso el primer uso masivo del cine sonoro al servicio de la propaganda bélica.

Al quedar la Península escindida en dos bandos, hay que diferenciar netamente la producción del bando republicano, que controló los centros de industria cinematográfica de Madrid y de Barcelona, y la del bando franquista, que buscó sus apoyos en Lisboa, Berlín y Roma. Pero la producción del bando republicano resultó bastante heterogénea y diversificada, no sólo por las características diferenciales de Madrid y de Barcelona, sino por las instituciones, partidos o sindicatos que la produjeron. Mientras, en el bando franquista, en donde incluso las publicaciones falangistas estaban sujetas a censura militar, sus mensajes resultaron mucho más monolíticos.

La producción comercial de largometrajes se vio brutalmente afectada por la nueva situación, debido a una suma de razones: por reducirse el mercado al dividirse el país en dos zonas; por la dispersión de técnicos y profesionales, al ser militarizados, o por la ubicación geográfica en la que les sorprendió la guerra o por su exilio; por las penurias materiales, incluyendo la de película virgen y de electricidad; y por la inhibición de las inversiones privadas a causa de la incierta situación política.

Al estallar la guerra había siete películas en curso de producción en Barcelona: *Diego Corrientes* de Iquino, *La Alhambra* o *El suspiro del moro* de Antonio Graciani, *Nuevos ideales* de Salvador de Alberich, *Los héroes del barrio* de Armando Vidal, *La millona* de Antonio Momplet, *Hogueras en la noche* de Arthur Porchet y *Usted tiene ojos de mujer fatal* de Juan Parellada, adaptando a Jardiel Poncela. Todas se estrenarían, pero la última lo haría después de la guerra. En Madrid ocurriría lo propio con cuatro producciones en curso: *La casa de la Troya* de Juan Vilá Vilamala y Adolfo Aznar, *Centinela alerta* de Jean Grémillon, *Luis Candelas* de Fernando Roldán y *El rayo* de José Buchs. Pero *Carne de fieras* quedaría inconclusa y *Nuestra Natacha* nunca se estrenaría, como ya dijimos.

En la zona franquista se estaban rodando *El genio alegre,* producción de Cifesa dirigida por Fernando Delgado en Córdoba, y en Cádiz *Asilo naval,* producción de CEA realizada por Tomás Cola y Miguel Pereyra. El grueso de sus técnicos pasarían a integrarse en la infraestructura del cine de propaganda rebelde.

La producción privada de cine comercial fue escasísima durante la guerra, como ya dijimos, y casi siempre se realizó para dar cobertura política a sus profesionales o como justificación de sus empresas, que encubrían con esta apariencia de normalidad sus simpatías franquistas o por lo menos antirrevolucionarias. En Barcelona se rodaron *Las cinco advertencias de Satanás* de Isidro Socías, basado en Jardiel Poncela, la zarzuela *Bohemios* de Francisco Elías, y la opereta *Molinos de viento* de Rosario Pi, las dos últimas estrenadas en la posguerra. Y en Madrid se produjeron la comedia musical *En busca de una canción* de Eusebio Fernández Ardavín y *Amores de juventud* de Julián Torremocha. Esta actitud de simulación de acatamiento al orden revolucionario fue flagrante en la productora más importante, Cifesa, que fue incautada y colectivizada por sus trabajadores para proteger mejor los intereses de la familia Casanova, su propietaria, y en 1938 pasó a denominarse Cifesa Consejo Obrero.

Por consiguiente, el grueso de la producción bélica fue de carácter documental y propagandístico, y de producción institucional, si bien en no pocas ocasiones las retóricas de la ficción contaminaron al cine documental, pero también las técnicas del documental a la ficción, como en *Sierra de Teruel (Espoir)* de Malraux. En esta cantera bélica se formaron algunos cineastas que llegarían a ser figuras relevantes en el cine español, como los directores Antonio del Amo, Rafael Gil, Arturo Ruiz Castillo y Carlos Serrano de Osma, o los operadores Manuel Berenguer y Alfredo Fraile.

10. La producción anarquista

El grupo que produjo mayor volumen de films durante la guerra fue la central anarcosindicalista CNT (Confederación Nacional del Trabajo), fundada en Barcelona en 1910 y que era la fuerza sindical mayoritaria en Cataluña. En 1930 había creado el SUEP (Sindicato Único de Espectáculos Públicos), de fuerte implantación en su sector. Al estallar la guerra la CNT creó en Barcelona una Oficina de Información y Propaganda, dirigida por Jacinto Toryho, que produjo prontamente el corto *Reportaje del movimiento revolucionario en Barcelona*, dirigido y montado por el periodista Mateo Santos con filmaciones de eventos en las calles de Barcelona entre el 20 y el 23 de julio, a los que añadió un comentario eufórico por el aplastamiento del levantamiento fascista, pero cuyo texto e imágenes virulentamente anticlericales harían que pronto fuese reutilizado por la contrapropaganda fascista para denunciar los excesos revolucionarios. La CNT se incautó y sindicalizó las 116 salas de cine que operaban en Barcelona, controladas desde entonces por un Comité Económico de Cines, cuyos jugosos ingresos se invertirían en activar al paralizado sector de producción. A tal efecto se constituyó también en Barcelona la productora y distribuidora SIE-Films (Sindicato de la Industria del Espectáculo-Films). La producción de la CNT se dividió en cuatro apartados: 1) reportajes de guerra y retaguardia, de función cineperiodística; 2) films de propaganda; 3) películas de complemento o mediometrajes de acompañamiento del largometraje de ficción; 4) películas base o largometrajes de ficción narrativa.

Las dos primeras categorías resultarían las más interesantes y en ellas las propuestas documentales albergaron con frecuencia escenificaciones de ficción dramatizadas con actores. Los documentalistas de la CNT cubrieron con sus cámaras los avances de la columna militar que, dirigida por el líder anarquista Buenaventura Durruti, combatió para liberar las tierras de Aragón del dominio fascista. La campaña de Aragón permitió también la aparición, junto a los reportajes del frente, de films de divulgación y adoctrinamiento, como el que Les (Ángel Lescarboure, nacido en Barcelona de padres franceses) realizó con el título *Bajo el signo libertario* (1936), en el que escenificó la experiencia de las colectivizaciones en una comunidad libertaria aragonesa. La mezcla de reportaje y de ficción resultó especialmente llamativa en *La silla vacía* (1937), donde Valentín R. González utilizó un actor (José Pal), para interpretar a un civil que, impresionado al ver a unos mutilados de guerra, abandona su silla en un café para alistarse como voluntario y vivir varios episodios en el frente de Aragón. Esta amalgama también se producía en *En la brecha* (1937) de Ramón Quadreny, y *El frente y la retaguardia* (1937) de Joaquín Giner, que vinculaba la lucha en el frente y las actividades laborales en la retaguardia.

El apartado que ofreció mayores dificultades fue el de las películas base, por su mayor coste y por requerir una mayor especialización profesional. Su Comité de Producción tenía una oficina literaria encargada de la lectura y selección de argumentos recibidos, así como de redactar los guiones de los asuntos aceptados. En una primera etapa los responsables anarquistas quisieron cultivar un «cine social», que se inició con *Aurora de esperanza* (1937) de Antonio Sau, que mostraba las penalidades de un obrero en paro y de su compañera, quienes toman conciencia política en el curso de una revolución social inidentificada. Film interesante pese a sus torpezas, dio paso a un folletín arrabalero sin interés —*Barrios bajos* (1937) de Pedro Puche— y al mediometraje *¡Nosotros somos así!* (1937) de Valentín R. González, film musical que mostraba la toma de conciencia social de un niño rico.

Tras arduos debates, en agosto de 1937 se modificó la composición y estrategia del Comité de Producción y, con el criptofalangista Francisco Elías nombrado director artístico, se optó por producir un cine más comercial y convencional, siguiendo las rutinas de la producción privada. Esta política dio como fruto *¡No quiero! ¡No quiero!* (1937), adaptación de una comedia de Benavente a cargo de Elías, que satirizaba con benevolencia los métodos pedagógicos de las clases altas y que pudo estrenarse sin dificultad al acabar la guerra.

Por entonces el poder de la CNT había menguado considerablemente en Barcelona, como consecuencia de los enfrentamientos armados con los comunistas y con el gobierno en mayo de 1937. Estas luchas intestinas en el seno del Frente Popular motivaron la aparición del film explicativo *Manifiesto de la CNT-FAI*. Pero el primer gran revés sufrido por el movimiento anarquista fue la muerte del mítico comandante Durruti en el frente de Madrid, en noviembre de 1936. A su recuerdo se dedicó el vibrante reportaje *El entierro de Durruti*. Durruti y Cipriano Mera, otro gran jefe militar anarcosindicalista, serían también exaltados en el documental largo *Castilla se liberta* (1937) de Adolfo Aznar. En este film Durruti, ya muerto, fue interpretado por el actor Félix Briones, en curioso contraste con el auténtico Cipriano Mera.

La producción madrileña de la CNT fue menos cuantiosa, acorde con su menor implantación política y con la difícil situación militar de la capital asediada. Las tareas de producción fueron consecutivamente responsabilidad del SUICEP (Sindicato Único de la Industria y Espectáculos Públicos) y del FRIEP (Federación Regional de la Industria Cinematográfica y Espectáculos Públicos). La defensa de la capital inspiró *Fortificadores de Madrid* (1936) y la serie *Estampas guerreras* (1936) de Armand Guerra. Fernando Roldán, por su parte, prolongó la amalgama entre documental y ficción en *¡Así venceremos!* (1937), film de advertencia contra los saboteadores y quintacolumnistas infiltrados. Mientras la empresa anarquista Spartacus Films editó el noticiario *Momentos de España*, del que aparecieron escasos números.

Lo más característico de la producción anarquista radicó en una defensa vehemente de la necesidad de la revolución social, simultánea a la lucha militar, en contraste con los comunistas, para quienes la prioridad absoluta era de orden militar, para ganar la guerra. Las discrepancias llegarían en Barcelona hasta el enfrentamiento armado. En Madrid, como reflejo de tales tensiones, se produjo la prohibición por parte de la Junta de Espectáculos, en diciembre de 1938, del film soviético *Los marinos del Báltico* de Alexander Feinzimmer, que exaltaba al militar profesional y al comisario político.

El único largometraje anarquista de ficción de producción madrileña fue la vivaz comedia *Nuestro culpable* (1938) de Fernando Mignoni, cuyo amoral desenlace dejaba impune al delincuente protagonista. Pero fue duramente criticado por su tono festivo en circunstancias tan hondamente dramáticas.

11. La producción de las organizaciones marxistas

Bastante diferenciada de las propuestas cinematográficas anarquistas resultó, como se ha dicho, la producción emanada de las organizaciones marxistas asociadas o afines a la III Internacional, como el Partido Comunista de España, el Partit Socialista Unificat de Catalunya (fundado en julio de 1936), las Juventudes Socialistas Unificadas (fundadas en Valencia en enero de 1937), la empresa productora-distribuidora Film Popular ubicada en Barcelona, la Alianza de Intelectuales Antifascistas para la Defensa de la Cultura, el Socorro Rojo Internacional y algunos cuerpos de Ejército con mandos comunistas. Mientras los anarquistas ponían énfasis en la revolución social, en sus experiencias libertarias paralelas a la lucha contra el fascismo, la consigna comunista concentraba todos los esfuerzos en ganar la guerra, prioridad político-militar de inspiración soviética que se plasmaba en la tesis del disciplinado mando único, tanto en los ejércitos como en la política cinematográfica antifascista, en aras de la eficacia. La tesis del mando único militar fue glosada o exaltada en títulos como *Mando único* (1937) de Antonio del Amo, *Por la unidad hacia la victoria* (1937) de Fernando G. Mantilla, *Ejército Popular* (1937) y *El Ejército del pueblo nace* (1937). Una consecuencia de esta estrategia, que fue también adoptada por los socialistas y por las instituciones republicanas, era que el comentario de sus reportajes y documentales definía a veces al enemigo como «invasor extranjero» (los combatientes nazis y de la Italia fascista), para enmascarar la naturaleza social del conflicto bajo el manto de una «guerra de la independencia», capaz de unir a todos los españoles antifascistas, sin distinción de matices, ante el enemigo común.

Las primeras iniciativas cinematográficas comunistas surgieron en Madrid de la Cooperativa Obrera Cinematográfica, promovida por Fernando G. Mantilla para activar el sector paralizado, utilizando preferentemente a afiliados de la sección de cine del sindicato UGT, pero admitiendo la colaboración de socialistas, en consonancia con su política unitaria. La COC importó y distibuyó films soviéticos, exhibidos en enfervorizados mítines, e inició una vacilante política de producción con los documentales *Julio 1936* y *¡Pasaremos!* (1936) de Mantilla, título este último que habría de complementar la consigna *¡No pasarán!* de la defensa de Madrid. Glosando sus inicios, Mantilla declararía que *Julio 1936* se rodó «en los días inolvidables en que se combatía casi a pedradas. Llevábamos el fusil en un hombro y la cámara al otro»[11].

---

[11] «La guerra civil a través de los objetivos cinematográficos», en *Estampa*, 20 de febrero de 1937.

En Barcelona, el PSUC colaboró con el colectivo Cameramans al Servicio de la República, mientras en los primeros meses de la guerra surgían grupos más o menos efímeros, como el Departamento de Agitación y Propaganda Carlos Marx y Films Libertad, ambos en Barcelona, y la secretaría de Agitación y Propaganda de las Juventudes Socialistas Unificadas. Pero el organismo más importante del aparato cinematográfico comunista habría de ser la productora y distribuidora Film Popular.

Film Popular tuvo su sede en Barcelona, primer centro de distribución peninsular prudentemente alejado de los frentes de batalla, con puerto de mar y proximidad a la frontera francesa. A pesar de su adscripción comunista, practicó una política unitaria y no partidista, proclamándose «firma comercial antifascista al servicio de la República», aunque ejecutó la línea oficial comunista de intentar vertebrar una propaganda unificada y vehicular el mensaje imperioso de la unificación militar con mando único, plasmada en 1937 con la creación del Ejército Popular Regular.

La tarea más importante de Film Popular fue la edición del noticiario semanal *España al día*, creado por el gobierno catalán en enero de 1937, pero que desde el quinto número fue coeditado por los comunistas en versión castellana para el resto de la Península, e incluso en versión francesa e inglesa. Desde abril de 1937 Film Popular editó su propia versión diferenciada de este noticiario, con su propio equipo, dirigido por el periodista francés Maurice A. Sollin, con Sara Ontañón como montadora y Francisco Camacho ocupándose de las versiones internacionales. Film Popular distribuyó también films soviéticos y los documentales y reportajes de producción comunista, de diverso origen. Entre el material distribuido figuraron *Industrias de guerra* (1937) de Antonio del Amo, *Sanidad* (1937) de Rafael Gil, *Nueva era en el campo* (1937) de Mantilla, *La No Intervención* (1937) de Daniel Quinteiro Prieto y un muy notable *La mujer y la guerra* (1938) de A. M. Sol (Sollin), que asimilaba las enseñanzas del cine de vanguardia. Junto a los documentales directamente bélicos y políticos, Film Popular produjo una línea de films de temas civiles o didácticos, para subrayar la normalidad, el civismo o la sensibilidad cultural del bando republicano, tildado de bárbaro e incivilizado por sus enemigos. Ángel Villatoro destacó en este apartado, con títulos como *La cerámica de Manisses* (1937), *Tesoro Artístico Nacional* (1937), *El telar* (1938) y *Cemento* (1938). En Film Popular trabajó el ex-crítico de cine Florentino Hernández Girbal como productor ejecutivo, siendo desde el otoño de 1938 jefe de su delegación en Madrid.

Otra organización importante del ámbito comunista fue la Alianza de Intelectuales Antifascistas para la Defensa de la Cultura, organización internacional fundada en 1935, buena parte de cuyas producciones se dedicaron a la defensa de Madrid, en la que estuvieron implicadas las Brigadas Internacionales con las que les unían muchos vínculos. Su *Defensa de Madrid* (1936) de Ángel Villatoro, coproducida por el Socorro Rojo Internacional, mostró un vibrante recitado de Rafael Alberti alusivo al tema. En este grupo destacó el realizador Arturo Ruiz Castillo.

El Socorro Rojo Internacional, teóricamente apartidista, editó a partir de octubre de 1937 la serie *Tres minutos,* ideada por José Fogués e inspirada por cierto aliento experimentalista.

Más significativa fue la producción surgida de Cuerpos de Ejército con mandos comunistas. El 13° Regimiento de Milicias Populares «Pasionaria» tuvo una Sección de Cine dirigida por el italiano Antonio Vistarini, que desapareció al integrarse con el 5° Cuerpo de Ejército. El veterano cineasta vasco Mauro Azcona realizó para ella el film didáctico *El manejo de la ametralladora* (1936) y el notable mediometraje *Frente a frente* (1936), que escenificó, con técnicas de ficción narrativa, la situación de los campesinos en un pueblo castellano antes del 18 de julio y su toma de conciencia política. La 46° División de «El Campesino» (Valentín González) tuvo también su Sección de Cine fundada por Vistarini, reemplazado a su muerte por Antonio del Amo, quien codirigió con Rafael Gil y con una trama dramatizada *Soldados campesinos* (1938), que en diez minutos relataba la historia de una pareja rural separada por la guerra, de modo que mientras él lucha en el frente, ella le sustituye en el arado.

12. La producción gubernamental

La producción gubernamental republicana durante la guerra comprende, no sólo la del gobierno central, sino también la de los gobiernos autonómicos, y muy señaladamente la de la Generalitat catalana, además de la emanada de algunos servicios cinematográficos militares. Todas estas instancias adoptaron el mismo planteamiento estratégico, e incluso las consignas, del frente de propaganda marxista que acabamos de examinar. Un título suyo como *Todo el poder para el gobierno* (1937) resulta suficientemente elocuente.

La producción gubernamental conoció unos vaivenes institucionales desde los primeros días, en que era tarea de la Sección de Propaganda del Ministerio de Instrucción Pública y Bellas Artes. En enero de 1937 el gobierno, instalado en Valencia, creó un Ministerio de Propaganda que absorbió aquellas funciones. Pero en mayo de 1937 fueron transferidas a una nueva Subsecretaría de Propaganda dependiente del Ministerio de Estado, entidad a cuyo frente estuvo el arquitecto Manuel Sánchez Arcas y cuya sección cinematográfica dirigió el crítico vasco Manuel Villegas López. De la producción de este centro merecen recordarse unos breves films, llamados *trailers,* de tres o cuatro minutos, que con gran creatividad formal (uso de *collages* y efectos de montaje) transmitían consignas políticas de actualidad, al modo de la *agit-prop* soviética, en el intermedio de las sesiones normales de cine. Sus autores fueron Villegas López, Fernando G. Mantilla y Francisco Camacho. También de este centro dependió la producción de *Sierra de Teruel/Espoir* de Malraux, y de *España 1936,* confeccionada en París por encargo de Luis Buñuel.

Por otra parte, el servicio cinematográfico del Ejército del Centro fue organizado por el crítico valenciano Juan Manuel Plaza, un cineasta muy eficiente que combatió la fragmentación en este campo y realizó valiosos documentales didácticos, como *Topografía* (1937) y *El camarada fusil* (1938). Rafael Gil fue responsable de la producción castrense *Ametralladoras* (1939), que explicaba el manejo de una ametralladora soviética, y con Arturo Ruiz Castillo codirigió para el Estado Mayor Central *¡Salvad la cosecha!* (1938). Pero las difíciles condiciones de trabajo, las urgencias propagandísticas y otras precariedades derivadas de la guerra propiciaron a veces la infiltración de mensajes políticos equívocos y Santos Zunzunegui, comentando *Resistencia en Levante* (1938), realizada por Rafael Gil para el Estado Mayor del Cuerpo de Ejército de Madrid, ha podido observar que se trata de un film quintacolumnista, por su personificación del enemigo fascista y su impersonalización de los combatientes republicanos, así como por su constante invitación a la rendición ante un enemigo muy superior[12].

---

[12] *Contracampo,* núm. 9, febrero de 1980, pág. 32.

Las producciones gubernamentales más famosas habrían de ser *España 1936* o *España leal en armas* (1937), encargada por Buñuel desde la embajada española en París al comunista Jean-Paul Dreyfus (conocido como Le Chanois después de que adoptara este seudónimo en la Resistencia), y *Sierra de Teruel/Espoir,* ambas producidas para influir en la opinión pública internacional y romper el bloqueo de la No Intervención que penalizaba militarmente a la República. La primera fue una compilación de documentales destinada sobre todo a la difusión exterior, para demostrar cómo los generales que habían jurado lealtad a la República se sublevaron contra un régimen legítimo y cómo eran apoyados por los alemanes e italianos. Para convencer a la opinión pública internacional se evitaba cuidadosamente toda estridencia revolucionaria y, para el público francés, un rótulo afirmaba que Madrid se había convertido en el Verdún de España. La última frase del comentario decía: «¿Cuándo acabará esta guerra monstruosa que pone en peligro la paz europea?». También la embajada española en París financió la sonorización de *Tierra sin pan* en francés e inglés, con un comentario final relativo a la guerra antifascista, para que el film de Buñuel fuera utilizado como propaganda republicana en el extranjero. Y el propio Buñuel preparó el ciclo de proyecciones que se exhibió en el Pabellón Español de la Exposición Internacional de París de 1937, que comprendía *La hija de Juan Simón,* un grupo de documentales de carácter cultural y laboral, y sólo tres de temática bélica, entre ellas *España 1936*[13].

Sierra de Teruel/Espoir, de André Malraux, se inscribió en el nutrido capítulo de colaboraciones y ayudas de profesionales e intelectuales extranjeros al frente cinematográfico republicano, que incluyó al holandés Joris Ivens, al norteamericano Ernest Hemingway, al soviético Roman Karmen y a los británicos Ivor Montagu, Thorold Dickinson y Norman McLaren, entre otros. La novela *L'Espoir* se publicó en diciembre de 1937 y las autoridades españolas pensaron que, tras la tibia acogida comercial al mediometraje documental *Tierra de España* de Ivens, un film de ficción con estructura dramática, actores profesionales y de largo metraje, alcanzaría una audiencia mucho mayor, ayu-

[13] «Exhibiciones cinematográficas en el Pabellón Español», de Román Gubern, en *Pabellón Español. Exposición Internacional de París 1937,* Ministerio de Cultura, Madrid, 1987.

dando a quebrar el bloqueo de la No Intervención. En mayo de 1938 se puso en marcha la producción, para la que el gobierno concedió la exorbitante suma de 100.000 francos franceses y 750.000 pesetas, además de la película virgen, que se importó de Francia. En *Sierra de Teruel* el enemigo fascista jamás es mostrado, convirtiéndose en una amenaza sin rostro, y la acción se concentra en el bando republicano, mostrando sus graves carencias materiales y militares, que requieren la ayuda y solidaridad internacional. En el elenco de los combatientes extranjeros de la escuadrilla aérea se encuentran el voluntario Attignies (Julio Peña), hijo de un dirigente fascista en Bélgica; Saidi (Serafín Fierro), un árabe que no quiere que se piense que los moros sólo luchan en el bando franquista; y el alemán Schreiner (Pedro Codina), un as de la aviación de la Primera Guerra Mundial. Y del italiano Rivelli, que muere en la primera escena, se nos dice que se exilió de su país en 1923. La procedencia nacional de los combatientes ha sido muy calculada y, como contraste, no aparece ningún voluntario angloamericano. También son significativas las afiliaciones políticas que se explicitan en los diálogos: Mercery se autocalifica como independiente, Muñoz como pacifista y Saidi como socialista. Nadie se define como comunista ni como anarquista, a pesar del peso de estas tendencias políticas en la España frentepopulista. De los fugitivos de la Italia fascista (Rivelli) y de la Alemania nazi (Schreiner) hay que asumir únicamente su postura antifascista, como en el caso del belga Attignies, hijo de un prohombre fascista, y del árabe Saidi, en contraste con los moros de Franco. La extremada cautela de Malraux al elegir las afiliaciones se explica por su mirada puesta en el sensible mercado norteamericano. Tampoco se canta la Internacional, como ocurre repetidamente en la novela. Para no alarmar o inquietar a la influyente opinión pública norteamericana se omiten también las atrocidades que se cometieron en ambos bandos y, sobre todo, se escamotea la «cuestión religiosa», que tan importante resultó en el conflicto.

La ocupación de Barcelona en enero de 1939 impidió acabar el rodaje de *Espoir,* que se concluyó malamente en Francia, quedando once secuencias sin rodar. Utilizando actores profesionales y no profesionales, *Espoir* asimiló la estética realista del cine soviético y aunque el episodio final de la caída del avión en la montaña y el cortejo fúnebre procedían de experiencias reales vividas por Malraux en la guerra, su puesta en escena evocó intensamente el film soviético *La revuelta de los pescadores* (1934) de Erwin Piscator. A la crítica comunista francesa, *Espoir*, estrenada en 1945, le disgustó por considerarla derrotista, por su desenlace fúnebre. Pero en el proyecto original de Malraux la escena debería acabar con un movimiento de cámara desde los heridos que bajan la montaña hacia el cielo, atravesado por una escuadrilla de aviones republicanos, signo de esperanza. Pero no pudo rodarse por falta de aviones. Más allá de las querellas ideológicas de la época, *Espoir* tendió un puente entre la épica coral del cine soviético y el neorrealismo que estaba a punto de nacer en Italia, anunciando *Paisà, La terra trema* y *Caccia tragica.*

Espoir se rodó en Barcelona, en los estudios Orphea y en exteriores, contando con un importante apoyo logístico de los servicios cinematográficos del gobierno autónomo catalán, a los que es imprescindible referirse. En septiembre de 1936 Jaume Miravitlles, militante del partido Esquerra Republicana (representante de los intereses de la pequeña burguesía catalanista, de sectores liberal-progresistas y de buena parte de la intelectualidad catalana) propuso a la Generalitat la creación de un Comissariat de Propaganda del gobierno catalán, que contaría con delegaciones en París, Bruselas, Londres, Oslo, Copenhague, Nueva York y varias capitales de América Latina. Además de una eficaz y activísima labor en el campo editorial y cartelístico, en noviembre de 1936 creó su sección de cine, llamada Laya Films, y para dirigirla requirió al pintor, decorador y escritor Joan Castanyer, un polifacético catalán que había colaborado repetidamente con Jean Renoir, Jacques Becker y Pierre Prévert y residía en París. Castanyer importó equipo técnico francés para poner en funcionamiento la nueva productora-distribuidora, cuyos equipos sonoros instaló René Renault.

El primer documental de Laya Films fue *Un día de guerra en el frente de Aragón,* al que siguieron más de un centenar de títulos. La serie más importante producida por Laya Films fue su noticiario semanal *Espanya al día*, que se inició en diciembre de 1936 en lengua catalana, pero que desde el quinto número fue coeditado en español por la empresa Film Popular, pero luego se desgajó de él como un noticiario independiente. Debido a la penuria de película virgen se procuraba muchas veces que de los treinta metros de cada bobina (de un minuto de proyección, aproximadamente) surgiese una noticia completa. Ello no impidió la eficacia ni la calidad de los documentales surgidos de un bien organizado equipo de profesionales de la cámara, del montaje y de la locución, responsable de unos films no partidistas y que respetaban las consignas unitarias. Entre su abundante producción merece recordarse el mediometraje *Catalunya màrtir* (1938) de J. Marsillach, con copias en varios idiomas para denunciar al mundo los bombardeos aéreos sobre Cataluña. Pero junto a testimonios tan dramáticos, también Laya Films cultivó los documentales de tema cultural o laboral, que a la vez que proporcionaban una imagen de normalidad civil en la retaguardia, afirmaban las señas de identidad del pueblo catalán. En 1938 Laya Films contaba con un archivo propio de 90.000 metros, que se convertiría en un botín de guerra para las tropas franquistas que ocuparon Barcelona en enero de 1939.

Por lo que atañe a la distribución, Laya films difundió también los grandes títulos del cine soviético, pero tropezó con la hegemonía de la CNT en el sector de exhibición, sobre todo en la ciudad de Barcelona. Para quebrar este severo oligopolio político, en enero de 1938 se creó la empresa comercial Catalonia Films S. A., desligada de la Generalitat, que se ocupó de distribuir su material.

La pronta ocupación del País Vasco, en el verano de 1937, hizo que la producción de su gobierno autónomo fuera muy escasa, pero significativamente en ella se subrayó la compatibilidad de las creencias y actividades religiosas con la nueva situación política, lo que era especialmente cierto en el tradicionalmente religioso Partido Nacionalista Vasco que gobernaba en aquel territorio.

La derrota del gobierno republicano en 1939 envió al exilio a directores como Luis Buñuel, documentalistas como Carlos Velo, Mantilla y Juan Manuel Plaza, intérpretes como Rosita Díaz Gimeno y Angelillo y operadores como José María Beltrán.

13. La producción bélica de la España franquista

Al quedar partida en dos la Península por la sublevación militar, toda la infraestructura cinematográfica permaneció en zona republicana y en el bando sedicioso sólo quedaron los equipos de las dos películas que se estaban rodando en su territorio: *El genio alegre*, en Córdoba, y *Asilo naval*, en Cádiz. El equipo electrógeno y de iluminación de *Asilo naval* se utilizaría en apoyo del desembarco de Algeciras, pero el modesto cine realizado por los sublevados tendría que buscar pronto sus apoyos logísticos en Lisboa, Berlín y Roma. Del equipo de *El genio alegre* se integrarían en la producción franquista su director Fernando Delgado, que era militante falangista, su operador Alfredo Fraile, su montador Eduardo García Maroto y su actor falangista Fernando Fernández de Córdoba, quienes pasarían a realizar sus tareas al servicio de la hasta entonces modesta sede sevillana de Cifesa. Casanova había huido de Valencia y, a través de Francia, alcanzó la zona franquista, en donde organizó la producción de los rebledes, en estricta colaboración con el equipo militar del general Queipo de Llano. García Maroto fue enviado a Lisboa para ocuparse de la posproducción (laboratorio y sonorización) del material rodado en España. Así produjo Cifesa diecisiete documentales de propaganda franquista y Fernando Delgado rodó concretamente *Hacia una nueva España* (1936), *Bilbao para España* (1937), *Santander para España* (1937), *Oviedo y Asturias* (1937), *Entierro del general Mola* (1937) y *Brigadas navarras* (1937).

En los primeros momentos, y antes del control militar centralizado de la producción, Falange Española había tenido la iniciativa partidaria de la producción bélica en su bando al rodar *Alma y nervio de España* (1936) de Joaquín Martínez Arboleya, sobre los preparativos de una unidad falangista para trasladarse de Marruecos a la Península. Y en *Frente de Vizcaya* y *18 de julio* (1937) puso en circulación la versión fascista de que la destrucción de Guernica fue obra de dinamiteros e incendiarios republicanos.

A pesar de que los rebeldes crearon en Salamanca, en noviembre de 1936, una Oficina de Prensa y Propaganda bajo la jefatura del general Millán Astray, lo cierto es que subestimaron la importancia de la lucha ideológica y sólo así se explica que hasta abril de 1938 no crearan el Departamento Nacional de Cinematografía. Este Departamento produjo un *Noticiario Español*, del que se editaron veintitrés números, además de ocho documentales. Cifra exigua comparada con la producción gubernamental republicana. Entre los colaboradores más valiosos del Departamento figuraría Edgar Neville, quien realizó *La ciudad universitaria* (1938), *Juventudes de España* (1938) y *¡Vivan los hombres libres!* (1939), sobre las *chekas* de Barcelona y con escenas dramatizadas.

Se efectuaron intentos para establecer una infraestructura técnica en la Península (intento de García Maroto de crear un estudio en Sevilla con el equipo de sonido de *Asilo naval;* los modestos laboratorios de cine Requeté cerca de Loyola), pero tras estos fracasos se optó por utilizar las instalaciones aliadas de Berlín y de Roma.

El valenciano Joaquín Reig fue enviado a Berlín como responsable de propaganda y allí contratipaba los rollos con material sobre la guerra de España que hacían escala en su vuelo hacia Moscú. Fue allí Reig el autor de la pieza más valiosa de la propaganda franquista, un documental de 80 minutos titulado *España heroica/Helden in Spanien* (1937), que puede verse como una réplica a *España 1936,* por su voluntad didáctica al trazar la evolución del conflicto español desde la caída de la monarquía y por tratarse de la única pieza pensada para la propaganda cinematográfica internacional (se exhibió ante el comité de No Intervención). Según su comentario en *off,* de orientación racista, al establecerse la República España cayó «en manos de corrientes políticas incompatibles con su psicología étnica», aunque concede que la monarquía cayó «sin que saliera a defenderla siquiera un piquete de alabarderos». *España heroica* acusa de los disturbios sociales a las «masas impacientes», atribuye también la destrucción de Guernica a «patrullas de incendiarios» y concluye con un vibrante acto coral de homenaje falangista a los caídos.

La exaltada retórica de *España heroica* no puede enmascarar su falta de lógica política, pues apela a la pura emotividad partidista para justificar la sublevación militar. Fue éste un rasgo típico de la propaganda franquista, que utilizó la Guerra Civil para activar viejos mitos, como el ideal atávico de *reconquista,* complementario del de *cruzada* (expresión con la que el cardenal Pla y Deniel bautizó en 1936 la sublevación) contra el infiel en el imaginario simbólico y en la mitología historiográfica reaccionaria. A diferencia del pluralista cine del bando republicano, los films que comentamos revelan el monolitismo ideológico del discurso franquista, cuyo gran tema central es la reconquista de España, secuestrada a manos del enemigo *rojo* (sin matices acerca de liberales, socialistas, comunistas, anarquistas, autonomistas, etc.). Reflejando su sumisión al poder militar y a sus valores, en sus bandas musicales predominarían las marchas militares y los himnos y, en correspondencia con estos textos sonoros, demostró su predilección por los desfiles y por una organización geométrica de las masas que procedía en línea recta de la cultura nazifascista.

Como en España no existían condiciones para rodar films de ficción, utilizando la cobertura común de la firma germanoespañola

Hispano-Film-Produktion, Cifesa y Saturnino Ulargui produjeron en Berlín cinco largometrajes de ficción de fuerte color local español: *Carmen la de Triana* (1938) y *La canción de Aixa* (1938), ambos de Florián Rey y con Imperio Argentina, y *El barbero de Sevilla* (1938), *Suspiros de España* (1938) y *Mariquilla Terremoto* (1939), de Benito Perojo y con Estrellita Castro.

En octubre de 1938 el falangista Dionisio Ridruejo, responsable de Propaganda, se entrevistó en Roma con Dino Alfieri, ministro de Cultura Popular, para diseñar una colaboración cinematográfica hispano-italiana, complementaria de la ya establecida con Alemania. Edgar Neville inició esta línea de colaboración en Roma con *Santa Rogelia/Il peccato di Rogelia Sánchez* (1939), adaptando a Armando Palacio Valdés, y con *Frente de Madrid/Carmen fra i rossi* (1939), producida por los hermanos Renato y Carlo Bassoli, quienes tras haber representado a la Metro Goldwyn Mayer italiana iniciaron en 1938 su política de producción. Pero la escena en que Neville presentaba en este film la reconciliación de un combatiente franquista y otro republicano en el hoyo de un obús fue mutilada por la censura española. Un signo claro de cómo serían los tiempos que se avecinaban. En Roma rodaría también Perojo con Ulargui su última comedia de aliento republicanista, *Los hijos de la noche* (1939), en la que el insólito protagonismo concedido a los marginados sociales la convertiría en una sorprendente avanzadilla protoneorrealista, vituperada por la crítica fascista de Roma y de Madrid.

El cine de la autarquía (1939-1950)

José Enrique Monterde

1. De la naturaleza del franquismo

Con el parte oficial fechado en Burgos el 1 de abril de 1939 terminaban casi tres años de Guerra Civil, certificando el triunfo del bando antirrepublicano liderado por el general Francisco Franco. De hecho, la guerra tardaría muchas décadas en acabar, puesto que esa fecha iba a significar el comienzo del largo discurrir de un régimen político caracterizado por el personalismo carismático de su «caudillo», de tal manera que la suerte del país iría vinculada inextricablemente al devenir del propio dictador hasta su extinción en el lecho de muerte, treinta y seis años después.

Ese periodo del franquismo puede ser estudiado desde la perspectiva actual como una sucesión de diversas etapas diferenciadas, aunque homogeneizadas por algunos rasgos comunes y permanentes. El principal entre estos últimos sería la subordinación por Franco de cualquier criterio ideológico o programa político a una exclusiva razón: la propia supervivencia del régimen, identificada con la de su caudillo y extrapolada a la de la nación en función de unos principios religiosos y sociales de sabor ranciamente nacionalista y conservador. La clave del éxito de esa pervivencia a través del tiempo y de las diversas coyunturas internacionales, posiblemente esté en la mezcla de habilidad y tozudez del dictador, en la simplicidad de sus principios perfectamente adaptables a las necesidades de cada momento, manifestadas mediante la preeminencia de alguno de los grupos que respaldaron al régimen o que crecieron en su seno.

Ése es un punto fundamental, en la medida en que no puede entenderse la pervivencia del franquismo y su sólido arraigo, más allá de las ilusiones de una oposición siempre fragmentada y minoritaria, sin comprender que no se trataba de un movimiento homogéneo y unitario, de que su totalitarismo derivaba de la tradición caudillista del militarismo nacional y no de una voluntad consecuentemente totalitaria decantada en la preeminencia absoluta del Estado. Para Franco, su propia persona estaba muy por encima de cualquier criterio político, de forma que más que contribuir a la culminación de una estructura estatalizada puso en pie un régimen paternalista y acomodaticio, capaz de castigar con la mayor violencia y crueldad, pero al mismo tiempo ofreciéndose como guía comprensivo a lo largo del difícil tránsito entre las formas disolutas de la modernidad en cualquiera de sus ámbitos de manifestación.

De ahí que la obsesiva ocupación del caudillo fuese mucho más la de debilitar a los diversos grupos circundantes del poder, para así crear un sistema de inestable equilibrio en el que sólo él pudiese ser garante de una continuidad que, por la vía del favor y la corrupción —explícita o consentida—, acababa resultando acomodaticia para aquellos sectores en principio enfrentados en pos de sus respectivos intereses. Así, más allá de la figura de su indudable cabeza visible, el franquismo se nos ofrece como un conglomerado de grupos e intereses que alternativa o sucesivamente irán ocupando posiciones de privilegio en función de necesidades internas y externas. Conviene pues situar a los sectores de apoyo al franquismo en sus inicios, constituidos básicamente por la variante hispana del fascismo, encarnada por Falange Española y de las JONS; por la tendencia tradicionalista de ascendencia carlista (nacida en el siglo XIX contra el liberalismo de la rama borbónica reinante hasta el advenimiento de la República); por diversos sectores del catolicismo más reaccionario y virulento, articulados alrededor de rudimentarias formaciones democristianas; por los sucesores de los principales grupos republicanos de derechas, fundamentalmente la CEDA de Gil Robles (pese al obligado exilio de su líder), homologables a los partidarios de la Action Française o a los seguidores del canciller Dollfuss; y por supuesto, más allá de la política —en una expresión perfectamente definitoria de la mentalidad franquista capaz de identificar el juego político con una actividad denigrante—, los tres grandes poderes fácticos que supieron alinearse casi en su totalidad y de forma inequívoca con el bando que rápidamente iba a liderar Franco: el Capital (que comprendía desde la aristocracia terrateniente hasta la gran burguesía industrial y financiera o especulativa), el Ejército (dividido pero mayoritariamente antidemocrático) y una Iglesia anclada en posiciones dogmáticamente conservadoras.

Centrémonos ahora en las características fundamentales de lo que consideramos como la primera etapa del régimen, que de forma evidente coincide con un segmento claramente distinguible en el conjunto del cine español durante el franquismo: será eso que hemos denominado como el periodo «de la autarquía» y que comprende entre los años 1939 y 1951.

2. La España autárquica

Al día siguiente de la victoria, el régimen franquista se enfrentaba a diversas preocupaciones y múltiples dificultades. La primera, obviamente, era asentar su absoluto predominio en el país, lo que equivalía a la definitiva demolición de los vestigios del periodo republicano, con medidas de carácter político, pero también con una crudísima represión física, basada en el fusilamiento, encarcelamiento, ocultamiento o exilio no sólo de las figuras significativas del anterior sistema político, sindical o cultural, sino de cualquier persona que aún de forma no significada hubiese estado vinculada —incluso forzadamente— a la empresa republicana. Decenas de miles de personas se vieron afectadas por esas medidas, una parte considerable —y nunca definitivamente calculada— en su propia vida, según algunas fuentes cerca de 250.000 con su paso por la cárcel o campos de concentración y trabajo y otros cientos de miles más con el traslado forzoso al exilio. Las leyes de Responsabilidades Políticas, Represión del Comunismo y la Masonería, sobre la Seguridad del Estado o de Rebelión Militar, aplicable también a los delitos políticos, fueron los puntos de apoyo para la actividad represiva, de forma que cualquier atisbo de oposición sería acallado violentamente. Esa situación se prolongó hasta la posguerra mundial, cuando se incrementó la resistencia armada interior («maquis»), cuya mayor manifestación fue la fallida invasión pirenaica de octubre de 1944.

La destrucción del régimen anterior se debía complementar con algún tipo de refundación, de reconstrucción de un nuevo Estado que quería huir de cualquier sensación de provisionalidad. Instalado el gobierno franquista en Madrid en octubre de 1939, sus principales medidas institucionales pasarían durante los primeros años por una clarificación interna de las fuerzas vencedoras. Así fueron apareciendo los decretos que fijaban los estatutos de FET y de las JONS (Falange Española Tradicionalista), lo que significaba la definitiva unificación de las familias falangistas y tradicionalista, constituyendo lo que se conocería como el «Movimiento», extraño prototipo de inconfeso partido único. Forzando esa unidad, Franco aparecía como su jefe natural, como su árbitro y valedor, reconduciendo esas fuerzas de choque hacia sus intereses, asimilando sus simbologías y liturgias, iniciando un camino que conduciría a su definitiva burocratización.

Dentro de esa misma dinámica, la unidad sindical adquiriría una gran importancia, tanto desde la cobertura ideológica de un Estado que iba a proclamarse como «nacional-sindicalista» como desde la instalación de un modelo burocratizado de sindicalismo corporativo y verticalista, donde una vez excluida por decreto la «lucha de clases», empresarios y productores se unían en un órgano común, convertido junto a la familia y el municipio en uno de los tres pilares del régimen.

Buena parte de las energías de los primeros gobiernos franquistas estuvieron dedicadas a la política internacional. Cinco meses después del final de la Guerra Civil, comenzó la conflagración europea; la naturaleza, los orígenes del franquismo y la ayuda recibida por éste de los países del Eje parecían inclinar la balanza en favor de la intervención bélica al lado del agresor. Pero la Guerra Mundial significaría una primera demostración de que el principio de supervivencia iba a primar en el franquismo por encima incluso de las más obvias razones ideológicas. Adherida al pacto Anticomitern y constituido un gobierno con el germanófilo Serrano Súñer —cuñado de Franco— como hombre fuerte (y luego ministro de Exteriores), al estallar la guerra se proclamó la neutralidad, aunque meses después pasó a la condición de «no beligerante».

A partir de ese momento comenzó una política que simultaneaba los gestos favorables al bloque nazi-fascista, que alcanzarían su máxima expresión con los suministros de materias primas, el apoyo logístico a las fuerzas marítimas o al espionaje alemán y, sobre todo, el reclutamiento y envío al frente ruso de la División Azul, fuerza expedicionaria relativamente voluntaria que pretendía proseguir la «cruzada» anticomunista en las estepas del norte de Rusia. Pero en definitiva, España no entró formalmente en la guerra ni rompió el contacto con los aliados en momento alguno. De tal forma que, cuando el curso de la guerra inflexionó en contra del bloque fascista, el régimen franquista también modificó su política, lo cual tuvo recompensas por parte aliada.

Esos difíciles condicionantes exteriores favorables a la condición autárquica de la economía española, superpuestos a la grave situación de la capacidad productiva de un país asolado por tres años de guerra y desvertebrado en muchos aspectos, iban a significar que la labor de reconstrucción fuese lenta y la vida cotidiana en la España de los años 40 muy alejada de cualquier felicidad. Una auténtica penuria manifestada por un implacable racionamiento alimentario, que sin impedir el hambre de amplias áreas de la población provocó un gran mercado negro, origen de nuevas fortunas (lo que en España se conoce como el «estraperlo») no ajenas al negocio cinematográfico. Penuria revelada también por las restricciones energéticas (petróleo y electricidad) que, junto a las carencias de productos importados (como la película virgen o los repuestos técnicos) debidas a la escasez general y a la falta de divisas, tanta incidencia tendrían en la industria cinematográfica y en la reconstrucción de las depauperadas infraestructuras españolas; de ahí que la condición autárquica de la economía española, asimilada en las áreas política, ideológica y cultural durante toda la década, nos sirva como símbolo de la condición general del país.

Ese proceso no estuvo exento de tensiones entre los diversos sectores del franquismo, fundamentalmente entre las familias del Movimiento o por la presión de los sectores monárquicos que habían apoyado a Franco con la esperanza de una posterior restauración de la dinastía borbónica, sobre todo al final de la Guerra Mundial, momento que parecía presagiar la caída del régimen, colocado de nuevo en situación crítica.

Las amenazas contra el franquismo comenzaron a sucederse con episodios como el rechazo de la adhesión española a las Naciones Unidas, la condena de España en la conferencia de Postdam y luego en la asamblea de la ONU, seguida por el cierre de fronteras entre Francia y

España, la resolución de la ONU a favor de la retirada de embajadores acreditados en Madrid o incluso el rechazo por el presidente Truman de la inclusión de España en el Plan Marshall. Pero esas medidas no significaron más que un mayor aislamiento, que en realidad repercutió en una consolidación del franquismo, que así pudo potenciar su imagen nacionalista frente al acoso exterior (por ejemplo en la gran manifestación de la Plaza de Oriente de diciembre de 1946) y que finalmente concluyó su institucionalización con la proclamación del Fuero de los Españoles, remedo de una inexistente constitución, la definición de España como reino, aunque sin rey, y su revalidación por la victoria en el referéndum sobre la Ley de Sucesión.

La capacidad de aguante del régimen tuvo como fruto su pervivencia hasta el cambio de coyuntura internacional, provocado por el estallido de la «guerra fría», con la ayuda de la incapacidad de la dividida oposición para articular una política de real desgaste del franquismo. Así el PCE decidió dejar la lucha armada en 1948 y el propio don Juan de Borbón transigió a entrevistarse con Franco para encauzar el papel de su hijo, el futuro Juan Carlos I; pero también la actitud internacional se modificó con relativa rapidez entre 1950 y 1951.

Desde el punto de vista ideológico, esa política se vio apoyada por una serie de elementos simples y obsesivos. Ante todo se trataba de contribuir al deseo de pervivencia del régimen según una doble estrategia: la legitimación de sus orígenes y la continuidad de sus fines fundacionales. El franquismo se propuso como vía de salvación de una España que estaba en trance de romper con sus valores tradicionales y de perder lo más sagrado de su misión; ello era fruto de la conjunción de diversos enemigos exteriores e interiores, movidos los primeros por la envidia y los segundos por la debilidad y la desidia; sus nombres podían resultar variables —comunismo, masonería, liberalismo, separatismo, intelectualismo, etc.— pero no eran más que versiones del Mal, frente al cual el Caudillo se había levantado y emprendido una cruzada, celebrada como tal por la cúpula eclesiástica. De ahí que expresiones como «por el Imperio hacia Dios», la idea del español constituido en «mitad monje, mitad soldado» o la «unidad de destino en lo universal» caracterizaban una dictadura en la que su adalid se responsabilizaba tan sólo ante Dios y la Historia.

La transmisión de esos principios ideológicos recaería en diferentes aparatos, entre los que obviamente se contará el cine junto a la radio o la prensa escrita (sin olvidar el cómic), así como a otras formas de espectáculo —como el deporte o los toros—, pero sobre todo se consumaría en las instituciones docentes. Controlada de forma más o menos directa por la Iglesia —desde el parvulario hasta la universidad—, la enseñanza fue el lugar principal de adoctrinamiento franquista en su doble vertiente religiosa e histórico-nacionalista. Reinventando la Historia e intentando truncar la memoria del florecimiento cultural del periodo republicano, esos criterios ideológicos condujeron a un páramo cultural perfectamente acorde con la concepción autárquica que regía el país.

No se trataba sólo de la asfixiante censura ejercida por la Iglesia, los representantes del Movimiento y del Ejército, con su instauración de unos restrictivos límites a la actividad cultural; ni tampoco basta con considerar la ruptura con los aspectos más innovadores y creativos de la cultura internacional que iban a situar a España en una situación de retraso de difícil recuperación. Se trataba ante todo de la sensación de mediocridad y vacío intelectual que tan bien evocaría años después Luis Martín Santos en su novela *Tiempo de silencio.*

Con ello se iba a comenzar una dinámica de recuento de las excepciones que encontraremos manifiesta en el cine de la década siguiente. Así, durante los años 40, cabe singularizar algunas acciones culturales que no iban a encontrar paralelismo cinematográfico hasta años después: algunas novelas como *La familia de Pascual Duarte* y *La colmena* (Camilo José Cela) o *Nada* (Carmen Laforet), que inauguró las ediciones del Premio Nadal, el más importante durante décadas; revistas culturales —y muy minoritarias— que iban desde las disidencias falangistas de *Escorial* o *Garcilaso* hasta la relativa apertura de *Cántico, Destino* o *Ínsula;* libros de poemas como *Hijos de la ira* (Dámaso Alonso) o *Ángel fieramente humano* (Blas de Otero); obras teatrales como *Historia de una escalera* (Buero Vallejo); o grupos pictóricos relativamente innovadores como Pórtico, Altamira o Dau al Set, serían algunas de esas raras muestras de una cierta incomodidad intelectual, a modo de extraños oasis en el desierto de la incuria cultural.

3. La reconstitución del aparato cinematográfico

Los poderes públicos españoles anteriores a la Guerra Civil nunca habían definido una auténtica política cinematográfica, de tal manera que la voluntad intervencionista del nuevo régimen franquista iba a instaurarla poco menos que *ex-novo,* siempre al servicio del sistema de intereses que estructuraba al nuevo régimen, sometiendo las actividades cinematográficas sobre todo a dos formas de control: la represión y la protección. A simple vista podría resultar algo paradójico este binomio, pero en realidad corresponde al permanente autoritarismo paternalista del franquismo, manifestado por su preferencia por coartar y debilitar las capacidades autónomas —en este caso de la industria cinematográfica— para así forzar su dependencia de las subvenciones y ayudas de diverso tipo; se trataba, pues, de articular simultáneamente las medidas coactivas o restrictivas y las impulsoras o promotoras de la industria cinematográfica. Para ello se construyó una maraña burocrática capaz de multiplicar los ámbitos de decisión e intervención sobre el cine español, donde participaron ministerios, sindicatos y organismos del Movimiento, del Ejército o de la Iglesia y que en sí misma se convirtió en caldo de cultivo para todo tipo de corrupción, clientelismo y dirigismo.

El conjunto de la política cinematográfica franquista iba a ser desempeñado por un complejo entramado de organismos estatales, cuyas modificaciones y transformaciones corresponderían a los cambios de la política general. El punto de partida fue la creación en 1937 de la Delegación de Prensa y Propaganda, dependiente del Ministerio de la Gobernación y comandada por el falangista Dionisio Ridruejo; en su seno nacería el Departamento Nacional de Cinematografía (mayo de 1938), encabezado en sus primeros años por Manuel Augusto García-Viñolas. Por otra vía, aparecería la Subcomisión Reguladora de Cinematografía (1939), dependiente del Ministerio de Comercio e Industria, e integrada por productores, intelectuales y directores. Dos años más tarde se produjo el sintomático trasvase de las competencias cinematográficas a la Vicesecretaría de Educación Popular de FET y de las JONS, en cuyo seno nació la Delegación Nacional de Cinematografía y Teatro, al frente de la cual estuvo inicialmente Carlos Fernández Cuenca. Por su parte la creación del Sindicato Nacional del Espectáculo (SNE), que pasaría a sustituir a la Subcomisión Reguladora (1942), significó el mayor apogeo de los hombres del Movimiento al frente del cine español. Claro que fue un poder efímero, puesto que la transferencia de competencias cinematográficas a la nueva Subsecretaría de Educación Popular correspondiente al Ministerio de Educación Nacional (julio de 1945) delató el predominio de los sectores católicos respecto a los falangistas al frente de la propaganda y el cine, motivado por la derrota del Eje. En resumen, podemos señalar que entre 1939 y 1951 el cine estuvo bajo la influencia de hasta cuatro departamentos estatales: Gobernación, Comercio e Industria, Secretaría General del Movimiento y Educación Nacional, sin olvidar los sindicatos verticales.

3.1. *Los mecanismos de control*

De entre todos los mecanismos de control, el más evidente fue la censura directa, aunque resultaría mucho más decisiva la normativa sobre el doblaje obligatorio en el proyecto global de subordinación de la industria cinematográfica a las necesidades del régimen. La censura cinematográfica apareció en el bando franquista de modo natural e inmediato, en el momento mismo del levantamiento armado y se mantuvo durante largo tiempo dependiente de los poderes militares locales o regionales. No fue hasta muy entrada la guerra cuando se organizó la Junta Superior de Censura Cinematográfica (noviembre de 1938), con jurisdicción nacional, sede en Salamanca y con la «fiscalización moral del cine en su aspecto político, religioso, pedagógico y castrense» como objetivo. Una vez acabada la guerra se mantuvo su actividad, con el añadido de la censura previa de guiones, ahora dependiente del Servicio Nacional de Propaganda, integrado todavía en Gobernación. Al año siguiente, con motivo de la creación del Departamento de Cinematografía en el seno de la Dirección General de Propaganda, se acabaron de definir las atribuciones y composición de esa Junta Superior y de la Comisión de Censura Cinematográfica que se encargaría del trabajo cotidiano.

Entre las atribuciones tomadas por esos organismos cabe recordar que se incluían la supervisión de los guiones de aquellos films nacionales que pretendiesen rodarse, la concesión de los preceptivos permisos de rodaje y de las licencias de exhibición de los films españoles y extranjeros que se proyectaran en el territorio nacional, con la posibilidad de impedirla por completo o de sugerir las diversas modificaciones que se estimasen requeribles (cortes o remontaje de algunos planos o incluso secuencias, cambios en los diálogos, vigilancia de las campañas publicitarias, etc.) y, finalmente, la calificación de los films en relación a las diversas edades del público. En cuanto a la composición de esa primera Comisión, resulta ejemplar para entender en manos de quién estaba el control final del producto cinematográfico: encabezados por el Jefe del Departamento Nacional de Cinematografía, se incluían un eclesiástico nombrado por la jerarquía episcopal, el director de Primera Enseñanza del Ministerio de Educación Nacional, un representante del Ministerio del Ejército y otro del departamento de Prensa y Propaganda.

Transformada en Junta Superior de Orientación Cinematográfica (1946), donde el término «orientación» reemplazaba al excesivamente explícito de «censura», en un magnífico ejemplo de eufemismo, fue publicado su Reglamento de Régimen Interior, donde se regula su composición (dando al representante eclesiástico la posibilidad de veto y de dirimir cualquier empate en lo referente a cuestiones relativas a la moral o al dogma católico) y se ampliaban sus anteriores atribuciones con la concesión del «interés nacional», la condición de no exportabilidad de determinados títulos, la asignación de la categoría de las películas en relación con la de los locales o la autorización del doblaje o subtitulado.

Nadie puede despreciar la importancia de la censura cinematográfica a lo largo y ancho del franquismo[1], pero cabe remarcar que su incidencia durante los años 40 fue relativa, al menos respecto al cine nacional. No olvidemos que la asfixia de cualquier forma de disidencia impidió que la censura tuviese que intervenir con radicalidad, puesto que quienes podían hacer cine o financiarlo no tenían la menor intención de cuestionar la situación política dada. De hecho, los dos casos más resonantes de prohibición de films españoles no correspondieron siquiera a la labor de la Comisión, puesto que *El crucero Baleares* (1941) y *Rojo y negro* (1942) fueron permitidos por aquélla para ser luego fulminantemente prohibida su exhibición, en el primer caso —centrado en un hecho heroico de la marina franquista— justo antes de su estreno, al parecer a causa de la intervención del Ministerio de Marina disconforme con su escasa calidad; y en el segundo —centrado en los amores entre una falangista y un comunista cuyo sacrificio común en 1936 remitía a una primera idea de reconciliación nacional— in-

[1] Véanse los libros de Román Gubern (con Domènec Font y en solitario), de Teodoro González Ballesteros, Carlos Puerto y Carlos/David Pérez Merinero.

mediatamente después del estreno debido a la intervención de algún ignoto jerarca. El valor ejemplar de esas compulsivas prohibiciones tuvo efectos netamente disuasorios, de forma que hasta mucho tiempo después no se repitieron problemas semejantes. Y por otra parte, con esos casos se confirma la relatividad de la unidad jurisdiccional y preponderancia de la comisión censora.

Movida por principios ignotos —hasta 1962 no serían públicas las bases de su funcionamiento—, la censura se abría a una total arbitrariedad aunque su papel ideológico resultaba claro si recordamos las palabras con las que un editorial de *Primer Plano,* órgano periodístico oficial dedicado a la cinematografía, glosaba la renovación significada por el franquismo frente al cine antecedente definido de forma contundente:

> Así el cine, arma terrible para la difusión de ideas, no parecía tener otra finalidad que servir a los más bajos instintos, adulando los apetitos bestiales, sin ningún criterio educativo, sin ninguna reserva impuesta por la más acomodaticia moral[2].

Las prohibiciones o manipulaciones de los films extranjeros dependían tanto de motivaciones políticas como morales; así, las primeras dependieron progresivamente de la marcha de la Guerra Mundial, para luego afectar muy especialmente a cualquier revisionismo antifascista o cualquier asomo de realismo y compromiso que pudieran inducir sugerencias comunistizantes o muy marcadamente liberales. Con ello, los espectadores españoles llegaron tarde y mal al conocimiento, por ejemplo, del neorrealismo italiano. Digamos en ese sentido que del cine italiano exhibido en España a partir de 1945 estuvieron forzosamente ausentes títulos como la trilogía neorrealista de Rossellini, *Ossessione* y *La terra trema* de Visconti, todos los films de De Santis —con excepción de *Arroz amargo,* que sin embargo sería prohibida un tiempo después de su tardío estreno— y algunas otras obras tan significativas como *Il sole sorge ancora* de Vergano, *Un giorno nella vita* de Blasetti, *Il bandito* de Lattuada o *Anni difficili* de Zampa. Claro que, además, *Ladri di biciclette (Ladrón de bicicletas)* de Vittorio De Sica, se estrenó con el título modificado y un añadido sonoro final que al-

---

2 *Primer Plano,* núm. 114, 20-XII-1942.

teraba su sentido. En cuanto a las cortapisas morales, entendidas desde las estrechas miras del nacionalcatolicismo, implicaron una amplia casuística de besos cortados, áreas de epidermis veladas, relaciones pecaminosas depuradas, etc., capaces de configurar una muy particular educación sentimental y que sin embargo en muchas ocasiones, como con motivo del estreno de *Gilda*, no bastaron para neutralizar las homilías y las pastorales episcopales, amenazadoras incluso de excomunión.

Como ya se dijo, y a pesar de su relevancia, la censura tuvo una influencia estructural sobre el cine español menor que la instauración del doblaje obligatorio. En España, la práctica del doblaje se remonta al periodo anterior a la Guerra Civil, paralela a la decadencia de las dobles versiones, pero no alcanzó la obligatoriedad hasta la orden ministerial que, entre otras medidas, señalaba que «queda prohibida la proyección cinematográfica en otro idioma que no sea el español, salvo autorización que concederá el Sindicato Nacional del Espectáculo, de acuerdo con el Ministerio de Industria y Comercio y siempre que las películas en cuestión hayan sido previamente dobladas. El doblaje deberá realizarse en estudios españoles que radiquen en territorio nacional y por personal español» (23-IV-1941). Simultáneamente, la misma orden instauraba la llamada licencia de doblaje, a modo de canon a pagar para alcanzar el derecho al doblaje de cada film importado. De las repercusiones de esta medida da cuenta la polémica generada, con una intensa oposición manifestada incluso en las páginas de la oficialista *Primer Plano*[3]. Un cronista-historiador de indudable fidelidad al régimen como Juan Antonio Cabero, ya señalaba en 1949 que:

> El primer error de bulto estaba en la obligatoriedad de doblar al castellano las películas de origen extranjero; ello fue lo mismo que condenar a nuestras películas a una larga y penosa miseria[4].

---

[3] Bartolomé Mostaza, «Discusión sobre doblajes», *Primer Plano,* núm. 172, 30-I-1944. Véanse también los artículos publicados en *Primer Plano:* «La defensa del idioma, primordial misión hispánica del cine» (F. J. Olándriz, núm. 151, 5-IX-1943); «Contra el doblaje de las películas» (Editorial núm. 154, 26-X-1943); «Es un gran atentado el doblaje» (A. Sánchez, núm. 156, 10-X-1943); «Los números cantan en el micrófono del doblaje» (núm. 167, 26-XII-1943); «En el principio y en el fin» (Editorial, núm. 170, 15-I-1944); «Un cuarto al doblaje» (P. García Figar, núm. 176, 27-II-1944); «Síntesis de una polémica» (A. Fraguas Saavedra, núm. 178, 12-III-1944).

[4] Juan Antonio Cabero, *Historia de la Cinematografía Española,* Madrid, 1949, pág. 662.

Esas posturas opuestas parecerían indicar que la decisión no provenía de forma espontánea de las propias jerarquías cinematográficas, sino de otros ámbitos de decisión. Eso es sencillo de comprender si consideramos que la revista estaba muy vinculada a círculos falangistas y sindicales, los más implicados en el sector de la producción, que evidentemente resultaba el más perjudicado, puesto que sería erróneo creer que el doblaje perjudicaba al conjunto de la industria, ya que los sectores de distribución y exhibición iban a resultar extraordinariamente gratificados por la medida. Así, frente al recubrimiento ideológico que disfrazaba el doblaje bajo motivaciones de nacionalismo idiomático, de coartar cualquier expresión en lenguas peninsulares distintas del castellano o de facilitar la labor de la censura al permitir la alteración impune de los diálogos, lo cierto es que el doblaje obligatorio significó un inmenso regalo para el segmento más monopolista y adicto al régimen del cine español, en detrimento del debilitado sector de la producción que contemplaba así su pérdida de competitividad frente a los productos foráneos. Y eso sin olvidar la vinculación entre esos sectores y la floreciente industria del doblaje, puesto que la propiedad de los estudios —obligados a estar en territorio español— correspondía a elementos afines a la distribución y exhibición.

Cabe sin embargo afirmar que las consecuencias del doblaje sobre el cine español vendrían dadas también por la creación de un hábito espectatorial difícilmente reversible y con clara resonancia en las taquillas. Eso permitió que años después se derogase la obligatoriedad del doblaje (25-1-1947) sin mayores repercusiones: así se comprobaba cómo una medida de política cinematográfica se había transformado en un hábito de larga permanencia entre los espectadores españoles. Sobre lo inconveniente de ese resultado ha habido un acuerdo bastante unánime, tanto por parte de los cronistas franquistas como Vizcaíno Casas:

> El doblaje obligatorio fue, probablemente, el golpe mortal asestado a la producción cinematográfica española, que perdía de esta forma su mejor arma para enfrentarse a la imposible competencia con el cine de importación[5].

---

[5] Fernando Vizcaíno Casas, *Historia y anécdota del cine español*, Madrid, 1976, pág. 86.

o los que han abordado el periodo desde posiciones muy distintas:

> El doblaje tiene como consecuencia fundamental —a causa de la situación mundial de la industria del cine— la destrucción del propio mercado en beneficio de otras industrias más competitivas [...] La entrega del propio mercado es, pues, la primera consecuencia de la obligatoriedad del doblaje[6].

La tercera pieza reseñable de la política de control de la cinematografía instaurada por el franquismo en los años 40 correspondió a la creación del noticiario NO-DO («Noticiarios y Documentales Cinematográficos»). Siguiendo de nuevo el modelo italiano, en este caso el noticiario LUCE, el articulado de la propia orden ministerial (diciembre de 1942) que le daba vida definía sus características principales. Así el artículo primero indicaba que «a partir del día 1 de enero de 1943 no podrá editarse en España, sus posesiones y colonias ningún noticiario cinematográfico ni documental de este tipo que no sea el Noticiario Español NO-DO...». Pero además de la exclusividad de edición, ésta se hacía extensiva a la obtención de imágenes documentales, puesto que el artículo tercero señalaba que «... ningún operador cinematográfico que no pertenezca a la entidad NO-DO o que trabaje debidamente autorizado por ésta, podrá obtener reportajes cinematográficos bajo pretexto alguno...», así como a la del intercambio internacional. Y ese monopolio de la información a través del cine se completaba con su obligatoriedad, puesto que según el artículo cuarto «... se proyectará con carácter obligatorio en todos los locales cinematográficos de España y sus posesiones durante las sesiones de los mismos».

No cabe duda de que mucho más que los criterios económicos —a pesar de la magnitud de producción y distribución que representaba—, el monopolio del NO-DO, prolongado hasta el primer día de 1976, tenía una motivación claramente política. Por una parte se abandonaba la dependencia de los noticiarios extranjeros que circulaban habitualmente por el país, muy especialmente los producidos por la UFA, el Instituto LUCE y la Fox-Movietone; por otra se cumplían las aspiraciones que habían intentado cubrir durante la Guerra Civil el *Noticiario Español*, editado por el Departamento Nacional de Cinema-

[6] F. Fanés, *Cifesa, la antorcha de los éxitos,* Valencia, 1982, pág. 148.

tografía en el bando franquista, y diversos esfuerzos encabezados por el noticiario de Laya Films por parte republicana; y finalmente, se coartaba la posibilidad de cualquier alternativa a la información oficial ofrecida por un NO-DO que nacía en el seno de la Vicesecretaría de Educación Popular.

Siguiendo la tradición del franquismo, el NO-DO iba a alternar los aspectos propagandísticos más directos, centrados especialmente en las «realizaciones» del régimen —que podemos simbolizar en la faceta inauguradora del Caudillo: pantanos, carreteras, hospitales, etc.— o en sus ceremonias más características, y una información absolutamente trivial e intrascendente en sí misma, capaz de ofrecer una imagen idílica del país o simplemente de integrar una especie de revista de amenidades y curiosidades (toros, deportes, desfiles de moda, artesanías, folclore, hechos sorprendentes, etc.), cuya función primordial era la pura desinformación del espectador pese a que la cabecera de cada nueva edición rezaba algo tan pretencioso como «el mundo entero al alcance de todos los españoles».

Pero más allá de su voluntad controladora, la instauración del NODO no dejó de tener una incidencia negativa sobre el conjunto del cine español. Su inclusión forzada en la programación de todos los cines del país imposibilitaba de hecho —aunque no de derecho— la emisión de otros «complementos», con lo que se coartaban las posibilidades de una industria enfocada a la producción y distribución no sólo de noticiarios y documentales, sino incluso de cortometrajes de ficción o de animación. Ello no sólo eliminaba ciertas posibilidades industriales y comerciales, sino que además iba a repercutir en el veto a una de las tradicionales vías de formación y experimentación para los nuevos cineastas.

3.2. *Los mecanismos de protección*

Junto a esas medidas represivas creadas por el franquismo, se alineaban determinadas medidas proteccionistas que ofrecían la vertiente paternalista del régimen, complementarias a las debilidades inducidas precisamente por aquéllas. En el propio preámbulo de una temprana orden ministerial (20-10-1939) se proclamaba que:

> Es quizá la industria cinematográfica una de las más necesitadas del apoyo tutelar por parte del Estado...

mientras que en un decreto-ley de 1946 se declaraba el cine como industria «básica para la economía nacional».

La competencia desigual introducida por el doblaje y reafirmada por la dispensa de las licencias de doblaje vinculada a la producción de films españoles, de forma que éstos en realidad no fuesen un objetivo en sí mismos, sino un medio inevitable para la importación del cine extranjero, creaban un marco que en el fondo hace inútil cualquier debate sobre el proteccionismo, ya que su ausencia significaba la pura desaparición de la industria de producción en España. Claro está que las visiones oficiales partían de una no confesada convicción de la incapacidad del cine español para desarrollarse airosamente en su propio mercado, por lo que parecía requerir de unos apoyos que aun no llevándolo mucho más allá del estado de latencia, permitían una cierta subsistencia. Pero la perfidia de que ésta tuviese como precio la entrega del mercado a su competencia natural («producir para importar» como indicaba Montes Agudo en un editorial de *Primer Plano)* constituía uno de los ejemplos más obvios de la hipocresía y duplicidad del franquismo, aun camuflado bajo la apariencia autárquica. Eso fue tan así, que con motivo de la crisis de los años 1944 y 1945, desde las oficiales páginas de la tan citada *Primer Plano,* se pedían las siguientes medidas:

> [...] seguiremos pidiendo, como hace dos años, que el doblaje no sea reglamentado y puesto al servicio y protección de la producción española; pedimos, como hace dos años, la libertad de importación de películas extranjeras a cambio del aseguramiento de materias primas para cincuenta películas anuales; pedimos una reducción de todos los precios del cine, desde los emolumentos de producción hasta el coste de las localidades; pedimos libertad absoluta para la exportación de nuestras películas; pedimos, en una palabra, el rescate del cine español para ponerlo al servicio de nuestras verdades culturales y económicas, artísticas y técnicas[7].

[7] Ginés Calvo, «No es tarde aún», *Primer Plano,* núm. 239, 13-V-1945.

No cabe duda de que además de una forma de control, la protección era una forma de inducción de los contenidos de la producción colocando en primer término los gustos o sugerencias de las comisiones calificadoras y otras burocracias por encima de cualquier otro criterio.

Como ya hemos anticipado, la pieza maestra de ese sistema de protección era la concesión de licencias de doblaje a cambio de la producción de cine nacional, medida que se remonta a la misma orden ministerial que introdujo el doblaje obligatorio, si bien ya en otra orden previa de 1941 se habían dictado las normas para la obtención de permisos para la importación de films extranjeros, otorgados ya entonces a aquellas empresas comprometidas en la producción de «películas íntegramente nacionales y de una categoría decorosa», lo que se identificaba con un coste superior a 750.000 pesetas. En esos primeros momentos se concedían entre 3 y 5 permisos por producción española y ya se aceptaba su transferencia a terceros, es decir, a los distribuidores. El acuerdo sobre las consecuencias de esa política es general; ya en su momento lo describió Cabero con claridad:

> [...] se editan películas cuyo coste oscila entre uno y cuatro millones de pesetas, las cuales difícilmente serán amortizadas en nuestra Península, aunque el éxito más rotundo salga a su paso, y si se llevan a cabo, gastando tanto dinero, es en espera de poder alcanzar unos permisos de importación que nivelen el gasto hecho y unos ingresos que les proporcionarán las películas importadas, que siendo más ricas en presentación no cuesta adquirirlas ni la cuarta parte de la cinta editada en España y además, y es lo doloroso, cuentan con el favor del público, cada día más aficionado a lo de fuera, con harto desprecio para lo de casa[8].

Se definían así nuevas contradicciones respecto a la raíz autárquica de la economía española, ya que cuantas más producciones se realizasen, mayor número de films extranjeros se importaban, de forma que disminuían las posibilidades del propio cine español en su mercado natural y se propulsaba la actitud especulativa por encima de la profesionalidad en la producción, convirtiendo al productor en un

---

[8] Cabero, *op. cit.*, pág. 662.

mero intermediario[9]. Ante la contundencia de tal política, se hicieron precisas nuevas medidas.

La primera significó la vinculación de la concesión de licencias al nivel de calidad de los films españoles producidos, lo cual trataba de impedir el hecho obvio de que cualquier deleznable película nacional de bajo coste fuese producida exclusivamente para la tramitación de licencias. Para ello, la Subcomisión Reguladora de la Cinematografía pasó a clasificar las películas según su calidad y coste como base para aplicar ciertos baremos en el número de licencias concedidas. Así se estipularon tres categorías: «primera», a la que se asignaban entre 3 y 5 licencias; «segunda», con el reparto de entre 2 y 4 licencias; y «tercera», que no recibía ninguna licencia. Sin embargo, esos baremos de reparto sólo fueron indicativos, puesto que ya en 1943 hubo dos películas especialmente apoyadas por el gobierno —*El escándalo* y *El clavo*— que alcanzaron nada menos que 15 licencias de doblaje. Por otra parte, esa restricción acarreó una necesidad artificial de incrementar los costes, de forma que repercutió en una desmesurada inflación que en definitiva hacía aún más difícil la amortización de la inversión cinematográfica si se planteaba al margen de la especulación con las licencias. La conciencia de esas consecuencias llevó a que se remodelasen los baremos: en 1947 se ciñeron a 4, 2 y 0 licencias para cada categoría, mientras que en 1948 se redujeron a 2, 1 y 0, a lo que habría que añadir 5 y 3 respectivamente para la nueva categoría de «interés nacional» creada en 1944 y cuya concesión dependía de la presencia de un cuadro técnico-artístico español y de que esos films significasen la «exaltación de valores raciales o de nuestros principios morales y

[9] Esa opinión es mantenida desde la derecha, caso de Vizcaíno Casas: «El negocio no consistía en estrenar la película y alcanzar un gran éxito; el negocio se hacía logrando varios permisos de importación que, transferidos a las distribuidoras extranjeras que funcionaban en España, proporcionaban unos ingresos que no sólo amortizaban el costo del film nacional, sino que podían suponer un beneficio del 100% sobre el capital invertido.» (pág. 87). Pero también desde la izquierda, como señala Domènec Font: «La libre venta de los permisos de importación obtenidos generaría un incomparable mercado negro con ganancia segura y sin riesgo alguno, de modo que la producción española se convertiría en simple pretexto para obtener licencias que posteriormente, puestas a reventa, permitirían que el productor hispánico no tuviera, incluso, que estrenar su film a la vista de los pingües beneficios que la operación-venta le reportaba.» *(Del azul al verde [El cine español durante el franquismo]*, Barcelona, 1976, pág. 42).

políticos», aunque excepcionalmente podía otorgarse a films extranjeros, como ocurrió, por ejemplo, con *The Song of Bernardette (La canción de Bernardette,* 1943), de Henry King. Si bien no implicaba una dotación económica, además del suplemento de licencias de doblaje adjudicadas antes indicado, la categoría de «interés nacional» forzaba al estreno en una época idónea y bajo unas condiciones mejores de las habituales, a la obligatoriedad de mantener su exhibición mientras mantuviese una ocupación del 50 % del aforo como promedio diario durante una semana y a la prioridad en los circuitos de reestrenos.

Para hacernos una idea del impacto de esta clasificación de la producción española, diremos que entre 1942 y 1951 se contabilizan 111 películas de primera categoría, 175 de segunda y 79 de tercera (junto a 10 sin clasificar). Hay que decir que desde 1946 hubo una mayor liberalidad en la concesión de la primera categoría, puesto que entre 1942 y 1946 fueron 34 las de primera categoría sobre 203 films calificados, mientras que entre 1947 y 1951 se alcanzaron las 71 para 219 películas. Por su parte, en los siete años que van de 1944 a 1951 se concedieron 46 declaraciones de «interés nacional», con un reparto más homogéneo y constituyendo un corpus muy significativo de las líneas de producción recomendadas por el régimen, como sería el caso del cine histórico. Y en ese sentido también es paradigmático comprobar que aproximadamente el 70 % de los títulos premiados era resultado del trabajo de no más de nueve realizadores: Gil, Orduña, Sáenz de Heredia, Iquino, Vajda, Lucia, Román, Nieves Conde y Ruiz Castillo.

El entramado proteccionista se vio ampliado al ámbito de la exhibición con la tradicional instauración de la cuota de pantalla, es decir, con el establecimiento de la obligatoriedad de proyectar un porcentaje de cine nacional a lo largo de cierto periodo de tiempo. En un principio se optó por un porcentaje relativo a la duración de la exhibición, dejando de lado la otra opción que relaciona el número de films nacionales con el de extranjeros. En un principio (1941) fue establecida la obligación de proyectar una semana de cine español por cada seis semanas de films extranjeros, aunque otra orden posterior (1944) redujo esas semanas a cinco, aunque con la obligación de que la semana española sucediese a las cinco de cine extranjero, lo cual cortaba ciertos éxitos internacionales y convertía el estreno español en un estreno hecho de mala gana. Pero además se tomaba la aberrante postura de que cualquier film español que superase la semana inicial de exhibición no se viese recompensado con la acumulación de los días excedentes en favor de una posterior película extranjera, de tal manera que lo que en un principio suponía un apoyo al cine español se convertía en su limitación, ya que ningún exhibidor tenía alicientes para sostener una película nacional en cartel más allá de la semana obligada, salvo que sus recaudaciones fuesen notoriamente superiores a las de sus competidoras extranjeras. Por otra parte, esta orden también excluía a las películas de tercera categoría no sólo por su posibilidad de estreno en los locales de primera categoría, sino del cómputo para la cuota de pantalla, con lo que casi las condenaba a no ser estrenadas, lo cual no sólo significaría una defensa de la calidad promedio, sino otra forma de censura respecto a films «incómodos» que fueron marginados hacia esa categoría.

Finalmente, aún se estipuló otra vía de gratificación a la producción nacional consistente en la concesión de diferentes premios, entre los que prevalecían los concedidos por el Sindicato Nacional del Espectáculo bajo el epígrafe de «Premios Nacionales de Cinematografía». Creados en 1940, consistían inicialmente en dos primeros premios y cuatro segundos, dotados respectivamente con 400.000 y 250.000 pesetas, de las cuales un 20 % debía revertir en el equipo técnico-artístico de la película, en lo que significaba un reconocimiento al carácter «sindical» de los premios. En 1945 aparecieron también otros premios oficiales de carácter honorífico, consistentes en la entrega de un diploma y un objeto «artístico», con clara voluntad de emulación de los famosos Oscar de Hollywood. Ni que decir tiene que en esos casos los títulos premiados correspondieron a lo más oficialista de la producción nacional, superponiéndose muchas veces con la declaración de «interés nacional», las mejores clasificaciones de calidad y la concesión de licencias de doblaje.

Todas las medidas proteccionistas indicadas hasta aquí incidían sobre el producto acabado y partían de la realidad de las películas nacionales terminadas. Sin embargo, para llegar hasta ahí era también necesario impulsar su existencia en el origen, apoyar que los proyectos y guiones pudieran llegar a producirse. El instrumento creado por el franquismo para tal misión vendría dado, esencialmente, por la concesión del llamado crédito sindical según las normas introducidas por la misma orden ministerial instauradora de los premios sindicales (1941). A partir de las cantidades ingresadas en concepto de los cánones de importación (según un baremo de tres categorías con el respectivo importe de 75, 50 y 25.000 pesetas) y doblaje, se constituyó el Fondo para el Fomento de la Cinematografía Nacional, otorgándose al Sindicato Nacional del Espectáculo su gestión, lo cual significaba dar a la burocracia sindical —controlada por los hombres del Movimiento— un papel esencial en la protección de la producción nacional.

Los requisitos forzosos para la concesión del crédito sindical pasaban por la presentación del guión, el presupuesto del film, el plan de financiación y la plantilla de personal artístico y técnico. En función de su aprobación se otorgaba un préstamo de hasta el 40% del presupuesto, mediante entregas monetarias semanales contra la recepción de los correspondientes comprobantes del gasto. Por su parte, la supuesta reversión del crédito se hacía desde el comienzo de la explotación comercial de la película, mediante entregas mensuales.

De entrada cabe señalar algunos lastres derivados de esta forma de ayuda a la producción. En primer lugar, la prioridad dada al guión como elemento de valoración del proyecto, lo cual repercutiría en una notoria literaturización de los proyectos, al considerar que gozaban de un fuerte respaldo si contaban con algún referente literario. En segundo lugar, la tendencia a inflar los presupuestos, con la inevitable inflación general del coste de producción, ya que se trataba de conseguir que el 40% máximo alcanzase un porcentaje mucho mayor del coste real del film, de forma que éste apenas requiriese el riesgo de la inversión privada, lo cual a su vez impedía la presencia de la banca privada en la producción cinematográfica y podía llegar a permitir la amortización de los productos sin requerir casi su comercialización, redundando en la articulación del negocio cinematográfico en función del tráfico de licencias y la cobertura de las cuotas de pantalla. Por otra parte, la supervisión de los equipos técnico y artístico no sólo consolidaba el carácter endogámico de la industria —al considerar como valores seguros a sus integrantes ya conocidos y dificultar la incorporación de nuevos valores—, sino que otorgaba un arma decisiva al sindicato verticalista, que podía impedir la presencia de aquellos elementos no reconocidos por él mediante la posesión del correspondiente carnet sindical, que remitía a la sindicación forzosa en ese sindicato único obligatorio. Evidentemente, nada impide suponer que la picaresca alcanzase a la presentación de comprobantes de gasto, mientras que el hecho de retardar la devolución de los créditos hasta el comienzo de la explotación significaba cuando menos el beneficio de la depreciación monetaria en favor del productor, en el caso de que no se llegase puramente al no estreno del film y por tanto la pérdida de la obligatoriedad de la reversión.

CUADRO 1

Año	Films producidos	Films acogidos al crédito	Importe crédito (ptas.)
1939	12	—	—
1940	24	—	—
1941	31	—	—
1942	52	10 (19,23%)	2.309.808
1943	47	4 (8,51%)	1.830.218
1944	34	20 (58,82%)	8.692.666
1945	32	28 (87,50%)	8.752.190
1946	38	36 (94,73%)	15.914.781
1947	49	43 (87.75%)	26.911.523
1948	45	37 (82,22%)	26.535.700
1949	38	36 (94,73%)	30.602.500
1939-1941	67	—	—
1942-1949	335	214 (63,88%)	121.549.388

Un dato fundamental que se debe considerar viene dado por la proporción de films apoyados sobre el volumen total de la producción, puesto que ahí comprobaremos hasta qué punto esa política crediticia se había hecho básica para la propia existencia del cine nacional. Los diez films que contaron con el crédito en 1942 eran el 19,23 % de los 52 producidos (y en 1943 los cuatro señalados eran sólo el 8,51 % de los 47 producidos), mientras que en 1947 los 43 con crédito significaron el 87,75 % de los 49 producidos y en 1949 el 94,73 %, si bien considerando los ocho años resulta un promedio de 63,88 % de films producidos como beneficiarios del crédito. Dejando de lado algunas seguras, aunque ahora irrelevantes, deficiencias estadísticas, resulta obvio y escandaloso comprobar cómo a finales de la década se había llegado a una situación en la que prácticamente la totalidad del cine producido en España contaba con el crédito sindical, aunque el volumen total de la producción de los años 1947, 1948 y 1949 fuese el mismo, si no menor al de 1942 y 1943. No es posible ningún dato más concluyente sobre la dependencia absoluta del cine español respecto a la protección oficial, desde el mismo origen del proyecto hasta su presentación en las salas, con las inmediatas consecuencias ideológicas y políticas que fácilmente pueden de ahí derivarse, teniendo en cuenta que ese mecanismo protector jamás fue automático y en realidad sí fue siempre independiente del auténtico resultado en taquilla o la hipotética exportación de las películas.

4. La industria de la posguerra

Todo el entramado normativo descrito en el apartado anterior contribuyó al desarrollo de una industria hipotecada desde diferentes frentes. Sin duda el primero de ellos fue el evidente déficit infraestructural derivado de la propia Guerra Civil. Como ya se dijo, el bando franquista no había siquiera intentado construir un aparato industrial propio, capaz de abastecer a las salas cinematográficas de su bando, por lo que había recurrido a las instalaciones de sus dos poderosos países amigos, Alemania e Italia. Por su parte, el bando republicano había mantenido hasta los momentos finales de la guerra la posesión de los estudios y laboratorios barceloneses y madrileños, pero debido a la progresivamente degradada situación militar y la complejidad de los avatares políticos internos, tampoco estuvo en condiciones de mantener aquella entidad industrial que el cine republicano de la anteguerra parecía prometer. Terminada la contienda, más allá de los estropicios causados en las instalaciones industriales o de la pérdida de la fuerza de trabajo exiliada, se trataba de levantar de nuevo una industria sin que desde el punto de vista empresarial se pudiesese definir un corte sustancial. Simplemente, los elementos más reaccionarios del periodo republicano, junto a algunos advenedizos, iban a intentar restablecer su control sobre los diversos sectores industriales, al servicio —y sirviéndose— de un régimen que bajo ningún aspecto contradecía ni sus intereses ni sus ideas.

En ese sentido cabe recordar que, por lo general, cuando se habla de industria cinematográfica se tiende a considerar sobre todo al sector de la producción, dejando de lado la distribución, la exhibición o los sectores complementarios (laboratorios, servicios, estudios de doblaje, etc.). Eso sería un error aún más grave en relación con el cine español de los años 40 y 50; si por una parte es cierta la debilidad del sector de producción —y ya hemos anticipado algunos motivos—, no lo fue en absoluto la distribución, la exhibición y el doblaje, puesto que fue una auténtica edad dorada para éstos, capaces de alcanzar posiciones cercanas al monopolio o cuando menos de constituir un oligopolio, donde por otra parte se trenzaban los intereses cruzados de los diversos sectores. Ciertas cadenas de exhibición de las grandes ciudades (Madrid, Barcelona, Valencia, etc.), con intereses en el ámbito de la distribución, de los laboratorios y de los estudios, a la vez que progresivamente imbricados con la red tejida por las multinacionales, alcanzaron una importancia económica en absoluto despreciable, de forma que en esos ámbitos el comercio cinematográfico español podía situarse muy bien entre los más destacados de Europa.

La producción española entre 1939 y 1950 abarca —según datos oficiales[10], por otra parte siempre contradictorios e inciertos— un total de 442 títulos, lo cual nos da un promedio de 36,83 películas anuales, repartidas según indica el cuadro 2:

CUADRO 2: FILMS PRODUCIDOS ANUALMENTE

1939: 10	1942: 52	1945: 31	1948: 44
1940: 24	1943: 49	1946: 38	1949: 36
1941: 31	1944: 33	1947: 39	1950: 45

Ese cerca del medio millar de films fueron producidos por unas ciento cincuenta y cinco empresas, lo cual revela que el minifundismo fue una de las más deficientes características de ese momento, aunque de hecho extensible a toda la historia del cine español. Eso tal vez conecta con las numerosas acusaciones vertidas sobre los responsables de esas pequeñas y efímeras empresas, alejados tantas veces de cualquier intención cultural o preparación profesional, ocupados siempre en la búsqueda del beneficio rápido y fácil, tal como muestran los calificativos de Domènec Font:

---

10 *Anuario de la Cinematografía Española,* Madrid, 1950.

> [...] Una lumpen-burguesía estraperlista deseosa de ganancia fácil y sin conciencia alguna de la función ideológica que se le asigna. Una serie de especuladores y chapuceros nacidos al amparo del mercado negro ocuparán durante todos estos años la producción de películas con la mirada atenta en la Administración y totalmente de espaldas al mercado exterior e interior[11].

De una forma u otra, hay que evidenciar que en el periodo 1939-1950 destacó el nivel productivo de Cifesa —con 41 films— seguida a distancia por Suevia Films (38), Emisora Films (25) y Aureliano Campa (19), otras dos productoras con nueve títulos (Faro y Pecsa), cuatro con ocho (Manuel del Castillo, Peninsular Films, Sagitario Films, Ufisa), una con siete (Ballesteros) y otra con seis (Valencia Films), nueve con cinco, seis empresas con cuatro films, etc. Siendo así, salvo en el caso de Cifesa, Suevia y Emisora (puesto que el barcelonés Campa coprodujo una parte sustancial de sus títulos), resultaba difícil establecer planes de producción, vincular adecuadamente recaudaciones y nuevos proyectos, constituir infraestructuras empresariales que pudieran soportar unos mínimos gastos generales, establecer acuerdos de distribución satisfactorios, promover fuentes de financiación sólidas y continuadas, etc. Digamos que respecto a la financiación no faltaron las voces en favor de la constitución de entes como la Banca Cinematográfica Alemana o actuaciones semejantes a la de la Banca del Lavoro italiana en apoyo de la producción cinematográfica; salvo en el caso de los Estudios Chamartín, la financiación del cine español dependió mucho más —como alguien dijo— de la cosecha de la naranja o de las aspiraciones de alguna vicetiple amante de cualquier ricachón estraperlista que no de la Banca pública o privada.

Durante esos años 40 fue Cifesa la gran excepción a la regla general[12]; en efecto, la empresa creada por Casanova en los años 30 alcanzó su máxima expansión como productora y distribuidora, hasta el punto de resultar sus producciones identificadas sin más con ese cine franquista, en una operación historiográficamente discutible por absolutista. El punto exacto tal vez lo haya planteado José Luis Téllez:

---

[11] Antonio Bonet (ed.), *Arte del franquismo,* Madrid, 1981, pág. 296.

[12] Véase el ya citado trabajo monográfico de Félix Fanés sobre esta productora, teniendo en cuenta su reedición en catalán en la misma Valencia en 1989.

Que Cifesa trató de constituirse en la vocería fílmica del régimen nacido de la sublevación fascista es un hecho indiscutible. Que solamente lo logró de manera parcial e incluso que planteó contradicciones no pequeñas, también. Y que los grandes éxitos de este periodo fueron precisamente aquellos en los que tal sumisión funcionaba de forma más ajena y tangencial con el discurso dominante y en relación con la propia historia narrada no es menos evidente.

No deja, por todo ello, de resultar llamativa la fama de que todo el cine auspiciado por Casanova (y en concreto el de estos años) goza entre la mayor parte de la crítica de constituir el bastión mismo de la estética franquista. La realidad es que Cifesa representa, en estos momentos, una manufactura de propósito y códigos netamente populares (su intermitente reaccionarismo es otra cuestión), mientras que el tipo de argumentación crítica aludido es de extracción netamente urbana y pequeñoburguesa, carente u olvidada de toda raíz de cultura oral[13].

Si bien más adelante marcaremos algunos de los rasgos característicos de las producciones de Cifesa, desde su predilección por la comedia de los primeros años hasta las grandes producciones histórico-literarias de finales de la década (que hoy en día se asocian erróneamente a su «marca de fábrica»), hay que indicar que su gran apuesta fue la de constituir un «estudio» a imagen y semejanza de los hollywoodenses, fundamentado en la contratación a largo plazo de artistas y técnicos, con la obligación de intervenir en un determinado número de producciones al año, en la elaboración de films adscribibles a géneros bien delimitados y en la búsqueda de un *look* que le permitiera distinguirse del resto de la producción nacional, así como una inveterada confianza en abrir los siempre soñados mercados hispanoamericanos.

Sólo a partir de la mitad de la década comenzó a plantear Cesáreo González —al frente de Suevia Films— una razonable competencia al predominio de Cifesa, en un enfrentamiento que en la década poste-

---

[13] José Luis Téllez, «De Historia y de Folklore (Notas sobre el 2.º periodo de Cifesa)», *Archivos de la Filmoteca*, núm. 4, Valencia, 2-III-1990, pág. 53.

rior se decantaría a favor del gallego González, uno de los recién llegados a la industria en 1940, que se mostraría más proteico en su recorrido por los diversos géneros y temas de la producción española de los cuarenta, o lo que es igual, menos preocupado por definir un estilo propio y más por aprovechar las tendencias de éxito de cada momento. Por su parte, la productora barcelonesa Emisora Films se constituyó en 1943 y fue impulsada hasta 1949 por Ignacio F. Iquino, quien posteriormente fundó su propia empresa. Salvo raras excepciones, las producciones de Emisora fueron de alcance modesto, muy controladas en su inversión y objetivos (preferentemente comedias y films de intriga), aunque dinamizaron por su continuidad los estudios barceloneses, en los que entre 1939 y 1949 se rodaron 152 películas (frente a las 245 en Madrid), teniendo en cuenta que las cifras parciales de la capital catalana en 1941 y 1942 superaron a las madrileñas, aunque a partir de 1943 se inició un rápido declive del segundo foco de producción nacional.

De todas formas, no hay que olvidar que aun al hablar de estas empresas cabeceras del sector estamos situando niveles bastante modestos, puesto que en los excepcionales años 1942 y 1943 Cifesa no pasó de las diez y ocho producciones respectivamente, mientras que en los restantes años nunca superó las cuatro (1940 y 1945), produciendo sólo una en 1945 y ninguna en 1946. Por su parte la cota máxima de Suevia Films fueron los seis títulos, precisamente en 1946. Y Emisora Films se mantuvo entre dos y tres films por año hasta que en 1948 y 1950 —ya sin Iquino— alcanzó los cuatro y cinco.

La propia debilidad empresarial de la producción cinematográfica española contribuyó —como vimos— a su infeudación respecto al Estado mediante el control proteccionista de éste, pero también limitó sensiblemente su capacidad competitiva tanto en el mercado interior como en el exterior. Manteniendo una baja cuota interna de mercado, bordeando difícilmente el 25% que parecía conveniente para un cumplido abastecimiento de las pantallas nacionales y para la subsistencia de una industria de producción digna, aún se hacía más difícil suponer que ese cine español tuviese alguna oportunidad en el mercado internacional, por lo que al verse vetadas las posibilidades exportadoras también desaparecía una fuente de ingresos imprescindible. En realidad, la no competitividad internacional del cine español era resultado de un conjunto de factores: la depauperada infraestructura, el localismo temático, los contenidos ideológicos, la carencia de vías de penetración y agresividad comercial, etc. Pero ante todo parece necesario referirse a la general asincronía del cine español respecto al cine mundial, debida tanto a la dificultosa formación de sus profesionales (por no hablar de la galopante incultura cinematográfica de algunos de ellos) como a las restricciones en el conocimiento del cine contemporáneo a causa del periodo bélico —interno y externo—, a la censura, a la cortedad de miras de los importadores, al alejamiento de la realidad nacional que conducía hacia el estereotipo de la españolada folclorizante o a la mera imitación de diversos modelos foráneos, etc. Con esos defectos, la exportación no fue posible ni siquiera en el aparentemente abonado mercado hispanoamericano, donde el supuesto apoyo del idioma no fue más que otro obstáculo añadido, ya que forzaba al doblaje —por incómodo para los castellanoparlantes transoceánicos— y con ello aun encarecía la empresa.

Por ello de poco sirvieron los escasos éxitos internacionales del cine español, limitados a la presencia en la Bienal veneciana en los últimos años fascistas. Ansiosos de una legitimación exterior del cine nacional —rápidamente extrapolada al propio régimen—, Venecia ofreció a España en 1941 un premio por *Marianela*, la adaptación de la novela de Galdós por parte de Benito Perojo, y sendas menciones para *Goyescas* y *La aldea maldita* en 1942. El entusiasmo de la prensa franquista, capaz de ocultar las participaciones españolas en las ediciones de 1934 y 1936 para otorgar al régimen un mérito mayor, resulta auténticamente patético visto desde la perspectiva actual, más cuando se reconocía —por ejemplo— que la posición avanzada de la cinematografía española se daba en una edición cuya presencia no italiana se limitaba a Alemania y alguno de sus satélites, con la excepción incluso de la Francia de Vichy.

Incapaz de abrir mercados por sí mismos, una posibilidad hubiese sido la vía de la coproducción, pero a lo largo de la década las condiciones de aislamiento del país frustraron esa posibilidad, puesto que hasta 1950 no comenzó una cierta normalización que iría *in crescendo* durante los años 50. En los diez años que van de 1939 a 1949 únicamente pudieron montarse algunas coproducciones con Italia y Portugal; las primeras fundamentalmente durante el periodo fascista y las segundas en la posguerra mundial[14], salvo contadas excepciones posteriores[15].

Inhábil el sector exterior, sin embargo el cine español mantuvo una gran dependencia del extranjero para su propia existencia, en función de la escasa capacidad nacional para dotarse de la materia prima —el celuloide— y los equipamientos tecnológicos inherentes a la producción cinematográfica, debido a la necesidad que implicaba una producción de unos 50 largometrajes para abastecer el mercado interior, lo que significaba unos nueve millones de metros de película al

---

[14] De entre las colaboraciones con el cine italiano hay que distinguir aquellas producciones hispanas que en los primeros momentos utilizaron el utillaje de los estudios de Cinecittà pero que mantenían la nacionalidad española plena (caso de los dos films producidos por Saturnino Ulargui y dirigidos por Benito Perojo: *Los hijos de la noche* y *La última falla)* y aquellas otras que entraban en el ámbito de la coproducción clásica, fuesen rodadas en uno u otro país. Entre las dirigidas por cineastas españoles cabe recordar principalmente los trabajos de Edgar Neville —*Santa Rogelia* (1939), *Frente de Madrid/Carmen fra i rossi* (1939) y *La muchacha de Moscú/Santa María* (1941)— y Luis Marquina —*El último húsar/Amore di ussaro* (1940) y *Yo soy mi rival/L'uomo del romanzo* (1941)—, sin olvidar la presencia en ellos de co-directores italianos como Carlos Borghesio, Pier Luigi Faraldo o Mario Bonnard.

Sin embargo, las producciones de mayor relieve estuvieron en manos de cineastas italianos, aún con rodajes parciales en España, destacando por encima de todas la producción de Film Bassoli y Ufisa *Sin novedad en el Alcázar/L'assedio dell'Alcazar* (1940), de Augusto Genina —prohijada como film español por la propaganda franquista que la elevaría a ejemplo prototípico del cine «de cruzada» anterior a *Raza*—, a la que se podrían añadir a notable distancia *El hombre de la legión/L'uomo della legione* (1940) de Romolo Marcellini, *El inspector Vargas/L'ispettore Vargas* (1940) de Gianni Franciolini, *Lluvia de millones/Fortuna* (1940) de Max Neufeld, *Marido provisional/Dopo divorzieremo* (1940), de Nunzio Malasomma, *Dora la espía/Dora la spia* (1943), de Raffaello Matarazzo —que significaría la efímera reaparición de Francesca Bertini—, y *Fiebre/Febbre* (1943) de Primo Zeglio, entre otras.

[15] Entre 1945 y 1949 tan sólo cabe recordar —aunque sólo fuese por su limitado valor estadístico, que no cinematográfico— *El alarido/L'urlo* (1947) de Ferruccio Cerio, además de otros dos films españoles dirigidos por italianos: *Cita con mi viejo corazón* (1948) del mismo Cerio, y *El curioso impertinente* (1948) de Flavio Calzavara. Otra cosa fue la presencia en numerosas producciones hispanas de un conjunto de intérpretes italianos que consideraron oportuno dar una pausa a su presencia en las pantallas italianas, tal vez por estar excesivamente asociados al cine fascista. Los casos más relevantes fueron Adriano Rimoldi —que entre 1943 y 1949 interpretó 22 films en España, principalmente en Barcelona—, Paola Barbara —con 12 títulos—, Miriam Day —con 8 films—, aunque tal vez fuesen Amedeo Nazzari —presente en *Conflicto inesperado* (1947), *Cuando los ángeles duermen* (1947) y *Don Juan de Serrallonga* (1948), Fosco Giachetti, Adriana Benetti y Clara Calamai los de mayor renombre.

año, a lo que habría que añadir la ingente cantidad de película para el tiraje de copias de los films importados. Sin embargo, la capacidad de producción nacional era mínima, dándose el caso de que en el año 1942 tan sólo se pudieron importar 6.022.502 de metros y en 1945 no pasaron de 8.176.096, mientras que el resto de los años se situó la importación entre los 9 y 15 millones, salvo en 1947, que alcanzó la cifra de 21.014.172, pese a ser el momento de mayor aislamiento diplomático-comercial del país. Los responsables de la cinematografía se vieron así obligados a justificar el dispendio de divisas para tales fines.

Todas las dificultades industriales y las deficiencias de la política cinematográfica que subyacen a lo dicho hasta aquí cristalizaron en la grave crisis de mediados de la década. Como ya se indicó, los años 1944, 1945 y 1946 contemplaron un brusco descenso del volumen de la producción, comparado con las cotas de 1942 y 1943; eso permitió el desarrollo de un cierto debate sobre la situación inmediata de la cinematografía española y, sobre todo, de sus perspectivas a corto plazo, en la evidente seguridad de cuál sería el resultado de la Guerra Mundial. De lo primero cabe citar el exabrupto publicado nada menos que por el jerarca falangista David Jato en *Primer Plano:*

> Basta ya:
>
> De probadores de fortuna que, sin pena ni riesgo, llevan de desastre en desastre a buena parte de la producción nacional.
>
> De directores con capital propio que pueden, a ciencia y paciencia de algunos, estropear celuloide y ganar enemigos para las películas españolas.
>
> De negociantes sin escrúpulos en busca de filones imposibles.
>
> De primeras estrellas cuyo único mérito estriba en una belleza puesta al servicio de cualquier consejero.
>
> De técnicos extranjeros sin patria que los cobije, incapaces de enseñarnos algo, a no ser el papanatismo de ciertos seres para los que el apellidarse de forma extraña es una garantía de triunfo.
>
> De quienes no les guía otro móvil que la caza de permisos de importación, sin importarles un adarme el que sus películas, por tacañerías presupuestarias, resulten ciertamente intolerables.
>
> En fin, de esos que «entienden mucho de cine» y resultan plaga asoladora en cualquier terreno que actúen[16].

---

[16] David Jato Miranda, «¿Qué derroteros deberá seguir el cine español?», *Primer Plano,* núm. 205, 17-IX-1944.

Por no referirnos a las numerosas quejas sobre el carácter especulativo de los comerciantes —que no industriales— del cine español, derivado de la inadecuada política proteccionista y de la concesión del doblaje; sobre la débil infraestructura de las empresas españolas, capaz de hacer suspirar por el monopolio estatal según los modelos alemán o japonés, o sobre el predominio de los criterios economicistas sobre los valores propagandísticos y culturales requeridos por una cinematografía nacional.

El aluvión de editoriales y artículos sobre las causas y consecuencias de la crisis que, por ejemplo, frecuentaron las páginas de *Primer Plano* fue considerable, con titulares tan contundentes como «Crisis de una política cinematográfica», donde el editorialista reconocía que:

> No cabe duda, por desgracia, que la política cinematográfica española, es decir, las normas aplicadas durante cuatro años para alcanzar el objetivo de crear un cine nacional ha fracasado de manera visible [...] Evidentemente, está justificado el estupor de los que han juzgado la solidez de nuestro cine por sus signos externos, cuando ven hoy, a los pocos días de la euforia total, los despidos de obreros, los estudios en trance inminente de convertirse en almacenes o factorías de cualquier cosa, los productores sumidos en la más completa desorientación, los distribuidores sin material, los exhibidores luchando con la escasez de películas y con el exceso agobiante de cargas y el público de las grandes ciudades huyendo de los locales en donde se proyectan películas nacionales, aunque sean más perfectas en todos los aspectos que la mayoría de las extranjeras.
>
> Esta situación tan grave sobrevino por haberle dado al cine una significación exclusivamente comercial, negándole toda valoración cultural y propagandística...[17]

Pero las medidas tomadas fueron leves: alterar la proporción de licencias de doblaje por film español producido, prohibir los programas dobles para ampliar la capacidad de las películas disponibles de abarcar las necesidades de la exhibición [...] Aunque, por otra parte, las catastrofistas previsiones de lo que sucedería al acabar la guerra

[17] Editorial, «Crisis de una política cinematográfica», *Primer Plano,* núm. 242, 2 de junio de 1943.

tampoco se cumplieron del todo y el vacío en torno a España fue relativo, puesto que a nadie le interesaba abandonar un mercado como éste[18].

5. Elementos de caracterización

Un aspecto obsesivo para la crítica y ensayística de la época es el (redundante) problema de la «españolidad» del cine nacional, que en su límite llegaba a posturas de reivindicación de la racialidad hispana como sostén de nuestra cinematografía. Evidentemente, ese sentido nacional era entendido como la única vía válida hacia la internacionalidad de la producción española y como la adecuada respuesta a la ocasión que significaba el supuesto borrón y cuenta nueva inherente al fin de la Guerra Civil. Evoquemos unas declaraciones del actor Jesús Tordesillas que sintetizan muy bien la contribución que la españolidad podía aportar a la cinematografía mundial:

> El día que nosotros tengamos medios técnicos, habremos alcanzado el primer puesto en la cinematografía internacional, no lo dude usted. Actores los hay buenos; directores también... En cuanto al paisaje... ahí lo tiene usted: mar, montaña, llanura. En cuanto a Historia..., episodios de la Humanidad. España está llamada a ser, por derecho propio, uno de los máximos filones del cine mundial. Y lo será, pese a la actitud pesimista de unos pocos, anulada por el aplauso unánime de unos muchos, que somos todos los españoles[19].

Se trataba, pues, de fundamentar las bases de la españolidad del cine patrio en pos de su misión suprema, tal como señalaría uno de los principales ideólogos de los primeros años del franquismo, Ernesto Giménez Caballero:

---

[18] Otros artículos significativos publicados en *Primer Plano* en ese periodo correspondían a titulares tan expresivos como: «Nuestro cine en la guerra comercial» (número 195); «Previsiones sobre el cine español para la posguerra» (núm. 204); «Defensa del cine español. Contestando e insistiendo» (núm. 209); «Breve consideración sobre el futuro del cine español» (núm. 210); «La necesidad de un Congreso Internacional de Cinematografía» (num. 216); «No es tarde aún» (núm. 239); «Afirmación de una política cinematográfica realista» (núm. 243); «Programa urgente» (núm. 244); «Hablemos claro» (núm. 259).

[19] «Entrevista con Jesús Tordesillas», *Primer Plano,* núm. 402.

> El día que España logre resolver sus medios de producción en cine, tiene, quizá, una de las más altas y profundas tareas morales de Europa. País católico, esencialmente romano, de genio universal, quizá le está reservada a España la labor de crear un cine de ecumenidad moral. Un cine que supere al de tipo individualístico, capitalista y occidental y, al mismo tiempo, que supere también al cine soviético, de masas absolutas, de subversión social. Tal vez sea ésta —debía ser ésa— la labor de una Italia fascista en el cine. Pero si Italia no lo realizase, a pesar de todos los esfuerzos nobles y loables, Dios sabe si ello será la gloria de un futuro cine español, creado con genio de España, es decir, con genio universal y catolicista[20].

Claro que esa vibrante españolidad debía enfrentarse a diversos enemigos, resumibles en dos: las influencias o modos extranjeros y el gusto por lo castizo y lo típico, llevado a la exacerbación bajo el concepto de la «españolada», entendida por muchos como el negativo de la auténtica españolidad. De hecho, la autarquía ideológica, que ponía en duda lo que venía de fuera, forzaba a asimilar valores foráneos (como cuando algunos plantearon que el neorrealismo debía haber nacido en España, gracias a la raíz realista de su cultura, y no en Italia, donde se suponía accidental), pero también justificaba el rechazo de la españolada, ya que ésta era concebida —no sin razón— como una invención extranjera, fruto de las herencias de la «leyenda negra» antiespañola y del gusto romántico hacia lo español. Tomemos como ejemplo las palabras de un editorial de *Primer Plano:*

> [...] aquel cine de españolada, de trágica pandereta, infraartístico e infrahumano [...] No toleraremos la vuelta de los gitanos, el retorno de la faca, porque esos gitanos y esas facas son invención más exógena que propia y ya nos han llenado bastante de ridículo y de confusión. Porque son sustitutivos repelentes de la gran verdad española que ha de alumbrar nuestro cinema. Porque representan el peor tipicismo, lo que queremos es que las plantillas se llenen de la luz y el color auténticos de España, no mancharla con esos chafarinones. Porque son algo más que tópicos; son enemigos[21].

---

[20] Ernesto Giménez Caballero, *Arte y Estado,* Madrid, 1940 (citado en *Primer Plano,* núm. 4, 10-XI-1940).

[21] Editorial, «Alerta contra la españolada», en *Primer Plano,* núm. 137, 30-V-1943.

O del colaborador de la misma revista Bartolomé Mostaza:

> [...] ¿por qué no va España a exportar su trágica y serena manera de combatir —pues para nosotros vida es lo mismo que milicia...— y de morir por nobles causas? Hay que hacer un cine de caballeros y de hidalgos —en España debe valer más el Cid que don Juan— frente al cine forastero en que el cuatrero, el gángster y el neurópata actúan de protagonistas, dándole su anárquico y revulsivo signo a la ética. Y fuera con esa españolada, que no es más que una parodia bufa de la racial índole de conducirnos. Tanto daño como la calumnia ocasiona a los pueblos la caricatura.
>
> Hay en nosotros un estilo de obrar, de andar, de amar y de llorar, y de vivir y de morir, que difiere radicalmente del que el cine forastero interpreta ¿Por qué vamos a extranjerizarnos? [...] Incluso el ojo de la cámara debe, por casi orgánica solidaridad con el operador, enfocar los planos con visión española[22].

Aunque tampoco faltasen las justificaciones de esa españolada, un concepto que ha recorrido toda la historia del cine español y que no fue un invento del cine franquista, como la propuesta nada menos que de Augusto García Viñolas en el manifiesto programático de la revista *Primer Plano* que él acababa de fundar:

> Ninguna cinematografía con carácter nacional es ajena a la vida de su nación, sino imagen suya, incluso cuando trata temas universales o extranjeros. Y no es por un atajo de impura economía que nuestro Cine vino a dar en el tipismo andaluz o intentó refugiarse a la sombra de los dramas rurales, sino por la razón suprema de que toda la vida española era comedia andaluza, cuando no sombrío drama rural[23].

La opción de la españolada correspondía por otra parte a un intento de captar la atención de un público ciertamente reacio a su propio cine. Incapaz de ofertar un cine popular, se caía en el más trivial populismo, estimulando la respuesta de las capas de público menos cul-

[22] Bartolomé Mostaza, «Un estilo español de cine», *Primer Plano,* núm. 138, 6 de junio de 1943.

[23] Augusto García Viñolas, «Manifiesto a la cinematografía española», *Primer Plano,* núm. 2, 27-X-1940.

turizadas, lo cual por su parte repercutía en un mayor distanciamiento de las clases medias urbanas respecto a una cinematografía en la que apenas se veía representada. De hecho, uno de los problemas centrales del cine español de los años 40 corresponde a la delimitación de su interlocutor, de su público, al ser incapaz de responder a la diversidad de una sociedad que nunca pudo ser tan monolítica como algunos pretendieron. Y cuando se intentaba forzar el interés de esas clases medias, las más de las veces se recurría a un cosmopolitismo y una seudoestilización evocadora de modelos como los que esquemáticamente se vienen conociendo en Italia como cine «de teléfonos blancos» y cine caligráfico, de difícil arraigo y por tanto de una falsedad no disimulable.

Por una vía u otra, por la tópica españolada populista (que podía comprender tanto al cine folclórico y taurino como a las evasiones histórico-literarias o las aventuras bélico-coloniales) o por el falso cosmopolitismo (que incluía la adaptación de géneros clásicos como la comedia sofisticada, el cine policiaco o el drama psicológico), lo cierto es que el cine español aparecía siempre distanciado de una realidad tan pregnante como la de la posguerra. La cuestión básica, sin embargo, radica en identificar el elemento impulsor de esa voluntad de hurtar la realidad en los films españoles de la década, de construir una imagen tópica y falsa del país desde varias dimensiones: a través de mixtificaciones históricas, de la selección sesgada en el patrimonio literario nacional, de la reafirmación de los estereotipos regionales, de la reafirmación de unos supuestos valores raciales y religiosos, etc. En ese sentido, ¿se puede hablar de un esfuerzo consciente y planificado con raíces políticas y respondiendo a un designio ideológico? O lo que es lo mismo: ¿cuál es la medida de la politización del cine producido en una sociedad que negaba la política como consecuencia de su ejercicio monopolístico y totalitario por parte del Estado?

Ante todo digamos que, como corresponde al contexto general, también en el cine se dio el predominio de lo ideológico sobre lo político. Y en ese sentido, en el cine español de los cuarenta —y también después— no van a faltar las apologías de la raza, de la patria, del caudillaje, de la familia o de la tradición religiosa y moral, elemento este último diferencial respecto a los regímenes nazi-fascistas. Es decir, de la exaltación de aquellos valores que se constituían en los pilares del franquismo.

6. Una precaria condición artesanal

En el marco de un cine represivamente protegido y de una doble autarquía, industrial e ideológica, ¿quiénes fueron los ejecutores directos de la producción española y cuáles los films a ellos debidos? Si abordamos la nómina de los directores cinematográficos que trabajaron en la España de los años 40 y excluimos los dieciocho extranjeros que pasaron fugazmente por ella, con la salvedad de Ladislao Vajda, considerado como definitivamente radicado en el país desde su llegada, nos quedan 97 cineastas según los datos oficiales. De ellos, muchos no pasaron de dirigir muy pocas películas, concretamente ocho no pasaron de tres films, una veintena de dos producciones y 36 se limitaron a debutar, sin repetir el trabajo. Hay que decir de inmediato que entre estos cineastas de efímera actividad en los años 1939-1949 podemos encontrar algunos que iniciaron su carrera al final del periodo y que alcanzarían su plenitud profesional en la década siguiente, caso de los Nieves Conde, Rovira Beleta, Lazaga, Mur Oti y Salvador. Entre los restantes 59 podemos localizar algunos veteranos que cierran su carrera con mayor pena que gloria y muchos otros cuyo paso por el cine español es absolutamente intrascendente y olvidable, con excepciones tan escasas como la de Lorenzo Llobet Gracia.

De los cineastas de cierto relieve artístico o profesional —no más de una treintena— puede resultar interesante marcar sus orígenes; es decir, repasando esas trayectorias podemos comprobar uno de los baremos de continuidad o renovación experimentado por el cine español en 1939. En relación con esa fecha clave estableceremos tres grupos bien delimitados: los veteranos procedentes del cine mudo y que habían conseguido sobrevivir al sonoro; los miembros de la generación nacida al cine con la República y que habían sufrido diferentes vicisitudes durante la Guerra Civil; y la de aquellos que debutaron en los años de la inmediata posguerra.

Entre los primeros, las dos figuras más prestigiosas eran Benito Perojo y Florián Rey, ambos inequívocamente alineados con el bando franquista, tal como demuestran sus diversos trabajos en los estudios de Berlín y Roma. Su suerte en la posguerra fue diversa y no logró incrementar el valor de su carrera. Perojo arrancó con fuerza con *Maria-*

Goyescas (Benito Perojo, 1942).

nela (1940) —premiada en Venecia— y *Goyescas* (1942), que recreaba los universos de Goya y el músico Granados, y que antecedieron su emigración a la Argentina, donde trabajó para productoras como Pampa Films y Argentina Sono Films entre 1943 y 1948, realizando nueve películas de relativo interés con voluntad de resucitar logros anteriores, tal como ya sus mismos títulos indican: *La casta Susana* (1944), *Los majos de Cádiz* (1946) o *Lo que fue de la Dolores* (1947), donde lo más reseñable era la presencia de Imperio Argentina, por entonces también emigrada a aquel país. Su esperado regreso a España pasó sin pena ni gloria, dirigiendo tres films intrascendentes y decidiendo abandonar esa labor en 1950, para dedicarse exclusivamente a la producción.

Tras sus trabajos alemanes, Florián Rey se reincorporó al cine español con un intento de continuar los éxitos del periodo de anteguerra, *La Dolores* (1940), pero ni Concha Piquer era su ex musa y esposa Imperio Argentina, ni el público era ya el mismo. Tras servir a Cesáreo González para su primera producción, con resonancias autobiográficas —*¡Polizón a bordo!* (1941)—, el intento de revivir viejos éxitos se hizo aún más evidente al dirigir *La aldea maldita* (1942), versión sonora —y aún más tamizada en sus aspectos realistas— de su gran clásico homónimo del final del mudo. Esa tónica de drama rural la mantuvo con *Orosia* (1943), para luego deslizarse por una pendiente sin retorno, con pesados mamotretos históricos —*La nao capitana* (1947)—, hagiografías taurinas —*Brindis a Manolete* (1948)— o fantasías exóticas —*Cuentos de la Alhambra* (1950)—, entre otros films aún más intrascendentes que conducirían al final de su carrera en 1956. Aún peor fue el declive final de otros viejos pioneros del mudo como José Buchs, Fernando Delgado, Francisco Elías (durante un tiempo emigrado a México), José Gaspar o incluso Eusebio Fernández Ardavín, el único que mantuvo una actividad continuada durante la década.

En verdad muy poco le debió el cine español de los cuarenta a los pioneros supervivientes; otra cosa fue la contribución de la generación incorporada al cine en el encuentro entre el sonoro y la República. De entre los directores que iniciaron su labor en esa época, la aportación más destacable se debe adjudicar a José Luis Sáenz de Heredia, Edgar Neville, Luis Marquina, Eduardo García Maroto e Ignacio F. Iquino, con lo que resultó que muchas de las mejores bazas del primer cine franquista se habían gestado al amparo del clima cultural republicano. Los dos últimos, Maroto e Iquino, se decantaron inequívocamente por un cine comercial y muchas veces oportunista; Iquino batió todos los récords al dirigir 27 películas entre 1939 y 1949, siendo el más significado representante de la producción barcelonesa, mientras que la obra de Maroto nunca respondió a las expectativas de sus primeros films, alternándose sus realizaciones con diversos trabajos documentales y de posproducción en España y Portugal. Por su parte, la obra de Iquino —primero para Cifesa y luego para su propia productora Emisora Films— recorre, siempre con oportunismo, prácticamente casi todos los géneros vigentes en el cine español del periodo, sin que entre la banalidad dominante faltasen algunos títulos demostrativos de un oficio posiblemente dilapidado en favor de intereses económicos; así, cabe reseñar algunas comedias como *El difunto es un vivo* (1941), *El pobre rico* (1942) y *Boda accidentada* (1942), films policiaco-melodramáticos como *Una sombra en la ventana* (1944) y *Culpable* (1945), históricos como *El tambor del Bruch* (1948) o incluso de costumbrismo social, caso de *La familia Vila* (1949) y la versión fílmica de

El escándalo (José Luis Sáenz de Heredia, 1943).

Historia de una escalera (1950), la obra teatral de Buero Vallejo que significaría el comienzo de las tendencias menos oficialistas de la escena española.

Otra es la dimensión en la que pretendieron situarse tres cineastas de esta generación citados más arriba. Sáenz de Heredia sería —junto a Rafael Gil y Juan de Orduña— el máximo exponente de la cinematografía oficial, mientras que Marquina mantendría un prestigio injustificado y Neville demostraría ser con mucho el más personal e independiente de los cineastas que trabajaron con continuidad durante esos años. Iniciado en el cine al lado de Buñuel en Filmófono, salvada su vida con ayuda de éste durante la guerra, sus antecedentes familiares y sus convicciones le llevaron a ser identificado como el más brillante exponente del franquismo cinematográfico, como demostraría el hecho de que todos sus films hasta 1958 obtuvieran premios del Sindicato, además de intereses nacionales y otros galardones. En verdad, la trayectoria de Sáenz de Heredia durante los cuarenta resulta ejemplar al respecto, abriendo incluso diversas tendencias: dirige

Mariona Rebull (José Luis Sáenz de Heredia, 1947).

Raza, manifiesto cinematográfico de los puntos de vista de su argumentista, el general Franco; con el extraordinario éxito de *El escándalo* (1943) introduce el caligrafismo «a la española»; *El destino se disculpa* (1945) constituye una de las mejores comedias del cine español, marcando la vía más espontánea del cine de aquellos años; *Bambú* (1945) se inscribe en la apertura del ciclo colonial; *Mariona Rebull* (1947) combina la adaptación literaria, el melodrama familiar y la historia social con gran eficacia y adoptando un punto de vista burgués insólito en el demagógico cine de entonces; *La mies es mucha* (1948) puede entenderse como el auténtico comienzo del ciclo religioso, muy por encima de sus inmediatos antecedentes; y, finalmente, *Las aguas bajan negras* (1948) marca los límites del (imposible) cine histórico-social. A todo ello debemos añadir que desde el punto de vista de la solvencia narrativa y profesional, esos films destacan del promedio de la producción y muestran a un cineasta que en sus virtudes y errores ocupa justamente un lugar de privilegio como ejemplo de la época.

Mucho menos trascendente fue la aportación de Luis Marquina, que tras sus también prometedores comienzos al lado de Buñuel, continuaría en la posguerra una trayectoria carente de la suficiente personalidad o, según algunos, ocultadora de ésta. Capaz de rehuir del andalucismo tópico de los hermanos Quintero en *Malvaloca* (1942), de transitar entre el melodrama y la comedia en *Noche fantástica* (1943) o de dar una visión personal del mundo de Pedro Antonio de Alarcón, el más adaptado de los novelistas decimonónicos españoles, en *El capitán Veneno* (1950), sin embargo también sucumbió ante films insalvables como *Santander, ciudad en llamas* (1944) o *Doña María la Brava* (1948).

Finalmente debemos considerar la actividad de Edgar Neville, el mejor valorado en los últimos años de todos los cineastas de la década. Al límite de la independencia creativa que la época permitía, autor de una notable obra escrita en diferentes campos, desde el teatro al periodismo, y escéptico —cuando menos— frente al régimen político,

La vida en un hilo (Edgar Neville, 1945).

Nada (Edgar Neville, 1947).

aunque sin romper nunca con él, su obra fue demasiado personal y sutil para ser apreciada en su momento. A la vuelta de su prolífica estancia italiana y tras un par de films intrascendentes, en 1944 realizó *La torre de los siete jorobados,* fábula fantástica auténticamente sorprendente tanto por su desvío respecto a las tendencias dominantes como por la capacidad de llevar adelante una historia tan demencial como la de esos jorobados falsificadores de monedas residentes en una sinagoga situada en el subsuelo de Madrid, mezclando, como señala Sanz de Soto, «el realismo del sainete matritense con el irrealismo del expresionismo cinematográfico alemán». Precisamente el mundo retratado por el sainete y la pintura expresionista de Solana son el motivo de *Domingo de carnaval* (1945), a partir de un leve pretexto policiaco, mientras que con *La vida en un hilo* (1945) obtuvo una de las mejores comedias del cine español de siempre, no exenta de aspectos agridulces en su reflexión sobre la aleatoriedad de la trayectoria vital, pero sobre todo demostrativa de su capacidad estructuradora del relato y de la maestría de sus diálogos y dirección de actores. Esas tónicas prose-

El clavo (Rafael Gil, 1944).

guirían con la recreación de *El crimen de la calle Bordadores* (1946) y de *El señor Esteve* (1948), mientras que su sensibilidad quedó revelada al adaptar *Nada* (1947), la novela que había significado uno de los revulsivos de la literatura española de la posguerra. Aún terminaría la década con *El último caballo* (1950), uno de los films que pese a sus limitaciones abriría nuevos caminos para el cine español de la siguiente década.

Dejando constancia de la gran ausencia de Luis Buñuel, junto a Carlos Velo los dos únicos cineastas ya formados integrantes de la legión de exiliados, nos queda revisar la promoción incorporada a la dirección en los primeros años de posguerra. No obstante, hay que decir que sus principales exponentes —salvo Luis Lucia— habían tenido sus primeras actividades cinematográficas en los años de anteguerra y durante la contienda, bien como críticos, bien como documentalistas; tal es el caso de Rafael Gil, Antonio del Amo, Antonio Román y Carlos Serrano de Osma, además de Juan de Orduña, actor desde los años del mudo.

Don Quijote de la Mancha (Rafael Gil, 1947).

Rafael Gil había trabajado como crítico en numerosas revistas, siendo cofundador del GECI y documentalista en el bando republicano, actividad que tras la guerra mantiene y simultanea con la crítica cinematográfica y con labores como ayudante de dirección. Por fin, de la mano de Cifesa debutó como realizador comercial en 1941 con *El hombre que se quiso matar,* con la que comenzó una serie de comedias que en definitiva han quedado como lo más vivo de su filmografía: *Viaje sin destino* (1942), *Huella de luz* (1942) —con claras resonancias de *Il signor Max* (1937) de Camerini— y *Eloísa está debajo de un almendro* (1943). A partir de 1944 se registró un viraje hacia un cine más pretenciosamente literario, donde los referentes de Fernández Flórez o Jardiel Poncela son sustituidos por novelistas decimonónicos como Alarcón y Palacio Valdés o por figurones literarios del régimen como José María Pemán. Sin embargo es al primero de ellos al que Gil debió sus mayores éxitos de la década y su premiado prestigio oficialista con dos títulos como *El clavo* (1944) y *La pródiga* (1946), mientras que del segundo procede *La fe* (1947) y del último *El fantasma y doña Juanita* (1944);

La calle sin sol (Rafael Gil, 1948).

Rafael Durán y Josita Hernán en *Ella, él y sus millones* (Juan de Orduña, 1944).

esta fase caligráfica del cine de Gil culminó con *Don Quijote de la Mancha* (1947), obvio proyecto «de calidad» y que junto a *Reina Santa* (1947) fue su contribución al ciclo histórico. Siempre receptivo a las nuevas tendencias, a finales de la década ofreció *La calle sin sol* (1948), un melodrama policiaco-social que intentaría pasar como la apertura del cine español hacia el (neo) realismo al uso, mientras que sus dos colaboraciones con la estrella mexicana María Félix en *Mare Nostrum* (1948) y *La noche del sábado* (1949) no alcanzaron especiales méritos, salvo redundar en una retórica y grandilocuencia que harían olvidar los valores de sus primeras y sencillas comedias.

No menos ejemplar respecto a la variación de temas, géneros y registros que acompañó la obra de prácticamente todos los cineastas españoles de primera línea durante los años 40 fue la trayectoria del antiguo actor —y fugaz director con *Una aventura de cine* (1927)— Juan de Orduña, tan prolífica como la de Gil (18 y 17 títulos respectivamente hasta 1949) y que también ofreció ciertas esperanzas con sus primeras comedias, entre las que destacan *Deliciosamente tontos* (1943) y sobre todo *Ella, él y sus millones* (1944), aunque sucedieran a diversos films de dudoso valor, como los melodramas bélicos *Porque te vi llorar* (1941) y *El frente de los suspiros* (1942), la exaltación colonial de *¡A mí la legión!* (1941) o la adaptación teatral «de prestigio» *Rosas de otoño* (1943). Sin embargo, a pesar de ese polifacetismo de sus intereses fílmicos, que aún se manifestó en una pieza decimonónica de Tamayo y Baus —*Un drama nuevo* (1946)—, un film folclorizante basado en los hermanos Machado —*La Lola se va a los puertos* (1947)— y una biografía del músico Albéniz —*Serenata española* (1947)—, la fama de Orduña sería debida a su contribución al ciclo de films seudo-históricos de finales de la década. El inmenso éxito de *Locura de amor* (1948) —que se constituyó en el paradigma del historicismo franquista del momento— buscaría su continuidad con *Agustina de Aragón* (1950), *La leona de Castilla* (1951) y *Alba de América* (1951), sin olvidar el componente histórico de *Pequeñeces* (1950), otro gran éxito comercial a partir de una novela del padre Coloma. En cierto modo, frente a lo que se acostumbra a pensar, Orduña no fue el introductor de esta tendencia, sino su culminación, más allá de toda sensación de ridículo y de toda contención, hasta el punto de constituir su cartón piedra un auténtico motivo de estilo.

Locura de amor (Juan de Orduña, 1948).

Embrujo (Carlos Serrano de Osma, 1947).

Posiblemente fuese Antonio del Amo quien de una forma más clara se había comprometido con el bando republicano en sus trabajos durante la Guerra Civil, que habían estado prologados por su actividad crítica en revistas de izquierdas como *Nuestro Cinema.* Esos antecedentes dificultaron su reinserción en la industria cinematográfica, donde trabajó como guionista y ayudante de dirección con Gil, Román e Iquino, además de proseguir su labor como crítico y ensayista cinematográfico. Finalmente, en 1947 pudo incorporarse a la dirección fílmica, iniciando una carrera que estaría contrastada por las indudables posibilidades de quien poseía los mejores fundamentos entre los miembros de su generación y sus constantes renuncias, por cuestiones económicas sobre todo. De hecho, sus primeros films no resultaron especialmente estimulantes ni distintos del cine dominante: un melodrama psicológico —*Cuatro mujeres* (1947)—, una libre biografía del poeta romántico Bécquer —*Alas de juventud* (1949)— y un intento experimental con tiempo real, *Noventa minutos* (1949), no hacen intuir los valores de alguno de sus films inmediatamente posteriores.

En otro sentido, también se puede considerar malograda la carrera como director de Carlos Serrano de Osma, tal vez debido a que su formación cinematográfica —crítico en la anteguerra, creador de la revista *Cine Experimental* a mediados de los cuarenta— excedía la media y a que difícilmente podía dejar de lado su voluntad estilística, en ocasiones excesiva e injustificada, pero siempre reveladora de una radical personalidad que lo llevaría hacia una curiosa disidencia estética respecto al cine oficial. Sus teorías sobre el «cine telúrico» se plasmaron parcialmente en su primer film, *Abel Sánchez* (1946), adaptación de una novela del *non grato* Miguel de Unamuno; *Embrujo* (1947) fue una insólita muestra de cine folclórico, con el dúo integrado por Manolo Caracol y Lola Flores, donde el manierismo fotográfico conducía a momentos casi surrealistas; *La sirena negra* (1947) y *La sombra iluminada* (1948) fueron otros tantos fracasos de público, capaces de cortar su carrera hasta 1951, momento en que se cerraría definitivamente con un film anticomunista —*Rostro al mar* (1951)— y su contribución a la adaptación del *Parsifal* (1951) wagneriano, en uno de los más insensatos y alucinantes empeños de toda la historia del cine español.

7. Modelos genérico-temáticos para el cine español de los cuarenta

En realidad resulta abusiva la pretensión de analizar el cine español de los años 40 bajo una pauta autoral o simplemente en función de actitudes muy diferenciadas. Si la obra de la mayoría de cineastas parece cortada por un mismo patrón, si apenas hay lugar a la expresión personal o la voluntad estilística queda reducida a las ensoñaciones de un Orduña o un Serrano de Osma, de forma que la asepsia caligráfica (Gil) o la ligereza de tono ya parecen meritorias, o que la profesionalidad merezca reconocimiento (Sáenz de Heredia) y la cultura parezca excepcionalidad (Neville), deberemos derivar la atención sobre ese cine español desde la figura del autor hacia los aspectos más generales, como puedan ser las tendencias temáticas, los géneros o el *star-system*.

Abordar este segmento de la producción española desde la perspectiva del cine de géneros implica una diferenciación entre aquéllos homologables desde el punto de vista internacional y otros de raíz autóctona, de imposible homologación. Además, tampoco habría que confundir los géneros con determinadas tendencias temáticas que se resuelven en ciclos como puedan ser los correspondientes al cine histórico, literario o religioso, mucho más relevantes para la caracterización del objeto de nuestro estudio que los géneros convencionalmente reconocidos. De esa confusión nace la caprichosa clasificación que nos proponía un anuario de 1955, sin embargo suficientemente significativa para nuestros intereses:

Clasificación genérica del cine español (1939-1950)

Género	Nº	Género	Nº
Comedias	55	Musicales	22
Comedias dramáticas	66	Dramas	58
Comedias sentimentales	83	Melodramas	13
Comedias de época	19	Policiacas	31
Históricas	20	Religiosas	7
Bélicas y espionaje	18	Aventuras	15
Folclóricas	21	Taurinas	6
Deportivas	3	Infantiles	3
Dibujos animados	3		

Tal como las cifras indican, significatividad no coincide necesariamente con cantidad. Sin duda, los films más cómodamente definidores del paleofranquismo cinematográfico, aquellos que de un modo más explícito exponen sus ideas motrices, fueron sin duda una minoría de la producción. En efecto, la suma de películas históricas y religiosas es ínfima comparada con la frecuentación de determinados géneros aparentemente ajenos al adoctrinamiento propagandístico directo. Eso no quiere decir que las comedias, dramas, melodramas, musicales (incluida la variante folclórica), policiacos, etc. estuviesen al margen de las formas ideológicamente dominantes; en realidad no existió ninguna «tierra de nadie», pero sí la voluntad preeminente de orientar la producción hacia su eventual carácter de diversión. Ahora bien, el hecho de que los géneros clásicos fuesen frecuentados con notable recurrencia correspondía las más de las veces a un obvio seguidismo industrial carente de cualquier reflexión sobre su instauración en el marco de una cinematografía como la española, resultando con ello extraños híbridos derivados del intento de españolizar esos géneros.

Si tomamos la comedia, que ocupó un lugar preponderante en la primera mitad de la década —fruto de la necesidad escapista— difícilmente podríamos plantearnos la génesis de una comedia «a la española». Junto al cosmopolitismo tipo «teléfonos blancos» —que como Félix Fanés señala muy adecuadamente se centra siempre en el ascenso social y el equívoco de personalidad—, podríamos alinear en todo caso algunas influencias estadounidenses (tal vez Capra, Lubitsch para los más ambiciosos), pero frente a títulos como *Viaje sin destino* (1942), *Un marido a precio fijo* (1942), *Deliciosamente tontos* (1943) o *Ella, él y sus millones* (1944) tan sólo alcanzaría un carácter más autóctono el trasvase de determinados modelos escénicos, como el absurdo de Jardiel Poncela —*Los ladrones somos gente honrada* (1942), *Eloísa está debajo de un almendro* (1943) o *Los habitantes de la casa deshabitada* (1946)— o de «Tono» y Miguel Mihura, los famosos fundadores de *La Codorniz* (en cierta manera equivalente a la revista italiana *Marc'Aurelio)* —véase *Un bigote para dos* (1940)—, el sainete en sus vertientes andalucista —los hermanos Álvarez Quintero— y madrileña, la novela humorística de Wenceslao Fernández Flórez —adaptado en *El hombre que se quiso matar* (1941), *Intriga* (1942), *Huella de luz* (1943) y *El destino se disculpa* (1944)—, algunos vehículos cómicos localistas para el éxito de intérpretes como Miguel Ligero en *Pepe Conde* (1941) y *El crimen de Pepe Conde* (1946) de López Rubio, o ejemplos de la llamada «comedia rosa», como *Cristina Guzmán* (1943) o *Altar Mayor* (1943).

De hasta qué punto ninguna de esas variantes cuajó en una consolidada comedia «a la española» viene señalado por su práctica desaparición en la segunda mitad de la década, cuando el género decayó, con las excepciones de ciertas comedias juveniles de resonancias también foráneas, como *Botón de ancla* (1948) de Torrado, *Alas de juventud* (1949) o *Facultad de letras* (1949) de Ballesteros, iniciadoras de un filón y que anticiparon el dar paso a ciertas formas pos-neorrealistas que sí abrirán camino a una comedia española en la que el adjetivo era algo más que una identificación geográfica.

Dejando de lado el cine policiaco, de escaso arraigo en nuestra cinematografía antes de los años 50, a partir de dos títulos básicos como *Brigada criminal* (1950) de Iquino y *Apartado de Correos 1001* (1950) de Julio Salvador, mayor atención merecen el drama y el melodrama,

Apartado de Correos 1001 (Julio Salvador, 1950).

planteados bajo diversas líneas de influencia: la psicológica, la caligráfica y la vieja tradición del drama rural[24]. Entre los restantes géneros convencionales frecuentados por el cine español de los años 40 se po-

[24] Las dos primeras tuvieron claros antecedentes teatrales y novelescos, que pasaban por los dramones decimonónicos de Tamayo y Baus y Echegaray o las obras de Jacinto Benavente, junto a las ya citadas novelas de Alarcón, Palacio Valdés o el padre Coloma y sus sucesores. Al área psicológica serían adscribibles productos más cosmopolitas, tipo *Angustia* (1947) de Nieves Conde, *Confidencia* (1947) de Jerónimo Mihura, o *Mare Nostrum* (1948). Por su parte, considerada como más racialmente hispana, la tradición del drama rural se vio bien servida durante esos años, a partir de un título tan señero como *La malquerida* (1940), dirigida por López Rubio según la pieza de premio Nobel Benavente. Luego le seguirían *La Dolores* (1940) y *Marianela* (1940) de Perojo, *La aldea maldita* (1942) y *Orosia* (1943) de Rey, *Tierra sedienta* (1945) de Gil, *Las aguas bajan negras* (1948) de Sáenz de Heredia, *Entre barracas* (1949) de Orduña —según Blasco Ibáñez—, y *Un hombre va por el camino* (1949) el debut de Manuel Mur Oti. Sólo a finales del periodo aparecieron las primeras muestras del drama y melodrama urbano, tales como *La calle sin sol* (1948), *Siempre vuelven de madrugada* (1948) de Jerónimo Mihura, o incluso *El último caballo* (1950) e *Historia de una escalera* (1950).

Alfredo Mayo con José Nieto en *Escuadrilla* (Antonio Román, 1941).

drían situar las aventuras coloniales, potenciadas por el propio gusto de un Franco entusiasmado por *Beau Geste* —cuya influencia sobre *Raza* parece obvia— o un José Antonio Primo de Rivera, fundador de la Falange, capaz de alabar públicamente *Lives of a Bengal Lancer (Tres lanceros bengalíes,* 1935) de Hathaway[25], al tiempo que se iniciaba el ciclo de cine religioso, vía heroísmo misionero[26].

---

[25] Así nacieron films como *Harka* (1941) de Carlos Arévalo, *Legión de héroes* (1941) de Juan Fortuny, y *¡A mí la legión!* (1942), seguidos luego por la mezcla con el cine histórico en *Bambú* (1945), *Los últimos de Filipinas* (1945), *Héroes del 95* (1946) de Raúl Alonso, y *Alhucemas* (1947) de López Rubio.

[26] Citemos títulos como *Afán Evu* (1945) de José Neches, *Misión blanca* (1946) de Orduña, *La mies es mucha* (1948) de Sáenz de Heredia, *La manigua sin Dios* (1948) de Ruiz Castillo, y *Balarrasa* (1950), la notable película de Nieves Conde que a su vez incorporaba el tema de la Cruzada. De hecho, salvo algunas biografías como *Forja de almas* (1943) de Ardavín y *El capitán de Loyola* (1948) de Díaz Morales, durante los años cuarenta —contra lo que muchos piensan— no se producirían más films religiosos, si exceptuamos los dramas de problemática religiosa tipo *La fe* (1947).

También a medio camino entre la tradición del cine bélico y los tonos del cine de propaganda política o de la reconstrucción histórica, aunque en la inmediatez del pasado reciente, se sitúa el cine «de cruzada». En este ámbito hay que distinguir las escasas revisones canónicas de las «hazañas bélicas» como *Escuadrilla* (1941), la fallida *El crucero Baleares* (1941) o más tarde *El santuario no se rinde* (1949) de Ruiz Castillo y *Servicio en la mar* (1950) de Suárez de Lezo, de las aproximaciones más complejas a temas de retaguardia, como los peligros de una «quintacolumnista» madrileña que envía información a los franquistas en *Frente de Madrid* (1939) de Neville; las vicisitudes de una aristócrata violada por un «rojo» en *Porque te vi llorar* (1941); la acción salvadora de una rusa respecto a la novia, capturada por los comunistas, del marino que otrora la ayudó a ella en *Boda en el infierno* (1942); los fatales amores entre una franquista y un comunista en *Rojo y negro* (1942), la cinta prohibida de Carlos Arévalo; o en tono completamente distinto la valiosa *opera prima* y a la vez única película profesional de Llobet Gracia, *Vida en sombras* (1947), donde la vida de un cineasta se ve fatalmente destrozada como consecuencia de la guerra. Y como síntesis de las dos variantes, la modélica *Raza*, que nos retrotrae a los antecedentes lejanos y cercanos de la Guerra Civil, para luego abordar diversos aspectos de ésta a través de las vicisitudes de los miembros de la familia Churruca.

Completando las facetas más oficialistas de la producción hispana de la década de los cuarenta debemos entrar en la referencia al ciclo del cine histórico, sinecdóticamente identificado con la totalidad de aquél. De la necesidad y oportunidad del cine histórico no le cabían grandes dudas a las instancias más oficiales del régimen, tal como testimonian las páginas de *Primer Plano:*

> La altura y responsabilidad del cine histórico es tal que con ningún otro género puede compararse [...] La importancia del género histórico en la pantalla alcanza, pues, a la formación misma del espíritu nacional [...] Ningún momento como éste —en que la exaltación de las esencias nacionales es deber primordial e ineludible de todo español— para que productores y realizadores sientan como imperativo indeclinable la obligación de enseñar, dentro y fuera de nuestras fronteras, cuál fue la trayectoria magníficamente gloriosa de España a través de los siglos[27].

[27] Editorial, «Necesidad de un cine histórico español», *Primer Plano,* núm. 95, 9-VIII-1492.

Vida en sombras (Lorenzo Llobet Gracia, 1947).

No se podrían entender las características de ese cine histórico sin abordar la propia concepción de la Historia adoptada por el franquismo y que en sí misma acabó por constituir un cierto modelo fílmico: el predominio de lo político sobre lo económico y sociológico, el centrarse en las biografías de personajes ilustres, la propensión hacia la exaltación del héroe-caudillo como motor de la Historia y sujeto de relaciones paternalistas con el común de la población, el maniqueísmo tanto en la consideración del «otro» asumido como enemigo interior o exterior, la voluntad supuestamente erudita de acumular acontecimientos concretos y «decisivos», la carencia de cualquier hipótesis interpretativa o crítica frente a una voluntad sacralizadora conducente al predominio de lo mítico sobre lo histórico, la concepción teleológica que implica el desarrollo de una cierta misión nacional por encima de cualquier diferencia regional, la selección interesada de determinados segmentos cronológicos entendidos como gloriosos y en función del

Maruchi Fresno y Antonio Vilar en *Reina Santa* (Rafael Gil, 1947).

valor anticipador y legitimador del presente, la consolidación de referentes visuales anclados en la pintura «de historia» y el deslizamiento hacia la novela y el drama históricos decimonónicos.

Se pueden definir algunos trazos tipológicos del cine histórico franquista de los primeros años: la constitución de una insólita galería de mujeres ilustres y heroicas (reinas, heroínas, santas, madres, etc.) como inmediata referencia a la (madre) patria y a su responsabilidad como defensoras de la familia y el hogar en peligro, siempre por la vía de la abnegación y la renuncia, tanto del amor real como de un amor sublimado o sobrenatural[28]. Una segunda área de referencia fueron los

[28] Recordemos títulos como *Eugenia de Montijo* (1944) de López Rubio, *Inés de Castro* (1944) del portugués Leitão de Barros, *Reina Santa* (1946) de Gil, *Doña María la Brava* (1948) de Marquina, *La princesa de los Ursinos* (1947), de Lucia, *Locura de amor* (1948), *Agustina de Aragón* (1950) y *La leona de Castilla* (1951) de Orduña, o *Catalina de Inglaterra* (1951) de Ruiz Castillo.

orígenes del Estado español, remitidos a la «Reconquista» contra los moros, entendida como forma hispánica de cruzada y que por tanto permitía una fácil asimilación con los propios orígenes del franquismo y a la unificación por los Reyes Católicos. De ahí partiría un tercer ciclo sobre la misión colonizadora y misionera de España en América como manifestación de una vocación imperial imperecedera desde la perspectiva franquista, culminado por *Alba de América* (1951) de Orduña, que en la práctica cierra el ciclo histórico. Interesadamente olvidados los momentos de la decadencia española del siglo XVII y el incómodo —por ilustrado— siglo XVIII, será precisamente la ambigua Guerra de la Independencia la que estimulará diversos films inequívocamente alineados a favor de la exaltación del heroísmo de un pueblo levantado contra el invasor extranjero, pero también contra las perniciosas ideas revolucionarias importadas por los «afrancesados»[29].

El resto del siglo XIX y los primeros años del XX serán tratados con mucha cautela, silenciando asuntos espinosos —como las Guerras Carlistas o la agitación social— y aprovechando cualquier ocasión para atacar las ideas liberales y antitradicionalistas, aunque casi nunca a través de un discurso explícitamente político, sino mediante la crónica de costumbres de base literaria en colusión con lo que podríamos denominar el «ciclo literario» decinomónico. La otra opción será la biografía ejemplar, centrada en personajes ilustres como músicos, literatos o financieros[30]. Y un último aspecto de esa florida temática histórica vendría dado por su conexión con el cine de aventuras a través de otro ciclo, centrado en el bandidismo[31].

---

[29] Con el antecedente pre-bélico de *Goyescas* (1942) de Perojo, que apuesta por la visión casticista de la época, aparecen films como *El abanderado* (1943) de Ardavín, *El tambor del Bruch* (1948) de Iquino, *El verdugo* (1947) de Gómez Bascuas, y *Agustina de Aragón* (1950), la más desbordada y patriotera realización de Orduña, que no es decir poco.

[30] Nos estamos refiriendo a biografías musicales como *Sarasate* (1941) de Buchs y *Serenata española* (1947) de Orduña, literarias como *Espronceda* (1944) de Marquina y *El huésped de las tinieblas* (1948) de A. del Amo, o *El marqués de Salamanca* (1948) de Neville, sobre el financiero madrileño.

[31] Pese al antecedente de *Juan de Serrallonga* (1948) de Gascón, la mayor parte de films arrancan desde la guerra contra el francés y se prolongan durante el siglo XIX: *Luis Candelas o el ladrón de Madrid* (1946), *Aventuras de don Juan de Mairena* (1947) de Buchs, *Aventuras de Juan Lucas* (1949) de Gil, *La duquesa de Benamejí* (1949) de Lucia y *José Ma-*

Pero la máxima expresión de la «españolada» y posiblemente el ejemplo más autóctono de cine de géneros vendría ofrecido por lo que denominaríamos el «cine folclórico», muy marcadamente situado en ambientes andaluces, estructurado por lo general en función del cante y el baile más o menos aflamencados y colocados al servicio —o aprovechando el tirón comercial— de las grandes tonadilleras del momento, como Concha Piquer, Lola Flores o Estrellita Castro. Salvo excepciones como *Embrujo* (1947) de Serrano de Osma o *Debla, la virgen gitana* (1950) de Torrado, la calidad cinematográfica no era uno de los objetivos de la empresa, orientada obviamente hacia la satisfacción de los gustos del público menos cultivado, con un fuerte componente rural.

En definitiva, un cine de géneros que las más de las veces se superpuso sobre cualquier voluntad de autoría, sin por ello saber articularse sobre unas bases industriales firmes, pese al apoyo que significara un *star-system* que aún restringido a su dimensión local no dejó de ser eficaz[32].

---

ría el Tempranillo (1949) de Aznar. No debemos olvidar que este ciclo —casi el único que se prolongaría la década siguiente— se pretendía como el punto de partida de un género propio capaz de españolizar el modelo del *western* y que conectaba de una forma muy directa con la idea de la «españolada» entendida al modo de los románticos franceses.

[32] El *star-system* español de los años 40 se cimentó en nombres como Imperio Argentina, Aurora Bautista, Antoñita Colomé, Maruchi Fresno, Josita Hernán, Conchita Montenegro, Sara Montiel, Ana Mariscal, Conchita Montes, Antonio Casal, Rafael Durán, José Isbert, Miguel Ligero, Manuel Luna, Alfredo Mayo, Jorge Mistral, Fernando Rey, Rafael Rivelles, José Suárez, Antonio Vico, Fernando Fernán-Gómez, etc.

Continuismo y disidencia (1951-1962)

José Enrique Monterde

1. El franquismo estabilizado

Diversos motivos justifican situar en 1951 el comienzo de la segunda década del régimen franquista, cuya vigencia extenderemos hasta 1962. Por otra parte, no es en absoluto casual el que podamos hacer coincidir ese periodo del devenir socio-político español con una etapa claramente definida de la historia cinematográfica nacional. Si queremos determinar algunos acontecimientos simbólicamente reveladores del cambio de 1951, podemos encontrarlos en tres ámbitos diferenciados cuya continuidad se va a mantener a lo largo de todo el ciclo: la presencia exterior de España, las vicisitudes internas del Régimen y el renacimiento de nuevas formas de oposición interna.

Nada más sencillo que marcar los jalones de la recuperación de un lugar para la España franquista en el panorama internacional. En marzo de 1951 culminaba el retorno de los embajadores de los principales países del bloque occidental, como consecuencia directa de la retirada de las resoluciones contrarias a la España franquista por la Asamblea General de la ONU. El clima de «guerra fría» auspiciaba el cobijo de un sistema político relativamente inconveniente e impresentable pero eficaz ante cualquier rebrote comunista en el flanco sur de la Europa occidental; su ingreso en la órbita del bloque occidental iba a tener elementos vergonzantes (no incluía el ingreso en la OTAN o, posteriormente, en el Mercado Común), pero también iba a ser paulatinamente inamovible. Recordemos así la admisión en organismos dependientes de la ONU como la FAO (1950) y la UNESCO (1952), preludio del definitivo ingreso en la ONU (14-XII-1955). Por otra parte, el 27 de agosto de 1953 —tras la consagración del nacional-catolicismo en el Congreso Eucarístico de Barcelona de mayo de 1952— se firmó el Concordato entre el Estado español y la Santa Sede, reservando al poder franquista prerrogativas tan importantes como la intervención en los nombramientos episcopales. La tercera columna de esta reaparición exterior de España llegó mediante los pactos económico-militares con los Estados Unidos, según los cuales éstos obtenían diversas bases aeronáuticas en territorio español como contrapartida de su ayuda económica; esta nueva actitud de la administración republicana estadounidense se vería rubricada con la visita realizada a Madrid en 1959 por el presidente Eisenhower. Y para cerrar este repaso, recordemos que fue el 9 de febrero de 1962 cuando España pidió la apertura de negociaciones con vistas a su hipotético ingreso en el Mercado Común, algo no realizado plenamente hasta más de dos décadas después.

Algunas de las vicisitudes internas del régimen no dejaron de estar influidas por esas circunstancias de la política exterior, aunque no lo fueron en menor medida por el resurgir de diversas formas de oposición interna al Régimen. De 1951 también podemos retener la primera escalada cualitativa de contestación obrera al franquismo, con sucesos como el boicot a los transportes públicos de Barcelona, conducente a un primer ensayo de tímida huelga general (marzo, 1951). Precisamente también sería una huelga general lo acaecido en Vizcaya y Guipúzcoa al mes siguiente, definiendo dos de los principales focos de oposición obrera —Cataluña y el País Vasco—, correspondientes a las áreas más industrializadas del Estado y que junto con la zona minera de Asturias mantendrían esa condición contestataria en los años posteriores. De hecho, la agitación obrera se iría repitiendo cada vez con mayor frecuencia, a pesar de que el entramado de los sindicatos clandestinos estaba aún excesivamente vinculado a la tradición interrumpida al final de la Guerra Civil[1].

---

[1] Recordemos como momentos intensos de esa contestación obrera las huelgas de abril de 1956 en Barcelona, País Vasco y Navarra; un segundo boicot al transporte pú-

Paralelamente hay que situar el nacimiento y desarrollo de la contestación universitaria, cuyas primeras manifestaciones se remontan a comienzos de 1954 y alcanzan su mayor virulencia con los sucesos de febrero de 1956, en los cuales fue herido grave un afiliado de Falange, creando una tensión enorme, capaz de forzar la declaración del estado de excepción y una súbita remodelación ministerial, junto a la amenaza de una «noche de los cuchillos largos» como represalia contra intelectuales considerados antifalangistas. Desde ese momento, la Universidad no dejará de ser un foco conflictivo, una cantera y una caja de resonancia de esa disidencia intelectual, cultural y política, repleta de gestos simbólicos, que se va abriendo camino a lo largo de la década, con la aparición en su segunda mitad de una nueva generación de activistas, que ya no habían protagonizado la Guerra Civil —e incluso se nutría con hijos de diversos prohombres del régimen— y que iban a constituir nuevas formaciones políticas, como la ASU (Agrupación Socialista Universitaria) o el FLP (Frente de Liberación Popular)[2]. En otra dimensión se constituirá una especie de «cultura de la disidencia» que abrazará ciertos sectores de la producción literaria, ensayística, artística, teatral y cinematográfica del periodo. Una disidencia más o menos tolerada y reprimida alternativamente, que tanto podrá significar la aproximación a una estética realista como la apertura a determinadas tendencias dominantes en el contexto internacional, significando un cambio fundamental respecto al monolitismo y la cerrazón de los años 40[3].

---

blico en Barcelona (enero de 1957); las huelgas de Asturias de marzo de 1958, que condujeron al «estado de excepción» en esa región; y sobre todo las agitaciones obreras y campesinas en diversos lugares del país entre abril y junio de 1962, prolongadas por la durísima huelga asturiana de agosto a noviembre.

[2] Entre los hechos más significativos de esa disidencia cultural cabría recordar la concentración con motivo del entierro del filósofo Ortega y Gasset (18-X-1955); la fallida organización del Congreso Universitario de Escritores Jóvenes (V/XI-1955); la carta de intelectuales pidiendo la liberación de los estudiantes detenidos durante 1956 (2-XI-1956); la primera Asamblea Libre de Estudiantes de Barcelona (21-III-1957); el homenaje a Machado realizado en Soria y ante su tumba en el exilio de Collioure (22-II-1959); el incidente promovido por Jordi Pujol en el Palau de la Musica de Barcelona durante una visita del general Franco (19-V-1960).

[3] Ejemplos en ese sentido los podemos encontrar en los diversos frentes de la creación cultural. Dejando de lado la producción en plenitud de tantos artistas exiliados, debemos recordar novelas decisivas editadas entre dos títulos paradigmáticos como *La*

Con formas de imbricación complejas y no siempre bien compenetradas respecto a esa nueva contestación interna se alineaba la actividad opositoria de los partidos y grupos clásicos, derivados de la derrota bélica. Una vez abandonada la lucha armada y ante las continuas desavenencias entre los líderes del PSOE o el desmoronamiento de las organizaciones anarco-sindicalistas, fue el PCE —«el partido»— el que centró las posiciones dominantes dentro del campo opositor. Su labor se desarrolló a través de la infiltración en los medios sindicales oficiales y sobre todo en el ámbito cultural y universitario, gracias a la labor de responsables como Jorge Semprún o Ricardo Muñoz Suay.

Sin embargo, la política general del PCE no obtuvo los éxitos resonantes atendibles de su voluntarismo y organización, a pesar de la redefinición estratégica establecida en el fundamental V Congreso ce-

---

colmena (1951) de Cela y *Tiempo de silencio* (1962) de Luis Martín Santos: *Los bravos* (1954) de Fernández Santos, *El fulgor y la sangre* (1954) de Aldecoa, *Duelo en el paraíso* (1954) de Juan Goytisolo, *El Jarama* (1956) de Sánchez Ferlosio, *Las afueras* (1958) de Luis Goytisolo, *Central eléctrica* (1958) de López Pacheco, *Nuevas amistades* (1959) y *Tormenta de verano* (1962) de García Hortelano, *La plaça del diamant* (1962) de Merçé Rodoreda, etc. Junto a ellas los exponentes de una nueva generación poética tentada también por el compromiso social y representada por Blas de Otero *(Redoble de conciencia,* 1951), Celaya *(Lo demás es silencio,* 1952), Valente *(A modo de esperanza,* 1955, y *Poemas a Lázaro,* 1960), González *(Áspero mundo,* 1956, y *Sin esperanza, con convencimiento,* 1961), J. A. Goytisolo *(Salmos al viento,* 1958), Gil de Biedma *(Compañeros de viaje,* 1959), Caballero Bonald *(Las horas muertas,* 1959), Valverde *(La conquista de este mundo,* 1960), Brines *(Las brasas,* 1960), Barral *(19 figuras de mi historia civil,* 1961), a los que se añadirían trabajos de generaciones anteriores como *Historia del corazón* (1954) y *En un vasto dominio* (1962) de Aleixandre, *Paisaje con figura* (1956) de Gerardo Diego, *Maremagnum* (1957) de Guillén o *Desolación de la quimera* (1962) de Cernuda.

Por su parte, el teatro español también vio surgir nuevas actitudes a partir de la obra de Buero Vallejo y de propuestas como las recogidas en el manifiesto del «Teatro de Agitación Social» encabezado por Alfonso Sastre y Manuel de Quinto. Piezas como *Escuadra hacia la muerte* (1953) y *La cornada* (1960), de Sastre, abrieron el camino para el teatro social de Muñiz *(El tintero,* 1961), Rodríguez Méndez *(Los inocentes de la Moncloa,* 1961), el primer Paso *(El canto de la cigarra,* 1961), Olmo *(La camisa,* 1962) y Martín Recuerda *(Las salvajes en Puente San Gil,* 1963). Ampliando la mención hacia el terreno de las artes plásticas, cabría rememorar cómo tras la labor pionera del grupo barcelonés Dau al Set, se situaron grupos artísticos como Parpalló (1956), Equipo 57 (1957), El Paso (1957), Estampa Popular, etc. en cuyo seno destacaron las aportaciones de artistas tan diversos como Tàpies, Sempere, Saura, Millares, Canogar, etc. a lo que cabría añadir la renovación arquitectónica del barcelonés Grupo R, el grupo Nueva Música y otras manifestaciones en los diversos terrenos de la innovación artística.

lebrado en noviembre de 1954 y cuya consecuencia inmediata fue la publicación del folleto *Por la reconciliación nacional* (junio de 1956) firmado por Santiago Carrillo, hombre fuerte en el partido y secretario general desde diciembre de 1959. Tampoco las propuestas de Huelga Nacional Pacífica de 1957 y 1959 o la Jornada de Reconciliación Nacional (mayo de 1958) tuvieron éxitos resonantes[4]. A finales de los cincuenta y ante el predominio izquierdista entre la oposición se comenzaron a reorganizar las tendencias de centro-derecha, que se manifestaron con gran resonancia en la «conferencia de Múnich» (mayo de 1962), donde 118 políticos españoles —comunistas excluidos— reclamaron la democracia para el país, lo cual significó algunas represalias sobre los participantes al regreso de lo que la propaganda franquista calificó como «contubernio» de Múnich.

En el devenir de esos acontecimientos exteriores e interiores, ¿cuáles fueron las actitudes y reacciones del régimen franquista? Como ya se señaló, la característica esencial del franquismo fue su capacidad de adaptación, su permeabilidad a los cambios aparentes, su juego permanente entre las diversas tendencias y sectores que le apoyaban, siempre con el objetivo central de sostener el poder personal y autoritario del caudillo como garante del mantenimiento de un *status quo* favorable a los intereses dominantes. Ya en 1951 se efectuó un cambio decisivo entre los poderes internos del régimen a través de una amplia remodelación ministerial que significó el relevo del predominio de los hombres del Movimiento en favor de los sectores católicos. Prueba de ello fue el ascenso del almirante Carrero Blanco —hombre de confianza de Franco— a la condición de ministro subsecretario de la Presidencia; pero también resultaron significativos los nombramientos del católico integrista Gabriel Arias Salgado al frente del nuevo ministerio de Información y Turismo, y del católico «liberal» Ruiz Giménez como ministro de Educación Nacional. No obstante esa operación de maquillaje del régimen para hacerlo más asimilable para sus nuevos aliados tuvo un serio traspiés como consecuencia de los acontecimien-

[4] A pesar de la evidente distensión represora, el castigo de la labor de oposición alcanzó momentos de gran dureza, con condenas de muchos años de cárcel o incluso la pena de muerte (como para Julián Grimau, ejecutado el 20 de abril de 1963), pues ésta se mantuvo en plena vigencia durante este periodo, como demuestra su aplicación sobre anarquistas como Antonio Abad, Granado Chato o Delgado Martínez.

tos universitarios de febrero de 1956 y la inmediata crisis ministerial causante del relevo de Ruiz Giménez y del ministro secretario general del Movimiento, el falangista histórico Raimundo Fernández Cuesta. Pero con el tiempo resultaría más decisivo el oscuro nombramiento a finales del año de Laureano López Rodó como secretario general técnico de la Presidencia. Con ello se iniciaba la operación de traspaso de poder desde los exponentes del Movimiento o los católicos tradicionales hacia el Opus Dei. Operación que experimentó un paso más con un nuevo cambio de gobierno (febrero de 1957), por el que salieron prohombres como Blas Pérez o el sindicalista Girón, se trasladaron algunos falangistas doctrinarios a ministerios inocuos (como Arrese desde la Secretaría del Movimiento al Ministerio de la Vivienda) y entraron numerosos militares de confianza de Franco, junto a personajes menos caracterizados con la trayectoria del régimen en sus tiempos más duros, como Gual Villalbí, Castiella o Solís, y sobre todo miembros del Opus Dei como Ullastres o Navarro Rubio, controlando ya el área económica desde la que plantearían el llamado Plan de Estabilización de 1959.

Siguiendo esas tendencias, el final de nuestro periodo vuelve a venir marcado por un importante cambio de gobierno (1962) donde los tecnócratas del Opus Dei mantuvieron o incluso aumentaron su influencia —véase así la entrada de López Bravo—, sólo parcialmente compensada por el decisivo relevo del inefable Arias Salgado (el ministro responsable de la cinematografía en la etapa 1951-1962) por el dinámico Manuel Fraga Iribarne, así como por la colocación del teniente general Muñoz Grandes —antiguo jefe de la División Azul— en el nuevo cargo de vicepresidente del gobierno. Ese gobierno sería el responsable del lanzamiento de los Planes de Desarrollo, de la conmemoración de los «25 años de Paz» y del referéndum sobre la sucesión de Franco.

A todo esto cabe plantearse cuáles eran los rasgos caracterizadores de la sociedad española a lo largo de ese decenio, que en buena parte significó el abandono de las posiciones autárquicas y el comienzo del camino hacia el desarrollismo que iba a explotar en los años 60. Tomando como símbolo del final de la autarquía la supresión de la cartilla de racionamiento (marzo de 1952), «sólo» trece años después del fin de la Guerra Civil, fuese como lógica consecuencia de la represión sindical y política, por el empeño puesto en pos de la supervivencia, por partir de unas condiciones ínfimas al final de la guerra o por la apertura del sector exterior y la ayuda económica norteamericana, lo cierto es que los años 50 contemplan un indudable crecimiento económico, que sin embargo, va a acarrear nuevos problemas. Ya no se trata de la reconstrucción del país, sino de la necesidad de dar cobijo a los importantísimos sectores de la población rural que emigran hacia los grandes núcleos industriales. Carencia de viviendas e infraestructuras urbanas y educativas, readaptación social y psicológica a un nuevo ambiente claramente traumático para esa población rural que en muchos casos se enfrentaba a un marco social inédito y que afectaba distintamente a la juventud y a sus padres. Todo ello constituye un telón de fondo que de una manera directa o indirecta, con voluntad testimonial o con intención mixtificadora, nos ilustrarán bastantes films del periodo.

Con el final de la década el modelo socio-económico se hace insuficiente, entre otras cosas porque no existe correspondencia con las restricciones políticas e ideológicas todavía imperantes. Así aparecerán dos factores transformadores decisivos: la emigración exterior y el turismo. La primera permitirá trasvasar los excedentes de mano de obra hacia el extranjero y obtener abundantes divisas; el segundo constituirá una nueva industria capaz de explotar los valores naturales del país (sol, mar, exotismo, etc.), de estimular a otros sectores productivos (construcción, infraestructuras) y a su vez de proporcionar más divisas. Pero en ambos casos, emigración y turismo van a significar la definitiva apertura de las puertas de la sociedad española hacia el exterior, la progresiva liquidación no sólo de la autarquía económica sino también ideológica y moral. Será un proceso largo, en ocasiones realizado incluso «a pesar» de la posturas oficiales del régimen, pero también será imparable aunque sus frutos tarden aún algún decenio en llegar; de momento, los años 50 todavía será una época de penuria, sufrimiento y esfuerzo callado, sojuzgado por el autoritario paternalismo del régimen a través de sus diversos aparatos. Sólo en ese contexto cabe situar los avatares del cine español, que empezará a ser algo más que sus películas y que verá el nacimiento de su comprensión por algunos como una forma de cultura y un frente de combate que reproducirá el enfrentamiento entre un aún predominante oficialismo y una incipiente disidencia.

2. El aparato cinematográfico estatal

El edificio institucional cinematográfico franquista había sido erigido a lo largo de los años 40 de tal manera que la siguiente década sólo introduciría algunas modificaciones, importantes en sí mismas, pero en absoluto correspondientes a ninguna inflexión significativa de los designios del régimen respecto al sector cinematográfico. Y sin embargo, en 1951 podía parecer que se daban las condiciones para un cambio más profundo en la marcha del cine español. Como ya dijimos, el 19 de julio de 1951 fue creado el Ministerio de Información y Turismo, encabezado por Arias Salgado y a cuya Dirección General de Cinematografía y Teatro le fueron adscritas las competencias cinematográficas hasta entonces atribuidas a la Subsecretaría de Educación Popular del Ministerio de Educación Nacional, lo cual no significó la anhelada unificación de las responsabilidades sobre el cine, puesto que se mantuvieron algunas pertenecientes a otros ministerios como Industria y Comercio o a los sindicatos. De hecho, incluso se produjo un cierto desconcierto por la coexistencia de la Dirección General con el Instituto de Orientación Cinematográfica, que en principio parecía tener una misión consultiva y de fomento de la cultura cinematográfica, pero que a partir de 1958 —y ya denominado Instituto Nacional de Cinematografía— pasó a tener también participación del fomento económico y a recibir la adscripción de la Junta de Clasificación y Censura, la Comisión Superior de Censura Cinematográfica y el Consejo Coordinador de la Cinematografía, aunque la resolución final de todas esas funciones correspondiese a la Dirección General.

Pero más que la propia creación del Ministerio, lo relevante fue la personalidad de José María García Escudero, primer director general de Cinematografía y Teatro, nombrado en septiembre de 1951. Conocido del ministro por su cargo de letrado de las Cortes, de las que aquél era secretario, hasta el momento García Escudero se había caracterizado por su rango militar, su condición de católico militante y sus artículos de prensa sobre temas culturales, algunos de ellos centrados en aspectos cinematográficos. La diferencia del nuevo director general respecto a antecesores y sucesores consistía en que llegaba al cargo con la voluntad de definir una nueva política, capaz de dignificar al cine español y de apartarlo de aquello que él mismo develara en un artículo publicado un año antes y donde señalaba:

> La maravilla que el cine pudo ser se nos ha convertido en este grosero, banal, mecanizado mecanismo para entontecer a esas muchedumbres que una, dos o tres veces por semana, se sepulta en las salas de proyección para absorber con concupiscencia casi pecaminosa el gran estupefaciente que le hará olvidarse por unas horas de lo que es y le arrebatará el tiempo que necesitaría para saber qué debe ser[5].

No obstante, García Escudero no pudo llevar adelante sus proyectos —que intentaría desarrollar en una segunda oportunidad, cuando volvió al cargo en 1962—, puesto que en febrero de 1952 se vio forzado a dimitir, posiblemente para impedir su destitución, como señala Fanés[6]. De hecho, las medidas postuladas por García Escudero iban a alimentar los deseos de aquellos sectores que pretendían una renovación de las estructuras cinematográficas nacionales, más allá de sus concretas posiciones políticas, puesto que se centraban en el mantenimiento y racionalización de las ayudas a la producción, vinculándolas a una mayor calidad, pero también clarificando el mercado interior mediante el análisis de los costes de producción y la incidencia del doblaje, los déficits de la distribución del cine nacional y de la exportación, la declaración de intransferibilidad de los permisos de importación, etc.

Pero por el momento todo eso iba a quedar en pura quimera, ya que García Escudero no supo —o no pudo— maniobrar con la suficiente habilidad como para postular cambios sin asustar a los sectores más integristas del régimen y a los defensores de los intereses creados en la industria nacional. Al parecer dos fueron las concomitantes causas inmediatas de la dimisión: la primera fue la concesión de la clasificación de «interés nacional» a *Surcos,* un film de Nieves Conde que abordaba aspectos incómodos de la realidad española del momento, como la inmigración del campo a la ciudad, el mercado negro, el desempleo, la prostitución femenina, etc. con voluntad neorrealista, aun-

---

[5] José M.ª García Escudero, «Cine y vida moderna», *Arriba,* 17-III-1950.

[6] Félix Fanés, *Cifesa, la antorcha de los éxitos,* Valencia, 1982, pág. 265.

Surcos (José Antonio Nieves Conde, 1951).

que sin pasar de cierta intensidad melodramática y con todas las coartadas ideológicas imaginables. De todas formas, esa propuesta del falangista radical Nieves Conde se situaba a años luz del cine inmediatamente anterior y configuraba los límites del decible fílmico español del momento; de ahí la importancia de que la Dirección General lo tomase como ejemplo del cine a proteger. Todo eso hubiese sido relativamente grave si no hubiese coincidido con la segunda causa: su oposición a otorgar esa misma categoría de «interés nacional» a *Alba de América*, una película de Orduña que iba a cerrar el ciclo de cine histórico —triunfo póstumo de García Escudero—, pero que venía auspiciada por altos organismos estatales y, sobre todo, producida por Cifesa. Doce días después de la dimisión del director general se otorgaba a *Alba de América* el «interés nacional» inicialmente negado, mientras que el cargo pasaba a un hombre de confianza del aparato, como era Joaquín Argamasilla de la Cerda, marqués de Santa Clara.

De todas formas, semanas después del abandono de García Escudero apareció un decreto-ley que recogía algunos cambios en la normativa censora, creando la junta de Clasificación y Censura de películas vinculada al Instituto de Orientación Cinematográfica, dividida en dos ramas: una dedicada a la censura o apreciación de las películas en «sus aspectos ético, político y social», y otra de clasificación atendiendo «a sus cualidades técnicas y artísticas y a sus circunstancias económicas»[7].

Desde el punto de vista de la actividad censora, los criterios no iban a sufrir modificaciones sustanciales respecto al periodo anterior, aunque la ligera apertura del país incrementó la necesidad de vigilancia, de manera que esa actividad tuvo una significación que en los años 40 nunca había alcanzado; se podría decir que fue en esos años cuando realmente se hizo fundamental la presencia censora, lo cual resulta un signo inequívoco del nacimiento de lo que podríamos llamar «disidencia» cinematográfica, fruto de la pérdida del monolitismo de los primeros años de posguerra. No puede extrañar, pues, que fuese entonces cuando empezara a cuestionarse el mecanismo censor o cuando menos la inconcreción de sus postulados, resultante de la ausencia de un código normativo explícito, germen de la arbitrariedad y contradictoriedad que se manifestaba, por ejemplo, en el distinto rasero para los films españoles y extranjeros.

La Iglesia suministró las bases morales justificadoras de la censura[8], pero al mismo tiempo remodeló su particular función censora, al unificar sus diversas clasificaciones paralelas a las estatales, en cumplimiento de unos postulados que habían sido establecidos años antes por la revista *Ecclesia,* su portavoz oficial:

---

[7] La Junta de Censura estaba compuesta por un cura designado por el obispo de Madrid, un representante del Ministerio de la Gobernación, cinco por el de Información y Turismo y otro de la Dirección General de Cinematografía y Teatro. Por su parte, la Junta de Clasificación incluía al jefe del Sindicato Nacional del Espectáculo (SNE), al jefe del Servicio de Ordenación Económica de la Cinematografía y sendos representantes de los ministerios de Educación Nacional, Comercio e Industria, además de otro del NO-DO y dos profesionales afiliados al SNE.

[8] Véanse, por ejemplo, las intervenciones en las primeras ediciones de las Conversaciones de Cine del Festival de Cine Religioso de Valladolid publicadas en: P. Rodrigo (ed.), *Conversaciones de cine de Valladolid,* Madrid, 1965.

El Estado hace una primera criba moral y política, rechazando del mercado español todas aquellas cintas que constituyen un peligro para la nación misma, aun para el sector que en el nivel de las convicciones religiosas y de la moralidad ocupe el último escalón. Quiere decir que el último escalón en España es ya muy alto. A quienes exijan mucho más podrá recordárseles que el Estado no es un guardián del alma de cada individuo y que el severo tribunal de la Inquisición dejó pasar a la literatura española muchas páginas en modo alguno recomendables e incluso abiertamente rechazables en un ambiente piadoso y limpio[9].

partiendo de la claridad de enunciados como los de Salvador Canals cuando manifestaba que la libertad de expresión era «una doctrina que fue examinada y condenada por el Santo Padre en la encíclica *Miranda prorsus*»[10]. La unificación de criterios eclesiásticos llegó con la creación de la Oficina Nacional Permanente de Vigilancia de Espectáculos (1950), de la que iba a depender una censura «oficial de la Iglesia» con carácter nacional y vinculante para todos los católicos, cuya concreción se dio mediante un baremo que iba desde el 1 (para todos los públicos) al 4 («gravemente peligrosa»), con escala en el famoso 3-R («mayores con reparos»), siendo estas dos últimas las referidas a films con tesis enfrentadas al dogma y/o la moral.

De todas formas, el interés eclesiástico por el cine era creciente y comenzaba a desmarcarse de los viejos principios basados en el rechazo global del medio cinematográfico, en la línea planteada en el anteriormente citado artículo de *Ecclesia:*

Y hay otro gravísimo daño del ciñe que no logrará extirpar la más draconiana de las censuras, el más exquisito de los escrúpulos, la más celosa vigilancia de los moralistas: la que proviene de su frecuentación. No dudamos en asegurar que terminará deformado, soñador, blandengue e inepto para la seriedad de la vida y para la lucha de la ascética cristiana el que se habitúe a las películas, siquiera sean blancas como la nieve. Porque ya empieza a darse una cinemanía con los mismos caracteres agotadores de las fuerzas espirituales que los otros comercios de estupefacientes. Y aquí sí que sólo cabe un remedio: la abstención como vencimiento, la mortificación cristiana.

---

[9] Editorial, «La censura de películas», *Ecclesia,* núm. 148, 13-V-1944, pág. 1.

[10] S. Canals, *La Iglesia y el cine,* Madrid, 1965, pág. 38.

para entrar en una nueva estrategia, como señala Martínez Bretón:

> Y si bien no se consiguieron alcanzar vastos objetivos relacionados con la incursión en la industria, intención ampliamente manifestada, sí que lograron otros de gran trascendencia. Se tejió una generalizada presencia en los niveles de formación y educación cinematográfica. Su aportación en el arranque y consolidación del movimiento de los cineclubs fue fundamental. Con la colaboración de la muy activa Acción Católica se organizaron infinidad de actividades orientadas a la difusión del mensaje cristiano —cursillos, semanas, asambleas, jornadas, etc.— valiéndose del cine. También es especialmente significativa la abundante literatura especializada editada bajo el paraguas de la Iglesia, así como el especial interés de aquellas revistas religiosas en sus secciones dedicadas al mundo de la pantalla. Además, si a esto le unimos la profusión de documentos pontificios, episcopales y otros, como la amplia red de locales de proyección parroquiales, colegiales y demás salas católicas, conforman un espectro apresurado del poder de incursión que se puso en pie[11].

Junto con el control represivo desarrollado por las diversas censuras, el otro punto de apoyo del aparato cinematográfico franquista siguió siendo la protección dirigida hacia el sector de la producción; de cómo ambos aspectos formaban parte de un mismo designio dan cuenta unas palabras de Sánchez Bella, futuro ministro de Información y Turismo:

> Para el autor que no actúe correctamente no pueden existir ni teatros oficiales, ni créditos, ni premios del cine o del espectáculo; para el empresario o productor que respalde o ayude a directores o ayudantes de dirección o guionistas enemigos, no puede haber ninguna clase de subvención...[12].

También en el campo de la protección el año 1952 trajo cambios en su mecánica de funcionamiento, sobre todo en el sentido de desvincular las ayudas a la producción y los permisos de importación y doblaje. Se introdujeron nuevas normas que se mantendrían vigentes

---

[11] Juan A. Martínez Bretón, *Influencia de la Iglesia Católica en la cinematografía española: 1951-1962*, Madrid, 1987, pág. 4.

[12] A. Gómez Rufo, *Berlanga. Contra el poder y la gloria*, Madrid, 1990, pág. 317.

hasta 1962, relacionando el monto de la subvención con el coste de la película y una determinada clasificación en función de su calidad, dictaminada por la Junta creada meses antes. Se mezclaban por tanto aspectos económicos con valoraciones de diversas naturalezas (estética, moral, patriótica, etc.), de forma que todo el andamiaje protector no dejaba de depender de las arbitrarias directrices gubernamentales o simplemente de los gustos reconocidos de los integrantes de la Junta y sus favoritismos, lo cual equivalía a seguir relativizando el peso del mercado —interior y exterior— en beneficio de la complacencia estatal.

La correspondencia entre la subvención a fondo perdido y un porcentaje del coste de la película significaba estimular los proyectos más ambiciosos, si bien eso era virtual si no se desarrollaba un control minucioso de los costes reales para impedir el hinchado de los presupuestos y por tanto la existencia de un beneficio neto sin necesidad de llegar a explotar comercialmente el film; ese control dependía del Servicio de Ordenación Económica, previo informe del S.N.E. En conjunto se propusieron seis categorías a las que se asignaba el correspondiente porcentaje de subvención: interés nacional (50 %), primera A (40 %), primera B (35 %), segunda A (30 %), segunda B (25 %) y tercera (sin subvención), aunque posteriormente (mayo de 1957) se suprimieron las subvenciones a los films calificados en segunda B y tercera categoría, que además quedaban excluidos del crédito sindical, y al año siguiente se impidió el estreno en Madrid y Barcelona de las calificadas en tercera categoría. En realidad, los beneficiarios no recibían el dinero contante y sonante, sino que se les descontaba de sus cuentas acreedoras el valor de los permisos de importación y doblaje que les correspondían; por otra parte, en 1956 se limitó el tope de la subvención en tres millones de pesetas, si bien en 1961 se establecieron diversos techos para cada categoría, al tiempo que se abría una ayuda complementaria con el acuerdo de dos tercios de la Junta (desde un plus del 20 % para la primera A hasta el 10 % para la segunda A), lo que complementaba la absoluta discrecionalidad de la Junta de Clasificación y con ella el control del cine español desde el aparato estatal. Analizando las cifras de esa protección, desde el punto de vista de las clasificaciones cabe señalar que entre 1953 y 1961 se clasificaron 32 films de «interés nacional», 127 de primera A, 169 de primera B, 178 de segunda A y 81 de segunda B (los de tercera no constan en los recuentos oficiales, aunque realmente lo fueron en un número ínfimo).

El otro elemento esencial del sistema de protección seguiría consistiendo en el crédito sindical, que sin embargo, perdió importancia ante la subvención directa sobre el film acabado. La mayor parte de los productores preferirían no tener que pensar en revertir los créditos en favor de la pura subvención, según los datos oficiales que indican 296 films acogidos al crédito entre 1952 y 1961 sobre 662 producidos (o coproducidos), lo cual significa el 44,71 % del total. De todas formas, la crisis del crédito sindical fue inevitable ante los escasos retornos recibidos, el aumento de la producción que significaba disminuir la aportación a cada film, ya que paralelamente el fondo de protección no crecía al mismo ritmo, mientras que el incremento de costes (influido por las subvenciones directas) aún forzaba la disminución del porcentaje crediticio sobre el presupuesto total del film. Finalmente, en 1958 se instituyó el «crédito cinematográfico a plazo medio», regulado en 1960 y dependiente del Banco de Crédito Industrial tras la aprobación del Instituto Nacional de Cinematografía. Su montante podía alcanzar hasta el 60 % del presupuesto para aquellas productoras que presentasen un mínimo de tres películas anuales, siendo ampliable hasta el 65 % si la productora ejercía también la distribución o poseía estudios de rodaje, y hasta el 70 % en el caso de que cumpliese ambos requisitos. Con ello se desplazaba una parte importante del papel del S.N.E., que sin embargo, seguía controlando muchos otros aspectos, como por ejemplo la plantilla mínima en cada producción o la concesión de los premios anuales.

Junto con la aparición de las subvenciones y la transformación del crédito sindical hacia el crédito cinematográfico, se mantuvieron o incrementaron otras medidas proteccionistas complementarias, afectando muy especialmente a los sectores de la distribución/exhibición y a la promoción exterior. Frente a la tradición de las licencias de doblaje —cuyo canon aumentó de precio— otorgadas como premio a la producción, se intentó imponer el sistema de contingentes siguiendo el modelo introducido por los acuerdos italo-americanos de 1951; es decir, plantear un límite al volumen de películas importadas de un determinado país. Lógicamente tal medida estaba planteada como protección frente al predominio abusivo del cine norteamericano, mientras que con otros países se postulaba una política de convenios y reciprocidad. Paralelamente se creó en 1955 la llamada «cuota de distribución», por la que se obligaba a la distribución de un porcentaje de films españoles —concretamente uno por cada cuatro películas extranjeras— en cada anualidad. Y por otra parte se mantuvo la cuota de pantalla, que obligaba a los exhibidores a proyectar un porcentaje de cine nacional; en un primer momento (1953) se estableció una cuota de 6 por 1, contabilizada semanalmente, marcando la obligatoriedad de hacerlo en algunos meses del año o en días festivos, distinguiendo entre las salas de poblaciones rurales y de mayor tamaño, excluyendo del cómputo a las películas de tercera categoría, etc. Como consecuencia del incremento del volumen de la producción española, la cuota subió al 5 por 1 (1958), refinándose aún más su vinculación al tipo de sala y de emplazamiento, y ampliándose a los cortometrajes.

Este conjunto de medidas afectaban especialmente a la comercialización del cine extranjero en España, con especial incidencia en el de procedencia norteamericana. Ello motivó una radical protesta por parte de las grandes empresas productoras norteamericanas y de sus delegaciones peninsulares, concretada desde el verano de 1955 en un boicot a las pantallas españolas por parte de las compañías asociadas en la M.P.E.A. que duraría hasta marzo de 1958, momento en que fue levantado ante el relativo perjuicio producido a la industria española y el peligro de una definitiva pérdida de posiciones ante las distribuidoras españolas.

El otro ámbito de intervención estatal sobre la industria española tuvo como objetivo el mercado exterior en un doble frente: el impulso a la actividad coproductora con otros países y la promoción del cine español en el extranjero. En el primer sentido se potenciaron los convenios de coproducción con diversos países, comenzando en 1953 con Francia e Italia, ampliados luego al intercambio de 1956 y 1957, al tiempo que se aclaraba con una orden ministerial el régimen de concesión de permisos de rodaje para las coproducciones y las condiciones para ser aceptadas como tales (1953). El segundo frente, la promoción exterior, se intentó articular con la creación por parte del S.N.E. y el Grupo Sindical de Producción de Uniespaña (1959), a imagen y semejanza de organismos homólogos como Unitalia, Unifrance, etc. Pese a la ilusión y ambición iniciales, el éxito nunca culminó la empresa, de tal forma que los propios productores se apartaron de ella y fundaron la sociedad anónima Cinespaña en 1962. Ni el nivel general del cine español, ni las derivaciones del burocratismo sindical o de la inercia de los industriales españoles eran un buen punto de partida para lograr ese desiderátum nunca cumplido de abrir los mercados internacionales al cine español.

3. Transformaciones en el modelo industrial

Todas las nuevas medidas proteccionistas estatales descritas recaían sobre una industria acomodada al modelo instaurado en la inmediata posguerra, de forma que en vez de asumir el tímido reto de potenciación de la calidad iban a preferir mantener la dinámica del clientelismo y el chanchullo, donde la consideración cultural del cine era excepcional y donde siempre predominaba la doctrina del beneficio inmediato y no de la inversión a medio o largo plazo. De ahí que no quepa extrañeza al asumir la más fácil comercialidad como criterio predominante para los diversos sectores de esa tosca industria, en buen acuerdo con la promoción del cine de evasión que salvo rarezas contadas iba a promover la política de protección. Como indicaran los hermanos Pérez Merinero[13], la industria cinematográfica española de los cincuenta no iba a abandonar las constantes de raquitismo, miserabilismo, ocasionalismo, marginalismo y provincianismo que venía arrastrando de tiempos anteriores.

Revisando el volumen de producción de este periodo se comprueba su incremento, entre cuyas causas pueden incluirse los cambios de las ayudas a la producción o las cuotas de distribución y pantalla, el desabastecimiento de cine norteamericano como consecuencia del boicot de la M.P.E.A., el aumento muy considerable de las coproducciones, el mayor nivel económico de la población con su consecuente aumento en la frecuentación e incluso algunos éxitos comerciales indudables de determinados films, aunque en verdad escasos en relación a ese volumen de producción. Pero no sólo debemos precisar que cantidad y calidad no siempre son parejas, sino que las bases estructurales de la industria cinematográfica española se mantenían incólumes.

[13] C. y D. Pérez Merinero, *Cine y control*, Madrid, 1975, pág. 43.

Producción española 1951-1962:

1951: 36 + 5 = 41	1957: 50 + 22 = 72
1952: 34 + 7 = 41	1958: 51 + 24 = 75
1953: 36 + 7 = 43	1959: 51 + 17 = 68
1954: 56 + 12 = 68	1960: 55 + 18 = 73
1955: 49 + 7 = 56	1961: 72 + 19 = 91
1956: 53 + 22 = 75	1962: 61 + 27 = 88

Dentro de los sectores de producción y distribución, dos empresas —Cifesa y Suevia— siguieron siendo las preponderantes, aunque presentando diferencias notables entre sí y ofreciendo avatares también muy diversos. Por una parte Cifesa iniciaba una precipitada decadencia, simbólicamente marcada con el rapidísimo decaimiento del cine histórico, tras el último esfuerzo representado por tres producciones de 1951: *Alba de América, La leona de Castilla* y *Lola la Piconera.* De hecho, las dos primeras obtuvieron un muy razonable éxito comercial, pero el *affaire* del interés nacional desveló un cambio de inflexión en las preferencias administrativas, que repercutió en una nueva estrategia por parte de la empresa que desplazó definitivamente su prioridad desde el ámbito de la producción hacia la distribución, a base de intervenir con importantes avances de distribución (entrega de dinero en la fase de producción a cuenta de los posteriores ingresos en taquilla) sobre producciones ajenas, intensificando una práctica ya desarrollada a pequeña escala con anterioridad. Lo cierto es que la marca Cifesa desaparece como identificadora de una productora en las pantallas españolas a partir de 1952, si bien su influencia sigue siendo importante en el conjunto de la industria nacional. En los años sucesivos, a través de esa producción «indirecta» obtuvo algunos éxitos notables, como *La hermana San Sulpicio* y *Los ojos dejan huellas* (1952) o *El beso de Judas* (1954), pero en general disminuyó el peso de su participación industrial, posiblemente porque los criterios dominantes en la empresa habían quedado anticuados y el público presentaba otras exigencias. De ahí que el intento de vincularse con algunos de los nuevos exponentes del cine español, como el Luis G. Berlanga de *Calabuch* (1956), que no tuvo un mal rendimiento, o incluso la fortuna de asociarse al mayor triunfo comercial de la década, como fue *El último cuplé,* (1957), producida y dirigida por su viejo adalid Juan de Orduña, no lograron impedir el progresivo declive de la empresa, que intentó volver a la producción directa en 1960 y que cesó definitivamente su actividad en 1962 con la coproducción de *Vampiresas 1930* de Jesús Franco, y la distribución de *Las hijas del Cid* de Miguel Iglesias.

Paralelamente al decadente devenir de Cifesa, Suevia Films ocupó la cabecera de la producción española (al tiempo que tenía un importante papel como distribuidora). Bajo la dirección personal de Cesáreo González, Suevia supo mantener un apreciable equilibrio entre las diversas tendencias emergentes del cine español, planteando una política diversificada que muchas veces incluía la coproducción nacional (sobre todo con Benito Perojo) o internacional e iba desde el cine folclórico tradicional —*La niña de la venta* (1951), *La estrella de Sierra Morena* (1952), *Morena Clara* (1954)— o el cupletismo de *Mi último tango* (1960) y *La reina del Chantecler* (1962), el cine con niño cantor —*El ruiseñor de las cumbres* (1958) y *El pequeño coronel* (1959)—, el drama de *qualité* —*La laguna negra* (1952) o *Fedra* (1956)— o incluso el cine de autor menos oficialista —ejemplificado por *Calle Mayor* (1956) de Juan Antonio Bardem—, curiosamente contraponible a otro film canónicamente anticomunista como *Murió hace 15 años* (1954) de Gil. Todo ello sin que prácticamente se superase la media docena de películas anuales, por lo que cabría sospechar que sin la dedicación a la distribución la casa no hubiese mantenido la posición de preferencia señalada.

Dejando aparte algunos casos de pervivencia desde la etapa anterior, como sería la presencia de algunos productores individuales (en ocasiones doblados a director) como Edgar Neville, Juan de Orduña o el muy activo Benito Perojo, no podemos olvidar la labor de Ignacio F. Iquino al frente de Ifisa, manteniendo la languideciente producción barcelonesa. Con 46 películas entre 1951 y 1962, Iquino se ponía al frente de la capacidad productora nacional, aunque siempre al servicio de films de segunda o tercera fila, sin apenas repercusiones comerciales ni ambiciones artísticas, con la excepción de *El Judas* (1952), ejemplo por otra parte coyuntural dada su vinculación al desarrollo del Congreso Eucarístico barcelonés. La tradición de Iquino, que muy indulgentemente podríamos asociar con una cierta serie «B», se prolongaría con la intensa actividad de algunos otros productores como Balcázar P. C., Isasi Isasmendi, Este Films, etc.

Balarrasa (José Antonio Nieves Conde, 1950).

Mucho más interesante resulta situar a algunas de las numerosas productoras surgidas a lo largo de los años 50. Por una parte tendríamos los intentos de desarrollar una línea de producción conexa a los intereses católicos; en ese sentido debemos citar Aspa Films, Ariel, Pecsa y Procusa. De todas ellas, fue Aspa Films la más significativa en la promoción del cine religioso; creada en 1950 por Vicente Escrivá —que también ejerció de guionista y contó numerosas veces con Rafael Gil como director— sin dependencia directa de ningún organismo eclesiástico, fue sin embargo tomada como ejemplo por parte de la Iglesia española e incluso recibió la felicitación explícita de la Secretaría de Estado vaticana y la bendición apostólica del Papa. El comienzo de la muy específica línea de Aspa Films fue con *Balarrasa,* al parecer proyectada en sesión privada en la Santa Sede[14], y su continuidad se mantuvo con *La señora de Fátima* (1951), *Sor Intrépida* (1952),

[14] Martínez Bretón, *op. cit.,* pág. 64.

La guerra de Dios (1953), *El beso de Judas* (1954) y *El canto del gallo* (1955), calificadas todas ellas como de «interés nacional». Sin embargo, a partir de 1955 se abandonó esa línea prioritaria —alterada anteriormente sólo por el sainete *De Madrid al cielo* (1952)— y se frecuentaron otros tipos de películas, con éxitos como *Recluta con niño* (1955) y *Los ladrones somos gente honrada* (1956), para acabar el periodo con títulos tan intrascendentes como *Aquí están las vicetiples* (1960) o *Margarita se llama mi amor* (1961), momento en que Escrivá abordó también la dirección, con un film de prestigio como *Dulcinea* (1962).

Ariel fue creada en 1951 y mantuvo una actitud ecléctica, donde el film de contenido religioso más explícito, *Los jueves milagro* (1957) de Berlanga, padeció numerosos problemas con la censura frente a los buenos resultados comerciales de películas históricas —*Jeromín* (1953)—, folclóricas —*Esa voz es una mina* (1955), *El Piyayo* (1956)— o comedias del tipo de *Manolo, guardia urbano* (1956). Por su parte Pecsa fue creada en Barcelona por José Carreras Planas al parecer en una órbita próxima al Opus Dei, si bien sólo abordó tangencialmente la temática religiosa y obtuvo su mayor —y casi único— éxito con la exaltación nostálgico-monárquica *¿Dónde vas Alfonso XII?* (1958). Inequívocamente vinculada al Opus Dei apareció Procusa S. A., constituida en 1958 con intervención también de capital de la familia Luca de Tena (propietaria de ABC, el diario de la derecha más tradicional); sin embargo, Procusa no abordó el cine religioso, sino que se centró en las coproducciones, entre las que destacaron *Los últimos días de Pompeya* (1959) y *El Coloso de Rodas* (1960), ambas con Italia.

La segunda mitad de la década vio el florecer de varias productoras dedicadas preferentemente a la promoción de una nueva comedia española introductora de los postulados que iban a cimentar el cine del desarrollismo de los sesenta; se trata de empresas como Ágata Films o Asturias Films. Esta última, fundada en 1953 y gestionada por R. J. Salvia y el futuro director Pedro Masó, tras dos comedias pueblerinas —*Aquí hay petróleo* (1955) y *El puente de la paz* (1957)— definiría esa tendencia con dos características comedias «de parejas» —*Las chicas de la Cruz Roja* (1958) y *El día de los enamorados* (1959)—, a las que seguiría *Siempre es domingo* (1961), una leve denuncia de la inconsciencia juvenil burguesa. Pero sin duda fue el tándem José Luis Dibildos/Pedro Lazaga al frente de Ágata Films quien representaría mejor que nadie esa línea de producción, con títulos como *Viaje de no-*

vios (1956), *Las muchachas de azul* (1957), *Luna de verano* (1958), *Ana dice sí* (1958), *Los tramposos* (1959), *Sólo para hombres* (1960) o *Los económicamente débiles* (1960), sin por ello olvidar un título de la ambición de *La fiel infantería* (1959) o dos dinámicas coproducciones como *Madame Sans Gêne* (1961) y *Fra Diavolo* (1962).

No describiríamos con una mínima exactitud el panorama productor de los cincuenta sin referirnos a algunas productoras que intentaron romper la insulsa tónica dominante del cine español. Las más de las veces fueron empeños francotiradores, fugaces o previos a estrepitosas claudicaciones, aunque ya nunca faltarían a lo largo de esos años. El primer caso sería Altamira S. L., creada en 1949 entre otros por algunos estudiantes del I.I.E.C. (Instituto de Investigaciones y Experiencias Cinematográficas), como Bardem, Berlanga o Eduardo Ducay, junto a asimilados como Muñoz Suay. Su actividad comenzó en 1951 con dos trabajos inequívocamente innovadores: *Día tras día,* crónica vagamente neorrealista de Antonio del Amo, y *Esa pareja feliz,* debut compartido por Bardem y Berlanga. El escaso rendimiento de la primera y el fracaso de la segunda —no estrenada hasta agosto de 1953— frenó la producción, que se reemprendería efímeramente en 1953 con una línea absolutamente conformista que condujo a su liquidación en 1955. Tampoco Atenea Films, responsable de *Surcos* (1951), pudo mantener una línea de interés, aunque en 1957 coprodujo con Estela Films una película de prestigio como *Amanecer en Puerta Oscura.*

El caso más ejemplar de esa tendencia vendría dado por Uninci, que, aunque fundada en 1949, presidida por el franquista Alberto Reig y responsable de *Cuentos de la Alhambra* (1950) de Rey, tuvo un resonante aldabonazo con *Bienvenido Mr. Marschall* (1952) de Berlanga (con la presencia de Bardem en el guión). El éxito de público y crítica parecía abrir nuevas perspectivas para una producción distinta de la dominante, como testimonia el intento de realizar un guión de Zavattini, Berlanga y Muñoz Suay —*Cinco historias de España*—, pero el proyecto global no cuajó en absoluto por disensiones internas que condujeron al alejamiento de Berlanga, a una fase de latencia —salvada por *Fulano y Mengano* (1955) y la coproducción de *Tal vez mañana* (1958) de Pellegrini— y al absoluto predominio de Juan Antonio Bardem, que desde 1958 logró monopolizar el control de la productora —con films propios como *Sonatas* (1959) y *A las cinco de la tar-*

José Suárez y Betsy Blair en *Calle Mayor* (Juan A. Bardem, 1956).

de (1960)—, correspondiente con la progresiva infeudación de la empresa por parte del PCE, no sólo en un nivel ideológico sino también como tapadera para sus actividades económicas. Habiendo rechazado propuestas atrevidas como las de Ferreri, Saura o Picazo, Uninci no supo abrirse a los cineastas jóvenes, aunque ante la crisis se lanzó a dos coproducciones de relumbrón, *La mano en la trampa* (1961) de Torre Nilsson y *Viridiana* (1961), fallido intento de recuperar al insigne exiliado Luis Buñuel, sobre la que volveremos más adelante.

Paralelamente al tumultuoso devenir de Uninci, algunas pequeñas productoras abordaron proyectos atrevidos, siempre con escasa resonancia comercial pero con reconocimiento de la crítica especializada y de los sectores cineclubísticos. Así hay que recordar la contradictoria labor de Manuel Goyanes, productor de títulos clave del cine de Bardem —*Muerte de un ciclista* (1955), *Calle Mayor* (1956) y *La venganza* (1957)— para luego centrarse en la niña prodigio Marisol; los comienzos de Documento Films y de Época Films, con las dos primeras películas de Marco Ferreri, *El pisito* (1958) y *Los chicos* (1959) respectivamente; las dos arriesgadas aportaciones de Pere Portabella —con su Films 59— al producir el debut de Saura, *Los golfos* (1959), el último film español de

Ferreri, *El cochecito* (1960), y participar en *Viridiana;* o finalmente recordar el comienzo como productor de Alfredo Matas al frente de Jet Films, produciendo la espléndida *Plácido* (1961) de Berlanga.

De todas formas, la radiografía de una industria cinematográfica nacional pasa por la constatación de la suerte comercial de los diversos productos ofrecidos al público. Carentes de cualquier tipo de dato económico, fruto de la inexistencia del control de taquilla y de la desaparición/ocultamiento/manipulación de los datos de tantas efímeras y raquíticas empresas productoras, sólo nos quedan las referencias indirectas para valorar cuál fue el cine español que alcanzó auténtico éxito comercial y a la vez cuál fue la repercusión pública de esas obras insólitas dentro del panorama general que, sin embargo, jalonan la década. Tomaremos una de ellas, la permanencia en cartel del estreno, como valor meramente indicativo para establecer un doble *ranking,* al tiempo que indicamos los respectivos directores y productoras que alcanzaron esos máximos éxitos, así como la calificación obtenida:

FILMS DE MAYOR PERMANENCIA EN CARTEL 1951-1961 (MADRID)

Título y año	Director	Productor	Calif.	Días en cartel
1) *El último cuplé* (1957)	J. de Orduña	Orduña	1.ª A	(325 días)
2) *La violetera* (1958)	L. C. Amadori	Perojo	1.ª A	(217)
3) *¿Dónde vas Alfonso XII?* (1959)	L. C. Amadori	Pecsa	Int. nac.	(210)
4) *Marcelino pan y vino* (1954)	L. Vajda	Chamartín	Int. nac.	(145)
5) *Tarde de toros* (1956)	L. Vajda	Chamartín	Int. nac.	(144)
6) *Molokai* (1959)	L. Lucia	Eurofilms	Int. nac.	(105)
7) *Historias de la radio* (1955)	J. L. S. Heredia	Chapalo	Int. nac.	(91)
8) *La leona de Castilla* (1951)	J. de Orduña	Cifesa	2.ª	(63)
9) *La fiel infantería* (1959)	P. Lazaga	Ágata	1.ª A	(62)
10) *Balarrasa* (1951)	J. A. Nieves Conde	Aspa	Int. nac.	(61)
11) *Las chicas de la Cruz Roja* (1958)	R. J. Salvia	Asturias	1.ª A	(60)
Fray Escoba (1961)	R. Torrado	Copercines	1.ª B	(60)
12) *La señora de Fátima* (1951)	J. de Orduña	Aspa	Int. nac.	(56)
Un caballero andaluz (1954)	L. Lucia	Perojo-CEA	Int. nac.	(56)
El ruiseñor de las cumbres (1958)	A. del Amo	Suevia	2. ª	(56)
13) *Alba de América* (1951)	J. de Orduña	Cifesa	Int. nac.	(53)
Pecado de amor (1961)	L. C. Amadori	Perojo	1.ª B	(53)
14) *Bienvenido Mr. Marshall* (1952)	L. G. Berlanga	Uninci	Int. nac.	(51)
La guerra de Dios (1953)	R. Gil	Aspa	Int. nac.	(51)

Es respecto a esas cifras de permanencia y tomando los datos oficiales cuando podemos evaluar los promedios de permanencia en cartel de la producción española a partir de 1955, comparados con los de otras nacionalidades:

Origen	1955	1956	1957	1958	1959	1960	1961	Promedio
España	14,2	15	18,4	18,1	19,7	16,6	10,8	16,1
Francia	17,3	20	25,3	17,4	13,6	13,5	14,1	17,3
Inglat.	13	13	18,2	21,8	17,4	17,4	22,8	17,6
Italia	20,3	23,6	16,5	29,5	13,7	11	13,8	18,4
México	8,6	8	11,2	16,6	12,8	11,5	9,4	11,2
EE. UU.	19,6	23,7	20,9	25,4	32,5	33,5	24,7	25,7

y también podemos considerar el número respectivo de films estrenados y por tanto la cuota de mercado a lo largo de esos años:

Origen	1955	1956	1957	1958	1959	1960	1961	Media anual	Cuota de mercado
Alemania	5	8	11	21	11	9	15	11,4	4,4
Argentina	5	3	4	7	1	4	3	3,9	1,6
España	39	48	44	33	56	54	45	45,6	17,8
Francia	6	8	19	17	14	21	15	14,3	5,6
Inglat.	24	18	35	20	27	20	23	23,9	9,3
Italia	14	36	26	15	23	13	16	20,4	8
México	18	22	19	9	9	18	15	15,7	6,1
EE. UU.	117	66	43	53	77	94	97	78,1	30,5
Otros	37	38	45	57	33	47	42	42,7	16,7

Ni que decir tiene que entre 1956 y 1958 se constata la repercusión del boicot de la MPEA, así como el crecimiento de las coproducciones —aquí incluidas en el epígrafe de «otros»—, lo cual maquilla la cuota de mercado del cine español comparada con la norteamericana. Con respecto del cine norteamericano cabe recordar también que España se benefició de la actitud de las *majors* de producir algunas de sus superproducciones en tierras europeas. Dejando de lado los estudios británicos, progresivamente enfeudados por el capital norteamericano, y tras el predominio de la Cinecittà romana, sin duda España se convirtió en un cómodo plató americano a partir del *Alexander the Great (Alejandro el Magno,* 1956) de Robert Rossen, con títulos como *The Pride and the Passion (Orgullo y pasión,* 1957) de Stanley Kramer o *Solomon and Sheba (Salomón y la reina de Saba,* 1959) de King Vidor.

Sin embargo, el caso más ejemplar de esa presencia de capitales norteamericanos en España llegaría con el curioso personaje del productor independiente Samuel Bronston, que tras una irregular carrera hollywoodense se instaló en España —al parecer con apoyo económico de Dupont de Nemours—, obteniendo considerables apoyos logísticos del gobierno español a cambio de algunas concesiones chauvinistas y de la dinamización de los estudios y exteriores españoles al servicio de films de amplia ambición espectacular, que por una parte significaban la venida a España de numerosas estrellas internacionales y por otra la consolidación profesional de gran cantidad de técnicos nacionales y empresas de servicios. Títulos como *King of Kings (Rey de Reyes,* 1960) y *55 Days at Peking (55 días en Pekín,* 1963) de Nicholas Ray; *El Cid* (1961) y *The Fall of the Roman Empire (La caída del imperio romano,* 1964) de Anthony Mann, y *Circus World* (*El fabuloso mundo del circo,* 1964) de Henry Hathaway, jalonaron las azarosas vicisitudes de Bronston en España. Pero ese pequeño imperio fue efímero y rápidamente entraría en bancarrota, sin llegar a realizar el siempre prometido proyecto de film sobre la reina Isabel la Católica; a pesar de ese triste y fraudulento final, la actividad de Bronston ha permanecido en el recuerdo de muchos profesionales españoles como un momento dorado de la producción de películas en España, aunque obviamente poco había de español en ellas.

4. Las nuevas fórmulas del continuismo

No debemos pensar que la razón de la inflexión de la cinematografía española en 1951 se corresponda a posiciones específicamente políticas y culturales, sino que también influye poderosamente el hecho de un primer recambio generacional en el cine del franquismo.

Marcelino pan y vino (Ladislao Vajda, 1954).

Pero para no magnificar esas nuevas perspectivas, que en el fondo serán cuantitativamente casi insignificantes en el conjunto de la producción, aunque no desde el prisma cualitativo, debemos introducir previamente las formas de pervivencia y renovación imprescindibles para el continuismo profundo del tronco central del cine franquista.

La mayor parte de cineastas predominantes durante los años 40 prosiguieron su labor privilegiada en la década siguiente, comenzando por Sáenz de Heredia —con éxitos como *Todo es posible en Granada* (1954) e *Historias de la radio* (1955)—, siguiendo con Rafael Gil —cuya colaboración con el productor Escrivá le reportaría triunfos como *La señora de Fátima* (1951), *Sor Intrépida* (1952), *La guerra de Dios* (1953), *Murió hace 15 años* (1954) y *Un traje blanco* (1956)— y Juan de Orduña, que tras el cierre del ciclo histórico, alcanzaría su mayor valor comercial con *El último cuplé* (1957). En esos años se situó junto a ellos en primera fila Ladislao Vajda, con films tan destacados como *Carne de horca* (1953), *Marcelino pan y vino* (1954), *Tarde de toros* (1956) y *Mi tío Jacinto* (1956), mientras que Luis Lucia y Antonio del Amo supieron explotar los filones de éxito del momento, a diferencia de lo ocurrido

Condenados (Manuel Mur Oti, 1953).

con Luis Marquina, Antonio Román, Jerónimo Mihura, Arturo Ruiz Castillo o incluso Edgar Neville, protagonistas ya de un claro declive.

Dejando de lado a aquellos cineastas abocados a una desconsiderada comercialidad —desde Ignacio Iquino hasta Ramón Torrado y una larga cohorte de émulos, a los que tras la caída de Perón se unieron varios inmigrados argentinos (como Luis César Amadori, Enrique Cahen, Tulio Demichelli y León Klimovsky)— y teniendo en cuenta la abultada nómina de debutantes durante la primera mitad de la década, es lícito plantearse sus posibles aportaciones a la cinematografía nacional. Como veremos, un pequeño sector de esos recién llegados —¿una generación de los años 50?— poblará las filas de lo que venimos a llamar la disidencia cinematográfica; pero una inmensa mayoría se va a incorporar a la tradición más continuista, salvo en algunos casos que por un momento hicieron sospechar de una cierta voluntad de estilo o cuando menos de mantenimiento de unas posiciones dignas dentro del cine oficial, aunque a la postre todos ellos acabaron claudicando. Serán directores como José María Forqué, Pedro Lazaga,

Ana Mariscal, Francisco Rovira-Beleta, Julio Coll y sobre todo Manuel Mur Oti y José Antonio Nieves Conde.

Ya hemos tenido ocasión de referirnos a un oscilante Nieves Conde, director de *Surcos* o *El inquilino* (1957) —perfectamente enmarcables en las tendencias «disidentes»— pero también de un film inequívocamente franquista como *Balarrasa* (1950) y de vacuos ejercicios estilísticos como *Rebeldía* (1953) o *Los peces rojos* (1955), premonitorios de una rápida decadencia negadora de cualquier opción autorial. Otro fue el caso de Mur Oti, que tras sus comienzos como escritor y guionista tendría una sonora y espectacular eclosión, debida más al tremendismo y autobombo de sus declaraciones que a la auténtica valía y sobre todo muy relativo éxito de sus films. Sin embargo, no cabe negar el empeño estilístico de sus primeras películas —eso sí, cargadas de grandilocuencia y retórica—, colección de desaforados melodramas rurales —como *Un hombre va por el camino* (1949) y *Condenados* (1953)— y urbanos —caso de *Cielo negro* (1951)—, donde en todo caso el virtuosismo formal se reclama más del ridículo que del pretendido barroquismo.

Mucho más modestas fueron las pretensiones iniciales de Forqué y demás noveles citados. De las simpáticas comedias *El diablo toca la flauta* (1953) —que recuerda en algunos aspectos a *La macchina ammazzacattivi* (1948) de Rossellini— y *Un día perdido* (1954), pasó a la grandilocuencia de *Amanecer en Puerta Oscura* (1957) y *La noche y el alba* (1958), para desde ahí deslizarse hacia propuestas cada vez más comerciales y vinculadas al cine de género, aunque films como *Maribel y la extraña familia* (1960), *091, policía al habla* (1960) o *Atraco a las tres* (1962) mantuviesen un nivel superior a la media. Más breves fueron los tanteos de Pedro Lazaga, cuyo mejor film fue *Cuerda de presos* (1955), que sin embargo, tardaría siete años en verse estrenada en Madrid. Paralelamente, Lazaga desarrolló un ciclo de puesta al día del cine «de cruzada» —*La patrulla* (1954), *El frente infinito* (1956), *Torrepartida* (1956) y *La fiel infantería* (1959)—, al tiempo que se iba decantando hacia la comedia, que en su dimensión más blanca le deberá algunos de sus mejores títulos: *Muchachas de azul* (1956), *Ana dice sí* (1958), *Los tramposos* (1959) y *Trampa para Catalina* (1961). Y más efímero aún fue el interés de la obra de Ana Mariscal, ya que los limitados méritos de *Segundo López, aventurero urbano* (1952), adscribible al neorrealismo ternurista, se diluyeron rápidamente tras el fracaso de la moralista *Con la vida hicieron fuego* (1957).

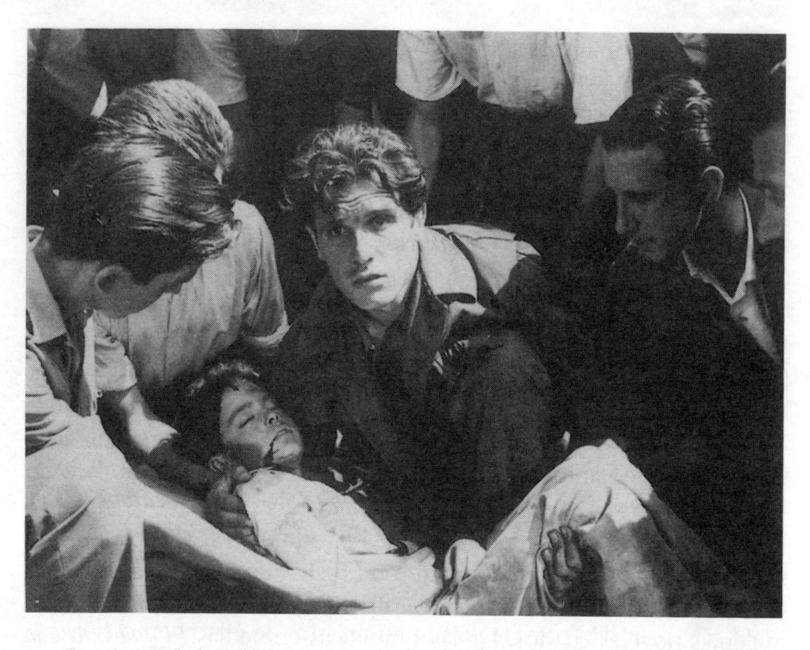

Francisco Rabal en *Hay un camino a la derecha* (Francisco Rovira-Beleta, 1953).

Nacidos al cine en el menguante núcleo de producción barcelonés, Francisco Rovira-Beleta y Julio Coll alteraron los films de interés con los encargos rutinarios. Más irregular el primero, capaz de pasar de un drama rural como *Luna de sangre* (1950) a un film de ambiente futbolístico como *Once pares de botas* (1954), pasando sin embargo por un melodrama realista y redentorista como *Hay un camino a la derecha* (1953) y realizando sus dos mejores trabajos con dos aproximaciones a la serie negra, una de crónica histórica —*El expreso de Andalucía* (1956)— y otra de denuncia de la delincuencia juvenil —*Los atracadores* (1961)— injustamente olvidada. Caracterizado por una indudable cultura teatral y musical, Julio Coll intentó elevar el valor de materiales dudosos a través de cierto virtuosismo narrativo, tal como testimonian *Distrito quinto* (1957), *Un vaso de whisky* (1958) y *Los cuervos* (1961).

En realidad, resulta inoperante caracterizar el cine español mayoritario y oficialista de la década de los cincuenta a través de sus artífices, puesto que su misma esencia radica en la pervivencia o nacimiento de determinadas instancias genéricas o ciclos temáticos. La continuidad respecto a la década autárquica se plantea en dos géneros básicos, la comedia y el musical folclórico, pero se rompió en dos ciclos tan significativos como el histórico y el literario. Como ya quedó indicado, *Alba de América* y *La leona de Castilla* cerraron el ciclo histórico, acompañadas de films tan penosos como *Catalina de Inglaterra* (1951) de Ruiz Castillo y *Jeromín* (1953) de Lucia, o de rarezas como *Parsifal* (1951) y *Amaya* (1952) de Marquina. Desde ese momento, la reconstrucción histórica fue una rareza, reducida muchas veces a subproductos de relleno, por lo general en modestas coproducciones o como soporte para determinados géneros, caso de *Violetas imperiales* (1952) o *Las bellas de Cádiz* (1953) y la opereta, *Cuerda de presos* o *Amanecer en Puerta Oscura* y el drama rural, *Lola la Piconera* o *Carmen la de Ronda* (1959) y el musical folclórico; o en cruce con otros ciclos, desde el literario en decadencia —*El alcalde de Zalamea* (1953), *El lazarillo de Tormes* (1959) o *El príncipe encantado* (1960)— hasta el religioso, que incluía desde insensatas revisitaciones evangélicas —*El beso de Judas* (1953) de Gil— hasta varias hagiografías sobre Teresa de Jesús, Rosa de Lima o Martín de Porres (evocado en un film de éxito como *Fray Escoba)*, por no hablar aquí del cupletismo. Únicamente valdría la pena remarcar dos dispares aproximaciones al siglo XIX y sus guerras carlistas, cargadas de romanticismo y aventura, como fueron *Diez fusiles esperan* (1958) de Sáenz de Heredia y *Sonatas* (1959) de Bardem, así como el impacto popular de *¿Dónde vas Alfonso XII?*, sentimental aproximación a los amores entre María de las Mercedes y el prontamente malogrado rey Alfonso XII, que gozó de la plusvalía otorgada por una revitalización del espíritu monárquico y de la proliferación de un nuevo género periodístico como era la prensa rosa.

Sin duda fue el musical folclórico el género más resistente a la renovación, al tiempo que alcanzaba en la primera mitad de los cincuenta su mayor esplendor. Basado siempre en la presencia de alguna estrella de la canción española/andaluza[15] y en una leve trama de carácter cómico o melodramático según la ocasión, muchas veces se ofreció con limitadas aspiraciones comerciales, dirigido prioritaria-

[15] Recuérdense los nombres de Juanita Reina, Paquita Rico, Antonio, Lola Flores, Ana Esmeralda, Marujita Díaz, Carmen Sevilla, Antonio Molina, Estrellita Castro, Pepe Blanco, Carmen Borrell, Lolita Sevilla, Juanito Valderrama, Marifé de Triana, etc.

El último cuplé (Juan de Orduña, 1957).

mente a públicos rurales o de bajo nivel cultural hasta el punto de que algunos de esos films ni siquiera llegaron a las salas de estreno de las grandes ciudades. Cerca de unas ochenta películas —sobre 703 producidas entre 1951 y 1961— demuestran el relieve cuantitativo del género, aunque sólo *Un caballero andaluz* (1954), de Lucia, se cuente entre las veinte con mayor permanencia en cartel de estreno, gracias a la presencia protagonista de Jorge Mistral. Con la excepción de *Duende y misterio del flamenco* (1952) de Neville, que intentaba abordar con seriedad el valor de la música flamenca, pocos son los films reseñables entre esa masa homogénea con títulos perfectamente intercambiables[16].

Los últimos años de la década vieron acrecentarse la subsidiariedad del cine folclórico, que además fue sustituido en el favor del pú-

[16] Entre los mínimamente destacables situaríamos *Lola la Piconera* (1951), *Gloria Mairena* (1952) *Morena Clara* (1954) y *Esa voz es una mina* (1955), de Luis Lucia; *La niña de la venta* (1951), *Curra Veleta* (1955) y *María de la O* (1957), de Ramón Torrado; *El pescador de coplas* (1953), de Antonio del Amo; *Sucedió en Sevilla* (1954), de Gutiérrez Maesso; *La pícara molinera* (1954), de León Klimovsky; *El genio alegre* (1956), de Gonzalo Delgrás; y *Carmen la de Ronda* (1959), de Tulio Demichelli.

Alberto Romea, José Luis Ozores y Xan das Bolas en *Historias de la radio* (José Luis Sáenz de Heredia, 1955).

blico por el llamado ciclo del «cuplé». Partiendo del enorme éxito comercial de *El último cuplé* (1957) de Juan de Orduña y al servicio del definitivo lanzamiento de Sara Montiel como estrella máxima de nuestra cinematografía, se abrió camino un subgénero que amalgamaba elementos básicamente melodramáticos —aunque luego derivarían también hacia la comedia— y canciones (no sólo cuplés, sino también tangos y otros tipos de música popular), muchas veces en una ambientación «retro». La propia Montiel fue artífice de otros éxitos tan notables como *La violetera* (1958), *Mi último tango* (1960), *Pecado de amor* (1961), *La bella Lola* (1962) o *La reina del Chantecler* (1962), muchas de ellas a cargo del argentino Amadori, siendo rápidamente imitadas por folclóricas recicladas como Paquita Rico, Marujita Díaz o Mikaela, que intentaron aprovechar la efímera vigencia del ciclo, con cuya liquidación ellas mismas casi se extinguieron en nuestro cine[17].

[17] Otros films destacables del ciclo son: *Aquellos tiempos del cuplé* (1958), de J. L. Merino/M. Cano, *La Tirana* (1958), de Orduña, *Miss Cuplé* (1959), de Lazaga, *La reina del Tabarín* (1960), de J. Franco; *Pelusa* (1960) y *Abuelita Charlestón* (1961), de J. Setó, etc.

Otro fue el caso de la comedia, donde se planteó una evolución mucho más significativa a lo largo del periodo aquí tratado. De una parte digamos que un sector fundamental del cine disidente va a asumir el género como vía expresiva de sus denuncias y críticas, tal como veremos algo más adelante; pero dentro del cine oficialista no faltaron una serie de transformaciones sustanciales, paradójicamente inspiradas en el cine italiano, tal como en el otro lado pudo influir el momento neorrealista. Así, frente a la tentación cosmopolita de los años 40, se acrecentó la vena sainetesca y picaresca, remotamente vinculada a antecedentes literarios y teatrales, aunque en este sentido fuertemente edulcorados (a diferencia de lo ocurrido con la comedia de la disidencia), pero también influida por las variantes de la comedia pos-neorrealista; podemos citar títulos como *De Madrid al cielo* (1952), *Así es Madrid* (1953), *Los gamberros* (1954), *Manolo guardia urbano* (1956) o *Historias de Madrid* (1956), con la cumbre alcanzada en *Historias de la radio* (1955) de Sáenz de Heredia. Paralelamente al desarrollo de esa comedia urbana, se alineó una variante rural, impulsada por el éxito de *Bienvenido Mr. Marshall* (1952) de Berlanga y de *Pane, amore e fantasia* de Risi; en esa línea se situarían films como *El diablo toca la flauta* (1953), *Todo es posible en Granada* (1954) de Sáenz de Heredia, *¡Aquí hay petróleo!* (1955), *El hombre del paraguas blanco* (1957) y *El puente de la paz* (1957), aunque ninguno alcanzó los valores de su modelo.

Junto al tono se dio otro aspecto diferencial en la comedia de los cincuenta, relativo ahora a una estructura narrativa de carácter episódico, donde se relataban las vicisitudes paralelas y relativamente confluyentes de diversos personajes, muchas veces reunidos por parejas (de forma que se habló también del «cine de parejas»). La mejor manifestación de esta tendencia —además de muchos de los títulos ya citados, como la propia *Historias de la radio*— se dio en el marco de la llamada comedia profesional, punto de arranque del cine del desarrollismo[18], aunque sus mejores momentos se alcanzaron a partir del éxito de *Las*

[18] Citemos en este sentido la aparición de periodistas (*Buenas noticias,* 1953, y *Escuela de periodismo,* 1956), abogados (*Juzgado permanente,* 1953), modelos (*Alta costura,* 1954), médicos (*Hospital general,* 1956, y *Ejército blanco,* 1957), taxistas (*Los ángeles del volante,* 1957), telefonistas (*Muchachas de azul,* 1957), secretarias (*Secretaria para todo,* 1958), azafatas (*Azafatas con permiso,* 1958), etc. No cabe duda de que detrás de ellas encontraríamos precedentes italianos como *Le ragazze di Piazza di Spagna* o *Le signorine dello 04.*

La venganza (Juan A. Bardem, 1957).

chicas de la Cruz Roja (1958) de R. J. Salvia. En la misma senda llegarían entre 1958 y 1962 otras comedias representativas de los incipientes cambios de la sociedad española, como varios films de Lazaga *(Ana dice sí, Luna de verano, Trampa para Catalina),* Palacios *(El día de los enamorados, Vuelve San Valentín, La gran familia),* Salvador *(Ya tenemos coche),* Navarro *(Quince bajo la lona, El cerro de los locos),* etc. Sin embargo, no faltó el contrapunto de algunos films que abordaron el otro lado del desarrollismo, con títulos tan explícitos como *Los tramposos, Los económicamente débiles, Los pedigüeños* y *Atraco a las tres,* no muy ajenas al gran éxito en España de *I soliti ignoti (Rufufú,* 1958). A esa estructura episódica también se ajustarían muchas de las comedias turísticas, con el referente cercano de *Parigi è sempre Parigi (París, siempre París,* 1951) que transcurrirían entre *Congreso en Sevilla* (1955) y *Bahía de Palma* (1962)[19].

[19] Otros títulos serían: *Good bye, Sevilla* (1955), *Veraneo en España* (1955), *Historias de la feria* (1957), *Muchachas de vacaciones* (1957), *Un americano en Toledo* (1957), *Vacaciones en Mallorca* (1959), *Amor bajo cero* (1960) y *El último verano* (1961).

Para acabar deberíamos recordar algunas comedias de origen teatral que también alcanzaron una buena acogida popular, como *Una muchachita de Valladolid* (1958), *Maribel y la extraña familia* (1960), *Sólo para hombres* (1960) y *La venganza de Don Mendo* (1961), las dos últimas dirigidas por Fernando Fernán-Gómez.

Repasando otros géneros clásicos, digamos que con celeridad irá desapareciendo el dramón rural, cuyas últimas manifestaciones interesantes fueron *Puebla de las mujeres* (1952) y *Orgullo* (1955) de Mur Oti, *Cañas y barro* (1954) de Orduña y *Viento del norte* (1954) de Momplet. Mientras tanto ascenderá, a partir de *Surcos*, el drama urbano realista, con vagas resonancias neorrealistas, pero ambos casi desaparecen, salvo en muestras disidentes como *Calle Mayor* (1956) o *La venganza* (1957) de Bardem, en favor de ciertas formas dramáticas de raíz teatral, con tintes moralistas y texturas caligráficas[20]. Al mismo tiempo se incrementa la presencia del cine policíaco, sobre todo mediante films de bajo presupuesto y muchas veces producidos en Barcelona, tomando como punto de partida dos títulos clave: *Apartado de Correos 1001* (1950) de Julio Salvador y *Brigada criminal* (1950) de Iquino[21]. Por su parte seguiría el subgénero bandolerístico, a medio camino entre las aventuras criminales y el *western*, proponiendo sus mejores obras con las notables *Carne de horca* (1953) de Vajda y *Amanecer en Puerta Oscura* (1957) de Forqué. Del lado ya inequívoco del *western* habría que situar las aventuras de *El Coyote* (1954) de Joaquín Romero-Marchent, mientras que *Tierra brutal* (1961) del inglés Michael Carreras abría la senda del *western* hispano, en unos momentos en que aparecían también las primeras muestras de las aventuras pirateriles —*Los bucaneros del Caribe* (1960) de Eugenio Martín—, del cine de terror —*Gritos en la noche* (1961) de Jesús Franco— y del *peplum* nacional —*El gladiador invencible* (1961) de Antonio Momplet—, todos ellos jalones de la ingente producción de subgéneros que afloraría en los años 60.

---

[20] Ese drama «de ideas» resulta bien representado por films como *Rebeldía* (1953), *Los peces rojos* (1955) y *Todos somos necesarios* (1956), de Nieves Conde; *Fedra* (1956), de Mur Oti; *La muralla* (1958), de Lucia; *Un vaso de whisky* (1958) y *Los cuervos* (1961), de Coll; *La noche y el alba* (1958), de Forqué; y *El baile* (1959), de Neville.

[21] Dentro de ese ámbito genérico cabría distinguir algunos films: *Los ojos dejan huellas* (1952), *Mercado prohibido* (1952), *El cerco* (1955), *El expreso de Andalucía* (1956), *La cárcel de cristal* (1956), *Distrito quinto* (1957), *El cebo* (1958), *Muerte al amanecer/El inocente* (1959), *091, policía al habla* (1960) y *Los atracadores* (1961).

Más allá de su adscripción genérica —comedia, melodrama, musical, etc.—, no caracterizaríamos adecuadamente los años 50 sin considerar algunos ciclos fílmicos innovadores respecto a la década anterior, cuando menos tomando en cuenta su resonancia popular. Pese a algunos antecedentes reconocibles, el cine español de los años 50 es el que intenta explotar el papel social de los espectáculos públicos, como el fútbol y los toros[22]. Mientras que en el primer caso no hay ninguna calidad que reseñar, entre los films taurinos alcanzaron notable interés *Tarde de toros* (1955) y *Mi tío Jacinto* (1956) de Vajda, *Los clarines del miedo* (1958) de Román, y con una dimensión muy distinta por su carácter crítico *Los chicos* (1959) de Ferreri, y *Los golfos* (1959) y *A las cinco de la tarde* (1960) de Bardem.

El gran ciclo comercial de los años 50 y primeros 60 fue el llamado «cine con niño», en función del protagonismo asumido por más o menos repelentes niñitos, progresivamente dados al canto. Su origen se remontaría a ciertas derivaciones neorrealistas, atribuibles a modelos como *Sciuscià, Ladri di biciclette, Proibito rubare,* etc. y perceptibles en películas como *Día tras día* (1951) o *Segundo López, aventurero urbano* (1952); de su cruce con otros ciclos como el religioso y el musical folclórico, saldrían títulos de tanta resonancia como *Marcelino, pan y vino* (1954) de Vajda o *El pequeño ruiseñor* (1956) de Antonio del Amo, respectivamente. Tras las huellas de Pablito Calvo y Joselito, sus correspondientes «niños prodigio», surgirían otros muchos emuladores que no lograrían superar a sus modelos y que explotarían el filón hasta el agotamiento[23], momento en que una serie de niñas no menos repelentes les sucedieron, con Marisol y Rocío Dúrcal a la cabeza.

---

[22] Recordemos entre las dedicadas al fútbol: *El sistema Pelegrín* (1951), *Los ases buscan la paz* (1954), *Once pares de botas* (1954), *El fenómeno* (1956), *El hincha* (1957) y *Saeta rubia* (1956).

[23] Entre esos imitadores citemos a Pepito Moratalla, Miguelito Gil, Miguel Ángel Rodríguez, Marco Paoletti, Javier Asín, Angelito, Estrellita y Maleni Castro. Siempre de la mano de Vajda, la obra de Calvo mantuvo una indudable dignidad en *Mi tío Jacinto* y *Un ángel pasó por Brooklyn* (1957), mientras que mucho menos interés supuso el adocenamiento de Joselito —y de Antonio del Amo, su director exclusivo— a lo largo de las siguientes nueve películas en que participó. Nada despreciables fueron los resultados comerciales de Marisol —producida siempre por Goyanes y dirigida al principio por Lucia— con *Un rayo de luz* (1960), *Ha llegado un ángel* (1961) y *Tómbola* (1962).

Los jueves milagro (Luis García Berlanga, 1957).

Un segundo ciclo mucho menos comercial vendría dado por el cine de adoctrinamiento político, en la doble vertiente bélica y anticomunista. Tras muchos años de olvido de la Guerra Civil, el cine español de los cincuenta retornó al que había sido efímero cine de «cruzada». Con el antecedente de *Rostro al mar* (1951) y *Cerca del cielo* (1951), donde se homenajeaba al obispo de Teruel fusilado por los «rojos», destacó la tetralogía de Pedro Lazaga, que abordaba las gestas de la División Azul en Rusia *(La patrulla,* 1954), la lucha contra el maquis *(Torrepartida,* 1956), la labor de los capellanes castrenses *(El frente infinito,* 1956) y el duro heroísmo del ejército nacional *(La fiel infantería,* 1959), aspecto sobre el que volvería *Tierra de todos* (1961) de Isasi, mientras que *Embajadores en el infierno* (1956) de Forqué y *La espera* (1956) de Lluch, también trataban las consecuencias de la campaña rusa, o *Dos caminos* (1953) de Ruiz Castillo, la lucha del maquis. Más acá de la Guerra Civil, otra serie de films se postularon como descarados ataques a la actividad comunista en el interior, bajo la forma de film policiaco —*La ciudad perdida* (1954) de Margarita Alexandre— o de melodrama familiar —caso de *Murió hace 15 años* (1954) de Gil y *Lo que nunca muere* (1954) de Salvador—, pero también de comedia —como en *Suspenso en comunismo* (1955) de E. Manzanos— o mediante algunos curiosos productos que llevan fuera de las fronteras españolas sus escenarios[24].

Finalmente, hay que situar otro gran ciclo temático que, teniendo sus raíces en la década anterior, se desarrolla con máxima plenitud durante los años 50: el cine religioso. Éste es buen ejemplo de cómo no sirve el concepto de género, ya que sus diversas variantes podemos verlas desarrolladas bajo tonos tan diversos como la comedia, el melodrama o incluso el musical. El ciclo tuvo en las producciones de Aspa Films, con Vicente Escrivá y Rafael Gil su núcleo central, pero no único; con el antecedente inmediato de *Balarrasa* (1950) de Nieves Conde, en torno a las vicisitudes de un excombatiente transformado en misionero, Aspa Films encadenará seis films religiosos seguidos, todos ellos con guión de Escrivá y dirigidos por Gil, pero con registros muy diversos. *La señora de Fátima* (1951) parece centrarse en las supuestas apariciones marianas, pero esconde una tremebunda carga anticomunista; *Sor intrépida* (1952) incluye elementos musicales, aunque la monja-cantante protagonista acabe asesinada por unos guerrilleros en una leprosería india; por su parte *La guerra de Dios* (1953) tiene como tema el difícil apostolado de un joven cura en una zona minera; *El beso de Judas* (1953) apuesta por la reconstrucción de la historia evangélica, mientras que *El canto del gallo* (1955) volvía a utilizar la religión —aquí las persecuciones de los católicos húngaros— para un panfleto anticomunista; y finalmente, *Un traje blanco* (1956) retomaba un argumento muy próximo al de *Prima comunione* de Blasetti, aproximán-

[24] Entre esas curiosidades podemos situar *La señora de Fátima* (Orduña 1951); *Persecución en Madrid* (E. Gómez, 1952), sobre un polaco perseguido hasta Madrid; *Pasaporte para un ángel* (Setó, 1953), sobre una espía soviética que se arrepiente de su condición; *Los ases buscan la paz* (Ruiz-Castillo, 1954), sobre la fuga del futbolista Kubala desde Hungría a España; *Una cruz en el infierno* (Elorrieta, 1954), centrada en una misión católica arrasada por los comunistas en Indochina; *La legión del silencio* (Nieves Conde/Forqué, 1955) y *El canto del gallo* (Gil, 1955), sobre las persecuciones de los católicos en los países comunistas; *Rapsodia de sangre* (Isasi, 1957), reconstrucción de la invasión de Hungría de 1956; e *Y eligió el infierno* (Fernández Ardavín, 1957), centrada en la conversión de un comisario comunista.

dose así al cine «con niño» que hacía furor en ese momento[25]. Fuera del tándem Gil-Escrivá aparecen otros muchos films que mantienen alguna de esas temáticas o se asocian a alguno de los restantes ciclos —cine con niño, taurino o bélico/anticomunista— o géneros dominantes. En ese sentido rememoremos simplemente títulos como los ya citados *Día tras día, El Judas, Marcelino pan y vino* o *Un día perdido,* aunque también habrá excepciones como las «disidentes» *Los jueves milagro* (1957) de Berlanga o *Viridiana* (1961) de Buñuel, sobre las que deberemos volver más adelante.

En definitiva, títulos, géneros, ciclos, cineastas e intérpretes perfectamente intercambiables o cuando menos constitutivos de un tejido menos monolítico que en la década anterior, pero no menos sujeto a las implícitas consignas oficiales y perfectamente acordes con las aspiraciones de la industria dominante. Es en contra —y al mismo tiempo al lado— de ese cine como iba a construirse difícil y titubeantemente lo que llamaremos el «cine de la disidencia».

5. La disidencia cinematográfica

La renovación de comienzos de los cincuenta fue más allá del simple relevo en las filas industriales, al menos en pequeños pero significativos sectores, con especial incidencia en las actividades culturales cinematográficas (crítica, ensayismo, cineclubismo, etc.). En algunos casos esa voluntad de cambio tenía una motivación de carácter explícitamente político, como en las emblemáticas figuras de Juan Antonio

[25] Esos trabajos de Gil-Escrivá orientan muchas de las líneas seguidas en el ciclo religioso. Así podemos encontrar otros films centrados en el apostolado en barrios conflictivos —caso de *Día tras día* (Amo, 1951), *Cerca de la ciudad* (Lucia, 1952)—, en la reafirmación del carácter de Cruzada de la Guerra Civil —*Cerca del cielo* (Viladomat, 1951), *El frente infinito* (Lazaga, 1956)—, el drama de la conversión —*El Judas* (Iquino, 1952), *La herida luminosa* (Demichelli, 1956)—, la historia evangélica —*Cristo* (1953), *Milagro a los cobardes* (1961)—, con carácter folclórico —*La hermana San Sulpicio* (Lucia, 1952), *La hermana Alegría* (Lucia, 1954), *El niño de las monjas* (Iquino, 1958)—, de melodrama infantil —*Marcelino pan y vino* (Vajda, 1954)—, de comedia sainetesca —*El padre pitillo* (Orduña, 1954)— o costumbrista —*Un día perdido* (Forqué, 1954)—, y en los últimos momentos la hagiografía —*Molokai* (Lucia 1959), *Teresa de Jesús* (Orduña, 1961)—, por sólo citar los más destacados.

Bardem, Ricardo Muñoz Suay o Eduardo Ducay, orgánica e intensamente vinculados al PCE; en otros casos, como Luis García Berlanga, nunca hubo adscripción política, aunque fueron numerosos los que integrarían las filas de los llamados «compañeros de viaje», que con mayor o menor conciencia contribuyeron a determinadas formas de resistencia antifranquista. Pero entre los integrantes de ese clima —pues tal vez no podamos llegar a hablar de movimiento— aparecían otras motivaciones, que iban desde aspectos estrictamente cinematográficos —como el impacto provocado por el conocimiento del neorrealismo italiano[26]—, hasta otros entroncados con una tradición del pensamiento español como era el llamado «regeneracionismo», que tanta importancia había tenido en la llamada generación del 98, en realidad mucho más influyente que no la remota actividad cultural republicana, de la que los jóvenes intelectuales españoles de los cincuenta permanecían muy lejanos por obvios motivos de censura y exilio.

Dos fueron las procedencias básicas de los protagonistas de esa disidencia: el IIEC y la Universidad. El Instituto de Investigaciones y Experiencias Cinematográficas (IIEC) había sido fundado en 1947, según el modelo del Centro Sperimentale de Cinematografia, y hacia 1950 salió diplomada su primera promoción, que contaba entre otros con Berlanga y Bardem. Por otra parte, el relanzamiento de la actividad cultural universitaria —bajo el paraguas del Sindicato Universitario oficial (SEU)— fructificó en la reaparición del cineclubismo (con centros tan destacados como los de Zaragoza, Salamanca, Barcelona, Valencia, Sevilla, etc. además de los de inspiración católica, como en Bilbao o algunos años después el opudeísta Monterols de Barcelona) y en la aparición de numerosas revistas con importantes secciones dedicadas al cine. Estas últimas completaban el prolífico panorama de las revistas culturales del momento, mucho más implicadas en la denuncia del cine oficial y la reivindicación de una alternativa regeneracionista, realista y de mayor calidad estética que no las escasas revistas cinematográficas especializadas y sobre todo que la penosa crítica periodística.

---

26 Al respecto de la recepción e influencia del Neorrealismo cinematográfico en España hay que considerar la tesis doctoral de José Enrique Monterde, *El Neorrealismo en España. Tendencias realistas en el cine español* (Barcelona, 1992), en vías de publicación.

La trayectoria constitutiva de las plataformas de la disidencia cinematográfica tuvo jalones destacados, como la celebración de dos Semanas de Cine Italiano en Madrid —en 1951 y 1953—, que significaron no sólo el conocimiento primerizo de algunas de las obras maestras del neorrealismo, bien fuese en sesiones públicas, bien en proyecciones privadas de acceso restrictivo; también permitieron —sobre todo la segunda— el contacto directo de esos incipientes cineastas y críticos con personajes como Zavattini, De Sica, Lattuada, Emmer o Zampa. De ese encuentro surgirían incluso propuestas de colaboración, como el fallido proyecto de película a partir de un guión de Zavattini para Berlanga, que motivó un largo recorrido de ambos —junto a Muñoz Suay y Francisco Canet— por diversos lugares de España. De hecho, el neorrealismo iba a impregnar diversas tendencias del cine español de los años 50, aunque en algunos casos sólo correspondiese a una adecuación a la moda, caso de algunos pocos films de cineastas como Gil, Sáenz de Heredia, Lucia, Del Amo, Mariscal, Iquino, Rovira-Beleta, etc. Pero ni siquiera en los casos más conspicuos de interés pro-neorrealista —pensamos en Bardem y Berlanga, aunque también en el Nieves Conde de *Surcos*— podemos hablar de un neorrealismo «a la española», ya que las circunstancias contextuales resultaban muy diferentes; imposible la imitación directa, el neorrealismo se convirtió en un mítico punto de referencia para esos forzados disidentes españoles, que veían en él un modelo de aproximación a la realidad española y una forma de superar las deficiencias de una cinematografía engolada y retórica, tal como fuera considerada por los adalides del movimiento italiano el cine fascista, al tiempo que ofrecía también un modelo industrial alternativo a la ineficaz industria nacional. En una palabra, se trataba de poder pensar en un cine diferente al oficial, avalado por una idea general de cambio de la temática, estética e industria cinematográfica.

Las opciones regeneracionistas del cine y la sociedad española se articularon por dos vías desiguales: una pequeña serie de films que tímidamente intentaron abrir una alternativa al cine dominante y una intensa labor —aunque de alcance minoritario— desde las tribunas escritas. En algunos casos estas últimas ofrecieron programas regeneradores explícitos, como cuando Muñoz Suay reclamaba desde las páginas de *Índice* la centralización de la dirección del cine español en un único organismo oficial, la reglamentación de la censura, el recambio de la burocracia responsable de las comisiones calificadoras, la renovación profesional más allá de las cortapisas sindicales, una mejora de la crítica diaria, un mayor apoyo al IIEC y a la actividad documentalística, un incremento de audiencia de las revistas especializadas, un cambio de actitud de la intelectualidad española siempre reticente ante el valor artístico del cine, etc.[27]. Muchas de estas reivindicaciones se irían repitiendo en numerosos escritos, si bien serían las páginas de la revista *Objetivo* las que cobijarían de forma más sistemática y programática esos manifiestos, que muchas veces lanzaban sus ataques tanto a la política o la industria cinematográfica como a la propia sociedad española.

Un rápido análisis de toda esa literatura de apoyo a las posturas disidentes nos muestra sus evidentes limitaciones. No cabe duda que el alcance de esa voluntad de reinventar un cine español diferente del establecido o simplemente con una existencia digna y valiosa, integrado en una cultura nacional de mayor alcance, se movía por el territorio inevitable del posibilismo y caía fácilmente en el peligro de la recuperación desde el régimen. De hecho, la política cultural de los primeros años 50 ya había planteado una inflexión en el sentido de abrirse a ciertas tendencias innovadoras —vanguardistas incluso— aunque con apariencia de inocuidad política, caso de la pintura informalista (de Tàpies al grupo El Paso) o de la arquitectura racional-organicista, de brillante relevancia internacional y capaz de obtener algunas recompensas en forma de premios en las bienales artísticas (Venecia, São Paulo, etc.). De alguna manera, esa política —de la que Fraga Iribarne fue uno de los artífices y que alcanzaría su cenit con el «Nuevo Cine Español» (NCE) de los sesenta— iba a tener resonancias cinematográficas, aunque aquí la vigilancia censora debía ser mucho mayor, puesto que la repercusión popular del cine era indudable y su capacidad de incidir en cuestiones sociales y críticas también más directa. No sin razón han manifestado Bardem y Berlanga que ellos inventaron la censura, ya que hasta la aparición de las primeras formas de disidencia aquélla era poco menos que innecesaria. Rechazar todo posibilismo y negarse a cualquier forma de recuperación desde el poder significaba la inacción y el silencio, puesto que fuera del sistema dominante

[27] Ricardo Muñoz Suay, «Epílogo con algunas soluciones», *Índice*, núm. 46, 15 de diciembre de 1951, pág. 7.

—político e industrial— no había en aquellos años 50 el menor espacio.

La culminación de esa cultura cinematográfica disidente, de sus aspiraciones y contradicciones, llegaría con las famosas Conversaciones Cinematográficas de Salamanca, auténticos «estados generales» de la fracción disidente del cine español. Fueron organizadas entre el 14 y el 19 de mayo de 1955 por el cine-club del SEU de Salamanca, dirigido por Basilio Martín Patino, con el apoyo del rectorado y el soporte activo de la revista *Objetivo*, creada en julio de 1953 y en cuyo número 5 (mayo de 1955) se publicó un «llamamiento» para las Conversaciones fechado en febrero de 1955 y reincidente en buena parte de los postulados regeneracionistas, con especial énfasis en el valor del cine como medio contemporáneo de expresión, sobre la necesidad de un cine nacional que a la vez rompiera el aislamiento internacional, con la apelación a la tradición realista de nuestra cultura y al humanismo como marcos de acción cinematográfica, para lo que se responsabilizaba a la intelectualidad y se convocaba a profesionales, universitarios, escritores, críticos, etc.[28].

La nómina de participantes fue amplia, puesto que incluyó a buena parte de las tendencias que se movían alrededor de la actividad cinematográfica en aquellos años, desde militantes clandestinos del PCE hasta falangistas no acomodados al franquismo, pasando por diversos sectores católicos o incluso hombres inequívocamente ligados al régimen. Sin duda resultaba un éxito reunir a cineastas oficialistas como Sáenz de Heredia o heterodoxos como Bardem, a militares del régimen como García Escudero y a comunistas significados como Muñoz Suay, a católicos con diverso grado de aperturismo (Pérez Lozano, Cobos, etc.) y a la plana mayor de la revista *Objetivo*, a profesionales instalados como Del Amo y a jóvenes aún desconocidos como Saura, Patino, Diamante o Fernández Santos, aunque no debemos pensar que todos esperaban lo mismo de las Conversaciones, ni que su alianza

[28] Los firmantes del llamamiento fueron: Basilio Martín Patino, José M.ª Prada, Juan Antonio Bardem, Eduardo Ducay, Marcelo Arroita Jáuregui, José M.ª Pérez Lozano, Paulino Garagorri y Manuel Rabanal Taylor, que en el último momento sustituyó a Ricardo Muñoz Suay, vetado por el SEU debido a sus antecedentes políticos. A ellos se añadieron numerosas y destacadas adhesiones, como las de García Escudero, Villegas, Gómez Mesa, García Atienza, Cobos, Rotellar, etc.

fuese más que coyuntural. No obstante, parece indudable que esa forzada unidad giraba en torno a un común objetivo táctico: la crítica de lo existente en el cine español y la convicción de la necesidad del cambio[29].

De cuáles fueron los postulados defendidos en las Conversaciones queda el testimonio de las ponencias leídas, de las proyecciones (el homenaje a *Bienvenido Mr. Marshall* y *Ladrón de bicicletas,* junto al estreno de *Muerte de un ciclista* de Bardem), de los artículos editados en un boletín diario y sobre todo de las conclusiones alcanzadas y publicadas. Su síntesis fue felizmente lograda por el famoso pentagrama propuesto por Bardem:

> El cine español actual es: políticamente ineficaz, socialmente falso, intelectualmente ínfimo, estéticamente nulo e industrialmente raquítico.

Sin duda esa valoración puede resultar discutible, en la medida en que hemos visto que la falsedad y debilidad del cine nacional correspondían precisamente a su eficacia política desde la óptica del poder. No cabe duda de que las aspiraciones salmantinas eran posibilistas y gradualistas, tal como el conjunto del esfuerzo regenerador que alimentaba esas formas de disidencia; reclamar un inexistente código de censura, el fomento racional del cine desde la administración, la potenciación de la enseñanza cinematográfica, el apoyo al cine de calidad y la justificación de todo ello en nombre del valor cultural del cine era algo en absoluto revolucionario e incluso serían recogidas más tarde por el régimen cuando García Escudero volvió a la Dirección General de Cinematografía. Y así ha sido tomado como base de descalificaciones posteriores, desde posturas incapaces de asumir las

---

[29] De la amplia lista de participantes podemos señalar a algunos directores en activo (Sáenz de Heredia, Del Amo, Berlanga, Bardem, Romero-Marchent, Fernán-Gómez) o en ciernes (García Atienza, Martín, Saura, Diamante, Fernández Santos, Cervera, Patino), críticos y ensayistas (Villegas, García Escudero, Muñoz Suay, Arroita Jáuregui, Rabanal Taylor, Vizcaíno Casas, Pérez Lozano, Cobos, Juyol, Rubio, López Clemente, Aranda, Landáburu, Zamora Vicente, Lázaro Carreter, Egido, Prada, Hernández Marcos, etc.), profesionales (Gutiérrez Maeso, Baena, Marcos, Monter, Gurruchaga), editores (Ezcurra) y algunos invitados extranjeros (Costa, Oliveira, Aristarco, Doniol-Valcroze). A eso cabría añadir el veto administrativo a la asistencia de Zavattini y Sadoul.

Fernando Fernán-Gómez y Elvira Quintillá en *Esa pareja feliz* (Luis García Berlanga y Juan A. Bardem, 1951).

condiciones objetivas de la España del momento. Sin magnificar su significación, sin mitificar sus consecuencias —ni en sentido positivo, ni en lo que algunos entienden como negativa incidencia sobre el devenir de la industria del cine español—, sin mantener su vigencia hasta la actualidad como algunos pretenden, lo indudable es el valor inmediato de aquellas jornadas y su carácter de símbolo no ya de la disidencia cinematográfica, sino de las nuevas actitudes políticas que estaban surgiendo en el seno de la acción antifranquista.

Las repercusiones fílmicas de la disidencia cinematográfica fueron escasas por su doble condición crítica respecto a determinados aspectos de la sociedad española y de la propia industria cinematográfica. Recordemos que su arranque se sitúa en dos films producidos en 1951, *Surcos* y *Esa pareja feliz*. La primera, que como vimos tuvo importantes repercusiones en la marcha de la política cinematográfica española, abría nuevos espacios del decible fílmico; con contrapartidas ideológicas obvias (como el explícito y reaccionario discurso sobre las causas de la emigración rural y la defensa de la familia tradicional amenazada por las formas modernas y urbanas de vida), Nieves Conde lograba introducir en clave melodramática por primera vez en nuestras pantallas aspectos descarnados de la realidad cotidiana: el mercado negro, la prostitución, la explotación laboral, la delincuencia común, las colas de hambrientos solicitando las sobras de los cuarteles, etcétera.

Esa pareja feliz tuvo una mala acogida por parte de una industria que era caricaturizada ya en su primera secuencia, cuando se recreaba el rodaje de un típico film histórico «a lo Orduña», de forma que no pudo estrenarse hasta 1953, como consecuencia del éxito de *Bienvenido Mr. Marshall* (1952), dirigida por Berlanga con la decisiva intervención de Bardem en el guión. Planteada en clave de comedia no exenta de tintes amargos, la primera película de Bardem y Berlanga delataba tanto las condiciones de vida de una pareja obrera, entre sus carencias y sus aspiraciones, entre dificultades de todo tipo (vivienda, trabajo, dinero, etc.), como en sus ilusas soluciones (los concursos radiofónicos o los cursos de aprendizaje profesional por correspondencia).

Bienvenido Mr. Marshall (Luis García Berlanga, 1952).

Plácido (Luis García Berlanga, 1961).

En una línea semejante cabe situar *Bienvenido Mr. Marshall*, aunque aquí se alcanzaba una dimensión alegórica mucho más amplia, al utilizar ese pueblecito castellano anhelante de los dones concedidos por los norteamericanos como parábola de un país dispuesto a transformar su identidad —tal como esos castellanos disfrazados de andaluces— en favor de una mejor supervivencia. Pero además *Bienvenido Mr. Marshall* destaca por su labor metalingüística respecto a las esencias del cine español del momento, al parodiar no sólo los géneros y modelos dominantes, sino al ser capaz de insertarse sin rupturas en la textura de aquél.

Las trayectorias separadas de Berlanga y Bardem iban a representar en forma solitaria durante varios años las diferentes modulaciones de la disidencia cinematográfica. Por una parte, Luis García Berlanga proseguiría la vía del humor para plantear leves apuntes críticos primero —con *Novio a la vista* (1953), *Calabuch* (1956) y *Los jueves milagro* (1957)—, sátiras cada vez más acerbas luego, tras su encuentro con el guionista Rafael Azcona: *Plácido* (1961) y *El verdugo* (1963). Superado

Cómicos (Juan A. Bardem, 1954).

el ternurismo humanista de las dos primeras, *Los jueves milagro* significó un duro encontronazo con la industria, ya que su productora Ariel Films pertenecía al Opus Dei y discrepó del tratamiento de esa historia de falsas apariciones milagrosas y de crítica de una religiosidad superficial y acomodaticia. Sin embargo, nada fue eso frente al alcance crítico de *Plácido,* tras cuatro años de forzada inactividad; un marco provinciano volvía a servir para delatar la hipocresía y falsedades burguesas, así como el arribismo de unas clases explotadas en pos de su supervivencia, mediante el ataque directo al concepto de la caridad cristiana. La importancia de *Plácido* también hay que situarla en su ejemplarificación de un modelo de puesta en escena fundamentado en la coralidad de las situaciones, el empleo de largos planos-secuencia, el sistemático recurso a la antífrasis entre imagen y sonido o del contraste entre los diferentes términos de la acción, es decir, en la confirmación de un estilo cinematográfico personal que motivará la inequívoca consideración autoral del Berlanga de ese periodo.

Juan Antonio Bardem se plantearía una vía muy distinta para su cine. Dejando de lado la sentimental comedia *Felices Pascuas* (1954), sus films se sitúan en el territorio del drama de costumbres y de ideas. Tras *Cómicos* (1954), una reflexión sobre el ansia y el precio del éxito planteada en el ámbito teatral, al cual su familia estaba íntimamente ligada, Bardem dirigió sus dos mejores films: *Muerte de un ciclista* (1955) y *Calle Mayor* (1956). La primera se centraba aparentemente en un adulterio burgués capaz de provocar la muerte de un inocente, con claras resonancias del *Cronaca di un amore* de Antonioni, de la que incluso tomaba a Lucía Bosé como protagonista. Pero tras la trama de costumbres se proponía la toma de conciencia del protagonista —profesor universitario— como representante del desengaño de algunos de los que ganaron la Guerra Civil, paralela a las primeras formas de contestación estudiantil y confrontada a una tímida sugerencia de la solidaridad proletaria.

El notable éxito de *Muerte de un ciclista* en el festival de Cannes significó la inmediata estima del cineasta entre la crítica internacional, reafirmada por *Calle Mayor.* Remotamente basada en un texto de Arniches —*La señorita de Trevélez*—, narraba la historia de una dramática broma sufrida de parte de un grupo de jóvenes por una solterona en el cerrado ambiente de una ciudad provinciana. Ahora resonaban las influencias del Fellini de *I vitelloni,* pero la interpretación de Betsy Blair, el cuidado en la crónica ambiental, la denuncia del estancamiento provinciano bajo el peso de las costumbres y tradiciones especialmente sufridas por las mujeres de la pequeña burguesía, etc. eran otros tantos valores de un film casi redondo, donde por otra parte reaparecían los eternos temas bardemianos: desde la necesidad de la toma de conciencia hasta la solución de una alternativa que desborda lo existencial para alcanzar lo social, en una perfecta ilustración de la imprescindible regeneración nacional.

Sin embargo, esa tendencia al cine de ideas iría lastrando las posteriores obras de Bardem, incapaces de conseguir el magnífico entramado entre lo particular y lo colectivo de las dos recién citadas. *La venganza* (1957) proponía una alternativa al drama rural convencional sobre el enfrentamiento entre dos familias (en línea con el cine de De Santis), asumiendo alegóricamente la propuesta de «reconciliación nacional» lanzada por el PCE. Rodada en color y sistema panorámico, atrozmente reducida en su metraje por cuestiones de producción —y

Muerte de un ciclista (Juan A. Bardem, 1955).

en parte de censura—, con un *cast* menos afortunado que sus antecesoras y con una explicitación excesiva de sus postulados ideológicos, esta importante producción resultó un mayor fracaso comercial y crítico de lo que merecía. Algo semejante ocurrió con otra superproducción de aires viscontinianos, *Sonatas* (1959), que tomaba las novelas de Valle-Inclán sobre las Guerras Carlistas y la exportación del liberalismo a México en el siglo XIX, proponiendo una nueva alegoría sobre la frustrada tradición liberal española, enfrentada siempre a las diversas formas de absolutismo. Pese a los medios empleados y la clara reconstrucción de una nueva toma de conciencia, la película no cuajó ni como gran espectáculo ni como film de tesis.

Y también excesivamente esquemática resultó *A las cinco de la tarde* (1960), donde la obra teatral de Alfonso Sastre servía de punto de partida para una referencia explícita a la lucha de clases, situada ahora en el ambiente taurino. Con el mérito de subvertir los tópicos del cine sobre toros, rechazando cualquier tentación del casticismo y de la plasticidad de la fiesta nacional e incluso apurando un final de dimen-

Mari Carrillo y José L. López Vázquez en *El pisito* (Marco Ferreri, 1958).

siones trágicas sin haber mostrado un solo plano de la plaza de toros, el film no gustó a los aficionados taurinos ni bastó en su proclama política a los ya convencidos. Esos fracasos relativos no deben empañar las virtudes de *Muerte de un ciclista* y *Calle Mayor,* situadas en el límite de la permisividad censora e impagables retratos de una España entre la necesidad del cambio y las rémoras tradicionales. Todo ello servido por una puesta en escena en ocasiones excesivamente enfática y cargada literariamente, pero al mismo tiempo de una riqueza estilística rara en el conjunto del cine español, donde la ambición artística se aliaba con la política.

De todas formas, los films de Bardem y Berlanga se mantuvieron siempre en el interior del sistema industrial, tal como ocurrió con Fernando Fernán-Gómez, a diferencia de algunos otros escasos ejemplos mucho más periféricos. Las primeras películas de Fernán-Gómez no presentan excesivo interés y de hecho *La vida por delante* (1958) —seguida a cierta distancia por *La vida alrededor* (1959)— no difiere mucho en apariencia de las comedias al uso sobre parejitas burguesas; sin embargo, los problemas del joven matrimonio protagonista equivalían, en el seno de la burguesía media y ante los primeros avances del desarrollismo, a los presentados en *Esa pareja feliz.* Las siguientes películas de Fernán-Gómez retornaron a la seguridad de la adaptación teatral y no fue hasta entrada la década siguiente cuando alcanzó sus dos obras maestras, *El mundo sigue* (1963) y *El extraño viaje* (1964), espléndidos y radicales epígonos —junto a *El verdugo*— del cine disidente.

Entre los esfuerzos forzadamente periféricos cabe citar *El inquilino* (1957), donde Nieves Conde satirizaba acerbamente la carencia de viviendas, tanto como para ser masacrada por la censura (incluyendo el cambio de su final), prohibida por intervención directa del Ministerio de la Vivienda y luego no llegar a estrenarse jamás en las principales ciudades del país. E inequívocamente debemos situar ahí las tres películas con las que Marco Ferreri se inició en España como realizador. Fruto de su inventiva asociada a la capacidad de observación de la sociedad madrileña y del trabajo como guionista de Rafael Azcona, Ferreri abordó una comedia no ajena a sus iniciales fervores neorrealistas pero recorrida por una veta del absurdo inherente a la tradición realista y esperpéntica española, que recibiría la denominación de «humor

José Isbert en *El cochecito* (Marco Ferreri, 1960).

negro». Sobre todo *El pisito* (1958) y *El cochecito* (1960) pueden considerarse obras maestras en esa línea, a partir de situaciones límite como esa pareja que asume el matrimonio de él con una vieja para poder heredar su derecho a piso y terminar así sus larguísimos años de noviazgo, o ese amable viejecito que requiere un coche de inválido —aunque no lo esté— para poder seguir relacionándose con sus amigos y en su pretensión llegará al asesinato de toda su familia (aunque la censura impuso una variación del trágico final). Entre ellas, *Los chicos* (1959) abordaba la aburrida vida cotidiana de un grupo de adolescentes pequeño-burgueses madrileños que oscilan entre sus aspiraciones de ascenso social y lo mortecino del ambiente familiar y social.

También con referencias neorrealistas, pero con la mirada puesta en el despuntar de los «nuevos cines», y así mismo centrada en la vida de un grupo de jóvenes madrileños —aquí de extracción social más baja—, apareció en 1959 *Los golfos,* debut de Carlos Saura y punto de partida para el Nuevo Cine Español que estallaría pocos años después. Fruto de un distanciamiento narrativo deudor de la literatura realista ejemplificada por *El Jarama, Los golfos* se apartaba tanto de la coartada humorística como del drama de ideas bardemiano y aunque en su momento, como en el caso de las restantes películas de la disidencia periférica, apenas tuviese acogida comercial —pese a su asistencia a Cannes— hoy día aparece como un apasionado experimento repleto de dureza y testimonio de una juventud desconcertada entre los valores nuevos en el horizonte español y las estructuras tradicionales de esa sociedad, que una vez más remitía la posibilidad del ascenso social a la vía taurina, equivalente a la que en otros lugares podía significar el boxeo.

Esta década se cierra, en la perspectiva disidente, con un sonoro escándalo provocado por el retorno a España de su cineasta más internacional, Luis Buñuel. Con la intervención de Uninci y Films 59, tras haber pasado la criba de la censura de guión, en 1961 Buñuel dirigió *Viridiana.* Con claras resonancias de Pérez Galdós, se ofrecía como una cruel y ambigua alusión a la doble moral burguesa —véase la consolidación del triángulo sentimental al final del film— y a los valores de la caridad cristiana, impecablemente servido por la interpretación de Fernando Rey y Paco Rabal, así como por un provocativo juego referencial en el terreno visual y sonoro —la escenificación de la Santa Cena de Leonardo da Vinci por un grupo de pordioseros y prostitutas a los sones del *Mesías* de Haendel— que centraba un magistral uso de la antífrasis. Tan hábil como para superar la censura, representar a España en el festival de Cannes y ganar la Palma de Oro; pero insuficiente como para pasar desapercibido para *L'Osservatore Romano* que lo acusó de blasfemo y sacrílego, ocasionando una fulminante reacción del gobierno español que significó la destitución del Director General de Cinematografía, la prohibición absoluta del film (no estrenado hasta 1977) e incluso la retirada de su nacionalidad española, salvándose de la destrucción gracias a su carácter de coproducción.

De alguna manera, esa década contradictoria terminaba con un escándalo mayúsculo que delataba las limitaciones aperturistas del régimen y la creciente radicalidad de las tendencias disidentes, donde el modelo cinematográfico franquista había alcanzado su mayor eficacia al mismo tiempo que se abrían nuevas opciones, en cuyo seno aparecieron títulos que siguen contándose entre los mejores momentos del cine español.

¿Una dictadura liberal? (1962-1969)

CASIMIRO TORREIRO

1. LA ESPAÑA DEL DESARROLLO

El año en que se constituye el sexto gobierno franquista, 1962, es también aquel en el cual un anodino artesano especialista en modestos films de género, Juan Bosch, rueda *Bahía de Palma,* producto menor que, a pesar de su irrelevancia, muestra uno de los primeros y muy castos biquinis —lucido no obstante por una actriz extranjera, Elke Sommer— que se han visto en una película hispana. ¿Qué está cambiando en España para que se acepte ahora lo que tres años antes era impensable? Sencillamente, la propia sociedad, que a pesar de la rigidez de la dictadura franquista va a experimentar el impacto de las medidas económicas puestas en funcionamiento en el I Plan de Desarrollo Económico de 1963. Y la liberalización de costumbres que llega de la mano del gran *boom* de ese comienzo de década: el turismo.

El turismo es un gran invento, reconoce seis años después, en medio de una marea de comedietas que tenían a los extranjeros y el ligue de playa como *leit-motiv,* el título de un film simplemente estulto firmado por Pedro Lazaga, uno de los más prolíficos directores comerciales del periodo. Y no es para menos: para entonces, era de general aceptación el hecho de que la fisonomía española estaba cambiando en parte gracias a los visitantes extranjeros. Las cifras son abrumadoras: entre 1958 y 1964, el número de viajeros, provenientes sobre todo de

Francia, del norte de Europa y de las Islas Británicas, que vienen a España se multiplican: 2,458 millones el primer año, casi 14 millones en 1964. Una Europa que parece dispuesta a olvidar uno de los traumas de la generación anterior, la guerra civil hispánica y sus secuelas de solidaridad en el continente, se vuelca literalmente hacia un país con sol y mar, precios módicos y baja incidencia delictiva, no en vano existen los cuerpos represivos que el franquismo depuró y reactivó desde el final de la contienda civil.

Vienen a una España que está viviendo uno de los periodos de expansión económica más notables del siglo, fruto del éxito de las recetas macroeconómicas de choque aplicadas desde 1960 y de la masiva entrada de divisas, tanto las derivadas del turismo como las enviadas por más de un millón y medio de emigrantes «exportados» al resto de la Europa desarrollada. Un país que vive una verdadera ruptura estructural, que se expresa en el cambio de naturaleza de las fuerzas productivas y en el aumento casi general del poder adquisitivo:

> La *población activa agraria* representaba en 1960 el 40,76 % del total, mientras que en 1972 habrá bajado al 26,3 % ; *el PIB por habitante* (en dólares USA a precios corrientes y tasas de cambio de 1975) se situaba en 1964 en 660 dólares, frente a una media de la OCDE de 2.065, y una media de la Comunidad Europea de 1.879; *la población estrictamente industrial* representaba el 22,38 % de la población activa, los servicios ocupaban el 26,54 % y la construcción el 7,08 %; en 1973 estos porcentajes habían variado sustancialmente: agricultura 23,85 %; industria, 26,45 % ; construcción, 9,70 % y servicios 38,96 % . *Intenso proceso de proletarización:* en términos absolutos, los asalariados pasan de 7,3 millones en 1960 a 9,1 en 1973. (...) *apertura exterior:* el porcentaje (suma de exportaciones más importaciones) del sector exterior sobre el PIB pasa del 11,3 % en 1959 al 22,4 % en 1972[1].

Este *boom* económico, que cambió radicalmente el país y lo metió de cabeza en la era del consumo, se complementó desde el punto de vista institucional con una controlada, muy tímida apertura política y

[1] Josep Oliver Alonso y Jacint Ros Hombrevella, «Los planes de desarrollo», en *Historia Universal del siglo XX*, Madrid, Ed. Historia 16, volumen 29, 1985, págs. 111-128.

con una ofensiva diplomática en pos de la homologación internacional del régimen. La no democrática España pidió su ingreso formal en el Mercado Común Europeo el 9 de febrero de 1962 —le fue denegado—, después de haber sido aceptada en otros foros (en el BIRF y en el Fondo Monetario Internacional, por ejemplo, en 1959). Obviamente, la apertura, por pequeña que fuese, debía ser encomendada a rostros nuevos, entre los cuales destacó el sector de tecnócratas, economistas y abogados estrechamente relacionado con el Opus Dei, que ya venía desempeñando una influencia fundamental que mantendría hasta el final del franquismo, especialmente constatable en el periodo crucial de 1962 a 1969.

En dicha apertura, tanto al cine como al teatro les fue encomendado un papel de relieve: se trataba de demostrar con obras que, en contra de lo que decían los seculares «enemigos de España», según la propaganda franquista, en el país soplaban nuevos vientos: que, como en el resto de Europa, el Estado estimulaba la creatividad de los artistas jóvenes, entre ellos los encuadrados en el llamado Nuevo Cine Español, y que hasta los límites de la censura, hasta entonces muy estrechos, se ampliaban con criterios más elásticos, virtualmente inéditos desde el final de la contienda civil.

La década de los sesenta fue en España una época de discreta esperanza. Si bien es cierto que en las filas de la oposición clandestina nadie se hizo ilusiones sobre la real voluntad democratizadora del régimen, no lo es menos que en el seno de éste se produjo un movimiento importante orientado hacia su reorganización institucional, en una maniobra que ha llevado incluso a algún historiador, con considerable livianidad, a definir este periodo como el de un claro reformismo liberal, que tuvo además en el cine su punta de lanza propagandística más importante[2]. Esta maniobra, cuyo diseñador fue el ministro opusdeísta Laureano López Rodó, y que tuvo como máximo

[2] Por ejemplo, al británico John Hopewell, quien en su documentada aunque a menudo discutible aportación sobre el cine del postfranquismo afirma: «El nuevo cine español era más que una mera maniobra de autopromoción del gobierno. (...) tal cine favoreció la transición (se refiere a la transición hacia la democracia que se produjo en los años 70) asentando diversos medios por los que el régimen franquista *pudo articular sus deseos de emprender una reforma liberal* (el subrayado es nuestro).» *El cine español después de Franco. 1973-1988,* Madrid, Ed. El Arquero, 1989, pág. 38.

garante al almirante Luis Carrero Blanco, intentaba, sin salirse de los principios ideológicos del Movimiento, ajustar las instituciones a los nuevos tiempos una vez clara incluso para sus ideólogos la escasa competencia de éstas para preservar el *statu quo*.

Así, en la década de los sesenta se construye un nuevo edificio jurídico que tiene sus puntales en la institución del Tribunal de Orden Público (1963) compentente en materias de seguridad interna, un plan de desarrollo económico con carácter cuatrienal (1964), una Ley de prensa e imprenta (1966) que debía garantizar formalmente esa nueva tolerancia censora antes mencionada; una Ley de libertad religiosa (1967) que intentaba, aunque fuese a regañadientes, sintonizar con los nuevos postulados emanados del concilio Vaticano II, así como una nueva Ley Orgánica del Estado (en vigor desde enero de 1967), aprobada por referéndum en diciembre de 1966 y simulacro de Constitución adaptada a los principios ideológicos del bando vencedor en la guerra. Y finalmente, la cuestión sucesoria —la continuidad misma del régimen— se pretendía garantizar con la designación de Juan Carlos de Borbón como heredero de Franco en la jefatura del Estado, que se concretó en julio de 1969.

Toda esta política se vio abocada al fracaso, fruto del desgaste del franquismo y de los enfrentamientos nacidos en el interior de los propios grupos en que se cimentaba. Pero ante todo por el avance en organización y combatividad de la oposición, que amenazó, por primera vez desde el final de la guerra, con desbordar al régimen en varios terrenos: en el político, con el fortalecimiento del Partido Comunista como principal organización opositora, dada su implantación real en el país, así como por el impacto de las huelgas estudiantiles, que llevarán, entre otros, al cierre de las universidades de Madrid y Barcelona, en febrero de 1967.

En el sindical, con la progresiva implantación de Comisiones Obreras (CC.OO), sindicato de mayoría comunista que, nacido provisionalmente a raíz de las huelgas de Asturias, en 1958, se había ido consolidando gracias en gran parte a su política de infiltración dentro de los sindicatos verticales —desde 1962—, y que sería el motor de la gran agitación obrera que recorrió toda la década de los sesenta, con especial incidencia en el norte industrial, Madrid y Cataluña. Por poner sólo un ejemplo del poderío creciente de CC.OO. dentro de las estructuras verticales, valga recordar que en las elecciones sindicales de 1966, primeras en las que hubo algo parecido a una campaña electoral tolerada, los hombres del sindicato clandestino ocuparon hasta el 40 % de los cargos electos en Madrid. Respecto a la conflictividad obrera, hay que recordar que, a pesar de la represión, entre 1963 y 1966 hubo en España 2.062 huelgas, que aumentaron a 3.063 entre 1967 y 1970[3].

Y finalmente, por si fuera poco, se le abren al franquismo otros frentes conflictivos: la oposición de la base clerical, sobre todo en Euskadi —a la que contesta con encarcelamientos masivos, el más importante en Bilbao, en abril de 1969— y el comienzo, con carácter público, de la lucha armada de corte radical —nacionalista de la organización Euskadi Ta Askatasuna (ETA). El recrudecimiento de la represión, la adopción de medidas extremas como la promulgación de estados de excepción —suspensión de las garantías constitucionales—, parcial en Guipúzcoa en 1968 y general en toda España en 1969, dio al traste, de manera abrupta, con la experiencia aperturista. Un final constatable desde 1967, aunque sancionado con el cese, en octubre de 1969, del principal abanderado de la reforma, el ministro de Información y Turismo Manuel Fraga Iribarne.

2. García Escudero y la apertura

Crítico cinematográfico, coronel del cuerpo jurídico del Ejército del Aire, escritor, antiguo director general durante breves meses y activo participante en las Conversaciones de Salamanca, José María García Escudero fue el hombre elegido por el ministro de Información y Turismo, en agosto de 1962, para hacerse cargo de la Dirección General de Cinematografía y Teatro. Era, indiscutiblemente, un hombre para la reforma; provenía de las filas del catolicismo, su adscripción ideológica no ofrecía dudas, pero al mismo tiempo había demostrado una independencia de criterios y una aptitud para el diálogo mayor que el común denominador de los servidores del estado de su época.

[3] El calibre de la victoria sindical clandestina en 1966 fue de tal magnitud que el régimen retrasó hasta 1971 las elecciones de 1969, al tiempo que reducía a la mitad los cargos a elegir. Véase Joe Foweraker, *La democracia española,* Madrid, Arias-Montano ed., 1990, págs. 161 y 267 y ss. (Ed. original: *Making Democracy in Spain,* Cambridge University Press.)

Contaba entre las filas de la oposición cinematográfica activa con algunos amigos; era bien visto por sectores influyentes de la Iglesia y, tal como dejaría constancia a lo largo de sus cinco años al frente del organismo oficial encargado del cine, estaba dispuesto a llevar a cabo el lavado de cara del régimen que se le había encomendado; a pesar de ejercer su cargo entre 1962 y 1967, no resulta exagerado centrar en él prácticamente los ocho años que median entre 1962 y 1969. García Escudero personificó como nadie antes, y probablemente como nadie después, toda una política que, para bien y para mal, habría de cambiar el rostro del cine español.

Aunque eso le llevase, como así ocurrió, al enfrentamiento continuo: con estamentos poderosos —con una parte de la jerarquía eclesiástica, con militares influyentes[4], con asociaciones confesionales o de ex-combatientes— y con vocación inmovilista, en primer lugar; pero también con una izquierda cinematográfica que pasó de desconfiar cortésmente de las medidas que podía llevar a cabo el director general, a manifestar una clara animadversión una vez constatada la insuficiencia de los límites reales de sus reformas.

Así las cosas, en el verano de 1962 García Escudero se hacía cargo de las riendas de un cine que, ante la cerril y anticuada *intelligentsia* hispana, todavía tenía que rendir periódicos exámenes en pos de una legitimidad cultural que le era negada desde siempre. Un ejemplo ilustrativo es la encuesta promovida dos años antes por el diario madrileño *Pueblo,* órgano de los sindicatos verticales, entre cinco intelectuales de prestigio —entre los que se encontraba un poeta consagrado, José Hierro; un jurista y posterior presidente de las Cortes democráticas, Antonio Hernández Gil; y uno de los más prestigiosos ensayistas cinematográficos, Manuel Villegas López—, sancionó por cuatro votos contra uno (el de Villegas, justamente) que el cine «no es arte», entre otras peregrinas y absurdas razones, «porque envejece deprisa, porque lo mata el tiempo y no desafía el olvido»[5].

---

[4] Por poner sólo un ejemplo, en septiembre de 1964, el influyente almirante Carrero Blanco, futuro vicepresidente del gobierno, elevó un informe privado a Franco en el cual, entre otras muchas cosas, se quejaba de la política del Ministerio de Información y Turismo «en playas, espectáculos, libros, revistas e incluso en la televisión».

[5] Referido por José Luis Guarner, *30 años de cine en España,* Barcelona, Ed. Kairós, 1971, pág. 81.

García Escudero se encargó de un cine que, en su opinión, seguía igual que en 1952: «No es que en diez años no se haya hecho una política: es que no se ha hecho nada», constata el nuevo director general en su diario personal de esos días, y a continuación reconoce que «los problemas se suceden a una velocidad que no deja aliento. Me invento una consigna: hacer las cosas mal y pronto. Mejor que dejarlas sin hacer»[6]. Lo hacía, no obstante, con un claro *parti pris* ideológico, que compartía con el resto de los políticos franquistas: el achacar a la supuesta falta de formación cultural del espectador la mayor parte de los males del cine español —de la cultura y de la vida social españolas—, actitud con la que se pretendía ocultar una realidad mayor, a saber, que esa falta de formación era el fruto último de la ausencia de cauces de participación democrática y de una educación autoritaria, desfasada y deficiente.

El propio García Escudero dejó claras sus posturas de adhesión a esa suerte de perversa teoría de las elites culturales y las mayorías necesariamente tutelables, como recoge uno de sus textos fundamentales, publicado el mismo año de su nombramiento: «Y es que el mal público es mayoría, y éste es un hecho que no podemos desconocer y que influye necesariamente en todos los aspectos del cine, el cual choca con obstáculos políticos y con obstáculos económicos, pero también con la educación —la falta de educación cinematográfica— del público, que agrava aquellas dificultades, porque el público dicta indirectamente, pero con eficacia, sus leyes a la producción»[7].

A pesar de todo, el nuevo jerarca cinematográfico fue capaz de recoger algunas de las aspiraciones de la profesión, ya debatidas en Salamanca, para llevar a cabo una revolución marcadamente personalizada, inducida y tutelada desde el poder, y caracterizada por la adopción de una política de signo claramente tecnocrático, de racionalización del mercado, de pretendida sustitución de las estructuras del viejo cine «de régimen» por una nueva generación de cineastas —tanto directores como productores, pero también guionistas y actores— más atentos a las potencialidades culturales del cinematógrafo e incómodos con la estulticia del cine comercial al uso; y de una apertura hacia el

[6] José María García Escudero, *La primera apertura. Diario de un director general*, Barcelona, Ed. Planeta, 1978, pág. 37.

[7] José María García Escudero, *Cine Español*, Madrid, Ed. Rialp, 1962, pág. 40.

exterior —una de las grandes asignaturas pendientes del cine español desde siempre—, tanto desde el punto de vista de la exportación como del estímulo a la acción de inversionistas extranjeros.

Y, dentro de los limitados márgenes que dejaba un régimen autoritario y la mentalidad implícita de sus servidores, intentó también clarificar las normas de juego en el terreno de las cortapisas legales. No es que el nuevo director general fuese partidario de la eliminación de la censura; al contrario, defendió en numerosas ocasiones la necesidad de una «censura social inteligente», según sus propias palabras. De lo que sí era firme partidario, como también la oposición, era de eliminar la arbitrariedad con que las distintas juntas venían actuando desde el fin de la Guerra Civil: es decir, que estaba a favor de la existencia de mecanismos de control, pero en contra de la forma en que éstos se ponían en práctica.

El instrumento regulador, las Normas de Censura Cinematográfica, se promulgó en febrero de 1963, con nuevos añadidos sobre sus competencias en mayo de 1965. Se trata de un conjunto de reglas que por vez primera recogen por escrito normas que venían siendo habituales en la práctica desde la instauración de la censura del régimen. Su redacción era suficientemente genérica como para permitir un margen amplio a la interpretación de los nuevos funcionarios o eclesiásticos que habrían de velar por su cumplimiento. Tan genérica, por otra parte, que cuando García Escudero fue cesado, su sucesor, Carlos Robles Piquer, impuso un duro freno a la reforma en el terreno cinematográfico sin tener necesidad de modificar el texto.

Como todo código de censura cinematográfica conocido, el español de 1963 pretendía un triple objetivo; el control político, moral y religioso. Las normas prohibían «la justificación del suicidio, del homicidio por piedad, de la venganza y del duelo, del divorcio como institución, del adulterio, de la prostitución, y de todo lo que atente contra la institución matrimonial, del aborto y de los métodos contraceptivos. También se prohibirá la presentación de las perversiones sexuales como eje de la trama, de la toxicomanía y del alcoholismo de manera inductora, de las escenas brutales de crueldad hacia personas y animales. (...) Se prohibirá todo lo que atente de alguna manera contra la Iglesia católica, su dogma, su moral y su culto, los principios fundamentales del Estado, la dignidad, la seguridad interior y exterior del país, y todo lo que atente contra la persona del jefe del Estado», según el resumen de Juan Martínez-Bretón[8].

El celo censor no se detenía sólo en estas prohibiciones concretas. De hecho, establecía muchas más, de las que cabría mencionar, por ejemplo, la cláusula décima, que recordaba la obligación de no incluir escenas inductoras de «bajas pasiones en el espectador normal»; la décimotercera, que advertía contra los planos y escenas «contrarios a las más elementales normas del buen gusto»; la decimoctava, en fin, que recordaba taxativamente que «Cuando la acumulación de escenas o planos que en sí mismos no tengan gravedad, cree por su reiteración un clima lascivo, brutal o morboso, la película será prohibida.»

La actuación de las distintas juntas de censura, compuestas por una nutrida representación ministerial, así como por vocales nombrados por la Iglesia, y controladas según un rígido criterio burocrático por el propio director general, que las presidía de oficio, dio lugar a una amplísima casuística[9]. En todo caso, conviene señalar que el balance definitivo de la acción censora de García Escudero arroja, como toda su política, luces y sombras que no son otra cosa que el reflejo de los titubeos de un funcionario que pretendió implantar sin éxito una política equidistante por igual de los sectores más reaccionarios del régimen y de la disidencia tolerada, los sectores críticos que en un principio se contarían sobre los defensores de la apertura.

No cabe duda que, desde 1962, y aunque continuaron prohibidos numerosos títulos —por citar un par de los más esperados, auténticos baremos de la actitud censora: *The Great Dictator (El Gran Dictador,* 1940) de Chaplin o *La dolce vita,* 1959, de Fellini—, los españoles pudieron ver más cine, sobre todo extranjero —con lo que, indirectamente, terminó perjudicándose al cine de producción española—, y menos censurado en lo que al metraje original se refiere. Pero tampoco caben dudas respecto a que el control, aunque mitigado, siguió existiendo en todo su esplendor, y en especial sobre los proyectos que

---

[8] Juan Antonio Martínez-Bretón: *La denominada Escuela de Barcelona.* Tesis doctoral inédita presentada en la Facultad de Ciencias de la Información, Madrid, 1984, páginas 340-342.

[9] El mejor trabajo sobre el funcionamiento de la censura durante el régimen franquista sigue siendo, sin duda alguna, el documentado libro de Román Gubern, *La censura. Función política y ordenamiento jurídico bajo el franquismo (1936-1975),* Barcelona, Ed. Península, 1981.

se realizaban en España. Así, la legislación censora establecía nada menos que tres comisiones diferentes que tenían que actuar sobre todo futuro film: una que juzgaba la viabilidad del proyecto, otra que analizaba el guión previo y una tercera que juzgaba el film ya realizado, además de la publicidad que acompañaba a éste.

Es igualmente cierto que, como afirma García Escudero en otro de sus libros[10], se redujo en proporción siempre decreciente el número de filmes íntegramente prohibidos, cuyo porcentaje sobre el total el mismo autor adelanta: el 10,52 % en 1962-63, el 10,44 % en 1963-64, el 10,22 % el ejercicio siguiente, y el 7,40 % en 1965-66, último año contabilizado entonces por el director general. Pero tiene razón Román Gubern cuando apunta que, además del hecho indiscutible de que a pesar de la apertura el cine siguió siendo censurado, el cálculo de estos porcentajes es excesivamente optimista, toda vez que «los distribuidores-importadores, en su propio interés económico, ya preseleccionaban su material importado, excluyendo de sus lotes las películas que a su juicio no ofrecían posibilidades de ser autorizadas en España (ahorrando así trámites y dinero a su empresa)»[11].

3. La «Carta Magna» del cine español

Además de regular la censura, García Escudero intentó aplicar una política en dos direcciones, una industrial y otra cultural, y desde el primer momento hubo de enfrentarse a las reticencias de sectores de una industria anquilosada y acostumbrada a subsistir con las subvenciones; una industria que, a pesar de aprovecharse flagrantemente de las medidas de protección, pronto le bautizó con el despectivo mote de «director general de cine-clubs», en alusión tanto a su cargo anterior como presidente de la Federación Española de Cine-Clubs, como a su defensa de los aspectos más culturales relacionados con lo cinematográfico, al tiempo que se le atacaba por su apuesta por un cine de autor, ajustado en la medida de lo posible —es decir, dependiente de los márgenes censores tolerados— a los estándares de los «nuevos cines» europeos, en detrimento de la vieja industria.

---

[10] José M.ª García Escudero, *Una política para el cine español*, Madrid, 1967, pág. 44, nota.

[11] Román Gubern, *op. cit.*, págs. 224-225.

Los jalones de la nueva política a aplicar fueron varios, aunque por encima de todo se advierte el interés ministerial por potenciar el sector de producción, al que se asigna el papel de auténtico motor de la operación. En primer lugar, con la promulgación desde 1962 de varias órdenes, muy especialmente las Nuevas Normas para el Desarrollo de la Cinematografía, de agosto de 1964, consensuadas con amplios sectores de la industria —lo que demostró un talante como mínimo nuevo de la administración respecto a los profesionales cinematográficos—, García Escudero se aseguraba la existencia de un corpus jurídico, similar al aplicado en otros países europeos, con el fin de proteger, promover y estimular la producción propia.

Desde el punto de vista funcional, pero sobre todo político, la medida más importante contemplada en la nueva legislación era la eliminación de las categorías, vigentes desde julio de 1952, en que se clasificaban las películas con el fin de asignarles un porcentaje de subvención sobre el coste total del film («interés nacional», primera A, etc.) y su sustitución por una cantidad automática equivalente al 15 % de la recaudación bruta, porcentaje sobre taquilla al que tenía derecho toda película de producción española en los cinco primeros años de su carrera comercial, medida igualitaria que suprimía la denigrante cláusula del «interés nacional», principal artífice del control ideológico.

La subvención automática del 15 % se garantizaba, desde el punto de vista de su funcionamiento, en la puesta en marcha de un espinoso y postergado mecanismo: el control de taquilla, la fiscalización de todos los puntos de venta de entradas, medida administrativa fuertemente contestada por los exhibidores, con la que se jugaba en cierto modo el éxito o el fracaso de la política de García Escudero, tal como él mismo reconoce con gran alborozo en su dietario del periodo: «será la última pieza del sistema, pero mucho más que eso: va a dar claridad al mercado, va a ser la verdad del cine, va a permitirnos a todos operar con realidades, no con mentiras ni con fantasías: por vez primera va a ser posible una auténtica política cinematográfica»[12].

Las normas preveían, como en otros países europeos, la creación de un Fondo de Protección que debía nutrirse, además, con otras contribuciones: impuesto al tráfico de empresas, derechos de doblaje de

---

[12] J. M.ª García Escudero, *La primera apertura*, *op. cit.*, pág. 143.

películas extranjeras, cánones de publicidad y pago por parte de la televisión estatal (TVE) de diversas cantidades en concepto de derechos de emisión de películas extranjeras, medida esta última que no se llevó a cabo, pues TVE funcionaba con criterios propios de gestión y rentabilidad y ni pagó cánones de doblaje ni participó, al menos en esta época, como coproductor de la industria cinematográfica.

Además, y con el fin de estimular las realizaciones de los jóvenes cineastas, García Escudero introdujo una nueva categoría, el «interés especial» —que sustituía al «interés nacional»— al cual podían aspirar todos aquellos films que demostraran una voluntad de investigación formal o temática, películas que, en definitiva, se distinguieran de la pobreza media del cine de género producido por la industria asentada. También gozaban del amparo del interés especial las películas de temática infantil, así como cualquiera que hubiese concursado en festivales internacionales de categoría A y hubiera obtenido en ellos algún premio. En este caso, verían mejorado hasta en un 15 % su porcentaje de subvención, medida que pretendía estimular el interés de los productores españoles por exhibir sus films en el extranjero, verdadero eje, ya se ha dicho, de la operación propagandística y de escaparate exterior que subyacía detrás de toda la legislación García Escudero.

Consciente igualmente de las dificultades que tenían que afrontar los nuevos realizadores a la hora de planear su debut, el director general incluyó en su legislación la concesión de avales para la producción, de hasta un millón de pesetas, a retornar en un plazo máximo de 3 años. De manera que a partir de 1964, el Estado dispuso la concesión de créditos a través de los siguientes mecanismos: a) créditos normales a la producción (devolución a tres años); b) anticipos del Banco de Crédito Oficial para las películas de «interés especial»; c) créditos no retornables en concepto de «interés especial»; d) anticipos del Fondo de Protección por igual concepto; e) anticipo del BCI para financiar películas comerciales, a devolver en tres años; f) avales oficiales a los productores para la obtención de créditos privados; y g) créditos sindicales[13].

---

[13] Conviene aclarar a este respecto que los créditos sindicales se redujeron drásticamente con la llegada de García Escudero. El director general pretendió, y obtuvo, que fuese sobre todo a través de sus medidas como se subvencionase al cine español. Los datos están en Victoriano López-García, *Chequeo al cine español*, Madrid, ed. del autor, 1972, págs. 112-113.

El complemento del corpus jurídico que hizo aprobar García Escudero, que él mismo bautizó un tanto pomposamente como la «Carta Magna del cine español», fue la promulgación de una serie de normativas tendentes a sancionar la actuación intervencionista del Estado en el terreno de la cultura cinematográfica. Algunas tuvieron que ver con la dinamización de los cine-clubs como instancias de formación cultural cinematográfica o con la racionalización de las actuaciones de la Filmoteca Nacional en el terreno de la conservación de films, así como al comienzo de su actividad pública.

Otras fueron determinantes, como la conversión, en noviembre de 1962, del Instituto de Investigaciones y Experiencias Cinematográficas, el IIEC, en la Escuela Oficial de Cinematografía, EOC; convencido García Escudero que sólo con la eclosión de una generación de cineastas de nuevo cuño, según el modelo triunfante en Francia con la Nouvelle Vague, su operación rendiría los dividendos políticos anhelados, promovió la reforma del IIEC para convertirlo en una escuela elitista, una isla de tolerancia en medio de un contexto general de falta de libertades formales. Y para redondear su revolución desde la cúpula, hizo aprobar en la legislación sobre el «interés especial» una cláusula que indicaba que en el futuro podrían gozar de sus ventajas «los (films) que, con un contenido temático de interés suficiente, presenten características de destacada ambición artística, especialmente cuando faciliten la incorporación a la vida profesional de titulados de la Escuela Oficial de Cinematografía».

Así pues, la radiografía de la producción española entre 1962 y 1969 muestra una línea divisoria extremadamente nítida; por una parte, la conformista industria hasta entonces establecida, acostumbrada, desde el final de la guerra a vivir de las subvenciones estatales. Esta industria, a la que a muy duras penas podemos definir en esta época como tal, producía sobre todo —pero no sólo, como ya veremos luego— películas de género y, aunque en un porcentaje muy inferior, también acomodaticios films de régimen. Por el otro lado, tras la aplicación de la política de García Escudero se configuró un nuevo tipo de cine, nacido a veces de la oportunista inversión de los viejos productores, que vehiculaba propuestas diferentes y que no tuvo, como se verá, un destino particularmente brillante.

4. El «Nuevo Cine Español»

> El futuro (...) del cine español está, ha de estar, en los jóvenes de la EOC. Escribo «ha de estar» porque si nuestro cine adolece de preocupación cinematográfica son estos jóvenes la que la poseen; si no hay en nuestro cine preparación cultural, formación, intención, espíritu de superación, amor a la profesión elegida, compromiso, estética, honradez... los encontramos en los alumnos de la EOC, que en un alarde de abnegación se entregan a su tarea artística, haciéndola centro de su vida y aspiraciones, sin otras razones extra-artísticas.
>
> Alfonso Guerra[14]

Así pues, el núcleo fundacional de un cine de nuevo cuño lo encontró García Escudero entre los aspirantes a nuevos profesionales que se formaban en la época en el IIEC/EOC. En sus orígenes, y a pesar de las diferencias inherentes a estructuras de Estado distintas, el Nuevo Cine Español aparecía fomentado por medidas y apadrinado desde estamentos similares a los que propiciaron los cines de ruptura europeos de los sesenta. A saber, un intento de rentabilizar políticamente la defensa de una determinada concepción de la cultura nacional a través del cine, una legislación proteccionista respecto de la producción, un empuje orientado a la promoción a los nuevos realizadores, más la existencia de escuelas de cine que actuaban como canteras formativas de los neoprofesionales.

Y al igual que ocurrió con la Nouvelle Vague, el Free Cinema, el Junger Deutscher Film o con los cines nórdicos, también en España el NCE realizó su pequeña revolución contra el *cinéma de papa* —incluyendo dentro de éste no sólo a los cineastas comerciales o del régimen, sino también a algunos de los representantes de la disidencia, so-

---

[14] Esta encendida defensa de la ética de los neocineastas, publicada en *Cinema universitario,* núm. 1, Madrid, 1964, págs. 28-31, está firmada por quien, andando el tiempo, habría de convertirse en vicepresidente del gobierno con el PSOE y número dos de este partido, Alfonso Guerra, y da el tono, entre militante y mesiánico, de muchos de los escritos laudatorios del llamado Nuevo Cine Español.

bre todo a Juan Antonio Bardem—, contra quienes ellos creían que bloqueaban su acceso a la profesión. Aunque conviene aclarar que el NCE se distinguió mucho más por su enorme atipicidad con respecto al resto del cine producido en España, que por su permeabilidad para adoptar modelos narrativos importados del exterior, o por su interés por la investigación formal: una suerte de realismo crítico, a veces teñido de referencias al cine de un director, Michelangelo Antonioni, que era mal conocido en España, más algunos toques *nouvelle-vaguistes* fue la referencia formal dominante entre los nuevos realizadores.

El resultado fue un movimiento heterogéneo que produjo una nómina de hasta 48 realizadores debutantes entre 1962 y 1967, una serie de films de interés y calidad desigual y de escaso impacto entre el público, y una generación de recambio entre cuyos miembros imperaban inquietudes y enfoques contrapuestos sobre la común práctica fílmica. Por lo menos tan contrapuestos como podían ser, entre los de la Nouvelle Vague, los de Godard respecto a los de Truffaut, los de Eric Rohmer o Jacques Demy respecto a los de Doniol-Valcroze, los de Rivette respecto a los del núcleo de la Rive Gauche, con Alain Resnais y Chris Marker a la cabeza.

Un cine, en fin, cuyo final es difícil precisar con exactitud —cada cineasta es un caso aparte—, pero que en todo caso se sitúa entre 1967 y 1970; que privilegió escenarios y personajes de la provincia frente al, por otra parte, más que discutible cosmopolitismo de la capital —en realidad, frente al agobiante centralismo madrileño—, tal vez porque quienes lo practicaban habían venido desde lugares como Salamanca (Basilio Martín Patino), Santander (Mario Camus), Valladolid (Francisco Regueiro), San Sebastián (Antxon Eceiza) o Bilbao (Pedro Olea), y porque, además, muchos de estos films mostraban considerables facetas autobiográficas.

El común denominador de los films realizados por cineastas como Patino, Julio Diamante, Miguel Picazo, Manuel Summers, José Luis Borau, Camus, Antonio Mercero, Regueiro, Víctor Erice, Angelino Fons, Pedro Olea, José Luis Egea, Eceiza o Jordi Grau, por citar sólo a los más representativos, no era otro que el que se presupone en toda generación que surge en cualquier terreno del arte: la pretensión de abordar temas viejos desde un prisma nuevo —la incertidumbre del despertar a la vida de los jóvenes, una mirada entre crítica y desencantada a la cotidianidad, la frustración que deja la falta de libertad en toda formación intelectual y afectiva, los difíciles vínculos con la familia, que es como decir con la generación que ha vivido la traumática experiencia de la Guerra Civil, gran tabú soterrado, pesaroso telón de fondo de difícil abordaje frontal, con el consiguiente tira y afloja con la censura para saber efectivamente cuál era su grado de tolerancia.

Y la conciencia de que, por encima de este tira y afloja, y habida cuenta de que la censura seguía siendo no una cortapisa, sino un verdadero modo de producción, no había más remedio que improvisar un lenguaje elíptico y plagado de dobles sentidos, anfibologías que a menudo propician lecturas contrapuestas o incluso aberrantes; un cine que, con razón, fue bautizado por John Hopewell como «oblicuo», puesto que su comprensión global y su relación con la realidad «radicaba no tanto en que los significados estuvieran ocultos como en que tuvieran que ser interpretados: si el espectador, el crítico o el censor querían relacionar tal o cual detalle de la película como un elemento histórico fuera de la película, era asunto suyo»[15].

De hecho, todos los films importantes producidos por el NCE estuvieron sujetos a negociaciones con los censores, a cortes aceptados a regañadientes y a intromisiones administrativas sobre guiones previos que nunca llegaron a realizarse, a pesar de que el conjunto de la operación reposaba en un posibilismo aceptado por las dos partes: el director general apoyaba películas cuyo coste era muy inferior al reconocido oficialmente por la DGCT —con la intención explícita de que dicho coste se sufragase vía acceso a festivales o a través del «interés especial» casi en su totalidad, por una parte; por la otra, que esto le permitiese encontrar interlocutores válidos entre los aspirantes a productor —dos de los cuales, Juan Miguel Lamet y Elías Querejeta, se convirtieron en claves para el arranque y la consolidación del nuevo cine, sobre todo el primero—, mientras que los cineastas, a su vez, deberían intentar no sobrepasar la tolerancia que les permitía el nuevo marco de juego.

Aunque en este punto conviene precisar, igualmente, que contra lo que se ha afirmado en muchas ocasiones, incluso con interesada complacencia, el primer empuje de producción no les vino a los nuevos cineastas de los productores emergentes, sino de algunas de las

---

[15] John Hopewell, *El cine español después de Franco. 1973-1988, op. cit.*, pág. 42.

empresas tradicionales. Es el caso de IFISA, la productora de Iquino en Barcelona, que financió las dos primeras películas de Mario Camus; el de Jet Films, que hizo lo propio con las dos iniciales de Francisco Regueiro; el de PROCUSA, que pagó *Noche de verano* de Jordi Grau o *Se necesita chico* (1963) de Antonio Mercero; el de TARFE, que produjo el debut del escritor y posterior crítico Jesús Fernández Santos, *Llegar a más;* el de PEFSA, que pagó *Juguetes rotos* de Manuel Summers, mientras Benito Perojo P. C. hacía lo propio con *El juego de la oca,* del mismo realizador; y hasta el de Ágata Films, que pagó el único largometraje de ficción de Juan García Atienza, *Los dinamiteros...,* por citar sólo algunos ejemplos.

O dicho de otra forma, la vieja industria, que no dudaría en reconvertir los géneros patriótico-populistas de los años 40 y 50 en lábiles, oportunistas coproducciones en los sesenta, tampoco desdeñó intentar la obtención rápida de subvenciones estatales apoyando en la práctica la política de García Escudero, por mucho que discrepara pública y abiertamente del director general. Por otra parte, que la apoyara no significa que creyera necesariamente en ella: de hecho, en cuanto los nuevos cineastas demostraron su escasa viabilidad comercial, estos productores cortaron radicalmente su participación, sólo para dedicarse a operaciones más directamente rentables.

Desde el punto de vista cronológico, los dos primeros films que se suelen adscribir al NCE, aunque fueron producidos poco antes de la llegada de García Escudero, en el mismo 1962, ya expresan de forma embrionaria uno de los temas centrales de todo el movimiento: las inquietudes personales y sexuales de una generación que ha nacido y crecido bajo el signo de un régimen autoritario. *Los que no fuimos a la guerra* de Julio Diamante, de desigual interés y calidad formal, fue seleccionado para el festival de Venecia y obtuvo allí una buena acogida crítica, pero luego tuvo problemas graves con la censura, hasta el punto de que su estreno se retrasó hasta 1965. *Noche de verano* de Grau, cineasta formado en el Centro Sperimentale de Roma, y de desconcertante trayectoria posterior —tres años después fue autor, por ejemplo, de un film casi experimental, *Acteón* (1965), el más interesante de su prolífica carrera, que nada tiene que ver con éste—, mostraba, a través de un guión que había sido prohibido en 1956, una rara calidad documental en su descripción de las inquietudes y frustraciones de un grupo de jóvenes barceloneses durante la popular verbena de San Juan.

El buen amor (Francisco Regueiro, 1963).

La producción del año siguiente, 1963, contempló el debut de una nueva hornada de cineastas. Regueiro lo hizo con *El buen amor*, el vagabundeo supuestamente liberador por Toledo de una pareja de estudiantes enamorados que se evaden, por unas horas, de la rutina madrileña, y verdadero antecedente de uno de los temas capitales que habrían de recorrer luego toda la filmografía de su autor: la incomunicación y la soledad como contrapunto del amor. Su siguiente proyecto, *Amador* (1965), que tuvo que reescribir hasta tres veces por problemas de censura (que le obligó a convertir a su protagonista, en origen un sádico, en un vulgar ladrón de monederos: según el peculiar, pintoresco entender de los censores, un personaje así «estaría justificado en Londres, pero no en España»)[16], fue como el anterior un fracaso de público —no de crítica—, lo que hizo que Regueiro ingresara en la poco cómoda nómina de los cineastas «malditos».

Los farsantes y *Young Sánchez* significaron, ese mismo 1963, el debut de uno de los directores con más voluntad de supervivencia de todo este periodo, Mario Camus. Mientras el segundo documenta, con vacilaciones de estilo que marcarían el arranque de la carrera del santanderino, los inicios de un boxeador de origen humilde, *Los farsantes*, en el que son evidentes los paralelismos con otro ilustre debut, *Luci del varietà* de Alberto Lattuada y Federico Fellini, narra las vicisitudes de una compañía de cómicos de la legua obligados a pasar una Semana Santa en Valladolid, en casa de una ex-actriz, actual prostituta, al tiempo que sufren la humillación de unos burgueses que les contratan para una fiesta, y muestra en detalle la sordidez y las esperanzas de cada uno de los miembros de la *troupe*.

El film conoció, como *Young Sánchez*, una fracasada, errática vida comercial —no llegó a estrenarse en Madrid, por ejemplo—, lo que tal vez ayude a entender la posterior apuesta del director por un cine popular —*Muere una mujer*, 1964, y *La visita que no tocó el timbre*, 1965, basado en una obra de Joaquín Calvo Sotelo, así lo testimonian—, cuando no el puntual alquiler de su oficio para la realización de vehículos de lucimiento de cantantes de moda, como Raphael, a quien di-

---

[16] Una consideración racista-nacionalista similar se encontró Pedro Olea en su debut, *Días de viejo color* (1967): los censores consideraron que la protagonista femenina no debía acostarse con el protagonista masculino porque era española; «si fuera francesa, el acto sería más comprensible».

Young Sánchez (Mario Camus, 1963).

rigió en tres films, o al servicio de viejas glorias cuya carrera se pretendía reactivar, como Sara Montiel.

La tía Tula (1964) de Miguel Picazo, uno de los mejores films de movimiento y de todo el cine español de los años 60, testimonia igualmente la atención de muchos de los nuevos cineastas de no enajenarse los favores del público. En este caso, Picazo recurrió a una actriz de arraigo popular, Aurora Bautista, desatada heroína de films histórico-patrióticos en la década anterior —y que debe su fama a dos melodramas emblemáticos, *Agustina de Aragón* y *Locura de amor*—, en una operación de la que ciertamente se aprovechó dramáticamente el film, pero que tiene su explicación última más allá de las necesidades artísticas del cineasta. Traslación a la pantalla de la novela homónima de Miguel de Unamuno —suponía todo un reto adaptar al ex-rector de la Universidad de Salamanca, el mismo que en plena Guerra Civil se había opuesto públicamente al beligerante general legionario Millán Astray al grito de «¡Venceréis, pero no convenceréis!»—, narrado con un tratamiento férreamente realista, el film retrata con frío distanciamiento crítico, pero con notable rigor, la historia de una solterona, la Tula del título, sus frustraciones personales y sexuales, su soledad y la tediosa vida cotidiana en la provincia.

Al igual que ocurriera con otros «nuevos cines» de la época, el español se nutrió asimismo de aspirantes a cineastas que provenían —previo paso por la EOC, en todo caso— de las filas de la crítica cinematográfica. Es el caso de Antxon Eceiza, amigo personal del productor Elías Querejeta —con quien llegó a rodar dos cortometrajes a comienzos de los sesenta—, uno de los puntales teóricos de la revista *Nuestro Cine* —aunque también escribió en la rival *Film Ideal*, de la que fue uno de los primeros colaboradores. Eceiza, defensor a ultranza del realismo crítico, debutó con un film que pasó inadvertido, *El próximo otoño* (1963), razón por la cual cambió radicalmente de estilo en su segundo largometraje, *De cuerpo presente* (1965), feliz adaptación de la novela homónima de otro futuro cineasta, Gonzalo Suárez, y tal vez la mejor película de su filmografía. No obstante su formación, a pesar del apoyo de Querejeta —su habitual productor— y de su intento de captar un nuevo público a base de incluir actores extranjeros en sus filmes —como Jean Louis Trintignant y Haydée Politoff, protagonistas de *Las secretas intenciones*, 1969—, Eceiza vio frenada su carrera tras este film y, después de realizar *spots* publicitarios, se exilió en México por razones políticas.

Carlos Estrada y Aurora Bautista en *La tía Tula* (Miguel Picazo, 1964).

La busca (Angelino Fons, 1966).

También crítico y escritor, además de poeta, era Angelino Fons, uno de los casos más tristes entre los realizadores que debutaron en las filas del NCE. Colaborador de *Nuestro Cine* y de *Cuadernos de Arte y Pensamiento,* Fons firmó una espléndida adaptación de otro novelista incómodo para la ortodoxia del régimen, Pío Baroja, en su primer y mejor film, sin duda, de toda su carrera, *La busca* (1966). La película narra una historia que muchos de los cineastas formados en la EOC conocían bien, la del joven de provincias que intenta abrirse paso en Madrid, aunque en este caso el destino sólo reserve a su protagonista —Jacques Perrin— un final trágico y barriobajero. El éxito de crítica del film abrió a Fons las puertas de TVE, en las que firmó trabajos solventes, entre otros, uno dedicado a *Granada y García Lorca.* Su segundo film, rodado ya en un contexto de retracción de la administración respecto al nuevo cine, fue una suprema equivocación, la oportunista *Cantando a la vida* (1968), que pretendía —en vano—

usufructuar el éxito de una cantante entonces de moda, Massiel, y origen de una decadencia imparable que se prolonga hasta nuestros días.

El cine de autor no fue, no obstante, el camino que eligieron otros aspirantes al debut. Por ejemplo, José Luis Borau, profesor de guión en la EOC y futuro productor, intentó el abordaje de los géneros tradicionales con sus dos primeros films de encargo, el anodino *western* *Brandy* (1963) y el policiaco *El crimen de doble filo* (1964), que testimonia una cierta solidez narrativa y su admiración por los modelos genéricos del cine clásico norteamericano. Pero a pesar de todo, quien sería un hombre clave en el cine de la transición tuvo que esperar hasta 1973 para rodar otro film —y en esta ocasión, con *Hay que matar a B.*, un *thriller* en clave política, topó con la censura que le obligó a cambiar, entre otras cosas, la nacionalidad de su personaje.

Aunque el caso más notable de cineasta que apostó por los géneros, en este caso la comedia, fue Manuel Summers, el que mejor resultado de taquilla obtuvo con su primer film, *Del rosa al amarillo* (1963), crónica sensible de dos amores, uno adolescente y otro crepuscular, en la que dejó claras sus cualidades de observador un tanto irónico de la sociedad de su tiempo. Summers, como Camus, fue uno de los escasos cineastas del NCE capaz de desarrollar una carrera normal, aun a costa de rebajar sus planteamientos críticos (de 1963 a 1970, logró realizar una película por año, todo un récord).

El film más interesante de Summers, *Juguetes rotos* (1966), un documental con diálogos improvisados en el cual se entrevistaba a varios personajes del deporte y el espectáculo que habían sido populares antes de caer en el olvido y hasta en la marginación, sufrió 37 cortes de censura —según del propio cineasta—, mientras el director general confiesa en sus memorias que «sólo» se le cortó 1 minuto y 19 segundos. El enfrentamiento entre Summers, la gran esperanza comercial de García Escudero, y su protector se saldó con una aparatosa ruptura, originada por el funcionario cuando, en noviembre de 1966, envió al fiscal unas declaraciones del cineasta a una revista madrileña en las que denunciaba irregularidades en la concesión de subvenciones. Aunque el expediente no prosperó, tanto la actitud del jerarca como la del cineasta son ilustrativas de la ruptura de sintonía entre administración y directores: a finales de 1966, parecía claro que el empuje inicial de la reforma estaba tocando fondo.

Elsa Baeza y Emilio Gutiérrez Caba en *Nueve cartas a Berta*
(Basilio Martín Patino, 1965).

Sin embargo, es evidente que este empuje decreciente se podía observar ya desde antes. En 1965, el mismo año, por cierto, en que Emiliano Piedra le produjo a Orson Welles *Campanadas a medianoche*, íntegramente rodada en España, Basilio Martín Patino, animador de las Conversaciones de Salamanca, debutaba con *Nueve cartas a Berta*, la película más emblemática del NCE, suerte de manifiesto-compendio de las virtudes y las debilidades del movimiento. El film narra, según el modelo de la literatura epistolar dieciochesca, las ilusiones y esperanzas de un joven que, en su primer viaje fuera del país, conoce a Berta, hija de republicanos que ha nacido en el exilio, de la cual se enamora, y destinataria, sin presencia fílmica, de las cartas que el chico le escribe. A partir de la mirada de su personaje principal (Emilio Gutiérrez Caba, uno de los actores emergentes que, a pesar de sus pocos trabajos para cineastas del NCE, mejor encarnó al héroe introvertido propio de tantos films del periodo), y con marcada vocación documental, Patino narra la historia de una derrota, la del joven, incapaz de superar la mediocridad de la vida familiar, la frustración de su padre, alférez provisional franquista durante la Guerra Civil, tan decepcionado como él; y en general, la gris cotidianidad —su novia, el *statu quo*. El film se cierra con su renuncia a los sueños de amor e independencia, tragado literalmente por la fuerza de gravedad de una sociedad pacata y provinciana. Es imposible no ver en el tono de desesperanza del filme, en su profunda carga de amargura, la premonición del final del experimento escuderiano: como ocurrió con todos los cineastas del NCE, el segundo film de Patino, *Del amor y otras soledades* (1969, con Lucía Bosé), fue un palmario fracaso de crítica y público. Y, de más está decirlo, también se vio envuelto en un conflicto grave con la censura.

Mención aparte merece Carlos Saura. Como se ha visto, el aragonés debutó en la realización en 1959, fue profesor en el IIEC —muchos de los futuros hombres del NCE fueron alumnos suyos— y, como éstos, se benefició del proteccionismo de García Escudero para darse a conocer internacionalmente. Por sus preocupaciones temáti-

Alfredo Mayo y José M.ª Prada en *La caza* (Carlos Saura, 1965).

cas, por su talante crítico, Saura comparte con sus ex-alumnos varios puntos en común, aunque la suya sea, con propiedad, una experiencia puente entre la generación disidente de los años 50 y la del NCE. Después de un paréntesis tras *Los golfos*, y una fallida reconstrucción histórica, *Llanto por un bandido* (1963), Saura realiza *La caza* (1965), una producción de Elías Querejeta, que es aún hoy no sólo una de sus mejores películas, sino una de las radiografías más duras hechas en España sobre la mentalidad de la base sociológica adicta al franquismo.

La caza, que debía llamarse *La caza del conejo*, título prohibido por unos censores que sólo vieron en él alusiones sexuales y no la auténtica disección moral y sociológica que la película articula, es uno de los primeros films que recurren a la metáfora de la persecución de animales —la caza del título, justamente— como sustituto de la violencia contra el hombre, y que tendrá continuación simbólica en otros films, como *Furtivos* (1975) de Borau o *La escopeta nacional* (1977) de Berlanga, entre otros. El film cuenta la jornada de cacería de cuatro personajes emblemáticos, tres ex-combatientes denotadamente franquistas, más el joven sobrino de uno de ellos. Sin tregua, y con un *crescendo* dramático que acaba en tragedia y baño de sangre, Saura expone el rencor y las envidias mutuas, la frustración por una vida que no era la prometida, que enfrenta a los amigos (uno de ellos interpretado por Alfredo Mayo, actor fetiche del cine de régimen de los años 40), vistos a través del sobrino y del casi esclavizado sirviente del coto de caza al que concurren.

El film anticipa algunos de los aspectos que uniformarán la primera etapa de la trayectoria del realizador aragonés: la disección crítica del estamento burgués, tan presente en sus obras siguientes —*Pepermint frappé*, 1967; *Stress es tres, tres*, 1968; *La madriguera*, 1969—, la forma en que se manifiestan las contradicciones de clase, la violencia destructora, el sexo y la muerte. Y por encima de todo, la creación de un universo opresivo, elíptico y metafórico, a menudo físicamente cerrado, en el cual la Historia es ante todo un dramático, terrible fantasma a convocar contra quienes pretenden sencillamente cancelarlo.

5. Un nuevo «Nuevo Cine Español»: la Escuela de Barcelona

El Nuevo Cine Español no fue, a pesar de sus vacilaciones y carencias, el único intento de nuclear un grupo de profesionales y films de manifiesta vocación alternativa. De hecho, en el periodo final del

Teresa Gimpera en *Fata Morgana* (Vicente Aranda, 1966).

mandato de García Escudero cuajó en Barcelona un grupo inquieto de aspirantes a cineastas, heterogéneo como todos los grupos generacionales, aunque con señas de indentidad comunes, casi todas nacidas de un posicionamiento a la contra respecto al cine establecido —incluido en él el NCE, que por entonces, mediados de 1966, mostraba ya alarmantes señales de agotamiento.

El intento, promocionado desde abril de 1967 en las páginas de la revista barcelonesa *Fotogramas* por su máximo propagandista, el productor y ocasional guionista Ricardo Muñoz Suay, con el nombre de Escuela de Barcelona, tuvo una vida efímera —de finales de 1965 a 1970, aunque algún film, como *Fata Morgana* de Vicente Aranda, fuese anterior, y algunos otros, como *El hijo de María* de Jacinto Esteva, y *Umbracle* de Pere Portabella, se diesen a conocer en 1971—, apasionante y contradictoria, y queda en los anales como el único momento colectivo de investigación formal y ruptura temática en toda la historia del cine español[17].

De hecho, la etiqueta «Escuela de Barcelona» fue una apropiación inteligente de Muñoz Suay, que pretendió con ella un doble objetivo: por una parte, una interesada homologación con uno de los movimientos menos conocidos por los realizadores españoles, pero de gran eco publicitario en el exterior como era la Escuela de Nueva York. Por la otra, intentar obtener el amparo subvencionador que la ley García Escudero proporcionaba a los *diplomados* de la Escuela de Madrid. Y su fracaso, similar en ciertos aspectos al de los hombres de la EOC en su intento de convertirse en recambio, se debió también al cambio arbrupto de las condiciones políticas generales, y a sus propios errores.

La Escuela de Barcelona fue un movimiento heterogéneo, creado tras el encuentro más o menos casual de una serie de aspirantes a cineastas, casi todos ellos con un pasado de militancia antifranquista, algunos formados en el extranjero (Carles Durán, ex-alumno del IDHEC parisino; el hoy famoso arquitecto Ricard Bofill y el también arquitecto y pintor Jacinto Esteva, estudiantes ambos en Ginebra y París), otros en Madrid (Joaquín Jordá o Portabella) e incluso algunos provenientes del cine comercial (de Muñoz Suay, que sería luego el productor ejecutivo de buena parte de los films de la Escuela de Barcelona, a José María Nunes, un francotirador que se había adelantado a su tiempo con una película sencillamente inclasificable, *Mañana...*, 1957).

Su film manifiesto, *Dante no es únicamente severo* (1967), finalmente firmado por Esteva y Jordá, y programado en la italiana Mostra de Pesaro ese mismo año, es una suerte de compendio de los conflictos, búsquedas y hallazgos del movimiento: proyecto que debía reunir cuatro *sketches* dirigidos respectivamente por Jordá, Esteva, Portabella y Bofill, pero las desavenencias entre ellos, moneda corriente entre los miembros de la Escuela, llevaron a que los dos últimos realizasen el suyo por separado (Portabella, *No compteu amb els dits;* Bofill, *Circles),*

[17] Para mayor información sobre la azarosa vida del movimiento barcelonés, véase: Esteve Riambau y Casimiro Torreiro, *Temps era temps. El cinema de l'Ecola de Barcelona i el seu entorn,* Barcelona, Ed. del Departament de Cultura de la Generalitat de Catalunya, 1993.

Hannie van Zantwyk y Enrique Irazoqui en *Dante no es únicamente severo* (Jacinto Esteva y Joaquín Jordá, 1967).

mientras los dos primeros, con el amparo de la productora Filmscontacto, una creación de la familia de Esteva, y máxima plataforma del grupo[18], realizaban al alimón un film sorprendente y aparentemente inconexo, suerte de estructura narrativa abierta plagada de citas cinéfilas, investigación formal y provocación al espectador y su cómodo estatuto de fruidor escópico.

La Escuela de Barcelona fue un movimiento fuertemente contestatario respecto al cine establecido, y no menos fuertemente contestado desde varios frentes. En realidad, sus miembros hicieron gala de un olímpico desprecio por el cine comercial tanto madrileño como bar-

[18] Además de producir buena parte de las películas de la Escuela de Barcelona, Filmscontacto inició una corta vida como productora de títulos ajenos con el rodaje y la financiación de *Cabezas cortadas* (1970) del brasileño Glauber Rocha.

La piel quemada (Josep Maria Forn, 1966).

celonés —aunque se sirvieran de algunos de sus profesionales— al tiempo que se distanciaban de cineastas locales que, como Josep Maria Forn o Jaime Camino, intentaban en el mismo periodo abordar en sus filmes las consecuencias de algunas grandes transformaciones sociales en curso. Forn trató de los problemas de la emigración en Cataluña en *La piel quemada* (1966) y vio profundamente mutilado por la censura su film más comprometido, *La respuesta/M'enterro en els fonaments* (1969), que trataba de las huelgas estudiantiles de entonces. Camino, por su parte, realizó un interesante retrato de las frustraciones de su generación con *Los felices 60* (1963/64), film en el que colaboraron algunos de los futuros miembros de la Escuela de Barcelona.

Además, se mofaron igualmente de sus teóricos compañeros de fatigas, los hombres del NCE, cuyo cine consideraban añejo en sus posturas estéticas, y entraron en contradicción con la izquierda cinematográfica, que les reprochó su elitismo cultural, y con el nacionalismo catalán, al que irritaban por sus posturas cosmopolitas y por el uso del castellano como vehículo de expresión en sus películas. Emparentado directamente con otras industrias culturales y formas artísticas de moda en la Barcelona de los años 60 —la fotografía, la publicidad, la industria editorial, la arquitectura de vanguardia, el diseño y hasta la moda—, hizo de conocidas modelos, actores y actrices a contracorriente —Teresa Gimpera, Romy, la italiana Serena Vergano; o Enrique Irazoqui, el Cristo del pasoliniano *Il vangelo secondo Matteo (El evangelio según San Mateo)*— sus musas y principales intérpretes, y de la provocación radical su arma arrojadiza por excelencia.

La práctica fílmica de los cineastas adscribibles en la Escuela de Barcelona fue más contradictoria y heterogénea aún que la manifestada por los directores del NCE. Y si allí la referencia dominante fue un cierto neorrealismo, incluso un realismo crítico a la italiana, aquí osciló entre la admiración ciega a los postulados estéticos de la Nouvelle Vague —Trufffaut— y la ruptura formal auspiciada por el Godard pos-

Lejos de los árboles (Jacinto Esteva, 1963).

terior a *Pierrot le fou,* más algunos exponentes documentales —de los que *Lejos de los árboles* (1963, estrenada en 1970) de Esteva o *Umbracle* de Portabella son buen ejemplo—, en los cuales la violentación de los límites entre representación de la realidad y manipulación de los elementos profílmicos mediante una trama de ficción los convierten en productos insólitos en el panorama español de la época.

La herencia última de la Escuela de Barcelona impregnó desde comienzos de los años 70 la mayor parte del cine de autor catalán, haciéndose notar su consciente reivindicación de una dimensión lingüística del medio y su voluntad experimental —particularmente interesante en Esteva, Portabella, Nunes y Jordá—; decididamente determinantes fueron, desde el punto de vista de su aprendizaje en el medio, los primeros trabajos de Vicente Aranda *(Fata Morgana,* 1965) y Gonzalo Suárez *(El extraño caso del Dr. Fausto,* 1969), algo *outsiders* respecto al núcleo de Filmscontacto. Su voluntad de experimentación formal hizo a sus films mucho menos vulnerables a la acción de la censura que, a pesar de algunos encontronazos menores, no vio en ellos peligro inmediato. Y como en el caso del NCE, las películas de la Escuela de Barcelona no contaron con un público fiel y sufrieron toda suerte de problemas de exhibición.

Una vez producida la destitución de García Escudero, cuando se certifica la defunción de las condiciones favorables a la eclosión de los nuevos cineastas, la experiencia de la Escuela de Barcelona se clausuró con algunos de sus miembros (Portabella, Nunes) rodando virtualmente en la clandestinidad, mientras otros se incorporaban a las filas del cine comercial en otras tareas e intenciones (Durán, Aranda, Suárez), y otros acababan en el exilio artístico (Esteva) o directamente en el exilio político (Jordá, que realizaría en Italia varios films militantes, antes de su regreso a España, tras la muerte de Franco).

6. Víctimas y damnificados

La política emprendida por García Escudero tuvo pues algunos claros beneficiarios; pero también propició, directa o indirectamente, la existencia de algunos damnificados. El interés controlador y ordenancista del director general, su apuesta por una generación de recambio a la que pudiese controlar a través de la concesión de prebendas

El extraño viaje (Fernando Fernán-Gómez, 1964).

tuvo bastante que ver con el ostracismo de la generación de la disidencia; no es casual que la trayectoria profesional y artística de los tres cineastas más innovadores surgidos en la década anterior —Bardem, Berlanga y Fernán-Gómez— se viese fuertemente coartada desde la llegada de García Escudero, y por problemas derivados del contenido de sus filmes. De los tres, quien tuvo que enfrentar problemas mayores fue Fernán-Gómez, no sólo por las coacciones y el fracaso comercial inapelable del díptico formado por *El mundo sigue* (1963) y *El extraño viaje* (1964), sino por la marginación que le supuso haber firmado una carta abierta al ministro de Información en 1963 protestando por la represión sufrida por los mineros asturianos en huelga[19]. A pe-

[19] El propio Fernán-Gómez lo cuenta así en sus memorias: «En 1963, al ministro de Información, que acaba de pedir diálogo, se le olvidó informarnos a unos cuantos de que no debíamos escribirle una carta preguntándole si era cierto que en Asturias se

sar de su solvencia interpretativa, de su enorme e inusual talento, no contó en absoluto en los planes de los nuevos realizadores: hay que esperar a que Carlos Saura se decida, ya muerto y enterrado el NCE, a darle el papel protagonista en *Ana y los lobos* (1972), para ver a Fernán-Gómez en una película de un ex-joven cineasta.

Tras cosechar un buen éxito de público con su farsa *La venganza de Don Mendo* (1961), un film de encargo, el actor y realizador rodó *El mundo sigue,* fiel adaptación de la novela de Juan Antonio de Zunzunegui que muestra, a partir de un microcosmos familiar cerrado y con un tratamiento próximo al neorrealismo, los perjuicios, las pequeñas rencillas, pero también las nuevas expectativas que se le abren a las clases subalternas en el contexto de modernización creciente que se vive en la España del periodo. La película huye en todo momento de la tentación moralista y se permite incluso una insólita opción, hacer que el único personaje capaz de llevar hasta el final su apuesta por una vida mejor sea el de la hija prostituta de la familia, mientras su hermana, que ha seguido atada a las convenciones sociales de su medio, terminará por arrojarse por el balcón.

Por su parte, *El extraño viaje* nació de una idea de Berlanga desarrollada por el guionista Pedro Beltrán, y es, a diferencia del anterior, un vigoroso cruce entre los estilemas del humor negro y ciertas referencias al cine de terror, que lleva el relato hacia los márgenes mismos del esperpento y la astracanada. Narra un hecho de crónica, un crimen real nunca resuelto, y conocido popularmente como «el crimen de Mazarrón», y, salvo en el pequeño detalle de que la censura prohibió que el film se llamase así —por temor a que la resurrección de un delito conocido diese a Mazarrón, localidad presuntamente turística, una mala fama que ahuyentase a los potenciales visitantes—, lo cierto es que su ostracismo radical (se estrenó sólo seis años después de su realización, y en un cine de barriada) no se debió a los censores, sino

---

torturaba a los mineros que protestaban; nosotros escribimos la carta, y al día siguiente casi toda la prensa del país se volcó contra los firmantes. (...) Como resultado de aquello en la Dirección General de Seguridad me pusieron mala nota y, durante mucho tiempo, tener en regla mi documentación, salir de España, regresar a ella, fue un verdadero martirio. En Radio Nacional y en Televisión prohibieron mi nombre durante algunos años». Fernando Fernán-Gómez, *El tiempo amarillo. Memorias 1943-1987.* Madrid, Ed. Debate, 1990, vol. 2, págs. 165-166.

al temor de los distribuidores de que su contenido y su tono despertasen las iras de la administración.

Después de estas experiencias, Fernán-Gómez replegó velas y se volvió a acomodar a las ofertas que recibía, comedias producidas por empresas dedicadas al cine de género (Arturo González P. C., As Films, Estela Films, Pedro Masó P. C.) y caracterizadas por su modestia formal y de intenciones: no es casual que su película inmediatamente siguiente, *Los Palomos* (1964), se cuente entre lo peor de su larga y en general espléndida filmografía, ni que la que siguió a ésta, *Ninette y un señor de Murcia* (1965), basada en la conocida y popular comedia de Miguel Mihura, sea sólo una ilustración pálida y desangelada.

Por su parte, Luis G. Berlanga también tuvo considerables problemas con las autoridades en la época. El primero ocurrió a raíz de un film de *sketches, Las cuatro verdades* (1962). En el episodio dirigido por Berlanga, *La muerte y el leñador,* un burro se orinaba ostensiblemente, lo cual originó las protestas de Carrero Blanco al ministro Fraga Iribarne, y a raíz de un editorial del periódico monárquico-conservador *ABC,* fue también objeto de discusión en una reunión de ministros presidida por Franco: alguien consideró que la célebre meada del burro era en realidad una críptica alusión a un Generalísimo que literalmente se orinaba sobre los españoles...

Pero el problema principal le sobrevino a Berlanga cuando realizó, en 1963, una de sus películas mayores, y una de las más importantes en la historia del cine español, *El verdugo*. Rodada en régimen de coproducción con Italia y protagonizada por Nino Manfredi y Pepe Isbert, el film muestra la esperpéntica peripecia de un típico, patético héroe berlanguiano, un joven que, para aprovechar el derecho a piso de su suegro, se convierte en sucesor de éste como verdugo. El vitriolo que Berlanga arroja sobre esta experiencia chocante, su posicionamiento en contra de la pena de muerte, su opción de mostrar en clave irónica los problemas reales que debía enfrentar la juventud que se incorporaba al mercado laboral, como el turismo —es paradigmático que el verdugo «debute» en su nuevo cometido en Palma de Mallorca, una de las Mecas del turismo de masas de entonces—, hacen del film, a pesar de la incomprensión crítica que entonces tuvo que enfrentar en el festival de Venecia de 1963, un terrible retrato de la época del que nadie sale bien parado.

El verdugo (Luis García Berlanga, 1963).

Que su intencionalidad política fue perfectamente comprendida en España queda plenamente de manifiesto en algunas de las reacciones que el film suscitó, empezando por la propia censura: cuatro minutos y medio de cortes reconocidos por el propio director general certifican el alcance de la carga en profundidad lanzada por el director valenciano. El film molestó a varios dignatarios franquistas, empezando por el propio embajador en Italia, luego ministro de Información y Turismo, Sánchez Bella.

En una carta dirigida a Fernando Castiella, ministro de Asuntos Exteriores, fechada el 30 de agosto de 1963, el embajador arremetía contra el film de esta guisa: «No me cabe en la cabeza que haya habido venticinco personas de una comisión que hayan visto la película y no hayan reparado en la inmensa carga política acusadora que contiene (...). Estamos ante una maniobra planeada en toda regla, con arreglo a los cánones revolucionarios más auténticos. La película está dentro de lo que los comunistas llaman, en su jerga dogmática convencional, «realismo socialista». El guión contiene todos los requisitos de la propaganda comunista en relación con España a través de una versión muy española, que quiere decir casi anarquista»[20].

Berlanga tardaría cuatro años en volver a ponerse tras la cámara, y tuvo que hacerlo en Argentina: *La boutique* es, además, un film considerablemente menos interesante que su producción anterior, y su fracaso motivó otro largo ostracismo, hasta 1969, cuando realizó *Vivan los novios*. De poco le valió apelar y discutir públicamente con el director general de cine: como en el caso de Fernán-Gómez, y también el de Bardem, lo que la censura y las presiones del régimen lograron fue no mantenerlo apartado de su oficio, sino reducir drásticamente los contenidos críticos de su cine.

En la misma misiva ya comentada de Sánchez Bella, el celoso funcionario arremetía vigorosamente contra otro realizador, Juan A. Bardem, cuyo film *Nunca pasa nada* (1963), otra ácida radiografía de la vida en provincias y la mejor obra de su realizador desde *Calle Mayor*, se presentó en Roma a los pocos días de la ejecución legal de dos militantes anarquistas, Francisco Granados y Joaquín Delgado, lo que motivó una oleada de denuncias antifranquistas. El embajador acusaba a Bardem de tener «verdaderas anteojeras de fanatismo» para decir que en el país no pasaba nada y olvidar así los «logros» sociales y económicos del régimen. La censura le pasó factura al cineasta con su siguiente film, *Los pianos mecánicos* (1965), al que puso numerosas cortapisas que llevaron al director a renunciar a tratar con los censores. Bardem estuvo tres años sin rodar e intentó reacomodar su carrera en el refugio de producciones menos ambiciosas: aceptó encargos de género, como *El último día de la guerra* (1968) o *La isla misteriosa* (1971), films que están a años luz de la ambición moral y denunciatoria de sus anteriores películas.

7. La producción comercial

Si Fernán-Gómez, Bardem y Berlanga aparecen como auténticas víctimas del sistema durante el mandato de García Escudero, hubo también otros sectores del renqueante cine español que reclamaron

[20] La carta está íntegramente reproducida en Gubern, *La censura...*, *op. cit.*, páginas 216-223.

para sí la etiqueta de damnificados. Por ejemplo, el sector de la producción que hasta entonces había gozado de las prebendas del régimen, cuyos profesionales, como se verá más adelante, llegaron incluso a interponer recursos contra medidas concretas adoptadas por el director general; unos profesionales que, al mismo tiempo, se beneficiaron, ya lo veremos, de la política reformista.

Al margen de algún intento no especialmente ilustre de mantener con vida el cine de régimen, del cual son testimonio dos films emblemáticos de la época, *Franco, ese hombre* (1964) de Sáenz de Heredia, plúmbeo documental hagiográfico realizado en ocasión de los «veinticinco años de paz» (celebración franquista del final de la contienda civil, orquestada por el Ministerio de Información y Turismo para ser el escaparate propagandista de los «avances» del nuevo orden), cuyo productor previsto no era otro que el Samuel Bronston anterior a su «espantada»; y *Morir en España* (1965) de Mariano Ozores, desaforada respuesta desde el bando vencedor en la guerra, igualmente vía documental, al film francés de Frédéric Rossif *Mourir à Madrid* (1963), el grueso de la producción comercial española del periodo se inscribe, es obvio, en el cine de género, razón de ser de la mayoría de las productoras establecidas.

Aunque en propiedad, en el caso del cine español del periodo, cabe hablar con más exactitud de filones subgénericos, ficciones construidas con los materiales de deshecho de los géneros clásicos, filones oportunistas en los cuales la precariedad de recursos y la baja inversión son las notas dominantes, al frente de las cuales se encuentran las comedias «a la española». Realizadores como el mencionado Ozores, Ramón Fernández, Pedro Lazaga o Fernando Palacios, por citar sólo a los más representativos del periodo, se apoyaron en arquetipos cazurros encarnados con profesionalidad y a menudo innegable talento histriónico por curtidos actores provenientes del teatro popular, como Paco Martínez Soria, protagonista de una verdadera saga de comedias de corte conservador-patriarcal (una de las cuales, *La ciudad no es para mí,* 1965, de Lazaga, es el film español más taquillero de la década); José Luis López Vázquez (cuya carrera incluye numerosas apariciones de comedietas de bajísima calidad, ideal molde físico e ideológico del torturado, reprimido español medio; pero también, desde finales de los años 60, protagonista de ambiciosos trabajos para autores de la talla de Saura, Berlanga, Regueiro, Gutiérrez Aragón), y su habitual *par-*

tenaire, Gracita Morales, encarnación de la española de humilde origen y horizontes mentales más humildes todavía.

La comedia hispana en todas sus variantes, incluida la musical —en la que se siguió prodigando el film con niña cantora: a Marisol pronto le salieron competidoras como Rocío Dúrcal o incluso Ana Belén—, fuertemente conservadora y respetuosa del orden instituido, con frecuencia exponente de la reivindicación reaccionaria de la superioridad de los valores de la cultura campesina frente al tumulto y la perversión de lo urbano —filón presente desde siempre, aunque con variantes coyunturales, en el conservador cine español—, agresivamente machista y reforzadora de los tópicos tradicionales, basó gran parte de su funcionamiento en generosas alusiones sexuales y recurrió con frecuencia a la satirización, entre culpable y admirativa, de algunos de los nuevos elementos del paisaje consumista español —los turistas, la presencia en el país de los ejecutivos norteamericanos de empresas multinacionales, el nuevo estatuto de la vida hogareña y las ventajas materiales del progreso. Y también a la violenta caricatura de la mujer y la ilustración de la implícita superioridad masculina *(No desearás a la mujer del prójimo,* 1968, de Lazaga, es un ejemplo entre muchos otros), así como la entronización de la vida familiar y de la procreación, una de las grandes metas propagandísticas del régimen (de la cual la saga inaugurada por *La gran familia,* 1962, y su continuación *La familia y uno más,* 1965, de Palacios, se diría su portavoz cinematográfico). Y, en estricta coherencia ideológica, también destaca el género por su *aggiornamento* de curas y monjas, vistos ahora como campechanos, solícitos personajes reconfortantes hechos a la medida de los nuevos tiempos *(El padre Manolo,* 1966, de Ramón Torrado; *Sor Citroën,* 1967, de Lazaga; *Sor Ye-ye,* 1967, de Ramón Fernández; *El padre Coplillas,* 1968, de Ramón Comas).

El cine de género y sus variantes espúreas subgenéricas fue profusamente practicado en el periodo en multitud de registros, desde el *peplum,* que había dado sus primeros pasos en el periodo inmediatamente anterior, y que acabó su andadura entrada ya la década, o el cine de espías —frecuentemente con tratamientos paródicos—, hasta la curiosa versión hispana del cine de terror, constatable hacia 1967 aunque más pujante desde 1970, pasando por films de acción, un puñado de los cuales puede ser considerado de competente factura (sobre todo algunos de los realizados por Antonio Isasi Isasmendi, como *Estambul 65,* 1965, o *Las Vegas, 500 millones,* 1967).

Pero no cabe duda de que la parte del león de la producción subgenérica de los años 60 fue el *spaghetti-western,* filón rodado por lo general en escenarios de Almería, Torrejón (Madrid) y Esplugas (Barcelona), modestas películas en coproducción con Italia (y a menudo con la República Federal Alemana) cuyo número es considerablemente alto, a tenor del resto de la producción del periodo: 158 films entre 1962 y 1969. Aunque nacido en realidad hacia 1962, el *spaghetti-western* hispano experimentó un súbito *boom* de producción tras el éxito de *Por un puñado de dólares* (1964) de Sergio Leone (67 films entre 1965 y 1966), se benefició de una mano de obra barata e incluso, ya sobre el ocaso del filón, de subvenciones indirectas y de exenciones fiscales por ser rodados en «zonas industriales preferentes» (según decreto de julio de 1969), como Almería.

La nómina de realizadores que contribuyeron a la dudosa vida del *spaghetti* incluye algún cineasta mayor, como Leone; algún insigne veterano proveniente del cine estadounidense (Roy Rowland, el argentino Hugo Fregonese), y también profesionales autóctonos habituados a alternar todo tipo de películas de rápido rodaje y consumo (León Klimovsky, José Antonio de la Loma, Juan Xiol, José María Elorrieta, Tulio Demicheli, Alfonso y Jaime Jesús Balcázar, José María Zabalza, Joaquín Romero Marchent, Amando de Ossorio, José Luis Madrid), antiguos cineastas de régimen venidos a menos (Torrado, Antonio Román) y una *troupe* italiana sencillamente abrumadora: Duccio Tessari, Primo Zeglio, Giorgio Simonelli, Ferdinando Baldi, Tonino Valerii, Michele Lupo, Giovanni Grimaldi, Mario Caiano, Nunzio Malasomma, Enzo G. Castellari..., nómina que nos excusa de cualquier otro comentario.

El escaso interés del cine de género durante los años 60, prisionero del conservadurismo temático e ideológico, de la estulticia formal y de la rapacería industrial no debe hacer olvidar no obstante un claro dato sociológico: que el periodo 1962-1969 fue todavía fructífero, en términos de frecuentación de salas, para el conjunto del cine español —del cual dichos productos constituían su proporción más notable. Los datos a este respecto son elocuentes: 22,42 % en 1966, 27,14 % en 1967 y 29,63 % en 1968, cifras que se mantienen estables, como veremos más adelante, hasta el año de la gran caída, 1978. Un mantenimiento que, no obstante, cabe matizar a la luz de la experiencia de otros países de Europa, en los cuales el cine nacional logró situar su cuota de mercado por encima del de producción extranjera, siendo Francia e Italia los que mejor reflejan esta tendencia (entre el 55 % y el 60 %, según los años).

La industria asentada no parece haber sido, contra lo que sus responsables proclamaban, afectada negativamente por la política reformista de García Escudero. Principal baza recaudadora del periodo, el caso de la comedia ilustra a la perfección lo poco que influyó la política de García Escudero sobre la salud del género —que es como decir de la vieja industria—: sus productos siguieron caracterizándose, antes y después de la defenestración del director general, por los mismos tópicos e idénticos tratamientos y racanería inversora. Un solo elemento diferenciará la comedia de los años 60 de la realizada en la década posterior: cuando se acerque el intuido final del franquismo, ya entrados los setenta, también ella se beneficiará de la mayor tolerancia de la censura, por lo que hará del desnudo femenino y de las tradicionales dobles versiones —una, pacata, destinada al consumo interior; la otra, osada y explícita, reservada al mercado internacional—, presentes en el cine español desde los años 50, una de sus principales prácticas.

8. El fracaso del experimento aperturista

Sin lugar a dudas, la operación reformista llevada a cabo por García Escudero fracasó por las mismas razones estructurales que llevaron a la quiebra de todo el edificio aperturista: por el recrudecimiento de la oposición al régimen y por el temor de los sectores más conservadores del aparato de Estado, cuya única respuesta consistió en un recrudecimiento represor. Pero no cabe duda de que que también existieron razones poderosas que minaron su prestigio y cuyo origen fue el fracaso de algunas de las medidas puestas en pie por el director general. En primer lugar, García Escudero perdió la batalla ante sus críticos por dos problemas generados por los filmes realizados por sus *protégés*.

Por una parte, porque nunca llegaron a interesar a un público siquiera mínimamente amplio. Una reveladora tabla de recaudaciones indica que de los 1.843 films españoles presentes en taquilla entre 1965 y 1970, el primero de un director del NCE realizado durante el mandato de García Escudero, *El juego de la oca* de Summers, se encuentra situado en la posición 108; otros títulos significativos, como *Nueve cartas a Berta, La caza, Juguetes rotos* o *De cuerpo presente* de Antxon Eceiza, se encuentran, respectivamente, en las posiciones 334, 536, 862 y 870, mientras que *Tinto con amor,* la única película dirigida por otro hombre de la EOC, Francisco Montolio, tiene el dudoso honor de ocupar la posición 1.733, con 10.350 pesetas recaudadas (contra casi 70 millones de la primera, *La ciudad no es para mí* de Lazaga)[21].

Cierto es que el director general fue muy consciente de la debilidad recaudadora de estas películas, así como de los problemas que los nuevos autores debían afrontar frente a la vieja industria cuando pretendían distribuir sus films. Lo intentó paliar con medidas complementarias, por ejemplo, la creación de salas especiales (decreto de enero de 1967), que tenían la obligación por ley de «proyectar por cada tres días de película extranjera un día de película española declarada de «interés especial». Tales salas, no obstante, no podían estar situadas en ciudades de menos de 50.000 habitantes —salvo que fuesen localidades turísticas—, y debían proyectar las películas extranjeras en versión original subtitulada. El efecto paradójico que obtuvo esta normativa no fue otro que alejar todavía más el cine de «especial interés» de un público potencial amplio: las salas se convirtieron en guetos para un público supuestamente «intelectual», mientras los films cuya exhibición se pretendía proteger fueron a parar a empresas especializadas en cine *art et essai,* en lugar de serlo por distribuidoras grandes que suministraban los films a los principales circuitos.

La segunda debilidad de estas películas no fue otra que su escasa aceptación en los festivales internacionales, su propia razón de existir. Ciertamente, *La caza* obtuvo un Oso de Plata en Berlín; *La niña de luto* (1964) y *El juego de la oca* (1965) de Summers fueron seleccionadas para el festival de Cannes, en el cual *Campanadas a medianoche* —que al fin y al cabo se benefició del proteccionismo estatal— obtu-

---

[21] Augusto Martínez Torres, *Cine español, años 60.* Barcelona, Ed. Anagrama, 1973, págs. 119 y ss. Se emplean estos datos, seguramente parciales y con valores en pesetas no reconvertidos a su fecha de elaboración, en el entendido de que lo que aquí interesa demostrar es la debilidad del cine del NCE en relación con la producción comercial normal: también ésta está sometida a las mismas cortapisas.

María José Alfonso en *La niña de luto* (Manuel Summers, 1964).

vo allí un importante galardón honorífico. Pero el resto de los premios fueron obtenidos bien en festivales españoles —*Nueve cartas a Berta,* mejor ópera prima en San Sebastián; *Juguetes rotos,* premio de Valores Humanos en Valladolid—, bien en festivales internacionalmente irrelevantes, como Mar del Plata —*Noche de verano*—; o bien, en fin, obtuvieron galardones menores, como Jacques Perrin en Venecia por su interpretación en *La busca* de Angelino Fons: pírricos beneficios para una operación de maquillaje institucional que costó demasiados millones.

Pero los problemas le llegaron a García Escudero también en otros frentes, el más importante de los cuales fue el de la vieja industria. No era ya que el director general tuviera que afrontar la animadversión de los profesionales que se sentían agraviados por su favoritismo respecto al cine «de festivales» —era una realidad que los productores del NCE, como por otra parte venían haciendo también el resto de los productores desde que se impuso la política de subvenciones, hinchaban los costes declarados de las películas con el fin de que el porcentaje del «interés especial», del que estaban fácticamente excluidos los productos más comerciales, cubriese el conjunto de la inversión, razón por la que el coste medio de un film, que en 1960 era de 4,5 millones de pesetas, se elevase en 1965 hasta 5,5 y hasta 7 en 1966—, o por el deseo del director general, no compartido por quienes pretendían que nada se modificase, de racionalizar las relaciones entre producción, distribución y exhibición eliminando la picaresca y el fraude. Es significativo, por ejemplo, que fuesen los exhibidores quienes plantearan un recurso, en febrero de 1965, contra la implantación del control de taquilla: era como reconocer implícitamente que defraudaban de forma contumaz a productores y distribuidores.

Por paradójico que resulte, los industriales más ramplonamente comerciales fueron los más directos beneficiarios de la política proteccionista, sobre todo por el poco hábil redactado de la cláusula de subvención automática del 15 %; al no establecer el límite mínimo de inversión española necesario para que un film obtuviese la nacionalidad en casos de coproducción, se fomentó indirectamente el fraude, puesto que se beneficiaron del 15 % películas con participación hispana clamorosamente minoritaria. Y no sólo esto: los viejos profesionales sofisticaron otros mecanismos para obtener dinero de subvenciones, como la llamada «coproducción financiera», «simple aportación dineraria para el sostenimiento de los últimos pagos de la realización de una película ya rodada»; la colaboración entre una empresa matriz extranjera y su filial hispana, o mediante la entrega de divisas, destinadas en realidad para el rodaje de España, y declarando dicha entrega como preventas o anticipos de distribución. Y aunque este punto esté todavía poco estudiado, cabe sospechar razonablemente que fueron los propios productores españoles quienes montaron fantasmales empresas en el extranjero (Italia, Francia y la República Federal Alemana, especialmente) para beneficiarse también de las subvenciones foráneas a las coproducciones.

No es extraña, pues, la afirmación de dos especialistas sobre el tema: «La coproducción es, dentro del cine español, la exacerbación de los exacerbado, el deterioro de lo deteriorado, lo sub de lo sub, la inexistencia de lo español en un medio donde su presencia está manipulada y desvirtuada, la supervivencia de un sistema y una industria empeñados en vivir en unas coordenadas en que ni su vida ni su mismísima supervivencia serían factibles, a no ser —como sucede ahora— por su mantenimiento artificial»[22].

El porcentaje de películas de producción española aumentó vertiginosamente, como también el de coproducciones respecto al total de la producción, lo que creó una insólita situación de hiperoferta, claramente excesiva para un mercado como el español, y cuyo carácter oportunista queda de manifiesto si se toma en cuenta la atomización de la empresas productoras: por poner sólo un ejemplo, en las 164 películas producidas en 1966 (un récord absoluto) intervinieron nada menos que 92 productoras (34 de nueva creación), 49 de las cuales sólo realizaron una película ese año. Véase el cuadro siguiente:

	1962	1963	1964	1965	1966	1967	1968	1969
Coproducciones	24	54	62	98	97	70	54	43
Películas españolas	64	58	61	53	67	55	52	82
TOTAL	88	112	123	151	164	125	106	125
% Coprod. s/total	27,2	48,2	50,4	64,9	59,1	56,0	50,9	34,4

Cuando en noviembre de 1967 se produjo la destitución de García Escudero, la política del director general no interesaba ya a nadie de los que desde el principio se habían sumado a su intento reformista, desde la revista crítica *Nuestro Cine,* su firme propagandista, hasta los alumnos de la EOC. El escritor y militar se vio constantemente superado por sus críticos, en ocasiones incluso por la vía violenta, como ocurrió un mes antes de su destitución, cuando en Sitges (Barcelona), un aparentemente inocuo encuentro internacional de escuelas de cine acabó en algarada, con intervención de la policía y la redacción, por parte de algunos hombres de la EOC, de un manifiesto en el cual se pedía, entre otras cosas, el fin taxativo de la censura, la creación de un sindicato democrático y la supresión del «interés especial» y de «cualquier otra forma de subvención como mecanismo de control».

[22] Carlos y David Pérez Merinero, *Cine y control,* Madrid, Castellote, 1975, páginas 55 y ss.

García Escudero fue sustituido por Carlos Robles Piquer, que frenó mucho las dádivas estatales, restringió aún más los cauces censores, aunque sin modificar la legislación creada por su predecesor. El juicio definitivo sobre la gestión del ex-director general resulta contradictorio, aunque paradójicamente su impronta sería recuperada más tarde, en plena democracia, por la legislación promovida por el primer gobierno socialista. Por una parte, es cierto que introdujo un aire nuevo en las relaciones entre el régimen y la industria, potenció la producción autóctona con films de calidad e interés, al tiempo que permitió el acceso a la profesión a directores que aún hoy se encuentran entre lo mejor del cine español en activo: Regueiro, Patino, Camus, incluso Saura, que logró bajo su mandato una aceptación internacional que antes que él tan sólo tuvo Bardem.

Pero no es menos cierto que no logró ninguno de los objetivos propagandísticos que se había impuesto, como tampoco la apertura de mercados que era —y sigue siendo— una de las claves para la supervivencia del cine español. Y por si fuera poco, sus involuntarias ayudas a la industria establecida hizo a ésta todavía mucho más rapaz, poco o nada interesada en una planificación a medio plazo y siempre dispuesta a aceptar los vaivenes de las tendencias de programación, pero sin arriesgar prácticamente dinero propio en las empresas. A partir de García Escudero, y sobre todo tras las rémoras que sus medidas dejarían para el futuro —ya se verá—, la industria española se hace virtualmente inexistente, si por industria se entiende inversión continuada, búsqueda de la rentabilidad a través de la explotación de un producto en su relación con el comprador, mínima planificación de futuro.

Del tardofranquismo a la democracia (1969-1982)

CASIMIRO TORREIRO

1. AGONÍA Y MUERTE DEL FRANQUISMO

El cambio de gobierno que costó a Fraga Iribarne su puesto, en octubre de 1969, en medio de un largo proceso de agitaciones opositoras y de violencia institucional, dio paso, en realidad, al último acto del franquismo: su muerte anunciada. Hay algunos momentos claves, prendidos para siempre en las retinas de los españoles que vivieron aquellos días. Uno, el rostro lloroso, vampiresco del antiguo ministro de Gobernación (Interior), entonces presidente del gobierno, Carlos Arias Navarro, anunciando ante las cámaras de la televisión estatal la noticia de la muerte del Caudillo: «Españoles, Franco ha muerto». Era el 20 de noviembre de 1975; Francisco Franco se despedía del mundo tras una esperpéntica agonía sólo dos meses después de haber firmado, ya enfermo de muerte y sin que le temblara el pulso, sus últimas cinco penas de muerte contra militantes de las organizaciones ETA y Frente Revolucionario Antifascista y Patriótico (FRAP), puntualmente ejecutados al alba del 27 de septiembre.

Un *flash-back* nos transporta a 1973, dos años antes: el coche del almirante Luis Carrero Blanco, presidente del gobierno, vuela por los aires, catapultado por una carga de dinamita instalada por un comando de ETA bajo el asfalto de la madrileña calle de Claudio Coello al paso del vehículo del marino, hombre de costumbres rigurosas y, para su infortunio, escrupuloso católico practicante: sabedores de su ritual cotidiano, sus ejecutores acabaron con él tras su infalible misa diaria. Aunque, en puridad, hay que reconocer que ese coche volando sólo será recordado por la —pésima— reconstrucción posterior del atentado realizada por Gillo Pontecorvo en *Operación Ogro* (1980).

En medio de esos dos momentos cruciales en la historia española del siglo, se sitúa la decadencia biológica del dictador, patética tras la muerte de Carrero, su sombra. El almirante era la eminencia gris del régimen y el responsable de la conversión del franquismo de un sistema de partido único —el Movimiento Nacional— en un régimen autocrático administrado por una burocracia ministerial en manos del sector tecnocrático-opusdeísta del régimen. Fueron justamente estos tecnócratas los paradójicos, insólitos triunfadores en la pugna política entre bambalinas contra los sectores aperturistas de la administración encabezados por Fraga Iribarne, aliados con los sectores más «azules» del Movimiento —capitaneados por el ministro de Trabajo, José Solís—, los mismos que habían denunciado la responsabilidad de la Obra en el multimillonario fraude cometido por la empresa Matesa[1], que está en el origen mismo de la crisis de octubre: que Alfredo Sánchez Bella, un afín a este sector, ocupara el puesto de Fraga no es más que otra de las sorprendentes decisiones a que el tortuoso instinto político de Franco tenía acostumbrados a los españoles.

La esperada decadencia biológica (Franco había nacido en 1892; nadie podía soñar que fuera eterno), al tiempo que indujo en los aparatos represores del Estado un mayor rigor, a menudo bestial —particularmente violento desde 1969—, espoleó los contactos entre sectores

[1] El asunto Matesa fue un monumental fraude al Estado urdido por un industrial catalán, Juan Vilá-Reyes, bien conectado con el Opus Dei. Vilá-Reyes se benefició de créditos estatales para establecer una empresa de fabricación de telares textiles, con destino a la exportación, de los cuales no exportó ninguno. Cuando se descubrió el entuerto, el industrial adeudaba al Banco de Crédito Industrial 9.655 millones de pesetas de entonces. Como medida de precaución, el gobierno intervino el banco y bloqueó los créditos que se concedían a través de él, entre ellos los fondos de protección a la cinematografía que pagaban la subvención automática del 15 % creada por García Escudero.

de la oposición clandestina, que ya habían fructificado en Cataluña (con la fundación, en noviembre de 1971, de la Assemblea de Catalunya, de la que formaron parte todos los sectores democráticos, desde la derecha democristiana hasta la izquierda comunista), y que prosperaron en el verano de 1974 con la creación de la Junta Democrática, primera de una larga serie de acuerdos y pactos promovidos desde la izquierda.

El régimen, por su parte, intentó tomar medidas para garantizar su continuidad, que pronto se revelaron efímeras. Unos meses antes del cambio de gobierno, en julio, el príncipe Juan Carlos, hijo del heredero legítimo al trono español, Juan de Borbón, había sido nombrado en lugar de éste continuador de la línea dinástica borbónica. Franco planeaba una monarquía autoritaria, presidida por un rey ligado al bando ganador en la guerra civil por su juramento a los Principios del Movimiento, pero administrada en la práctica por un presidente de gobierno que no podía ser otro que el almirante Carrero Blanco.

Pero antes de su muerte, y después de la de Carrero, en medio de activas movilizaciones de la oposición, Franco había dado luz verde a un nuevo experimento de apertura desde arriba: la autorización de grupos políticos respetuosos con los fundamentos ideológicos del régimen, pero de los cuales quedaban fuera las fuerzas democráticas. Un experimento que fue bautizado como «espíritu del 12 de febrero» (de 1974, fecha de su promulgación), pero que llegó tarde. Dada la estrechez de sus límites, no participó en él ningún sector de los que poco después habrían de desempeñar un activo papel en la restauración democrática; no interesó siquiera a políticos que, como Fraga Iribarne, habían mostrado fidelidad inquebrantable al régimen: los nuevos cauces ya no convencían a nadie. Tampoco, aunque por otras razones, claro está, a la belicosa extrema derecha: Blas Piñar, uno de sus más activos militantes, denunció el experimento aperturista al grito de «la guerra no ha terminado», mientras llamaba «enanos» a los ministros nombrados por Franco: todo un programa ultramontano y decimonónico.

La muerte del dictador abrió un periodo denso en acontecimientos que habrían de desembocar en lo que se dio en llamar la «reforma política», la controlada voladura del complejo entramado jurídico-administrativo puesto en pie por la dictadura durante 36 años. La obsesión de Franco por dejar todo «atado y bien atado», según expresión de entonces, se demostró efímera: ni siquiera la Iglesia, históricamente tan influyente, estaba a favor de la continuidad del franquismo sin Franco. Juan Carlos I, nombrado rey de España en aplicación de los mecanismos sucesorios ideados por el régimen (22 de diciembre de 1975), se hizo cargo de un Estado que en sólo dos años, los que median entre ese diciembre de 1975 y las primeras elecciones democráticas (junio de 1977), asistió a la radical mutación de las normas del juego. No sin contratiempos, por otra parte: los vaivenes y cambios de ritmo que pautaron el año de gracia de 1976, la incertidumbre sobre la fuerza real de cada opción política emergente, la escasa práctica participativa de una ciudadanía que sólo había conocido cinco traumáticos, volcánicos años de democracia formal entre 1931 y 1936, el preludio del mayor trauma colectivo de la historia contemporánea española, fueron la tónica de ese periodo, en el cual se produjeron hechos muy graves, desde asesinatos políticos por parte de la extrema derecha, atentados de las organizaciones armadas antifranquistas o la sangrienta represión de manifestaciones populares por obra de una policía que no perdía sus hábitos, hasta el consejo de guerra por «conspiración para la sedición», en marzo, contra militares cuyo delito era haber creado un organismo clandestino favorable a la profesionalización del ejército.

Incapaz de resistir las presiones reformistas, Arias Navarro dimite en julio de 1976; lo sustituye Adolfo Suárez, funcionario de la administración franquista pero, mucho más importante que esto, ex-responsable del Movimiento y director de TVE, quien habría de tomar algunas de las medidas que le harán popular para unos, las capas medias partidarias del cambio político, y «bestia negra» para otros, los sectores inmovilistas. A saber: el referéndum sobre la reforma política (que ganó en diciembre de 1976 con el «sí» del 87,7 % de los votos emitidos); la legalización, el Sábado Santo de 1977, del Partido Comunista —cuyo líder, Santiago Carrillo, sería recibido oficialmente por el rey en diciembre de ese año—; y la regularización de la sindicación obrera, paso obligado para el desmontaje de los Sindicatos Verticales. Y, *last but not least,* la supresión total de la censura, trascendental, lo hemos visto repetidamente, en el terreno de nuestro interés.

La reforma fue, pues, un periodo de transición en el cual cada uno de los sectores activos en la restauración democrática dejó algo por el camino. La derecha sociológica franquista, nucleada en Alianza Popular (creada en 1976), luego Partido Popular, renunció a muchas de las prebendas concedidas por un régimen paternalista y corrupto; por su parte, las izquierdas socialista y comunista aceptaron unas normas del juego que les llevaron, entre otras renuncias, al abandono de la prédica republicana, del marxismo-leninismo (el PCE) y del marxismo a secas (el PSOE) y en general, todos los partidos terminaron aceptando, con los matices lógicos que una tradición profundamente centralista había arraigado en muchos, las tesis de los partidos nacionalistas periféricos —vascos y catalanes, sobre todo— sobre la futura composición descentralizada del Estado.

Suárez logró que su carisma fuese aceptado por amplios sectores de las capas medias receptivos a su mensaje centrista, alejado por igual de los posicionamientos rupturistas de la izquierda revolucionaria —muy activa en los años finales del antiguo régimen— y de las nostalgias retrógradas de la extrema derecha militante: con la única excepción de las fuerzas revolucionarias vascas que apoyaban políticamente a ETA, ambos sectores fueron parlamentariamente inexistentes tras las primeras elecciones libres.

El instrumento de Suárez para llevar a cabo su plan fue un partido-escoba, la Unión de Centro Democrático (UCD), efímera, oportunista y al final fracasada alianza de fuerzas heterogéneas —antiguos *apparátchiki* franquistas, liberales, democristianos y socialdemócratas—, que terminaría muriendo víctima de los intereses particulares de los «barones», los jefes de filas de cada uno de los neopartidos que dieron vida a la criatura. Al frente de la UCD, Suárez ganó con mayoría relativa las elecciones de junio de 1977, momento en el que formalmente se puede dar por clausurada la larga, trágica dictadura franquista.

Este apretado resumen histórico del periodo apenas se podrá encontrar en el cine de entonces, que si bien desempeñó un papel crítico considerable en los años finales del franquismo —por lo menos un sector cualitativamente importante—, no es menos cierto que optó más —sobre todo desde 1977— por la recuperación, discutible en sus formas, de la memoria histórica en detrimento del análisis riguroso del presente. Con dos excepciones: el cine radical practicado desde la izquierda extraparlamentaria y el oportunismo teñido de referencias al cine de género de la producción de la extrema derecha nostálgica de un franquismo muerto y enterrado ya en las primeras elecciones democráticas. Aunque en conjunto ni un sector ni el otro lograron consolidar un público adicto.

2. Entre la obsolescencia y la desesperación: la industria cinematográfica

Si en términos históricos el periodo 1969-1977 resultó en España particularmente agitado, confuso pero apasionante, en lo que hace a la situación de la industria cinematográfica se puede afirmar sin ambages que fue extremadamente grave, tanto como para llevar al cine español a una de las más severas crisis de su historia. Y hay que añadir, además, que las vacilaciones en la actuación legislativa de los últimos responsables ministeriales del franquismo y los primeros de la democracia en materia cinematográfica sólo contribuyeron a ahondar aún más si cabe en los viejos males ya conocidos.

Las razones de la debilidad industrial en los años del tardofranquismo y de la transición son varias. Una descripción somera de la situación del aparato industrial deberá recordar que en el terreno de la distribución, que junto a la exhibición siguen siendo los verdaderos puntales del negocio, existe una situación de práctico control por parte de las multinacionales norteamericanas, bien por vía directa, bien mediante contratos en exclusiva con empresas españolas.

En el de la exhibición, se constata la existencia de un parque de salas extenso y disperso, aunque claramente obsoleto, que tardará años en modernizarse —sólo lo hará a partir de comienzos de los 80, cuando el fenómeno mundial de la crisis aguda que se ceba ante todo sobre los cines alejados del centro de las grandes ciudades, y más duramente aún en los situados en ciudades pequeñas y medianas del ámbito rural, más la competencia del vídeo doméstico, obligará a los empresarios a invertir en la reconversión de sus salas o a cerrar. Además, es habitual y ampliamente practicado el fraude en la liquidación de las recaudaciones por parte de los exhibidores a los distribuidores. Persiste, por otra parte, la debilidad exportadora del cine español, ya endémica: por poner un ejemplo de este periodo, en el ejercicio de 1970 el cine español obtuvo unos míseros 160 millones de pesetas por las ventas al extranjero de sus películas, en contraste con los 3.650 millones recaudados en el mercado interior.

En lo que respecta a la producción, continúa la atomización industrial. Siguen abundando las empresas que nacen para realizar una película, dos como máximo, y cuya continuidad en el negocio se hace progresivamente menos viable: en 1969 se realizaron 125 por 79 empresas de producción, 51 de las cuales sólo se responsabilizaron de una película en ese ejercicio; tan sólo una empresa fue capaz de producir siete films, mientras otras doce financiaron dos películas en el año[2]. Los productores siguen dependiendo ante todo de las subvenciones y del crédito estatal, razón por la cual la crisis de Matesa y su repercusión sobre el Banco de Crédito Industrial será decisiva en la disminución de la producción, constatable en estos años: si se toma como medida de comparación el ejercicio de 1968, se verá que los 324,34 millones de pesetas concedidos a la industria —se producen ese año 106 largometrajes— se convertirán en 53,84 en 1970 y un año despues serán sólo 37,21 millones, año en que se producen tan sólo 99 películas[3].

Pero no sólo de la reducción de los créditos vienen los problemas del cine español. De hecho, desde finales de la década de 1960 se aprecia ya un nuevo fenómeno que tendría amplia repercusión en el futuro cercano: la ampliación del número de hogares que disponen de aparatos de televisión. En 1971, el cine pierde, en gran medida debido a la competencia televisiva, el 30 % de sus espectadores respecto a 1969, en un proceso virtualmente imparable que ya habían vivido con anterioridad los Estados Unidos (desde 1948) y la mayoría de los países europeos desarrollados desde la década siguiente.

3. Créditos y censuras

Pero no cabe duda de que el problema principal que se le plantea al cine español entre 1969 y 1973 —los años en que Sánchez Bella permaneció al frente del Ministerio de Información y Turismo, siendo el

---

[2] Santiago Pozo, *La industria del cine en España*, Barcelona, Publicacions i Edicions de la Universitat de Barcelona, 1984, pág. 193.

[3] Victoriano López-García, *Chequeo al cine español*, Madrid, Ed. del autor, 1972, páginas 9, 39 y ss. Hay que hacer notar que dichos créditos no se destinaban sólo a la producción, sino también a estudios, laboratorios, distribución y exhibición, aunque indiscutiblemente la parte del león se la llevase el primer apartado.

encargado de la gestión cinematográfica un convencido ultraconservador, Enrique Thomas de Carranza— es justamente el de la congelación de los fondos de protección gracias al bloqueo que ordena el gobierno como consecuencia del asunto Matesa. La primera medida adoptada por la administración fue, ya está dicho, la intervención del BCI, lo que produjo la paralización temporal en el reintegro del 15 % de la recaudación en taquilla a que todo film de producción española tenía derecho, tal como sancionaban las normas de García Escudero. De esta forma, a comienzos de 1970 el Estado adeudaba a los productores españoles unos 230 millones de pesetas en tal concepto, cantidad que creció y cuyo pago se fue fraccionando —el último plazo de 1971 fue pagado en junio de 1973, por ejemplo—, con la consiguiente descapitalización de las empresas productoras.

Con el fin de paliar sus propias faltas, la administración decide adoptar un paquete de medidas tan inoperantes como peligrosas. En primer lugar, suspende la concesión del «interés especial» —uno de los caballos de batalla de la política de García Escudero—, primer paso que se complementará en marzo de 1971 con la eliminación del 15 % automático. La misma disposición estipuló la creación de una Comisión de Apreciación que debía otorgar a cada película una puntuación (de 1 a 10 como baremos mínimo y máximo, respectivamente) que se expresaba en pesetas «subvencionantes»: cada punto valía 400.000 pesetas de 1971 (que en 1976 eran 700.000). Es decir, que se suprime la objetividad de la valoración en aras de un más estricto control en la concesión de subvenciones. Luego, con el fin de obtener un porcentaje directo para destinar a la provisión del fondo, aprueba una subida del precio de las entradas de los cines (1971), una parte del cual se destinaba a protección, subida tan coyuntural como frustrada: prueba de ello es que deberá volver a aumentarla sólo un año después.

El desatino de todas estas medidas provocaría una auténtica revuelta entre los profesionales del cine. La profesión toma las directrices del gobierno como una auténtica declaración de guerra, hasta el punto de que productores conocidos e influyentes como Elías Querejeta y José Luis Dibildos, el padre de un nuevo intento de realizar un cine comercial solvente que pronto fue bautizado como «tercera vía», deciden retirarse momentáneamente del negocio, aunque en el caso del primero tal retirada fue más publicitaria que efectiva: durante algún tiempo dedicó sus esfuerzos ante todo a la coproducción internacional, fruto de la cual sería, a título de ejemplo, un film como *La letra escarlata* (1973), fugaz incursión del joven Wim Wenders en el cine español.

La razón principal del abandono de ambos productores era pues la eliminación de la cláusula de «interés especial», que vino precedida por una medida, adoptada en 1969 tras el nombramiento de Thomas de Carranza como responsable estatal de cinematografía y la degradación administrativa de la Dirección General de Cinematografía (cuyas competencias quedaron subsumidas en una Dirección General de Cultura Popular), que estipulaba que el «interés especial» sólo sería abonado tras la conclusión de las películas, lo que dejaba claramente en fuera de juego a aquellos productores que aspiraban a realizar un cine de calidad y, dentro de los límites imperantes, de contenido crítico. Era una medida que, como siempre en la historia de las subvenciones al cine español durante el franquismo, sólo perseguía mantener el control ideológico por la vía de la financiación: en un contexto industrial débil, el Estado podía impulsar una controlada revolución desde las alturas, como hiciera García Escudero, o en su defecto podía estrangular radicalmente la producción incómoda con el simple recurso de cerrar aunque sólo fuese mínimamente la «generosidad» proteccionista.

Que el celo censor se iba a endurecer tras la caída de Fraga Iribarne, y en consonancia con el recrudecimiento general de la represión del régimen que siguió al comienzo de la insurgencia armada vasca, lo dejaron de manifiesto episodios referidos al cine extranjero, como la obligación de modificar diálogos, bien traicionando el original en el doblaje, bien dejando sin subtitular fragmentos enteros del film —uno de los afectados fue *Prima della rivoluzione* de Bernardo Bertolucci— o la larga batalla que la distribuidora española de *La dolce vita* de Federico Fellini reemprendió contra la prohibición de exhibir el film, que le llevó, en 1972, a interponer recurso ante el Tribunal Supremo —caso inédito en la historia del cine español bajo el franquismo—, el cual rechazó, con expresos argumentos jurídicos, levantar el veto.

Pero también, y ante todo, el deterioro de los márgenes expresivos quedó prístinamente de manifiesto con los problemas que tuvo que afrontar la producción española. Un seguimiento detallado de todos los atropellos cometidos por los censores entre 1969 y 1974 es virtualmente imposible; basta con recordar el bloqueo a *La prima Angélica* de Carlos Saura, los 64 cortes efectuados a *La semana del asesino* (1972) de Eloy de la Iglesia, la prohibición total del primer guión de *Furia española* de Francesc Betriu, cineasta que mantuvo a propósito de este film un contencioso con la censura que duró tres años, hasta que en 1975 logró finalmente realizarlo; la prohibición total de *Liberxina 90* de Carles Durán, uno de los cantos de cisne de la Escuela de Barcelona, film metafórico con elementos de ciencia-ficción que fue exhibido en el festival de Venecia de 1971, aunque rechazado por el de San Sebastián —dependiente del Ministerio de Información y Turismo—, al tiempo que unas declaraciones de Durán le valían la suspensión del «interés especial» a que el film legalmente tenía derecho.

Y finalmente, cabe mencionar también el «caso» *Canciones para después de una guerra* de Basilio Martín Patino, un hito en las tensas relaciones entre el tardofranquismo y los cineastas españoles. *Canciones...* es un espléndido film de montaje, construido sobre la base de fragmentos de documentales de los años 40 a los cuales se añadió en *off* canciones populares del periodo. El efecto multiplicador de sentido de las bandas de imagen y sonido, su cruda y sarcástica visión de la vida cotidiana, tan alejada de la triunfalista historia oficial del régimen, hicieron al film «acreedor» de una sanción de 27 cortes, que el realizador efectuó antes de recibir, en junio de 1971, el plácet de exhibición. Pero entonces, una vigorosa campaña de prensa de corte fascista contra el film provocó el interés del propio presidente del gobierno, el almirante Carrero, que ordenó su fulminante prohibición[4]. La película sólo sería estrenada comercialmente en 1976.

---

[4] «*Canciones para después de una guerra* agudizó unas contradicciones políticas que bordeaban la esquizofrenia. Les cabreaba tanto como les gustaba (...) Creo que todo el gobierno la vio, disfrutando de su propia clandestinidad. Iban los fines de semana con sus esposas al Ministerio de Cultura y se hacían sus pases particulares. Yo me enteraba de todo porque la persona que las proyectaba era un conocido y nos lo contaba... (...) Lo que ocurrió en ese pase (se refiere al organizado para el presidente del gobierno) me lo contaron varios, incluso, un ministro presente: la señora de Carrero, que tampoco se la quiso perder, se levantó después del final y dijo en voz alta: "El hijo de puta —dijo así, *hijo de puta*— que hizo esto tendría que estar en Carabanchel". A partir de entonces, la prohibición fue total, sólo equiparable al caso de *Viridiana*, no sólo eso, sino que la policía intentó secuestrar el negativo, cosa que no logró.» Declaraciones de Basilio Martín Patino a Esteve Riambau y Casimiro Torreiro, *Sobre el guió. Productors, directors, escriptors i guionistes,* Festival Internacional de Cinema de Barcelona, 1989, pág. 199

La situación del cine español se hizo tan alarmante que en septiembre de 1973 volvió a reinstaurarse la subvención automática del 15 % para toda película de producción autóctona, vuelta de tuerca que sirve como confirmación de la inexistencia de una planificación coherente en relación a la protección del cine español, que tampoco habría en el futuro: en 1974, un nuevo director general de cinematografía, Rogelio Díaz —un hombre procedente del espectáculo taurino—, anuncia, junto a la liberalización de la censura cinematográfica, el encargo de elaborar una verdadera ley de cine... que jamás llegó a elaborar.

El periodo del tardofranquismo y el comienzo de la apertura democrática fueron, también en el terreno cinematográfico, especialmente contradictorios. Un cine virtualmente dependiente, en su nivel de producción, de las decisiones del Estado en materia de subvenciones necesariamente debe presentar un similar panorama de avances y retrocesos que el resto de la actividad sociopolítica. Un ejemplo preciso lo proporciona, una vez más, la legislación censora. Consciente tal vez de la necesidad de intentar superar la arbitrariedad que supuso el duro periodo del mandato de Sánchez Bella —destituido a raíz de la remodelación que siguió a la muerte de Carrero Blanco, a finales de 1973—, el Ministerio de Información se propuso promulgar unas nuevas normas de censura que demostrasen justamente la voluntad del régimen de pasar la página en este terreno. Y las normas fueron finalmente aprobadas en febrero de 1975.

Pero, problema recurrente durante el periodo final del franquismo, el nuevo código llegó tarde. Desde el punto de vista global, el de censura forma parte de una operación que, como indica Gubern, se parece extraordinariamente a la que emprendiera García Escudero en 1962, es decir, una maniobra para tutelar desde arriba una tímida experiencia aperturista —prensa, libros, teatro— que, en lo cinematográfico, consiste básicamente en la instauración de nuevos cauces, pero sobre todo para la difusión del cine extranjero, por una parte, mientras que por la otra, en el cine de producción española, el experimento se limita a tolerar como habitual una práctica, la recurrencia a temas sexuales y la mostración de desnudos en los films, de hecho ya presentes en las dobles versiones genéricas desde mucho tiempo antes; pero al mismo tiempo, se mantiene la rigidez sobre los límites permitidos en lo que a contenidos políticos se refiere.

No debe extrañar, pues, que el primer gobierno de la democracia, el de UCD, terminase por abolir por completo una censura que en sus últimos años había resultado completamente estéril para frenar el impulso imparable de un cine reformista que, en el fondo, actuaba por una vez como especular reflejo de la sociedad en que se producía.

4. El cine de oposición y su espectador

El desarrollo imparable de la contestación interna al régimen, la petición cada vez más perentoria de apertura política, el desgaste visible del franquismo y la emergencia de una generación que no había vivido la Guerra Civil, sino como mucho sus secuelas inmediatas, tuvo su plasmación fílmica en un número realmente alto de films que, desde 1973 en adelante[5], intentaron realizar una crítica elíptica y metafórica debido al todavía vigente funcionamiento de la censura, pero progresivamente más punzante, que logró conectar con un público muy amplio, luna de miel entre la producción española y su espectador que duró hasta 1978.

Este gran segmento fílmico, en ocasiones laxamente relacionado con las constantes del cine de género, aunque también constituido por films de autor, apunta el común denominador de su voluntad de discurso antifranquista. Pero muestra también lógicas divergencias: en primer lugar, el segmento de público al que va dirigido, lo que supone una explotación diferente en el caso de los films de autor. En segundo lugar, las estrategias de producción, diferentes cuando se trata de films realizados por productores independientes —Querejeta— que cuando un profesional asentado en el terreno del cine de género —José Frade es un buen ejemplo— recurre a la práctica de films de oposición. Y finalmente, también existen no menos lógicas diferencias de estilo e ideológicas entre sus cultores y sus productos, que van

[5] Este movimiento hacia el rodaje barato y casi clandestino se inició incluso antes: el cine llamado *underground*, en 16 mm., marcadamente independiente y con graves problemas para llegar al público, que fue la escuela de realizadores como Paulino Viota, Alfonso Ungría, Álvaro del Amo, Ricardo Franco, Augusto Martínez Torres y, en Cataluña, de Llorenç Soler, Antoni Padrós, Jordi Cadena, y que practicó el Portabella posterior al final de la Escuela de Barcelona, arranca, según los casos, antes de 1969.

desde el liberalismo coyuntural de Jaime de Armiñán en *El amor del capitán Brando* (1974), uno de los films más taquilleros de ese año, hasta el punto de vista más radical de un artesano como Pedro Olea, en la época a sueldo de José Frade P. C. para la que realizó un film interesante, *Pim, pam, pum... ¡Fuego!* (1975), origen de la revisión histórico-fílmica de los primeros años del franquismo; de un cineasta siempre activo, como Mario Camus, que abordó el mismo periodo en *Los días del pasado* (1976). E incluye también a cineastas con clara voluntad autorial y sólido prestigio entre el espectador culto, como Carlos Saura, o a recién llegados, y no menos autores, como Víctor Erice, Manuel Gutiérrez Aragón, Ricardo Franco o Jaime Chávarri, por citar algunos[6].

El entronque de este cine con los intereses del espectador tuvo que ver tanto con el cambio sociológico operado en el público español como con el contenido de los films y hasta con una actitud concreta: «El espectador cinematográfico medio (...) dejó de ser el de los años 50, para definirse como espectador liberal, consciente, lejano de aquel viejo espectador que iba al cine sistemáticamente y que ahora se encandilaba con el televisor. La asistencia a determinados títulos era un acto —tímido quizás, pero inequívoco— de resistencia a un régimen que multiplicaba consejos de guerra, tribunales especiales y una sistemática represión de las más elementales libertades»[7]. O dicho de otra manera: en un contexto político diferente, en el cine español del tardofranquismo y de la transición democrática se operó un proceso similar al que había tenido lugar en varios países europeos respecto a

[6] La nómina de los realizadores y las películas de oposición producidas entre 1973 y 1976 es muy amplia, tanto que llega a contaminar a la mayor parte del cine no directamente comercial del periodo. Con todo, conviene recordar aquí otros títulos significativos, como *Jo, papá* (1975) de Armiñán, *Emilia, parada y fonda* (1976) de Angelino Fons, *La joven casada* (1976) de Mario Camus; incluso, un film como *La casa sin fronteras* (1972) de Pedro Olea, podría ser incluido en este apartado. Y hasta el caso del veterano Juan Antonio Bardem (*El poder del deseo,* 1975; suyo es también *Siete días de enero,* rodado con posterioridad, en 1978, uno de los pocos films de ficción que documentan hechos de crónica política ocurridos durante la transición democrática, concretamente el asesinato, en enero de 1977, de cuatro abogados laboralistas comunistas a manos de elementos de extrema derecha).

[7] Francesc Llinàs, «Los vientos y las tempestades», en AA.VV., *El cine y la transición política española,* Valencia, E. de la Filmoteca Valenciana, 1986, pág. 3.

los «nuevos cines» de los 60, películas que se habían caracterizado por su capacidad para conectar —por sus temas, por la ruptura respecto al encasillamiento genérico propio del cine comercial; también por su novedosa manera de narrar— con el nuevo espectador: joven, universitario y de clase media. Que aquí se le agregue la intención política, la tímida militancia resistente que supone ver estos films es un detalle añadido: lo que interesa resaltar, en todo caso, es que el cine de oposición —ya no de la disidencia— fue capaz de hablar de tú a tú a su espectador, de situarse en el terreno de las expectativas de su público.

Fue éste un cine, demás está decirlo, muy rentable. Por citar sólo el ejemplo de Elías Querejeta, convertido en uno de los profesionales que apostó con decisión por este tipo de cine —produjo, por ejemplo, *El espíritu de la colmena, La prima Angélica, Cría cuervos, Pascual Duarte, El desencanto,* entre otras—, se situó gracias a algunos de estos filmes, y a pesar de tratarse de un independiente[8], entre los diez productores más importantes del año en 1974 (el 6º) y en 1976 (el 5º). Baste recordar que un film como *La prima Angélica,* con un coste reconocido de 12.833.676 pesetas, recaudó, a 31 de diciembre de 1975 —en poco más de un año, pues— más de 80 millones de pesetas mientras que *Cría cuervos,* con un coste de 17.549.800 pesetas, obtenía más de 75 millones en menos de un año[9].

Máximo exponente del cine metafórico, Saura continuó en este periodo con su reflexión sobre las implicaciones que el franquismo tuvo sobre la sociedad española, analizando sobre todo su influencia desde la óptica de la clase media. Su film más importante del periodo, *La prima Angélica* (1973), supuso, ya se ha dicho, todo un contencioso con la censura, pero también un barómetro respecto a la (in)toleran-

[8] Productor considerado como uno de los más personales y formalmente arriesgados del periodo, hombre influyente desde entonces —a pesar de las tensas relaciones que mantuvo con la administración franquista—, Elías Querejeta ha cimentado desde siempre un sólido grupo de excelentes y cualificados profesionales que han colaborado en casi todas las películas que ha producido, lo que ha dado lugar a una suerte de «*look* Querejeta», apariencia formal que presentan films situados aparentemente muy lejos entre sí: el jefe de producción Primitivo Álvaro, los fotógrafos Luis Cuadrado y, tras la retirada de éste, en 1975, Teo Escamilla, el músico Luis de Pablo, el montador Pablo G. del Amo, y la dirección artística del veterano Emilio Sáez de Soto.

[9] Juan Hernández Les, *El cine de Elías Querejeta, un productor singular,* Bilbao, Ed. Mensajero, 1986, págs. 299 y ss.

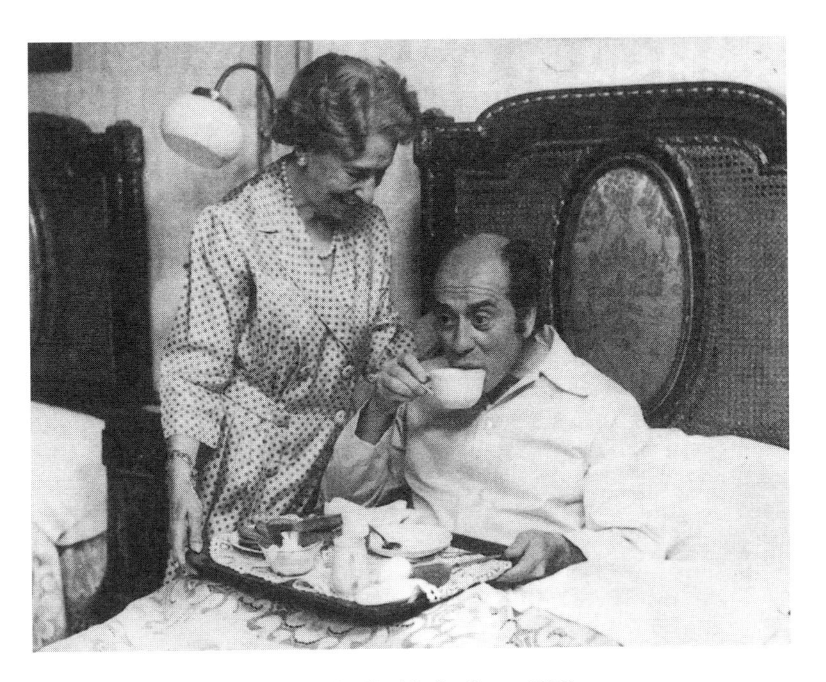

La prima Angélica (Carlos Saura, 1973).

cia de los sectores adictos al régimen —fueron atacados varios locales que exhibían el film, lo que repercutió positivamente sobre su carrera comercial[10]—, al tiempo que mostraba un esencial cambio en los mecanismos narrativos comúnmente empleados por el cineasta: Saura, que se había liberado considerablemente de los corsés del realismo en sus dos films inmediatamente anteriores, *El jardín de las delicias* (1970)

[10] En su libro sobre las vicisitudes de la película, Diego Galán reproduce un artículo aparecido en un periódico asturiano, *Región,* editado en Oviedo, que es toda una declaración de principios sobre el juicio de la extrema derecha franquista respecto del film: «Me han llamado por teléfono», señala el firmante del artículo, «y me han dicho: "Parece mentira que usted diga que *La prima Angélica* no dice nada en contra de la Falange. Tenía que haberle dado un buen palo a Saura por su mala intención"». Pues no. Es como si pretendiera matar gusanos a cañonazos. Y a los gusanos ni se les pisa, porque no vale la pena ensuciar la suela de los zapatos». *Venturas y desventuras de La prima Angélica,* Valencia, Fernando Torres Ed., 1974, pág. 61-62.

Fernando Fernán-Gómez en *El espíritu de la colmena* (Víctor Erice, 1973).

y *Ana y los lobos* (1972), transita con determinación por su habitual universo simbólico, pero haciendo que éste se preste con más flexibilidad a un discurso posiblemente más primario que el anterior —incluso caricaturesco en su descripción de la mentalidad falangista—, pero indudablemente efectivo.

Paradójicamente, el director aragonés decidirá, con *Cría cuervos* (1975), otra de sus grandes películas del periodo, una nueva vuelta de tuerca en su trayectoria, centrando su interés en un microcosmos más personal, cerrado y restrictivo —el despertar a la vida de una niña en un sofocante ambiente familiar— que, sin prescindir de referencias históricas y contextuales concretas, se eleva por encima de su simbolismo anterior en busca de un público más universal. Que *Cría cuervos* suponga la definitiva consagración internacional de su autor es el mejor indicativo de lo correcto de su apuesta.

Sin lugar a dudas, el film más importante del periodo, y posiblemente también de toda la historia del cine español, es *El espíritu de la colmena* (1973), el fulgurante, espectacular ingreso de Víctor Erice en las filas del largometraje. Trabajando con claves propias del cine metafórico ya desde el título —*La colmena*, que remite al universo cerrado propio de una sociedad aislada como era la española durante el franquismo, es el título que Camilo José Cela diera a su novela emblemática y caleidoscópica sobre el Madrid de posguerra—, Erice ejecuta una deslumbrante operación de creación de sentido.

Reflexión metalingüística sobre el medio, a partir del cine de terror y de uno de sus máximos mitos —Frankenstein—, pero también visión agudamente estilizada de la vida cotidiana de la España de 1940, poético acercamiento al despertar a la vida desde la inocencia de la mirada inquietante, magnética, de una niña —Ana Torrent, deslumbrante—; parábola sobre el bien y sobre el mal, y hasta plasmación del restallante ingreso de la Historia entre los intersticios de lo diario, el máximo logro de Erice fue convertir su film no en un galimatías simbólico a interpretar por espectadores avisados, sino en una coherente, homogénea articulación de propuestas cuya densidad textual sigue permitiendo, hasta hoy mismo, numerosas lecturas cruzadas.

Furtivos (José Luis Borau, 1975).

Los hermanos Panero en *El desencanto* (Jaime Chávarri, 1976).

Más primaria en sus intenciones, pero igualmente coherente con su punto de partida, y afortunada en sus logros, *Furtivos* (1975), la mejor película de la escasa y accidentada carrera del director y productor José Luis Borau, se presentaba ante el público de la época (su estreno se produjo en el festival de San Sebastián, a sólo dos meses de la muerte de Franco) no sólo como una ordenada película de género —un duro, expeditivo melodrama ambientado en el bosque, sobre una madre incestuosa y dominante y su hijo, un cazador furtivo—, resueltamente bien planteada y conducida, sino también como una metáfora prístina con la violencia como norte y sentido. Es difícil no ver en la catarsis que provoca la irrupción de dos extraños en el cerrado microcosmos del huraño protagonista, que intentará liberarse de la férrea tiranía de su madre, el temor a una respuesta sangrienta de un régimen que se descomponía matando: una semana después del pase donostiarra del film Franco firmaba sus últimas sentencias de muerte.

Las denuncias elípticas a un padre que se está no ya anquilosando, sino que es virtualmente un muerto residuo del pasado preside varias ficciones del periodo, pero se erige en ácida, terrible radiografía en *El desencanto* (1976) de Jaime Chávarri, documental sobre la familia superviviente de uno de los poetas oficiales del franquismo, Leopoldo Panero. A partir de la complicidad de la viuda, Felicidad Blanch, y de sus tres hijos, Chávarri va penetrando como con un bisturí en las pústulas, la fetidez, el inmovilismo de la ideología imperante en los años de apogeo del dictador. La contradictoria memoria que del poeta Panero mantienen sus hijos, contrarrestada por la tímida defensa que su esposa intenta hacer de su consorte, deja al descubierto sin tapujos, en una operación de *strip-tease* vital tan sonrojante como esclarecedora, toda la sordidez de un pasado bien cercano, la sicología patológica de la familia franquista —en una línea no lejana a la ya expuesta por el propio Chávarri en su debut, *Los viajes escolares,* 1973—, la repulsión por la figura paterna, que es al fin y al cabo la figura de autoridad que a escala global representa el castrense y castrante dictador.

5. La «Tercera Vía»

El camino de un cine crítico de oposición, emprendido por algunos cineastas cuando el franquismo presentaba ya síntomas de asfixia, no fue el único intento de romper con la estulticia y el primitivismo del cine comercial al uso. De hecho, un poco después de la dramática clausura del experimento reformista de García Escudero, un antiguo guionista convertido en productor, José Luis Dibildos, propietario de Ágata Films, daba luz verde y harta promoción a un puñado de películas —la primera de las cuales sería *Españolas en París* (1969) de Roberto Bodegas— con las cuales confesó pretender abrir mercados en el exterior.

Su fórmula era clara: contratar a profesionales progresistas, algunos de ellos incluso militantes de partidos clandestinos de izquierdas —José Luis Garci, guionista y futuro realizador; Antonio Drove y Roberto Bodegas, directores; Ana Belén, actriz; más el agregado puntual de referencias o colaboraciones de destacados escritores o cantantes como José Agustín Goytisolo o Paco Ibáñez—, y algunos igualmente con dedicación exclusiva, para rodar películas de temas de actualidad

José Sacristán y Ana Belén en *Vida conyugal sana* (Roberto Bodegas, 1973).

y diálogos frescos y desenvueltos, levemente escabrosos —embarazo no deseado y el aborto, por ejemplo, en *Españolas en París* de Bodegas; la libertad sexual y de costumbres en *Tocata y fuga de Lolita* (1974) de Antonio Drove, por ejemplo—, con un tratamiento formal por completo alejado de cualquier riesgo, pero al mismo tiempo de factura correcta, y en los que intentó plasmar nuevos arquetipos que reciclaban actores ya conocidos por sus numerosas comparecencias en películas de género, casi siempre comedias —José Sacristán y María Luisa San José son el mejor ejemplo de estos «nuevos españoles».

La Tercera Vía pretendió alejarse por igual del cine comercial más ramplón y del más voluntariamente autoral y metafórico. El interés de Dibildos, habitual coguionista de estos films, no era otro que suministrar productos a una clase media urbana desasistida por el cine comercial —de corte mucho más populista—, que disfrutaba ya entonces de un nivel de vida similar al europeo y que, muy poco tiempo después, habría de ser la base electoral de la UCD de Suárez. El colectivo Marta Hernández definió en la época este intento con la fórmula «cine comercial más cine de autor partido por dos»[11], que resulta apta para definir un cine moderadamente osado, que intentó explotar el sexo sin complejos, pero que no ocultó tampoco la adscripción ideológica propia de la derecha civilizada en cualquier democracia europea de entonces.

Dibildos produjo la mayor parte de estas películas —entre las que destacan, además de las ya mencionadas, *Vida conyugal sana* (1973) y *Los nuevos españoles* (1974) de Bodegas; *Mi mujer es muy decente dentro de lo que cabe* (1974) de Drove y *La mujer es cosa de hombres* (1975) de Jesús Yagüe—, que obtuvieron un éxito momentáneo y en cierta manera esperable, pero que fueron esclipsadas rápidamente, tras la muerte de Franco, por la novedad aportada por otras propuestas —desde la nueva comedia generacional hasta los films que revisaron la historia ya sin las cortapisas de la censura. Pero Dibildos no fue el único en practicar este tipo de cine.

De hecho, un antiguo colaborador suyo, Antonio Cuevas —entonces presidente de la rama sindical de los productores—, propietario de Kalender Films, sería el otro gran cultor de la Tercera Vía. Cuevas produjo al antiguo *protégé* de García Escudero, Manuel Summers, que intentó explotar en su provecho las frustraciones sexuales de su generación con films en los que se alterna, como en su cine anterior pero al tiempo en un imparable proceso de banalización, el ternurismo del tratamiento con los más trillados estilemas de la comedia (*Adiós, cigüeña, adiós,* 1970; *El niño es nuestro,* 1972; *Ya soy mujer,* 1974; *Mi primer pecado,* 1976). Hasta el habitualmente interesante Fernando Fernán-Gómez llegó a rodar, para Kalender, un insulso guión de Summers en *Yo la vi primero* (1974). E incluso se podría situar en este terreno algún otro intento aislado, como *Mi querida señorita* (1971) o *¡Jo, papá!* (1975), ambas de Jaime de Armiñán.

El máximo interés del cine de la Tercera Vía radica no en sus logros —si se exceptúa *Tocata y fuga de Lolita* de Drove, un remedo de la comedia clásica hollywoodiana, de brillantes construcción y diálogos; y la inteligente aproximación de Armiñán a las frustraciones de un español medio a partir de un caso patológico en *Mi querida señorita,* poco queda en pie de toda la operación—, sino en su apuesta por una relación normalizada con el mercado, en un momento en el cual la cerrazón

---

[11] Marta Hernández, *El aparato cinematográfico español,* Madrid, Ed. Akal, 1976, págs. 237 y ss.

administrativa —recordemos que Dibildos abandonó por unos meses su actividad, en protesta contra la eliminación del 15 % de subvención automática— dificultaba grandemente el acceso a la protección.

6. El cine comercial

Desde el punto de vista cuantitativo, el segmento mayor de la producción del periodo fue todavía el subgenérico. Los años que contemplaron el largo declinar o el abandono de la industria de buena parte de los cineastas que comenzaron en la inmediata postguerra, e incluso antes (Sáenz de Heredia lo hizo penosamente con *Solo ante el streaking* en 1975; Ramón Torrado en 1978, con *Pasiones inconfesables*; Antonio del Amo ese mismo año, con *Madres solteras;* José M. Elorrieta murió en 1974; Pedro Lazaga siguió trabajando hasta su muerte, en 1979; Mur Oti, cuyo cine perdió todo interés ya a finales de los años 50, se retiró en 1975 con *Morir..., dormir..., tal vez soñar,* título muy adecuado; Nieves Conde, totalmente entregado al cine más comercial, se despidió en 1976 con dos films intrascendentes, *Volvoreta* y *Más allá del deseo;* Juan de Orduña, muerto en 1974, firmó un año antes su poco recordable despedida en *Me has hecho perder el juicio)* fueron también los del declinar del gran filón de la década anterior, el *spaghetti-western* —decadencia imparable que comenzó, desde el punto de vista cuantitativo, en 1972; la cualitativa, mucho antes—, según una lógica de explotación hasta el límite y de sustitución por otro filón ventajoso.

El sustituto del film *western* no fue otro que el terror hispánico, ese filón nacido en 1967 con *La marca del hombre lobo* de Enrique Eguiluz, aunque su origen es un film aislado de 1961, *Gritos en la noche* del prolífico e increíble estajanovista Jesús Franco, alias Jess Frank, Clifford Brown y numerosos seudónimos más: 60 films del periodo son suyos. El subgénero terrorífico, «una estructura formal deficiente cuyos elementos constitutivos se encuentran en un estado de caos, incontrolado en sus últimas connotaciones por el director», según escribió Juan M. Company en el primer estudio riguroso sobre el tema publicado en España[12], expolió, en la mejor tradición clásica, todos los temas

[12] Juan Miguel Company, «El rito y la sangre (Aproximaciones al subterror hispano», en Equipo Cartelera Turia, *Cine español, cine de subgéneros,* Valencia, Fernando Torres Ed., 1974, págs. 19 a 76.

acuñados por la tradición del género, en una mezcla que tiene antecedentes mucho más ilustres —la producción de la Universal entre las décadas de los años 30 y los 40, entre otros—; una producción que usufructuó ampliamente —tanto como para suponer que el contenido terrorífico y hemoglobínico de los films era una mera excusa— los nuevos márgenes de la tolerancia sexual del momento, y duró prácticamente toda la década.

Más allá de establecer el censo de sus más conspicuos cultores —entre los que se cuentan Amando de Ossorio, León Klimovsky, Carlos Aured, José M. Zabalza, Julio Pérez Tabernero, Jacinto Molina (alias Paul Naschy), José Luis Madrid, junto a algún insigne extranjero, como Mario Bava, y otros menos ilustres: Giorgio Ferroni, Pierre Chevalier, Primo Zeglio, Paolo Bianchini, casi los mismos que trabajaron en el *spaghetti-western*—, es preciso recordar que el subgénero sirvió de momentáneo amparo para cineastas más dotados, aunque desorientados en su trayectoria artística —Vicente Aranda, quien rodó la escasamente interesante *La novia ensangrentada* (1972); Gonzalo Suárez, cuyo *Morbo* (1972) es lo peor de su filmografía—, para curiosas y excitantes aproximaciones elípticas al género y su funcionamiento fílmico, como *Cuadecuc Vampir* (1971) de Pere Portabella y hasta para debuts en forma de film de *sketches*, como testimonia *Pastel de sangre* (1971), en el que hicieron sus primeras armas Jaime Chávarri, Francesc Bellmunt o Emilio Martínez Lázaro.

O dicho de otra forma, que la aceptación comercial de este filón popular, incluso fuera de España, sirvió de momentánea válvula de salida a unas productoras a las que se les cerraba el camino de las dádivas estatales y que intentaban como fuese mantenerse en el mercado, aunque siempre con escasa inversión. Y no sólo con el terror: el desconcierto general ante la nueva vuelta de tuerca censora primero, y la búsqueda de una rentabilidad añadida y vinculada al «destape» sexual, después de 1973, contribuyó al fugaz reverdecimiento de las adaptaciones de obras clásicas de la literatura hispana en el periodo.

Así, hubo adaptaciones de *Fortunata y Jacinta* (1969) de Pérez Galdós por parte de Angelino Fons, cuyo mérito más evidente era, como la mayoría de estas adaptaciones, desmerecer abruptamente del original literario; de *El libro del buen amor* (1974), de *La Regenta* (1974, según la novela de Clarín) y de *Jardín umbrío* de Valle Inclán (con el título de *Beatriz,* 1974), ambas de Gonzalo Suárez y ambas igualmente olvidables —sobre todo la primera—; de *La Celestina* (1973), de *La lozana andaluza* (1976), de *El buscón* (1974), de *Tormento* (1974)... Sólo don Luis Buñuel demostró la altura de su inspiración cuando, después de siete años de voluntaria ausencia tras el escándalo de *Viridiana,* volvió a España y otra vez con la excusa de Pérez Galdós, se permitió incluso mejorar el original con *Tristana* (1969)[13].

Pero indiscutiblemente, el subgénero más comercial siguió siendo, por lo menos hasta la mitad de la década, la comedia hispánica, que, ya lo hemos apuntado, se sirvió de los avances en materia censora para ir haciéndose más y más sexualmente explícita. El comienzo de la década asistió a la consolidación definitiva del «landismo» —del nombre del actor Alfredo Landa—, arquetipo del español medio más listo que inteligente, perennemente acuciado por su desbordado apetito sexual y por un cierto complejo de culpa en su relación con los otros, que supera a base de una enorme caradura. Landa, un actor de extraordinario oficio y llamado luego a cometidos de mayor enjundia, conoció un éxito imparable desde *No desearás al vecino del quinto* (1970) de Ramón Fernández, y fue objeto incluso de una torpe, tópica explotación «a la contra» por parte de Bardem, que hizo a su viejo arquetipo el protagonista de *El puente* (1976), sólo para, tras veloz cursillo de aprendizaje a base de situaciones límite, convertirse en aspirante a militar en Comisiones Obreras...

La comedia sexy hispánica siguió explotando sin pudor y con zafias maneras el imaginario sexual del macho ibérico y en películas que, como *Lo verde empieza en los Pirineos* (1973) de Vicente Escrivá, sátira de una de las costumbres nacionales más encumbradas entonces, la peregrinación al sur de Francia para vez películas prohibidas en España, conocieron extraordinaria respuesta en la época. No obstante, como reconoce José E. Monterde: «Bajo ningún concepto se debe olvidar, pese al habitual menosprecio crítico hacia este subgénero, que *No desearás al vecino del quinto, La ciudad no es para mí* y *Pero... ¡en qué país vivimos!* ocupaban la segunda, tercera y cuarta posición entre los

---

[13] Buñuel se despediría del cine rodando otra vez en España, en 1977, *Ese oscuro objeto del deseo,* inspirado en la novela de Pierre Louÿs *La femme et le pantin.*

Catherine Deneuve y Fernando Rey en *Tristana* (Luis Buñuel, 1969).

films con mayor número de espectadores del cine español hasta finales de 1987»[14].

Finalmente, el periodo 1969-1977 contempló también el esporádico cultivo de otros géneros, como el *thriller* de denuncia moralizante y reaccionaria, que tiene su concreción en films de José Antonio de la Loma *(El último viaje,* 1973); en el melodrama no menos moralizador, que arranca en el incombustible, hiperprolífico Ignacio F. Iquino *(Chicas de alquiler,* 1972; *Aborto criminal,* 1973), y que tiene en Pedro Masó y *Experiencia prematrimonial* (1973, protagonizada por la jovencísima Ornella Muti) una de sus cumbres recaudadoras.

No obstante, desde 1975 estas películas subgenéricas deberán competir con otras cuyo interés político, unido al decrecimiento del público popular, habitual consumidor de estos subproductos, terminarán desplazándolas en el interés del nuevo espectador. Así, dos comedietas sexy-ibéricas producidas ese año, *Tres suecas para tres Rodríguez* de Lazaga, y *La dudosa virilidad de Cristóbal,* que sólo un año antes se hubieran estrenado sin mayor problema, tuvieron que esperar hasta 1977 para llegar al público: los tiempos, decididamente, estaban cambiando.

7. La política cinematográfica de la UCD

El diseño de la política que la Unión del Centro Democrático intentó aplicar en el terreno cinematográfico parece dictado ante todo por la premura por poner remedio a los problemas que, incesantemente, le iban surgiendo a un aparato industrial prisionero de sus viejas lacras estructurales, así como de otras nuevas que iba creando una situación cambiante e imprevisible. Una coyuntura caracterizada por la radicalidad de la ofensiva desembozada del cine norteamericano por hacerse con el control del mercado español, así como por el comienzo del enorme cambio mundial en el terreno de la comercialización del producto-film y la consiguiente modificación de los hábitos de consumo de los espectadores que llevará, entre otras cosas, a la

[14] José E. Monterde, *Veinte años de cine español. Un cine bajo la paradoja,* Barcelona, Paidós, 1993, pág. 41.

drástica reducción del parque de salas a escala internacional, y también en España:

Año	Cines censados	Cines que proyectan	Asistencia media por hab. y año
1977	5.684	4.615	5,8
1978	5.976	4.430	6,1
1979	6.042	4.288	6,0
1980	6.154	4.096	4,9
1981	6.259	3.970	4,7
1982	6.420	2.939	4,3

Fuente: Ministerio de Cultura.

Pero el partido centrista en el poder no fue capaz en ningún momento de articular una respuesta coherente a un panorama tan cambiante. Entre 1977 y el final del gobierno UCD en octubre de 1982[15] —comienzo del final mismo de la heterogénea mezcolanza de fuerzas de signo distinto como era el partido, autodisuelto oficialmente en febrero de 1983—, el cine español dio la impresión de ser un boxeador al borde del *knock-out,* condenado a pelear contra enemigos virtualmente inalcanzables. Un solo dato sirve para comprender el grado de improvisación de que adoleció toda la política centrista con relación al cine: desde abril de 1977 hasta 1982, es decir, en cinco años, ocuparon la dirección general Rogelio Díaz —desde 1974—, Félix Benítez de Lugo (mayo-octubre de 1977), Luis Escobar de la Serna (hasta enero de 1980), Carlos Gortari (enero-octubre de ese mismo año) y Matías Vallés, lo que hace un promedio de un director general al año... el

[15] El final abrupto de la UCD se venía anunciando desde antes, en realidad desde que su líder y fundador, Adolfo Suárez, renunció a la jefatura del gobierno —las razones últimas que llevaron a adoptar esa decisión son todavía hoy motivo de especulación, dado que siempre se ha negado a hacerlas públicas—, en enero de 1981, y más todavía desde que, tras el fallido intento de golpe de Estado del teniente coronel Tejero y del general Miláns del Bosch, entre otros —23 de febrero de 1981—, Leopoldo Calvo Sotelo se hizo cargo del gobierno, en medio de un clima de desunión creciente en las filas centristas.

periodo mínimo que cualquier recién llegado a la pesada maquinaria de la administración del Estado de la época necesitaba para ponerse al tanto de su funcionamiento.

En lo que atañe a la legislación concreta que UCD hizo aprobar, el Decreto Ley 3071 de 11 de noviembre de 1977 estipuló medidas ampliamente deseadas por los sectores democráticos del cine español: abolió definitivamente la censura y el permiso de rodaje (un decreto posterior, de mayo de 1978, suprimió la obligatoriedad de proyectar el NO-DO, el célebre noticiario franquista, primer paso para su desaparición y desmantelamiento), volvió a instaurar una subvención automática para todo film español equivalente al 15 % de su recaudación en taquilla en los cinco años siguientes a su estreno, al tiempo que reinstauraba una cuota de distribución.

El decreto-ley destinaba, además, un 5 % del fondo de protección para estimular la producción de cortometrajes, considerados la única fuente de aprendizaje en una realidad industrial en la cual no existía ya una escuela de formación de cuadros técnicos o artísticos: la EOC había sido cerrada, tras graves disturbios, en el curso 1969-70 por su director, Juan Julio Baena, y sus competencias trasladadas teóricamente a la recién creada facultad de Ciencias de la Información, que jamás realizó una tarea similar como formadora de cuadros.

La cuota de distribución, en concreto, incidió negativamente sobre la producción, «al depender ésta muchas veces de los llamados anticipos que suministraban los distribuidores —entre el 30 y el 50 % del presupuesto del film— en función de los ingresos una vez estrenada la película; sin obligación de distribuir cine español para obtener licencias de doblaje, se perdió el interés por financiar producciones españolas, siendo ése un elemento que contribuiría a la crisis de la producción entre 1979 y 1981»[16].

Pero a pesar de la eliminación formal de la censura, no se puede decir que durante el mandato de UCD ésta dejara de existir. Siguió presente, por ejemplo, en las asignaciones económicas a percibir por las productoras. Por ejemplo, dos películas manifiestamente izquierdistas, *Con uñas y dientes* (1977) de Paulino Viota, y *Con mucho cariño* (1977)

---

[16] José E. Monterde, *op. cit.*, pág. 83.

Francisco Casares y Daniel Dicenta en *El crimen de Cuenca* (Pilar Miró, 1979).

de Gerardo García, recibieron sólo un punto en la escala de valoración de la subvención. Por otra parte, dos documentales de contenido crítico, *Después de...* de Cecilia Bartolomé y *El proceso de Burgos* (1979) de Imanol Uribe, no recibieron subvención con la absurda excusa de que no se trataba de films de ficción.

También resultaron emblemáticas las cortapisas administrativas y judiciales que sufrió *El crimen de Cuenca* de Pilar Miró, un caso que ilustra a las claras que, a pesar de la nueva legislación, seguían perviviendo prácticas coactivas a la libertad de expresión, esta vez expresadas desde el seno mismo de los aparatos represivos del Estado. El film narra un caso real, ocurrido en 1912 en Osa de la Vega, localidad rural de la provincia de Cuenca: un pastor desaparece, la Guardia Civil toma el caso por un asesinato, detiene a dos amigos del «desaparecido» y, tras brutal interrogatorio, obtiene una confesión y una sentencia judicial de prisión perpetua, de la que los dos acusados cumplen doce años. Pero un buen día, el pastor regresa y todo queda en entredicho. Miró contó todo esto, en un contexto en el cual los cuerpos represivos eran objeto de frecuentes denuncias por malos tratos por parte de la izquierda abertzale vasca, resaltando la convivencia entre la Iglesia, la administración de justicia y la propia Guardia Civil en el linchamiento legal de dos pobres hombres analfabetos, y en la ocultación de pruebas y la aceptación de la tortura, en un film áspero y de considerable brutalidad.

El rodaje tuvo lugar en 1979, su estreno estaba previsto para diciembre, pero el Ministerio del Interior la retuvo, en aplicación del Real Decreto de 1977, que facultaba a la Administración a entregar al fiscal cualquier película sospechosa de delito —la administración creía ver en el film injurias a la Guardia Civil. La segunda entrega de la historia tuvo lugar en febrero de 1980, cuando la policía, por orden de un tribunal militar, procede a la incautación del negativo. Finalmente, en abril del mismo año, Pilar Miró fue formalmente procesada, lo que ocasionó una fuerte campaña de solidaridad nacional e internacional. El *affaire* sólo concluirá en diciembre de 1980 cuando una oportuna modificación de la competencia jurisdiccional de los tribunales militares alejó el caso de la órbita de éstos. El film fue autorizado en 1981 y, dadas las expectativas que provocó, se erigió en uno de los grandes éxitos de taquilla del cine español después de la muerte de Franco: hasta finales del 1987 había recaudado 416 millones de pesetas, una cifra sólo superada por *Los santos inocentes* (1983) de Mario Camus y *La vaquilla* (1984) de Luis G. Berlanga[17].

[17] El de *El crimen de Cuenca* no fue el único caso de censura en el cine español durante el mandato de la UCD. También sufrió cortapisas un documental crítico-antropológico, *Rocío* (1980) de Fernando Ruiz, denuncia de los excesos religiosos que provoca la peregrinación al santuario mariano de la Virgen del Rocío, en Huelva, que fue secuestrado por orden de un juez de Andalucía en 1981 tras la denuncia de un particular, cuya familia se sintió agraviada por un comentario incluido en la banda sonora del film, y sólo se estrenó, tras un largo proceso, cuando Ruiz decidió suprimir la referencia. Y hay que hacer notar, además, que si bien es cierta la eliminación de la censura en el cine, no lo es menos que hasta cuatro censores siguieron juzgando, hasta finales de 1980, el contenido de las películas que estaban destinadas a ser emitidas por la televisión estatal.

El mismo paquete de medidas promulgado en 1977 situó también la cuota de pantalla en dos por uno (dos días de cine extranjero por cada uno de cine español). Fue ésta la medida más duramente contestada por los distribuidores, que recurrieron con éxito ante el Tribunal Supremo: en julio de 1979, el alto tribunal derogó la cuota de pantalla, por considerarla inconstitucional. Pillado por sorpresa, el gobierno contraatacó e hizo aprobar, en enero de 1980, una cuota de tres por uno y la reinstauración de las licencias de doblaje, de las cuales un sólo film español podía llegar a obtener cinco, según fuese su rendimiento en taquilla.

Creó igualmente salas especiales, así como la categoría «S» para aquellos films «que puedan herir la sensibilidad del espectador» —es decir, films violentos o explícitamente sexuales, sólo permitidos en dichas salas especiales—, pero habitual reducto del *soft-core.* Bien pronto, ciertos productores vieron en este tipo de cine, de escasísima inversión, veloz rodaje y amortización asegurada, la nueva ocasión para obtener ganancias, razón por la cual el cine «S» se habría de convertir, desde *Una loca extravagancia sexy* (1977) de Enrique Guevara, primera película española en obtener el anagrama «S», en la ansiada aunque efímera panacea de la rentabilidad.

No obstante, la nueva legislación no resolvió uno de los problemas tradicionales del aparato cinematográfico español, la implantación de un control de taquilla realmente efectivo, uno de los talones de Aquiles, lo hemos visto, de las medidas adoptadas por García Escudero; con lo cual la picaresca siguió siendo moneda corriente en las relaciones entre distribuidores y exhibidores. Las consecuencias de este primer corpus legislativo de la democracia restaurada fueron varias: por un lado, hizo crecer, de manera artificial, los costes de producción; un film medio costaba en España 15 millones de 1977, 19,7 en 1980 y 32 en 1982[18]. Por el otro, contribuyó a provocar un aumento espectacular de la deuda acumulada por los fondos de protección, cifrada en unos 1.500 millones de pesetas ya en 1978. Y además, esta tendencia inflacionaria se completó con un fuerte aumento de la producción:

[18] Ramiro Gómez Bermúdez de Castro, *La producción cinematográfica española de la Transición a la democracia (1976-1986),* Bilbao, Ed. Mensajero, 1989, pág. 217.

Año	Films españoles	Coproducc.	Total
1977	83	19	102
1978	77	30	107
1979	56	33	89
1980	82	36	118
1981	92	45	137
1982	118	28	146

Fuente: Ministerio de Cultura

Es preciso matizar estas cifras, no obstante, recordando que la producción del periodo 1978-1983 estaba constituida hasta en un 16 % por subproductos «S» (nada menos que 44 en 1982), para un público que decrecía, desde 1978, en lo que a frecuentación general se refiere, pero en particular en lo que afecta a la producción española:

Año	Espect. Pelic. españ.*	Recaudación**	Espect. Pelic. extran.*	Recaudación**	Total espec.*	Total recaud.**
1977	65.718	4.743	146.192	11.192	211.910	15.938
1978	51.593	4.520	168.517	16.305	220.110	20.825
1979	35.648	3.651	164.838	18.767	220.486	22.418
1980	36.510	4.553	139.486	18.007	175.996	22.560
1981	28.791	5.672	134.868	20.441	173.659	26.113
1982	36.189	6.221	119.762	21.037	155.951	27.258

(*) En miles de espectadores
(**) En miles de millones de pesetas

La comparación de las cifras de este cuadro permite constatar la realidad del cine español del periodo. Como se puede ver, las oscilaciones en el número de espectadores de producciones españolas son mucho más acentuadas que el de los que asisten a películas extranjeras, mientras que las ganancias que éstas originan son también más altas que los rendimientos de las películas españolas: con excepción del ejercicio de 1980 —y aun así pierde sólo 760 millones—, el cine extranjero no deja de ganar dinero ininterrumpidamente, fruto del periódico aumento del precio de las entradas. Si se expresan las oscilaciones del número de espectadores en porcentajes respecto a la evolución del cine español y del extranjero, se obtiene el siguiente cuadro:

Año	Nacional	Extranjero
1977	–14,17%	–15,38%
1978	–21,50	+15,27
1979	–30,91	– 2,19
1980	+ 2,40	–15,39
1981	+ 6,24	– 3,32
1982	– 6,72	–11,20

Fuente: Bermúdez de Castro

El aumento de la protección y de la producción no trajo aparejado ningún cambio importante en el tradicionalmente atomizado panorama de las empresas productoras, en el cual no se aprecian diferencias en lo que hace al número de películas producidas por cada empresa en todo este periodo: sólo hay una productora en los ejercicios 1978, 1981 y 1982 que haya realizado cinco films —en este último ejercicio hay hasta una que ha realizado ocho y otra once; pero hay que tener en cuenta que se trata de subproductos—, mientras que el número de empresas que se hacen cargo de un solo proyecto por año sigue siendo enormemente alto: 60 en 1977, 91 en 1978, 75 en 1980, 65 en 1982...

El productor y analista Bermúdez de Castro propone un resumen esclarecedor sobre la situación del cine español en 1982, en los albores del inicio del mandato socialista: «Un simple juego matemático nos hace entrar en la evidencia de que si los españoles acuden al cine español adquiriendo 36 millones de entradas, que hay que repartir entre 146 películas (...) se lleva a la conclusión de que un reparto medio no real, de 246.575 entradas por película, a una media de 250 pesetas por entrada, dará un resultado de 61.643.750 de pesetas brutas por película, cuyo costo medio ya ha sobrepasado los 35 millones. Para recuperar esta cantidad y obtener beneficios con sólo el mercado interior y las subvenciones estatales (siempre proporcionales al resultado en el mercado interior) en necesario un «bruto de taquilla» entre los 80 y 90 millones. El cine español está arruinado. Son pocas las películas que alcanzan esa cifra»[19].

8. Las relaciones cine-TVE

En su intento de paliar de alguna forma la grave crisis que asoló el cine español desde 1978, como consecuencia de la llegada de multitud de films extranjeros autorizados tras el fin de la censura, el gobierno decidió promover algo que ya había intentado antes —aunque con peores resultados— García Escudero: la colaboración entre la industria cinematográfica, sobre todo la producción, y la televisión pública, TVE. Dicha colaboración se producía en un momento de auge de las relaciones entre las televisiones estatales y las cinematografías nacionales europeas, que en Italia habían comenzado una década antes, y que se encontraban en un buen momento en otros países, en especial en la República Federal Alemana.

Las relaciones cine-TVE habían sido esporádicas desde 1967, siempre con encargos puntuales del ente público a una productora determinada —Juan de Orduña o Mario Camus, por ejemplo, realizaron películas o series en formato cinematográfico, que fueron emitidas por TVE, sin conocer exhibición en salas—, pero nunca con una política continuada de colaboración recíproca —que sólo habría de producirse de manera más o menos estable, aunque no menos tensa, desde 1984.

En agosto de 1979, el gobierno aprueba una orden ministerial que marcará justamente el inicio de una política de producción que verdaderamente puede ser llamada tal. La orden destinaba la importante dotación de 1.300 millones de pesetas para la producción de dos películas y quince series de televisión —alguna de las cuales, a su vez, sería convertida luego en film para exhibir comercialmente—, a empresas que pudieran justificar una trayectoria de por lo menos tres películas realizadas. Pero como ocurría también con las decisiones que UCD adoptaba en otros terrenos del quehacer español, el conjunto de la operación aparece confuso: se decide, por ejemplo, que esos 1.300 millones se dediquen sólo a la adoptación de «las grandes

[19] Ramiro Gómez Bermúdez de Castro, *op. cit.*, pág. 89.

La colmena (Mario Camus, 1982).

obras de la literatura española» (con una llamativa excepción: *Dedicatoria*, 1980, de Jaime Chávarri, producción de Querejeta). El temor a que esta colaboración pudiera ser censurada por la oposición[20] dejó en evidencia a los patrocinadores de la idea: la coartada cultural se impuso a la necesaria normalización de relaciones entre dos industrias llamadas obligatoriamente a entenderse.

El resultado de la «operación 1.300 millones» fue dispar. Incluyó algún que otro escándalo (una serie, *Viriato,* dirigida por José A. de la Loma, vio paralizado su rodaje a la tercera semana por la palmaria mala calidad de los *rushes* visionados), la aceptación —sin que se llegaran a rodar— de otras cinco obras, pero también un puñado de series

[20] La oposición política había tenido ocasión, sólo un año antes, de expresar sus puntos de vista en el llamado I Congreso Democrático del Cine Español (diciembre de 1978), suerte de «estados generales» cinematográficos que UCD pretendió boicotear, en los que estuvo presente toda la oposición, que propiciaron una abundante discusión (hubo nada menos que 169 ponencias) y del que salieron unas conclusiones vagas y generales cuya máxima importancia sería posterior, toda vez que fueron luego tenidas en cuenta por el Partido Socialista Obrero Español (PSOE) para elaborar su programa de gobierno en las elecciones de 1982.

Silvia Munt y Lluís Homar en *La plaza del Diamante* (Francesc Betriu, 1982).

televisivas de reconocido impacto —*Los gozos y las sombras,* según la novela de Gonzalo Torrente Ballester, fue una de las más populares del periodo—, con buenas ventas en el mercado internacional. Y algunos films interesantes, como *La colmena* (1982) de Mario Camus, adaptación de la conocida novela del posterior Premio Nobel Camilo José Cela (Oso de Oro en Berlín, 1983), *La plaça del Diamant* (1982) de Francesc Betriu según Mercè Rodoreda —serie y película— y *Crónica del alba* (1981) de Antonio Betancort, desdoblada después en dos largometrajes —*Valentina,* 1982 y *Crónica del alba,* 1983— de desiguales calidad e interés.

Pero las consecuencias reales de esta operación sólo se vieron *a posteriori:* por una parte, la tendencia a adaptar a la pantalla la rica tradición de la literatura hispana —que no era nueva, ya lo hemos visto— se reforzaría desde entonces; por la otra, la constatación de que el Estado democrático podía tener, contra lo que cabría esperar, no sólo criterios políticos a la hora de conceder subvenciones, sino también temáticos y hasta estéticos. A partir de entonces, los aspirantes a recibir financiación de los poderes públicos no habrían de olvidar la lección de los «1.300 millones». Ni tampoco las futuras comisiones de valoración de proyectos.

9. La recuperación del cine catalán

Un estado que, tras las elecciones de 1977, se organizaba lentamente a partir de una estructura más descentralizada incluso que la vigente durante la II República, asistió en este periodo al resurgimiento —en algunos casos, surgimiento— de cinematografías periféricas con muy distintos objetivos y logros, en algunas de las cuales el uso de la lengua vernácula, largamente prohibido en la pantalla —no así en otras manifestaciones más minoritarias, como el teatro o el libro—, se erigió pronto en una de las constantes. Los casos gallego, andaluz o canario son anecdóticos; pero no así el de los cines vasco y catalán.

El cine de Euskadi, que había vivido algún episodio aislado de producción autóctona durante el franquismo —*Ama Lur* (1968), Fernando Larruquert y Néstor Basterretxea, film realizado a partir de aportaciones ciudadanas, es un claro precedente—, comenzó de manera balbuceante, tímidamente apoyado por las instituciones autonómicas o locales —por ejemplo, con la serie de cortometrajes *Ikuska,* suerte de noticiario del cual se rodaron veinte capítulos. Y aun cuando el desarrollo de esta cinematografía es posterior, conviene señalar como pionero el díptico formado por el documental *El proceso de Burgos* (1979), sólo parcialmente hablado en euskera, y el film de ficción *La fuga de Segovia* (1981), en castellano, ambos realizados por un salvadoreño de origen vasco y radicado en Madrid, Imanol Uribe.

El primero, un documental que no ocultaba sus simpatías, historiaba la acción armada y clandestina de la organización ETA, a partir de un conocido espisodio de la lucha antifranquista, el célebre juicio de Burgos contra la dirección etarra. La segunda, contada con eficacia a partir de una estructura de tan probada solvencia y tradición como es el *thriller* carcelario, tenía igualmente un trasfondo histórico, el de la fuga de la cárcel de Segovia de un importante número de militantes de ETA, y fue el primer largometraje vasco que contó con subvención directa del gobierno autonómico.

La ciutat cremada (Antoni Ribas, 1976).

Pero indudablemente, el gran reaparecido de este periodo fue el cine catalán. Pionera, desde 1897, en la producción de cine en España, mucho antes que Madrid (en un proceso similar al italiano, cuya primera capitalidad sería Turín, y no Roma), e igualmente pionera en la adopción del sonoro desde 1932, Barcelona había contado, desde antes incluso del final de la Guerra Civil, con una sólida producción de género y en castellano, que fue menguando poco a poco hasta alcanzar, a pesar del fugaz interludio autoral de la Escuela de Barcelona y de la existencia en los años 60 y 70 de un puñado de activas productoras de subgéneros —Isasi, Este Films, Ifisa—, sólo el 11 % de la producción total española a comienzos del 1976.

Con el principio de la tansición, el cine catalán y en catalán comenzó a dar unos frutos que, desgraciadamente, no tendrían luego una continuidad acorde con las expectativas que despertaron algunos films realizados entre 1976 y 1979, el año, por cierto, en que Cataluña votó masivamente su estatuto de autonomía política. El cine producido en estos cuatro años muestra una rara vitalidad, con propuestas de muy variado estilo, que incluyen la serie de actualidades documentales financiadas por el Ayuntamiento de Barcelona, el *Noticiari de Barcelona* (desde junio de 1977). Pero indudablemente, junto al uso del idioma catalán como vehículo normalizado de expresión[21], el otro hecho relevante en estos films es la común reivindicación de la memoria histórica nacional secuestrada por el franquismo.

Dicha reivindicación histórica partió del primer gran éxito de la transición en Cataluña, *La ciutat cremada* (1976) de Antoni Ribas, crónica de diez traumáticos años de la vida contemporánea catalana (1899-1909) narrada a partir de una saga familiar que mezclaba burguesía nacionalista emergente y proletariado anarquista, y que presentaba una sesgada, apresurada lectura en presente antes que un análisis mínimamente serio del periodo abordado. El film tuvo un fuerte impacto entre el público catalán, que apreció en él una ambición temática y cívica muy superior a sus discretos logros artísticos. Otro tanto puede decirse de *Companys, procés a Catalunya* (1978) de Josep Maria Forn, hagiografía laica de la que está desterrada todo matiz crítico, del último presidente de la Cataluña republicana, Lluís Companys, entregado por la Francia colaboracionista a las autoridades franquistas, y fusilado en Barcelona, en 1940.

También de la Historia y de historias particulares hablaba *Las largas vacaciones del 36* (1976) de Jaime Camino, el primer film que mostró la vida cotidiana en la retaguardia republicana durante la Guerra Civil. Camino, que ya había intentado poner en imágenes el punto de vista del bando perdedor de la guerra en un film maldito, *España otra vez* (1968), con guión del *blacklisted* norteamericano Alvah Bessie

[21] A pesar de que el cine, como arte industrial, ha estado siempre ligado a los sectores más dinámicos de la burguesía, y a pesar igualmente de que Cataluña ha contado históricamente con una burguesía emprendedora, caracterizada, además, por su reivindicación nacionalista ya desde el tercio final del siglo XIX, lo cierto es que dicha clase no tuvo apenas interés por invertir en un cine hablado en catalán. Contra lo que se ha venido diciendo, muy interesadamente, hasta hace bien poco tiempo, hubo muy pocos ejemplos de películas mudas con rótulos en catalán, y hay que mencionar como antecedente más importante de una producción hablada en lengua vernácula el esfuerzo bélico-propagandístico de la Generalitat republicana, que creó Laya Films cuando estalló la Guerra Civil. Dicha empresa, dependiente del Comissariat de Propaganda, produjo un importante número de documentales íntegramente hablados en catalán desde 1936 hasta su disolución, en 1939.

—antiguo voluntario de las Brigadas Internacionales y uno de los tristemente célebres «Diez de Hollywood»—, y de cuyas intenciones originales poco quedó tras su paso por censura, vuelve aquí, a partir de un guión cofirmado con Manuel Gutiérrez Aragón, a mostrar al bando vencido, en una operación de recuperación simbólica y afectiva de la que participan, conciente o inconcientemente, buena parte de los filmes históricos del periodo, recuperación que se antoja la única razón de ser del film. En cambio, el propio Camino habría de firmar, sólo un año después, la mejor película sobre la contienda en Cataluña —y en toda España—: *La vieja memoria* (1977), documental que constituye un inteligente, ambicioso y decidamente brilante ejercicio de manipulación de montaje, caleidoscópico muestrario de opiniones ideológicas y políticamente enfrentadas, que Camino termina llevando hasta los límites de su propio punto de vista sobre lo que significó la Guerra Civil.

Y también del documental, aunque en su caso trufado de referencias voluntariamente ficcionales, se sirvió Pere Portabella para analizar, con rotundidad ejemplar, las opciones políticas que se le ofrecían al español medio en el momento de la transición democrática. *Informe general sobre algunas cuestiones de interés para una proyección pública* (1977), conocido simplemente como *Informe general*, es, como casi todos los films de su autor, un producto paradójico, virtualmente desconocido por el gran público. Sin dejarse llevar por la urgencia histórica a la que toda crónica tiende, Portabella propone con su film no sólo una interrogación a la realidad —transcurre casi en presente, entre finales de 1975 y la primera mitad de 1976—, sino un verdadero forcejeo con los instrumentos significantes a su alcance. Así, *Informe general* aparece al mismo tiempo como un discurso político e ideológico que nunca oculta sus preferencias —Portabella sería más tarde senador independiente elegido en las listas electorales del comunismo catalán—, como una clara violentación de los límites entre ficción y realidad, como una disección del concepto mismo de Historia[22].

---

[22] El documental fue profusamente practicado por el cine catalán en estos primeros años de su recuperación. Además de los ya mencionados, cabe recordar dos títulos de Gonzalo Herralde, *Raza, el espíritu de Franco* (1977), un original ensayo histórico cinematográfico sobre el film *Raza*, que es también un intento de disección de la naturaleza del franquismo; y *El asesino de Pedralbes* (1978), larga entrevista con un asesino se-

Pero el cine catalán del periodo no fue sólo documental, ni estuvo marcado exclusivamente por la reivindicación histórica, ni fue en su totalidad hablado en catalán. De hecho, algunos cineastas intentaron, con evidente cambio de óptica y en algunos casos también de lengua respecto a la situación anterior, una dignificación del cine de género. Bellmunt lo hizo con la comedia, y *L'orgia* (1978) se puede ver hoy como una excelente radiografía de la situación —de la miseria— sexual de un sector de la juventud catalana de la época[23]. Jordi Cadena lo intentó con el cine negro, y con discretos resultados, en *Barcelona Sud* (1980); mientras el cine de autor daba dos de los mejores ejemplos de un cine de excelente factura formal e inquietantes alcances, con la obra de J. J. Bigas Luna —*Bilbao,* 1978; *Caniche,* 1978, sendas indagaciones sobre la obsesión sexual que prefiguran al excelente realizador de *Jamón, jamón—;* y Josep A. Salgot, con *Mater amatísima* (1980), primer gran papel dramático de una actriz llamada a ocupar los lugares más altos del *star system* hispano: Victoria Abril.

10. «Contar los días del pasado»: el cine histórico

Como es lógico, el vacilante aunque irreversible proceso de normalización democrática que vivió España desde 1977, el final de la censura y el muy pronto constante interés de la sociedad española por enterrar todo signo del franquismo produjeron una considerable liberación creadora que, en el caso del cine, se tradujo en una multitud de propuestas de corte muy diferente, tal vez el momento de mayor am-

---

xual convicto y confeso. Por su parte, Francesc Bellmunt ya había firmado antes dos documentales socio-musicales, *La nova cançó* (1976) y *Canet Rock* (1976), y Ventura Pons intentó el boceto, sumamente personal, de un pintor andaluz radicado en Barcelona, *gay,* travestido, provocador e inconformista, en *Ocaña, retrat intermitent* (1978).

[23] Aunque no catalán, sino valenciano, Carles Mira destacó en esos años por una serie de comedias de desaliñada factura y esperpéntico y arrollador sentido del humor, que por lo general emplean la coartada histórica para realizar una operación de ejemplar desacralización: *La portentosa vida del padre Vicente* (1977), chusca biografía de san Vicente Ferrer; *Con el culo al aire* (1980), en la que muestra un manicomio repleto de aparentes locos que emulan a personajes históricos; y *Jalea real* (1981), desopilante y casi irreverente retrato de la corte de Carlos II el Hechizado —el momento de mayor decadencia del viejo imperio español— son un buen ejemplo.

plitud temática y formal en toda la historia del cine español. Esta especie de breve primavera tuvo también sus claroscuros: apenas hay referencias a personajes y hechos en presente en el cine español entre 1977 y 1982 —en 1977, por ejemplo, sólo ocho películas abordan directamente la realidad— y, en un contexto caracterizado por el abierto debate de ideas, se pudo apreciar la desconcertante ausencia del punto de vista electoralmente mayoritario de las urnas: como apuntan Perucha y Ponce: «Llamativo es constatar que las diferentes familias centristas o socialdemócratas existentes en el país, se presenten bajo la sigla o etiqueta que lo hagan, no tuvieron nada que decir sobre el asunto»[24].

Entre los escasos films que abordan frontalmente el complejo presente de aquellos días figuran, junto a algunos documentales —el díptico formado por *No se os puede dejar solos* y *Atado y bien atado,* que se estrenó con el título genérico de *Después de...* (1981) de Cecilia Bartolomé, y el ya mencionado *Informe general* son dos ejemplos—, otros films de ficción inequívocamente radicales. *Camada negra* (1977) de Manuel Gutiérrez Aragón, es una denuncia sin paliativos del fascismo rampante; como también será una clara denuncia de la tortura y de los grupos de incontrolados ultraderechistas *Los ojos vendados* (1978) de Carlos Saura[25]. *Con uñas y dientes* (1977) de Paulino Viota, narra con rigor la historia de una huelga fracasada y huye de toda complacencia y gratificación al espectador. *La criatura* (1977), *El diputado* (1978) y *Miedo a salir de noche* (1979) son tres muestras del cine ferozmente comprometido y sin complejos de Eloy de la Iglesia, uno de los ci-

[24] Julio Pérez Perucha y Vicente Ponce, «Algunas instrucciones para evitar naufragios metodológicos y rastrear la transición democrática en el cine español», en AA.VV., *El cine y la transición política española,* Valencia, Ed. de la Filmoteca, 1986, pág. 36

[25] Consciente de la necesidad de superar el lenguaje elíptico y metafórico de sus anteriores films, Saura realiza un arriesgado cambio de registro con *Mamá cumple cien años* (1979), una vuelta a los personajes de *Ana y los lobos,* con un tratamiento cercano a la comedia fantástica. Y aunque en ese periodo intentó también, con poca fortuna, transitar por el terreno de la evocación histórica personal —*Dulces horas,* 1981—, serán más determinantes para su trayectoria posterior títulos como *Deprisa, deprisa* (1980), que recupera la frescura y la inspiración para mostrar ambientes marginales parecidos a los que retrató en su ópera prima, *Los golfos,* o incluso *Bodas de sangre* (1981), film-ballet que constituyó el inicio de su fructífera colaboración con el bailarín y coreógrafo Antonio Gades.

José Sacristán y M.ª Luisa San José en *El diputado* (Eloy de la Iglesia, 1978).

neastas más peculiares y panfletarios —término descriptivo, no peyorativo— de cuantos hacen cine en el periodo.

Si en el primero se afirma que «es preferible follar con un perro que tener un marido de derechas, el segundo hurga en las contradicciones personales de un diputado de izquierdas que, progresista en sus comportamientos públicos, mantiene una vergonzante vida privada como homosexual acomplejado, mientras el tercero es un valiente alegato contra una campaña, desatada entonces por la extrema derecha, que intentaba homologar democracia con inseguridad ciudadana y criminalidad rampante. Nada le es ajeno al izquierdista coherente que es De la Iglesia, que igual bucea en los ambientes de la juventud marginada *(Colegas,* 1982), que narra la amistad entre el hijo drogadicto de un guardia civil destinado en Euskadi y el no menos drogadicto hijo de un diputado abertzale vasco en *El pico* (1983), por poner algunos ejemplos. Como afirman Perucha y Ponce: «Sus películas huyen de la minoría, son apasionadamente comerciales, rectifican por acumulación o condensación de signos géneros tan espesos como el melodrama, en el que vierten un feísmo y una desvergonzada pizca de escándalo y folletín latino encomiables, compendian el punto de vista de las clases populares, atesoran un cierto saber fílmico sobre ellas y vienen a enunciar una moral del oprimido, un orgullo de la víctima, una ética del perdedor»[26].

Pero indudablemente, la parte del león en la producción fílmica hispana de los seis años presididos por el centrismo político la constituye, en mayor o menor grado, la de los films que abordan la Historia, operación harto comprensible tras casi cuatro décadas de secuestro de la memoria de un gran segmento de la población, la derrotada en la Guerra Civil, prácticamente ausente del cine español; y de la necesidad de explicar —y explicarse— un país que fue, es y seguramente seguirá siendo un rompecabezas. Muchas son las películas que emplean como referente temporal los años de la República, la Guerra Civil y hasta las dos primeras y lóbregas décadas del franquismo; otra cosa es cuál fue el punto de vista dominante en este abordaje.

José Enrique Monterde habló de «un cine de la identificación antes que un cine del conocimiento», para referirse a un gran segmento de estos films, cuya única intención es la búsqueda de la aquiescencia sentimental de espectador: «El cine de esta época se apoya en buena parte en las más obvias formas de complicidad, en la explotación del adocenamiento de una mayoría de espectadores que no conciben el cine como lugar del esfuerzo intelectual, sino como simple y adocenada forma de diversión. De ahí que en la mayor parte de casos podamos hablar mucho más de un cine del reconocimiento que no del conocimiento, es decir, de un cine que no pretende tanto la reflexión como la adhesión, el reencontrar lo familiar ya conocido por encima de cualquier enriquecimiento, el reafirmar lo ya sabido frente al esfuerzo de abrir nuevas vías de comprensión ante la realidad vivida»[27].

El interés por la Historia arranca pronto, en ese cine reformista del tardofranquismo que tuvo uno de sus puntos de partida en películas como *Pim, pam, pum... ¡Fuego!* (1975) de Olea[28], un competente melodrama de inequívoco contenido crítico —escrito por Rafael Azcona—,

---

[26] Pérez Perucha y Ponce, *op. cit.*, pág. 41.

[27] José E. Monterde, *op. cit.*, pág. 23.

[28] Olea volvería al cine de corte histórico con una película también interesante, *Un hombre llamado Flor de Otoño* (1978), rodada en Barcelona —aunque financiada por José Frade P. C.—, estrenada en catalán, que era la traslación a la pantalla de una obra teatral que rescataba el curioso caso real de un abogado barcelonés, anarquista y homose-

Concha Velasco en *Pim, pam, pum... ¡Fuego!* (Pedro Olea, 1975).

---

xual, que en los años 20 ayudaba clandestinamente a los obreros, mientras por la noche, más clandestinamente si cabe, se travestía para actuar en un cabaret de mala nota. El film, extremadamente respetuoso con su personaje central (interpretado por José Sacristán), se inscribe en la línea de reivindicación de una imagen satisfactoria de la diversidad sexual, filón por el que transitan, además de varios films de Eloy de la Iglesia, otros como *A un dios desconocido* de Chávarri, *Cambio de sexo* (1977) de Aranda o el ya mencionado *Ocaña, retrat intermitent* de Pons.

que muestra una relación de triángulo, en el Madrid de los primeros años 40, entre una aspirante a cantante, un prófugo político que debe alcanzar la frontera francesa y un estraperlista *nouveau riche*, y que acabará en tragedia. Otros, ya está dicho, vendrían de la mano del cine catalán, con films como *La ciutat cremada*, *Companys, procés a Catalunya* o *Las largas vacaciones del 36*. Sería inútil hacer una relación de todos los films del periodo en los cuales la Historia es a la vez coartada y tema, porque, como ocurrió con la producción italiana entre 1945 y 1948, casi toda ella teñida de neorrealismo, también aquí el pasado terminó penetrando, con mejor o peor fortuna, en el tejido textual de numerosos films.

Lo hizo de manera voluntaria en los ya mencionados, así como también en otros considerablemente más logrados, como *Los días del pasado* (1977) de Mario Camus, una de las primeras películas en recuperar la memoria de los militantes de la izquierda radical, comunistas o simplemente republicanos, que se lanzaron al monte, una vez terminada la Guerra Civil, para seguir allí una desesperada —y a la postre estéril— guerra de guerrillas contra los cuerpos represivos del franquismo. En otros casos, en cambio, el recurso al pasado sirvió de coartada para hablar del presente, aunque con mejores resultados que *La ciutat cremada*. Es el caso, ya mencionado, de *El crimen de Cuenca;* pero también el de *La verdad sobre el caso Savolta* (1978) de Antonio Drove, adaptación de la novela de Eduardo Mendoza, detrás de cuyo argumento —una historia de negocios, delaciones y huelgas en la Barcelona de la Primera Guerra Mundial— se puede leer fácilmente una advertencia sobre la ingenuidad de la izquierda y la capacidad de manipulación de una burguesía ambiciosa de riqueza y de poder.

Aunque, en puridad, hay que reconocer que el pasado terminaría infiltrándose igualmente en prácticas fílmicas muy diferentes de éstas, desde el ternurismo desconsolado y exitoso de José Luis Garci —*Asignatura pendiente* (1977) y *Solos en la madrugada* (1978), ambientadas ligeramente en pasado, en los días de la legalización del PCE, son llorosas denuncias de una dictadura que arrancó, a la generación de Garci y a un par de generaciones más, su derecho a una juventud vivida en libertad—; hasta la evocación, de raíz hondamente literaria, de *La plaça del Diamant* (1982) de Francesc Betriu, pasando por el rigor autoral de uno de los grandes valores surgidos en el cine del tardofranquismo.

Estudiante en la EOC, guionista —lo fue de *Furtivos* y de *Las largas vacaciones del 36*, entre otras—, Gutiérrez Aragón debutó de la

José Sacristán en *Asignatura pendiente* (José Luis Garci, 1977).

mano de Querejeta con una reflexión elíptica acorde con los límites de lo decible en la época, *Habla, mudita* (1973); siguió con *Camada negra,* considerable ruptura con el tono realista de su debut, y continuó con una reflexión extremadamente personal en la cual se entremezclan la historia —los comienzos de los años 70, la época del juicio de Burgos en *Sonámbulos* (1977), o cómo vivió el hecho la generación del cineasta; la desintegración del maquis en *El corazón del bosque* (1979), uno de sus grandes films de la década; y los años de la primera posguerra vividos en la conservadora Cantabria, en *Demonios en el jardín* (1982), entre otras— y la estructura de las fábulas infantiles, en un tono metafórico que en él, a diferencia de cineastas como Saura, no es un recurso para superar las cortapisas censoras, sino una verdadera declaración de principios estéticos y narrativos[29].

[29] Compañero de Gutiérrez Aragón en la EDC, luego ocasional colaborador del director cántabro, José Luis García Sánchez, que debutó en el largometraje en 1972 con *El love feroz* y cuya carrera en los años 80 habría de revelarse como harto interesante, apeló igualmente a una estructura metafórica en su film más importante del periodo, *Las truchas,* Oso de Oro en el Festival de Berlín 1978, sarcástica y en ocasiones oscura disección de la alta burguesía de la época.

Ángela Molina, Encarna Paso y Ana Belén
en *Demonios en el jardín* (Manuel Gutiérrez Aragón, 1982).

11. La nostalgia ya no es lo que era: el cine de la extrema derecha

Después de gobernar durante casi cuarenta años, resulta lógico sospechar que, tras la muerte de Franco, quedaron en pie organizaciones militantemente ultraderechistas, así como una cultura «de régimen» en el seno de la cual podría desarrollarse algo parecido a un cine de apoyo a los viejos ideales «de cruzada». El cine que genéricamente se puede adscribir al franquismo residual se desarrolló en estos años a caballo entre dos géneros bien diferenciados: la comedia —con frecuencia paródica— y el cine de denuncia política, a menudo teñido de apocalíptico dramatismo. Como ocurre en el campo de la izquierda radical, en el de la extrema derecha bunkeriana (denominación que, en la época, designaba a los nostálgicos del franquismo) coexisten también prácticas fílmicas diferentes, que van desde los articulados discursos tremendistas del tándem Vizcaíno Casas —guionista— y el veterano Rafael Gil —realizador—, algunos interpretados por actores tan conocidos como José Luis López Vázquez, hasta el puro regüeldo virulento de un film como *Un cero a la izquierda* (1980) de Gabriel Iglesias, fustigador de la supuesta falta de seguridad ciudadana, e incluso la manipulación de la banda de diálogos de una película de Goffredo Alessandrini, Ferdinando Cerchio, León Klimovsky y Gianni Vernuccio, *Los amantes del desierto* (1957), que permite a un anónimo cineasta —identificado con Francisco Lara Polop, habitual realizador de subproductos— convertir sus imágenes, previa manipulación de los diálogos, en un agresivo discurso antisuarista, en *El asalto al castillo de la Moncloa* (1978).

Este cine, cuyos films concretos parecen nacidos sólo para ilustrar consignas esgrimidas en la calle por la extrema derecha organizada, fue paradójicamente el último refugio de un grupo de cineastas de género, otrora muy comerciales —Mariano Ozores, Pedro Lazaga—, que realizaban un tipo de films en evidente decadencia ya entonces. Proverbial explotador de cualquier tema de la realidad susceptible de ser llevado a la pantalla, Ozores se dedicó en el periodo a realizar una convencional e irritante prédica antidemocrática —y específicamente antisocialista—, casi siempre teñida de oportunismo, en films como

El apolítico (1977), *¡Que vienen los socialistas!* (1982) o *Todos al suelo* (1982). Más inteligencia demostró el veterano Lazaga en *Vota a Gundisalvo* (1977), producción del otrora padre de la Tercera Vía, José Luis Dibildos, que pretente demostrar, en línea con un viejo axioma ultramontano, que la política democrática es sinónimo de corrupción y que toda participación en ella está de antemano condenada al fracaso.

Pero indiscutiblemente, el cine más ideologizado de la extrema derecha fue el de Gil-Vizcaíno Casas. Basado en novelas escritas por Vizcaíno, crítico cinematográfico y ocasional historiador, abogado y antiguo admirador de García Escudero, *De camisa vieja a chaqueta nueva* (1982) es un buen ejemplo. El film es una feroz caricatura, apenas disimulada, de la trayectoria política de Adolfo Suárez, a quien el franquismo residual acusaba de haberse «cambiado de chaqueta», al grito de «Suárez, cabrón, cantaste el *Cara al sol*». Igualmente apocalíptica en su denuncia es *...Y al tercer año resucitó* (1981), basada en uno de los libros más vendidos de Vizcaíno Casas, que pone en imágenes la estremecedora hipótesis de una resurrección del caudillo Franco, nuevo Cristo, para que a través de su mirada se vea en qué se ha convertido España...

Productos más que nada episódicos, los films de la extrema derecha tuvieron un destino no demasiado diferente al de los grupos, partidos o grupúsculos que se reclamaban herederos del franquismo; arrinconados por un público que nada quería de ellos —en las urnas y en las salas de cine—, y progresivamente privados de sus veteranos cultores por razones puramente biológicas —Lazaga murió en 1979, Rafael Gil en 1986—, este cine primariamente ideológico e ineficazmente político se fue extinguiendo con más pena que gloria, privado de salas, limitado progresivamente al reducto de los vídeo-clubs y herido de muerte por la política proteccionista puesta en práctica por Pilar Miró desde comienzos de 1983.

12. Los géneros: la comedia

Se hablaba antes de una gran amplitud temática y formal en el cine español de la transición, y conviene aclarar que, junto a la recuperación de ciertas cinematografías periféricas, al interés por defender visiones de la historia ausentes en el cine franquista, e incluso junto al

Arrebato (Iván Zulueta, 1979).

punto de vista militantemente antidemocrático de la extrema derecha, el cine español cultivó también otros territorios genéricos, otros enfoques temáticos sin los cuales resulta imposible trazar la cartografía total de la producción de la época.

Ante todo, hay que recordar que en este periodo, como en cualquier otro a lo largo y ancho de la historia del cine hispano, junto a la producción masiva se constata la presencia de autores francotiradores, cuyo discurso se diferencia de los mayoritarios y cuya práctica fílmica resulta difícilmente etiquetable o encasillable en categoría alguna. Es el caso, en el periodo de nuestro interés, de un film como *Arrebato* (1979) de Iván Zulueta. Estudiante en la EOC, diseñador gráfico —es el autor de los famosos *posters* de los primeros films de Pedro Almodóvar, por ejemplo—, Zulueta debutó en el terreno del largometraje comercial con una película de encargo, *Un, dos, tres, al escondite inglés* (1969), producida por José Luis Borau, un musical fuertemente influido por la cultura *beat,* en general, y por *Help!* y Richard Lester, en particular, que daba muestras de una considerable libertad creadora.

Diez años después, Zulueta regresó al cine con *Arrebato,* uno de los films más absorbentes y complejos de la historia del cine español. Reflexión irónica sobre el poder vampírico de la cámara cinematográfica, descripción fría y *behavorista* de la dependencia y la drogadicción, reivindicación lúcida y desesperanzada del mundo de la infancia y sus fantasmas, el film mezcla formatos —Super 8 y formatos profesionales— y texturas que terminan configurando un *collage* fascinante, sin que ello le lleve a renunciar a la narración más o menos convencional. Experiencia radical y terminal —Zulueta sigue siendo todavía hoy un *outsider* en la profesión—, *Arrebato* queda para la historia como un intento aislado, aunque al mismo tiempo personalmente desesperado y sincero[30].

En un cine que, como el español, apenas había conocido la existencia de mujeres cineastas —las excepciones son Rosario Pi, en los años 30, y la actriz, productora y guionista Ana Mariscal, desde comienzos de los 50—, sorprende en este periodo el debut de hasta tres realizadoras, una de las cuales, Pilar Miró, habría de desempeñar en el futuro cargos de alta responsabilidad política. Miró, licenciada en la EOC, realizadora de TVE, debutó en el cine con *La petición* (1976), un film que sufrió embestidas censoras por su contenido explícitamente sádico; realizó más tarde el ya mencionado *El crimen de Cuenca* (1979) y un año después, con *Gary Cooper, que estás en los cielos,* narró una peripecia autobiográfica —protagonizada por Mercedes Sampietro, su *alter ego* fílmico—, que daba sobradas pruebas de su talento narrativo.

Por su parte, Cecilia Bartolomé debutó en el largometraje con una explícita reivindicación feminista, *Vámonos, Bárbara* (1977), y luego in-

---

[30] Otros dos films que merecen ser tenidos en cuenta, aunque su cualidad formal y sus intenciones sean diferentes, son *Los restos del naufragio* (1978) de Ricardo Franco, desesperanzada reflexión sobre un hombre joven que se niega a vivir en la vida «normal» y decide recluirse en un geriátrico, tras el cual no resulta arriesgado ver el cansancio y la desilusión de las nuevas generaciones respecto a la democracia, expectativas frustradas que desembocaron en lo que entonces se llamó el «desencanto». Igualmente, *La muchacha de las bragas de oro* (1980), adaptación de la novela homónima de Juan Marsé, principio de la madurez de la carrera de un cineasta, Vicente Aranda, activo desde 16 años antes, pero sólo ahora dominador total de su oficio, es un mordaz discurso desencantado que pone en solfa la historia oficial, desde la perspectiva de una joven desmitificadora y provocativa, que no ha vivido los años del más duro franquismo.

tentó, con más empeño que acierto, trazar una crónica de urgencia de los días posteriores a la muerte de Franco en su confusa y a la postre fallida *Después de...:* el fracaso de este film la alejó de la industria. Por su parte, Josefina Molina, la primera mujer que se graduó como realizadora en la EOC, trabajó igualmente en TVE —fue ayudante de Pilar Miró—, debutó en el cine un poco antes que las dos anteriores *(Vera, un cuento cruel,* 1973), participó después en un film colectivo, *Cuentos eróticos* (1979), y en 1981 rodó *Función de noche,* su película más importante, una descarnada prospección documental en la vida de una actriz teatral, Lola Herrera, con intenciones similares a *El desencanto,* que ponía en evidencia las dificultades que tuvieron que soportar las mujeres de su propia generación —Molina nació en 1936—, coartadas por la sociedad profundamente patriarcal y autoritaria de la España de este siglo.

Y también en el periodo en el que comienza el declinar de los subproductos que tuvieron su momento de gloria entre mediados los años 60 y la primera mitad de los 70, se asiste a un reverdecimiento de los géneros, alejado del oportunismo subgenérico, y llevado a cabo por algunos jóvenes cineastas fuertemente influidos por el cine norteamericano. En uno de los casos, el del cine negro, se puede hablar de un puñado de films con intenciones y logros diferentes, casi todos realizados el mismo año, 1980. Es el caso de *La mano negra* de Fernando Colomo y del ya comentado *Barcelona Sud* de Cadena —aunque en este caso, la operación que se intentaba era la de recrear el viejo cine de género de producción barcelonesa—. Pero sin lugar a dudas, el film más interesante de este súbito filón fue *El crack,* el mejor en la oscilante trayectoria artística de José Luis Garci. Conocedor de las claves y los estilemas del cine hollywoodense del género, Garci creó un detective, Germán Arteta —sobriamente interpretado por Alfredo Landa— y recreó la atmósfera moral y estética del género en un Madrid insólitamente fotografiado. Es una curiosa ironía que Garci obtuviese, dos años después, su espaldarazo internacional con *Volver a empezar,* Oscar a la mejor película extranjera, un remedo de melodrama geriátrico, tan deudor de la tradición norteamericana como *El crack,* aunque infinitamente menos interesante que éste.

Pero no cabe duda de que el género definidor del periodo —tanto por aceptación del público como por influencia posterior— vuelve a ser la comedia, ahora definitivamente desvinculada de cualquier

José Luis López Vázquez y Luis Ciges
en *La escopeta nacional* (Luis García Berlanga, 1977).

Tigres de papel (Fernando Colomo, 1977).

connotación peyorativa. Volvió a ella, por ejemplo, Luis G. Berlanga, tras un paréntesis obligado, pues *Tamaño natural* (1973) con Michel Piccoli, tuvo que ser rodado en Francia dado que el tema, la historia de un hombre enamorado de una muñeca hinchable, y el tratamiento, plagado de referencias fetichistas, lo hicieron indigerible por la censura. *La escopeta nacional* (1977), origen de una trilogía también compuesta por *Patrimonio nacional* (1981) y *Nacional III* (1982), es una sardónica caricatura, en su primera parte, de alguna de las ceremonias típicas del *entourage* funcionarial y político que rodeaba a Franco, como las cacerías, en las que se adjudicaban obras y favores.

Retrato esperpéntico del verdadero funcionamiento político del antiguo régimen, el film, muy popular, sirvió de rampa de lanzamiento para la posterior continuación de la saga de la familia protagonista, los Leguineche, sucesivamente mostrados como monárquicos nostálgicos del viejo boato de la corte anterior a la II República, pero también como evasores de divisas hacia Francia. Y si *La escopeta nacional* mantenía todas las características del cine berlanguiano —corrosivo

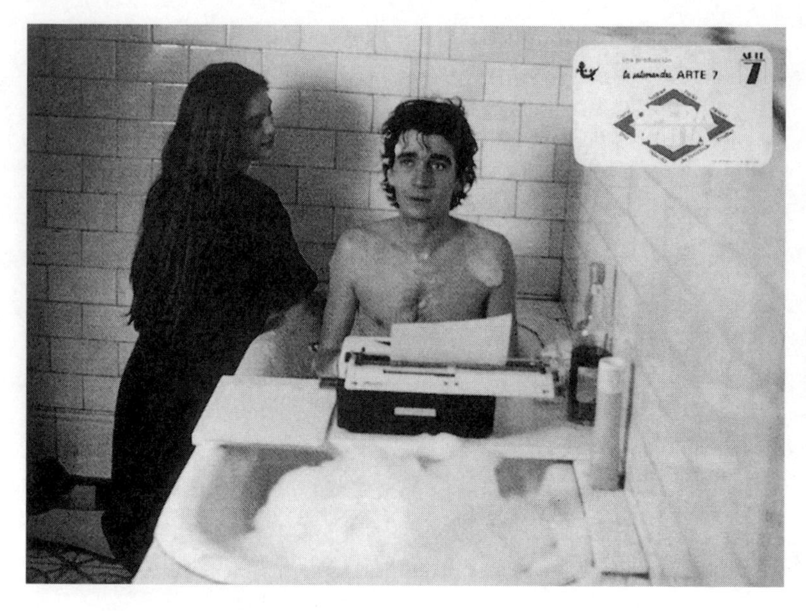

Paula Molina y Óscar Ladoire en *Opera prima* (Fernando Trueba, 1980).

sentido del humor, estructura coral y centrífuga del relato—, el interés se fue diluyendo en el resto de la saga, hasta terminar, en *Nacional III,* por provocar el definitivo agotamiento del filón.

Si significativa fue la vuelta de Berlanga a la comedia, más lo sería la irrupción de algunos cineastas jóvenes que, contra lo que había sido la norma hasta entonces, apostaron por un tipo de comedia generacional y desenvuelta, que poco tenía que ver con el cine de autor al uso. Fernando Colomo dio el pistoletazo de salida con *Tigres de papel* (1977) y continuó con *¿Qué hace una chica como tú en un sitio como éste?* (1978); Fernando Trueba debutó con *Opera prima* (1980), José Luis Cuerda, con *Pares y nones* (1982), lo que llevó a definir como «comedia madrileña» a lo que, en general, era más que nada una aceptación de los moldes genéricos y un deseo de emplearlos para lanzar una mirada distanciada a una realidad democrática que ya comenzaba a distar de las ilusiones que en ella se habían puesto. Al fin y al cabo, nada madrileñas eran *L'orgia* (1978) o *Salut i força al canut* (1979) de Francesc Bellmunt, y hablaban más o menos de lo mismo.

Los elementos comunes a todas estas películas eran varios. En primer lugar, sus personajes, de vago pasado progresista, incluso izquierdista, que intentan acomodarse a una realidad que, definitivamente, nada tiene que ver con la que pudieron anhelar sólo unos años antes —aunque poco se diga, en general, de sus sueños anteriores. Abundan los tics generacionales, comprensibles para un público joven, su audiencia potencial: la nueva permisividad de costumbres (los ligues ocasionales, la desenvoltura sexual todavía lastrada por numerosos factores culturales, el consumo de marihuana o hachís), el desplazamiento del interés de la trama desde el núcleo familiar —que era, hay que recordarlo, uno de los *leit motivs* del cine de los años 60 y primera mitad de los 70—, entendido como castración o coacción, a una vida diferente, ya liberada de la tutela paterna —aunque también se prodiguen las diferencias irónicas al respecto— y vivida en comunidad o en pisos compartidos.

Y finalmente, también a la comedia, aunque con un tratamiento claramente *underground* y deudor de referencias totalmente diferentes —el cómic marginal, la música de consumo, hasta la telenovela—, se remite el debut del cineasta llamado a revolucionar con su práctica fílmica el horizonte del cine español de los siguientes años, Pedro Almodóvar: *Pepi, Luci, Bom y otras chicas del montón* (1981) es un desopilante y extremado ejercicio de provocación, antes película marginal que producto con voluntad de obtener una audiencia amplia. En puridad, este balbuceo almodovariano, más conectado con la anterior filmografía en Super 8 del director manchego que con sus elaborados, costosos productos posteriores, no hacía presagiar la trayectoria venidera del cineasta. Pero no cabe duda de que, desde la marginalidad bohemia de lo que se dio en llamar la «movida madrileña», Almodóvar ya marcaba una pauta que, convenientemente depurada en el futuro, daría lugar a una filmografía de aceptación mundial. Ironías a propósito de la dependencia afectiva, tratamiento irreverente de las instituciones —aquí, la policía— e inclusión de *clips* cómicos, aislados de la trama general, pero enormemente efectivos en sí mismos, serían ya desde su primer film su personal, verdadera marca de estilo.

El periodo «socialista» (1982-1995)

ESTEVE RIAMBAU

La victoria del Partido Socialista Obrero Español (PSOE) en las elecciones generales de octubre de 1982 —anticipadas a causa de la crisis interna en el seno de la Unión de Centro Democrático (UCD)— abre un nuevo periodo histórico que se prolonga durante más de una década, concretamente hasta el gobierno del Partido Popular surgido de las elecciones celebradas en marzo de 1996. En un mapa político ocupado por la conservadora Alianza (luego Partido) Popular, la remodelación del antiguo Partido Comunista en torno a Izquierda Unida y dos partidos nacionalistas, vasco —PNV— y catalán —la coalición Convergència i Unió—, el PSOE repitió su triunfo electoral en dos ocasiones por mayoría absoluta —1986 y 1989— y también en 1993 por una mayoría simple que le permitiría gobernar en minoría mediante pactos puntuales, esencialmente con los nacionalistas catalanes. Parece lógico, por lo tanto, considerar estos trece años de gobierno socialista —culminados, por azar, el mismo año que el cine español celebraba su centenario— como un periodo históricamente delimitado en el que, como hechos sociales más relevantes, se produjeron el definitivo ingreso de España en la Comunidad Económica Europea (CEE), en enero de 1986, y su voluntad de consolidación internacional a través de la celebración, en 1992, de los Juegos Olímpicos de Barcelona y la Exposición Universal de Sevilla. Los múltiples escándalos de corrupción que afectaron al gobierno de Felipe González durante los últimos años de su mandato debilitaron, sin embargo, esta hegemonía política del PSOE en favor del progresivo aumento de votantes del PP.

En el terreno cinematográfico, el PSOE ya había avanzado sus grandes líneas programáticas a través de la ponencia presentada en el I Congreso Democrático del Cine Español, celebrado en diciembre de 1978, y de la definición que después recogió en el texto interno que el partido redactó antes de las elecciones generales de 1982: «El Cine es un bien cultural, un medio de expresión artística, un hecho de comunicación social, una industria, un objeto de comercio, enseñanza, estudio e investigación. El Cine es, pues, una parte del patrimonio cultural de España, sus nacionalidades y regiones»[1]. Su promesa electoral de «cambio» se plasmó cuando, apenas dos semanas después de la toma de posesión de Felipe González como Presidente del Gobierno, Pilar Miró fue nombrada Directora General de Cinematografía en el seno de un Ministerio de Cultura dirigido por Javier Solana.

1. La «ley Miró» y sus consecuencias

La realizadora de *El crimen de Cuenca* —estrenado en agosto de 1981, dos años después de su fulminante prohibición— se convirtió, de este modo, no sólo en una de las primeras profesionales de la industria en ocupar ese cargo, sino también en la responsable de la puesta en marcha de una maquinaria legislativa nacida de la voluntad política de modernizar el obsoleto aparato cinematográfico español ante la remodelación internacional del paisaje audiovisual y el inmediato futuro de la integración europea. Tal como la propia Pilar Miró, al finalizar su gestión política, subrayó en un artículo publicado en *El País* (12-VII-1985) sobre el objetivo que se había marcado, éste «no es otro que el de conseguir una industria española fuerte, sólida, transparente y estable, que pueda competir y aprovechar las ventajas que sin duda se derivan de la incorporación a la Comunidad».

---

[1] Reproducido en Francisco Llinás, *Cuatro años de cine español (1983-1986)*, Madrid, Imagfic, 1987, pág. 16.

Encarna Paso y Antonio Ferrandis en *Volver a empezar* (José Luis Garci, 1982).

En abril de 1983, el Oscar de Hollywood a *Volver a empezar*, de José Luis Garci, como mejor película de habla no inglesa fue un inesperado regalo a la nueva imagen internacional de la España democrática que hizo albergar ilusiones a los más ingenuos. Ciertamente, el espaldarazo había sido oportuno de cara a la galería pero las necesidades más urgentes para la restauración del cine español debían iniciarse por la trastienda. Las primeras medidas legislativas de Pilar Miró afectaron la regulación de las salas «X» —destinadas a la exhibición de cine pornográfico— y de «arte y ensayo», pero sobre todo comportaron la supresión de la categoría «S» —referida a films eróticos de bajo presupuesto—, que había nutrido la inflación del volumen de producción durante los años anteriores con el objetivo de satisfacer la obtención de licencias de doblaje por parte de las grandes distribuidoras norteamericanas o sus filiales españolas.

Unos meses después, en diciembre de 1983, se publicó un Real Decreto que, a grandes rasgos, se inspiraba en el modelo francés y actuaba en diversos frentes: a) la introducción de la subvención anticipada sobre la base de la presentación del guión, el equipo profesional, el presupuesto y el plan de financiación; b) el mantenimiento del 15% de subvención automática sobre la recaudación bruta en taquilla, aumentable hasta el 25 % en el caso de los films calificados de «especial calidad»; c) una subvención adicional para aquellos films de presupuesto superior a 55 millones; d) un apoyo especial a los proyectos de nuevos realizadores o de carácter experimental; e) la reducción de la cuota de distribución a cuatro licencias de doblaje de películas extranjeras por cada película española, con la salvedad que la cuarta sólo derivaría de recaudaciones superiores a los cien millones de pesetas; y f) la ampliación de la cuota de exhibición de films extranjeros versus españoles de 2 × 1 a 3 × 1, debido a la previsible disminución en la producción nacional. Esa aparente paradoja final se explica porque, en definitiva, se trataba de producir menos films pero de mayor calidad para así aumentar su competitividad frente al mercado nacional e internacional, donde se pretendía incidir a través de la participación en los festivales de prestigio o mediante la organización de manifestaciones promocionales en las principales capitales mundiales.

CUADRO 1

Año	Films	Subvenciones	Coproducciones	Derechos de antena
1982	146		28	
1983	99		18	
1984	75	3	12	14
1985	76	24	12	25
1986	60	37	11	8
1987	69	51	7	32
1988	63	38	9	38
1989	48	29	5	39
1990	47	27	10	20
1991	64	42	18	29
1992	52		14	
1993	56		15	
1994	44		8	
1995	59		22	

Producción cinematográfica española 1982-1995 (Fuente: ICAA)

El análisis de los datos reflejados en el cuadro 1 muestra un descenso progresivo del número de largometrajes producidos tras una drástica reducción coincidente con la aplicación del decreto popularmente conocido como «ley Miró». En primer lugar, este hecho queda justificado por las repercusiones en España de una crisis mundial que había provocado el cierre de numerosas salas de exhibición cinematográficas (de 8.669 censadas y 5.076 operativas en 1975 a 6.420 censadas y 2.939 operativas en 1982), la disminución de la frecuentación por habitante y año (de 7,2 en 1975 a 4,3 en 1982) y el aumento del gasto medio en cine por habitante y año (de 365,7 ptas, en 1975 a 671,8 en 1987), ocasionado por el aumento del precio de las entradas y la disminución de espectadores. Sin embargo, una segunda razón de la reducción del número de películas españolas procedía de la incidencia legislativa sobre pequeñas productoras de películas de ínfimo presupuesto que desaparecieron en favor de productos de mayor entidad industrial y cualitativa.

Probablemente tenía razón Basilio Martín Patino —el realizador de *Canciones para después de una guerra*— cuando, en una primera valoración del decreto, afirmaba que «es la mejor de las leyes posibles, dentro de una situación anómala como la de nuestra cinematografía, en la que el Estado debe proteger al cine. [...] En España, para que el cine funcione hay que ponerle muletas. Esta muleta es la última ley posible de un sistema que se viene abajo» *(La Vanguardia*, 30-XII-1983). Desde el punto de vista de la producción, dichas prótesis ortopédicas, aplicadas a un paciente afectado por una progresiva colonización del cine norteamericano, tuvieron sus primeras consecuencias en lo que Carlos Losilla definió como «la desaparición del cine *barato* y del cine *humilde*»[2]. En cambio, la tendencia dominante se dirigió hacia una cierta uniformidad de los modelos, tanto de producción como estéticos, compatibles con la voluntad de proteger y promover el cine de autor.

Otro aspecto básico de esas nuevas directrices del cine español —esencialmente destinadas a obtener una mejoría en la calidad del producto desde la rama de producción— fueron los acuerdos firmados en septiembre de 1983 entre Radio Televisión Española (RTVE) y

---

[2] Carlos Losilla, «Legislación, industria y escritura», en VV.AA., *Escritos sobre el cine español 1973-1987*, Valencia, Filmoteca Generalitat Valenciana, 1989, pág. 40.

las Asociaciones de Productores Cinematográficos. El documento garantizaba una cuota del 25% en la emisión de largometrajes españoles, el establecimiento de contratos de arrendamiento para la producción de series y largometrajes y la facultad de adquirir los derechos de antena de largometrajes en una valoración mínima de 18 millones de pesetas, de los cuales se beneficiaron ocho proyectos en 1984 y seis en 1985.

Sobre estas bases legislativas e industriales, que desembocaron en la creación de la Comisión de Calificación de Películas Cinematográficas a partir de la Orden ministerial publicada en mayo de 1984, se confirmaría el perfil práctico de unos criterios que favorecían ostensiblemente la figura del director-productor en detrimento de otros modelos aparentemente más industrializados pero de resultados ya experimentados —negativamente— en periodos anteriores[3]. Sin embargo, serían precisamente algunos de esos sectores de la industria —con paradójicas alianzas entre la derecha (el Partido Popular o el diario *ABC*), sindicatos, realizadores resentidos por el naufragio de sus proyectos ante las comisiones o agrupaciones profesionales movidas por los intereses de las multinacionales como la ADICAN (Asociación de Distribuidoras Cinematográficas de Ámbito Nacional)— quienes abogarían por una política de subvenciones indiscriminadas en detrimento de unos criterios de selección que, netamente, amenazaban sus intereses. El resultado de esa campaña fue el recurso legal contra la «ley Miró» interpuesto por Alberto Platard en nombre de la APCE (Asociación de Productores Cinematográficos Españoles) que, en octubre de 1987, el Tribunal Supremo declaró nulo por defectos formales y, en consecuencia, debió ser sometido a una nueva redacción.

En aquellas fechas hacía ya varios meses que se había creado el Instituto de Cinematografía y de las Artes Audiovisuales (ICAA) para sustituir a la Dirección General de Cinematografía y Pilar Miró había dimitido de su cargo, en diciembre de 1985, para acceder al estratégico

[3] Las analogías entre la «ley Miró» y la normativa impuesta por García Escudero a partir de 1964 eran tan evidentes que así lo reconoció la Directora General en una carta dirigida a su predecesor en el cargo, que éste reproduce literalmente en sus memorias: «Si me permite la comparación, diré que la baraja está inventada y que el juego se realiza en cada partida. Su jugada en el 64 fue de maestro y yo, veinte años después, me permito de nuevo repartir los naipes. Ojalá ahora, en el 84, se consiga lo que se logró en el 64 y, a ser posible, mejorado» (José M.ª García Escudero, *Mis siete vidas*, Barcelona, Planeta, 1995, pág. 313).

puesto de Directora General de RTVE diez meses más tarde. Desde este cargo, en abril de 1987 rubricó un nuevo acuerdo de cooperación cinematográfica en el que la cuota de la pequeña pantalla se reducía a una película española por cada tres extranjeras con un aumento de las tarifas de emisión y de los derechos de antena hasta los 25 millones para películas de presupuesto superior a los setenta millones.

Su sustituto al frente del ICAA sería Fernando Méndez Leite, otro realizador con clara voluntad continuista respecto a la política de su antecesora que, en junio de 1986, impulsó un nuevo decreto ley para regular las repercusiones del reciente ingreso de España en la CEE. En él se establecía una nueva cuota de pantalla de un día de exhibición de películas comunitarias por dos de otros países y un aumento de la cuota de distribución de hasta cuatro licencias de doblaje de películas de terceros países por cada película española en distribución, según el baremo de sus recaudaciones en taquilla.

Méndez Leite, que reconoció el papel de Barcelona como segundo foco industrial de la cinematografía española, tampoco escapó de las críticas de algunos sectores de la industria a través del manifiesto de un centenar de profesionales que, a principios de 1987, protestaron contra la supuesta parcialidad de la política de subvenciones cinematográficas. Pero, como ha escrito José Enrique Monterde, «más que el amiguismo tal vez habría que temer el corporativismo de unas comisiones que, si bien dependían en su composición de la discrecionalidad del ICAA, no dejaban de plantearse vinculadas a la presencia de diferentes sectores de la industria, con una visión muchas veces más funcionalista —dar trabajo y negocio a la industria— que finalista, es decir, menos preocupadas por el cariz final de los productos que por su simple existencia»[4].

2. Jorge Semprún: cultura e industria

La llegada del escritor Jorge Semprún —guionista de algunos films de Alain Resnais y Costa-Gavras— al Ministerio de Cultura en julio de 1988 comportó la aplicación de un nuevo enfoque a la política de protección cinematográfica. Entre sus pretensiones se hallaba la res-

---

[4] José Enrique Monterde, *Veinte años de cine español (1973-1992). Un cine bajo la paradoja*, Barcelona, Paidós, 1993, págs. 106-107.

puesta —casi un borrón y cuenta nueva impropio de un gobierno del mismo signo político que el anterior[5]— a una parte de la filosofía derivada de la «ley Miró», que había conseguido una evidente mejoría de la calidad de la producción pero no su implantación en el seno de una industria —sobre todo en lo que se refiere a las ramas de distribución y exhibición— que no había evolucionado al mismo ritmo que la voluntad de «cambio» impuesta desde el gobierno por un partido —el PSOE— que no contaba con el cine entre sus prioridades políticas. En consecuencia, Méndez Leite dimitió en diciembre de 1988, alegando interferencias en su gestión que aludían a sus discrepancias con la elaboración del nuevo proyecto de Semprún, y fue sustituido por el crítico Miguel Marías, hasta entonces director de Filmoteca Española.

En una carta de dimisión que contenía algunas de las fórmulas mágicas nunca aplicadas para resolver los verdaderos problemas del cine español, Méndez Leite «especificaba cuáles debían ser las medidas a tomar para el urgente saneamiento de la industria cinematográfica española. Creo que muchas de ellas mantienen desgraciadamente toda su vigencia. [...] Pienso ahora que no se puede establecer un sistema de subvenciones exclusivamente basado en los rendimientos de las películas en taquilla, cuando el negocio cinematográfico se ha desplazado hacia las ventas de las televisiones, el mercado del vídeo o la exportación. Mucho más perentorio es atacar legalmente el predominio fraudulento de las películas americanas en el mercado español, reduciendo los porcentajes exigidos por las compañías americanas en la contratación de películas y regulando el sistema de licencias y la contratación de lotes cerrados. También es deseable encontrar la fórmula que evite que una película española pueda ser retirada de cartel cuando esté haciendo unas cifras razonables en favor de los intereses de la compañía americana de turno»[6].

---

[5] Pilar Miró reflexionó ácidamente sobre esta circunstancia cuando escribió: «En diez años hemos pasado de un ministro que estuvo de acuerdo en hacer la ruptura más fuerte en cuanto a la potenciación de la producción española hasta su sucesor, que nos tildó de sinvergüenzas e incapaces de hacer un cine aceptablemente francés. Curioso al menos cuando ambos (Solana y Semprún) coincidían todos los viernes sentados alrededor de la misma mesa ¿qué se dirían?» (Pilar Miró, «... Sobre la producción española. Dos o tres cosas que pienso de ella», *Boletín Informativo Cines Renoir,* núm. 9, Madrid, septiembre de 1993, pág. 11).

[6] Fernando Méndez Leite, «Decíamos ayer...», *Boletín informativo Cines Renoir,* núm. 9, Madrid, septiembre de 1993, pág. 12.

Un mes después también dimitía Pilar Miró de su cargo político al frente de RTVE, convertida en víctima expiatoria de las discrepancias entre diversas facciones ideológicas del PSOE, y la industria —esta vez encabezada por los directores-productores que se habían beneficiado del proteccionismo estatal— elevó sus primeras protestas tan pronto tuvo conocimiento del anteproyecto del «decreto Semprún», que, según las palabras del ministro al diario *La Vanguardia* (13-XII-1988), pretendía revisar la llamada «ley Miró», «hecha por una directora para directores, y no para fomentar la industria del cine». El documento, nacido en el seno de la polémica, se publicó en agosto de 1989 —coincidiendo con la concesión de las tres primeras licencias para el establecimiento de cadenas privadas de televisión— y su contenido, a grandes rasgos, reclamaba la recuperación de unas bases industriales expresadas a través de: a) medidas de estímulo fiscal; b) creación de líneas de crédito bancario a partir de un fondo de garantía estatal; c) nuevos acuerdos con RTVE; d) control informatizado de taquilla y creación de ayudas a la distribución y la exhibición; y e) reforma del sistema de subvenciones anticipadas. Este último punto, que se preveía como el más conflictivo dado que afectaba a la principal fuente de inyecciones económicas al cine español, contemplaba la obligatoriedad de elegir entre la opción de subvenciones sobre recaudación de taquilla o anticipadas y, en este caso, la presentación de proyectos donde decrecía la importancia del guión (bastaba una simple sinopsis) en favor de la existencia de planes de explotación del producto y una memoria de la actividad de la productora.

En los primeros párrafos de este texto se invocaba el «decreto Miró» para especificar que «la presente disposición establece un sistema de ayudas públicas a la cinematografía que, en ejercicio de la competencia que corresponde al Estado de fomentar la cultura como deber y atribución esencial, según el artículo 149.2 de nuestra Constitución, tienen como finalidad última la realización de películas representativas de la cultura española en cualquiera de sus manifestaciones y formas de expresión». Pero frente a esa reivindicación cultural del cine español también se propugnaba «un desarrollo del sector de la producción y distribución cinematográfica permanente, competitivo y de calidad, y favoreciendo la exhibición en cualquiera de sus manifestaciones y formas de expresión», en clara alusión a una asignatura pendiente que las últimas cifras procedentes del sector de la exhibición habían puesto en evidencia.

Cuadro 2

Año	Pel. españolas	Pel. extranjeras	Total
1982	6.221.767.239	21.036.639.618	27.258.406.857
1983	5.845.232.328	22.794.915.283	28.640.238.611
1984	5.567.168.763	20.959.527.531	26.526.696.294
1985	4.108.719.718	21.187.548.910	25.296.268.628
1986	3.026.614.316	21.328.514.164	24.355.128.480
1987	3.657.788.833	21.871.932.677	25.529.721.510
1988	2.574.464.788	20.534.785.425	23.109.250.213

Recaudaciones en taquilla, en pesetas, de las películas españolas y extranjeras exhibidas en España (Fuente: *Boletín Informativo* [películas, recaudaciones, espectadores], ICAA, Ministerio de Cultura, 1992).

Cuadro 3

Año	Pel. españolas	Pel. extranjeras	Total
1982	36.188.642	119.767.267	155.955.909
1983	30.137.163	110.946.968	141.084.131
1984	26.267.555	92.325.140	118.592.695
1985	17.792.036	83.325.384	101.117.420
1986	11.638.504	75.698.337	87.336.841
1987	12.637.109	73.038.456	85.720.565
1988	8.129.214	61.504.666	69.633.880

Número de espectadores de las películas españolas y extranjeras exhibidas en España (Fuente: *Boletín Informativo* [películas, recaudaciones, espectadores], ICAA, Ministerio de Cultura, 1992).

En los cuadros 2 y 3 se aprecia cómo la drástica reducción del número de espectadores españoles entre 1982 y 1988 correspondió, mayoritariamente, a las películas españolas, progresivamente desplazadas por una definitiva penetración de las extranjeras, esencialmente norteamericanas. Así pues, la gravedad del diagnóstico sobre la situación del cine español no respondía tanto al progresivo cierre de salas o disminución global del número de espectadores —tributo a una mutación industrial universal reorientada hacia nuevas formas de exhibición a través de la televisión y el vídeo—, sino a la alarmante disminución selectiva de la cuota de exhibición del cine español frente al norteamericano. Éste fue, en una definitiva sentencia de Augusto Martínez Torres, «el directo vencedor» de «una política estatal equivocada que parece empeñada en vender el cine español a su enemigo natural, el cine americano»[7], que en estos años pasó de obtener el 56 % de la recaudación de las pantallas españolas en 1987 al 72,5 % en 1990 frente a un 10,4 % por parte del cine español.

En síntesis, tras la «ley Miró» y sin que el cambio de rumbo impuesto por el «decreto Semprún» hiciera nada por impedirlo, se producirían menos y mejores películas españolas —con el consiguiente malestar de algunos sectores de la producción—, a las cuales el público les volvería la espalda en un mercado de distribución y exhibición —que la legislación había sólo abordado tangencialmente en función de las leyes del «libre mercado»— abiertamente hostil a la producción nacional. El *ranking* de recaudaciones de las principales distribuidoras que operaban en España durante los primeros meses de 1987 no deja lugar a dudas sobre su identidad. UIP (que agrupaba Paramount, Universal, MGM y United Artists) obtuvo el 16,83 % de la recaudación de taquilla, Filmayer (delegación de Columbia) ocupaba el segundo lugar con el 8,9 %, seguida de Incine (representante de la Fox) con el 8,7 %, Warner Española con el 8,5 % e Izaro (importadora de Canon) con el 5,5 %.

En cambio, de las películas que recibieron subvención anticipada del Ministerio de Cultura, sólo siete en 1984, doce en 1985 y nueve en 1986 obtuvieron un saldo positivo una vez deducido de la recaudación el presupuesto reconocido y la suma de la subvención anticipada y la otorgada sobre recaudación de taquilla. El resto, por lo menos sobre las cifras presentadas por los productores a la administración, fueron negocios ruinosos. Sin embargo, el hecho de que siguieran en activo determinadas productoras con películas subvencionadas que ni siquiera llegaron a estrenarse en las principales capitales permite suponer otras hipótesis.

---

[7] Augusto Martínez Torres, «Fortune e sfortune del cinema spagnolo durante gli anni ottanta», en Paolo Vecchi (ed.), *Maravillas. Il cinema spagnolo degli anni ottanta*, Città di Castello, La Casa Usher, 1991, pág. 20.

Consecuencia directa de esta política de subvenciones fue también la inflación de los presupuestos de producción. Según estimaciones de Ramiro Gómez Bermúdez de Castro[8], el valor medio de una producción íntegramente española aumentó desde 15 millones de pesetas en 1977 hasta 32 millones en 1982. En años posteriores a la entrada en vigor del «decreto Miró», el presupuesto reconocido de las películas que recibieron subvención anticipada —según datos proporcionados por el ICAA— sufrió un incremento desde los 69,4 millones de 1984 hasta 126 en 1987, 135 en 1990 y en torno a los doscientos millones de pesetas en los últimos años.

Dos meses después de la tercera victoria electoral del PSOE, en diciembre de 1989, Miguel Marías —atrapado entre las directrices del «decreto Semprún» y su apego personal hacia un tipo de cine que justificara el hecho de ser subvencionado por un ministerio de Cultura y no de Industria— sucumbió a las presiones de los intereses más comerciales y fue relevado en el cargo por Enrique Balmaseda, un jurista especializado en legislación audiovisual europea que materializó diversos acuerdos con el Comité Unitario Interprofesional del Cine y el Audiovisual (CUICA) —una macroasociación de las diversas asociaciones profesionales—, el Banco de Crédito Industrial para la financiación de proyectos cinematográficos o RTVE.

Las relaciones entre la industria cinematográfica y RTVE habían sufrido nuevas revisiones en 1988 —con una reducción de la vigencia del plazo de los derechos de antena que contemplaba la irrupción de los canales privados— y en 1989, con una previsión de inversión cifrada en 2.000 millones de pesetas para producciones cinematográficas de coste inferior a los 200 millones, con un 50 % de la inversión evaluada en concepto de derechos de antena. Sin embargo, estos acuerdos que hubieran representado una tabla de salvación para la maltrecha industria cinematográfica española nunca se cumplieron porque RTVE —pese a lo mucho que debe a la contribución del cine español en franjas horarias de máxima audiencia— esgrimió la existencia de una crisis económica interna para desentenderse de tan crucial compromiso.

---

[8] *La producción cinematográfica española. De la transición a la democracia (1976-1986)*, Bilbao, Mensajero, 1989, pág. 217.

3. Hacia el «libre mercado»

En ese *impasse* de una colaboración entre cine y televisión perfilada como imprescindible, el socialista Jordi Solé Tura —un ex-dirigente del Partido Comunista que, en su representación, había intervenido decisivamente en la redacción de la Constitución española— fue nombrado ministro de Cultura en marzo de 1991. Nueve meses más tarde, un nuevo decreto-ley de reforma de las medidas de protección a la producción cinematográfica española —que reinstauraba la obligatoriedad de incluir el guión en los proyectos que optaban a una subvención anticipada— fue precedido por una huelga general de actores de cine y teatro contra la política cultural del gobierno. Esta movilización —que culminaba el deterioro producido por el incumplimiento del pacto con TVE— le costó el puesto a Balmaseda, sustituido un mes más tarde por el productor y guionista Juan Miguel Lamet, ponente del PSOE en el Congeso Democrático del Cine Español, que ya había sido candidato a ese mismo cargo en 1982.

Durante su mandato, que sobrepasó las elecciones generales de 1993 y se prolongó tras el nombramiento como nueva ministra de Cultura de Carmen Alborch —procedente de la dirección del Instituto Valenciano de Arte Moderno—, se enfrentó a la oposición de los principales productores españoles, agrupados en la Fundación Procine bajo la presidencia de Alberto Oliart, un ex-ministro de UCD. También coincidió con la ofensiva norteamericana para excluir el cine de cualquier proteccionismo cultural a través de los acuerdos del GATT y con el proyecto de un nuevo decreto-ley destinado a favorecer la producción de un cine español de cierta calidad y elevados rendimientos de taquilla. Sumamente crítico con la política de Pilar Miró e incómodo con la cuota del Fondo de Protección destinada al cine catalán tras los acuerdos políticos entre el PSOE y CiU, el productor de *Nueve cartas a Berta* empezó a acusar los síntomas de una voluntad de cambio en el mecanismo de subvenciones por parte de un grupo de productores que «ha descubierto milagrosamente que las llamadas subvenciones anticipadas, que tanto han dado que hablar para mal, deben ser sustituidas por el criterio del público expresado a través de las cifras de recaudación de cada película; es decir, objetividad frente a subjetividad;

comercialidad frente a devaneos artísticos; iniciativa privada frente a intervencionismo público; modernidad liberal frente a socialismo rancio; créditos, muchos créditos, naturalmente oficiales y blandos»[9].

El cambio de rumbo propiciado por el «decreto Semprún» y destinado a una teórica reactivación industrial se había mostrado insuficiente, y el sistema de subvenciones anticipadas —progresivamente viciado en un proporción similar a la experimentada durante los sesenta— aparecía interesadamente señalado como el principal responsable de la distancia que separaba al público del cine español. Según datos del ICAA, que el diario *El País* publicó el 22 de octubre de 1992, «la mitad de las películas españolas han recaudado menos de la cantidad anticipada por Cultura», la cual, recordémoslo, no podía superar el 50 % del presupuesto total de la producción. Por otra parte, los niveles de inflación de los presupuestos siguieron aumentando hasta los 196 millones de promedio entre las películas subvencionadas en 1992 (excluyendo el caso particular de *1492. La conquista del paraíso,* de Ridley Scott), con la consiguiente reducción del volumen global de producción frente a un Fondo de Protección que se mantuvo prácticamente estable con alrededor de 3.300 millones de pesetas anuales.

CUADRO 4

Año	Pel. españolas	Pel. extranjeras	Total
1989	2.079.597.708	25.868.388.679	27.947.986.387
1990	2.938.454.767	25.323.863.386	28.262.318.153
1991	3.401.022.592	27.555.207.043	30.956.229.635
1992	3.329.617.427	33.022.226.135	36.331.843.562
1993	3.553.564.547	37.025.626.341	40.579.190.888
1994	3.432.296.741	40.127.939.812	43.560.236.553

Recaudaciones en taquilla, en pesetas, de las películas españolas y extranjeras exhibidas en España (Fuente: *Boletín Informativo* [películas, recaudaciones, espectadores], ICAA, Ministerio de Cultura, 1992).

---

[9] Juan Miguel Lamet, «Pero, ¿quién mató a Harry?», en *El cine y la memoria*, Madrid, Nickel Odeón, 1996, pág. 47.

CUADRO 5

Año	Pel. españolas	Pel. extranjeras	Total
1989	6.006.959	72.049.927	78.056.886
1990	8.686.252	69.824.555	78.510.807
1991	8.810.316	70.284.952	79.095.268
1992	8.026.848	75.274.792	83.301.640
1993	8.115.963	79.588.123	87.704.086
1994	7.415.040	81.681.692	89.096.732

Número de espectadores de las películas españolas y extranjeras exhibidas en España (Fuente: *Boletín Informativo* [películas, recaudaciones, espectadores], ICAA, Ministerio de Cultura, 1992).

El único signo positivo que se desprende de la incidencia del «decreto Semprún» corresponde a la inflexión producida en el discreto aumento de recaudaciones (cuadro 4) y espectadores (cuadro 5) de las películas españolas de los últimos años, aunque con una preocupante tendencia a la recaída en 1994, y siempre en términos de cifras relativas, frente a un progresivo incremento de los porcentajes del cine norteamericano y en detrimento del de terceros países. En 1992, la cuota de mercado del cine español fue del 9,6 % frente al 76,1 % del cine norteamericano y el 14,1 % de otros países, con la peculiaridad de que la primera película no norteamericana, entre las treinta más taquilleras de este año, ocupó el decimonoveno lugar y fue *El amante*, una producción francesa rodada en inglés.

Enrique Balmaseda regresó a la Dirección General del ICAA en marzo de 1994, en sustitución de Lamet y en dobles vigilias del Oscar concedido a Fernando Trueba por *Belle Époque* y de la aprobación de la nueva ley de cine que limitaba las subvenciones anticipadas a películas de nuevos realizadores y a proyectos de especial interés artístico. Los efectos de la nueva legislación no se hicieron esperar y ya en 1995 se experimentó un aumento de la producción, hasta 56 largometrajes, que se confirmaría un año más tarde con 92 películas, una cifra que no se alcanzaba desde 1981. También se incrementó la recaudación (5.860.249.978 de pesetas) y el número de espectadores (11.532.966) del cine español, y las campanas se lanzaron al vuelo coincidiendo con la consolidación de la Academia de las Artes y las Ciencias Cinematográficas de España y los efectos beneficiosos sobre la taquilla de los premios de Goya, otorgados por esta entidad desde 1986. Sin embargo, una lectura atenta de estos datos ofrece, como veremos, conclusiones menos optimistas.

4. El color del dinero

Un segundo vistazo al cuadro 1 permite constatar la realidad objetiva de las principales características globales del cine español de los últimos años en función de los objetivos que se había planteado. En primer lugar, la hipótesis de su supuesta integración en el contexto europeo quedaría en entredicho por el descenso del número de coproducciones, probablemente mucho más sólidas que las realizadas en décadas anteriores, pero a todas luces insuficientes para hablar de una cierta homologación con la producción francesa o británica o para atraer a directores de prestigio. Las excepciones serían Mario Monicelli *(Los alegres pícaros*, 1988), Richard Lester *(El regreso de los mosqueteros*, 1989), Marco Ferreri *(Los negros también comen*, 1989), Andrzej Zulawski *(Boris Godunov*, 1990), Francisco Lombardi *(Caídos del cielo*, 1990), Luigi Comencini *(Marcelino, pan y vino*, 1991), Alain Tanner *(El hombre que perdió su sombra*, 1991; *El diario de lady M.*, 1992), Paul Leduc *(Latino Bar*, 1991), Ridley Scott *(1492. La conquista del paraíso*, 1992), Peter Handke *(La ausencia*, 1993), Jim McBride *(La tabla de Flandes*, 1994) o Jean-Pierre Jeunet y Marc Caro *(La ciudad de los niños perdidos*, 1995), aunque en proporciones económicas ampliamente desequilibradas y a través de films que no coincidían precisamente con el momento más feliz de sus respectivas trayectorias. Tan sólo la apuesta del productor Gerardo Herrero por los largometrajes de Ken Loach *Tierra y libertad* (1994) y *La canción de Carla* (1996) o el film póstumo de Tomás Gutiérrez Alea *(Guantanamera*, 1995) abrieron camino hacia el reconocimiento internacional. Lo cierto es que, pese a su asidua presencia en festivales internacionales y a los galardones conseguidos[10], las

---

[10] Cannes: premio de interpretación para Alfredo Landa y Francisco Rabal *(Los santos inocentes)* y diversos galardones para *Carmen* y *El sol del membrillo*; Venecia: León de plata para *Jamón, jamón* y Osellas para *Mujeres al borde de un ataque de nervios* y *La teta y la luna*; Berlín: premios de interpretación para Fernando Fernán-Gomez *(Stico)* y Victoria Abril *(Amantes)* y Osos de plata para *El año de las luces* y *Beltenebros*.

películas españolas han seguido teniendo dificultades para acceder a las pantallas comerciales europeas, con la excepción de los films de Pedro Almodóvar, Vicente Aranda, Bigas Luna, Carlos Saura y los de Víctor Erice en circuitos especializados.

En segundo lugar, un año después de la promulgación del «decreto Miró», el 31 % de las películas producidas en España eran tributarias de una subvención estatal, pero ese porcentaje aumentó en 1986 hasta el 61 % y se mantuvo estable hasta 1992, con un tope máximo del 73 % en 1987. Por otra parte, el porcentaje de producciones que se beneficiaron de los derechos de antena de RTVE o de otras televisiones públicas osciló en función de los diversos acuerdos con las respectivas cadenas entre el 13 % en 1986 y el 81 % en 1989. En fechas posteriores, coincidiendo con el bloqueo de las negociaciones entre TVE y los productores cinematográficos, las cadenas privadas también han intervenido —directamente o a través de la adquisición de derechos de antena— en la financiación de algunas películas.

John Hopewell ya se había preguntado, en 1989, ¿de dónde viene el dinero del cine español?: «¿De ventas al extranjero? —se autorrespondía el periodista británico—. El ICAA tiene todavía que pasar sus valientes semanas de cine español a una importante red de distribución internacional. ¿De la inversión extranjera? ¡Por favor...! ¿De los *tax breaks*? En España no hay ninguno. ¿De los acuerdos con los distribuidores de vídeo? Todavía no son lo suficientemente importantes como para entrar en los cálculos iniciales de financiación de un productor. ¿De los créditos bancarios? Normalmente el crédito se concede con intereses altos (14 %). Y la televisión privada está todavía para 1990. Por consiguiente, *faute de mieux*, el futuro inmediato del cine español lo decidirán sus dueños políticos: el ICAA, y (cada vez más) RTVE y las televisiones autonómicas»[11].

Cuatro años después, el informe FUNDESCO, requerido en 1993 por el propio Ministerio de Cultura, ratificaba el diagnóstico sobre la situación del cine español de este periodo con datos objetivos que aportaban pocas variantes y confirmaban que «las subvenciones selectivas sobre el proyecto han provocado un efecto palanca para la

---

[11] John Hopewell, *Out of the Past*, Londres, British Film Institute, 1986 (versión castellana: *El cine español después de Franco*, Madrid, El Arquero, 1989, pág. 462).

producción cinematográfica. Si, además, se tiene en cuenta que las preventas en España se realizaban generalmente a RTVE hasta el pasado año, se puede afirmar con rotundidad que las subvenciones anticipadas, junto con la necesidad de las distribuidoras multinacionales de distribuir del orden de 20 a 30 largometrajes españoles para garantizarse las cotizadas licencias de doblaje, son los dos pilares en los que descansa la industria cinematográfica española»[12].

En 1994, inmediatamente antes de que las subvenciones anticipadas fueran parcialmente sustituidas por las automáticas, casi un 34 % del costo de una película española se sufragaba con la ayuda de las administraciones públicas y el 82 % de los largometrajes españoles realizados en 1993 habían contado con ayuda institucional y/o derecho de antena[13]. Más cerca de la artesanía de siempre que de la industria eufemísticamente proclamada por los defensores de la progresiva liberalización del mercado, el 80 % de las productoras activas en 1994 seguían generando únicamente una película por año, mientras sólo el 7 % de las empresas superaba las cuatro películas anuales. Estos porcentajes todavía se radicalizarían en años sucesivos (86 % de empresas produjeron una película en 1996 mientras únicamente el 3 % superaba las cuatro) como síntoma inequívoco de una reacción del mercado que, ante la perspectiva de subvenciones automáticas basadas en el rendimiento de taquilla, se lanzó a rodar más películas, con presupuestos más reducidos y posibilidades de rentabilidad inmediata a través de las recaudaciones en sala pero también, qué duda cabe, de una subvención hoy por hoy imprescindible para la supervivencia del cine español. «Aducen los avispados profetas del libre mercado —escribió Juan Miguel Lamet antes de la victoria electoral del Partido Popular en 1996— que una política fiscal y crediticia favorable, unida al mantenimiento de la cuota de pantalla, sería suficiente para que el cine español pudiese prescindir de caridades estatales y estuviese en disposición de competir a pecho descubierto con la poderosa industria norteamericana. Sinceramente: o no saben lo que dicen o son infiltrados del adversario»[14].

---

[12] Fundesco, *La industria cinematográfica en España (1980-1991)*, Madrid, Ministerio de Cultura/ICAA, 1993, pág. 29.

[13] José Ángel Esteban y Carlos López, «El cine del año», *Academia*, núm. 5, enero de 1994, págs. I-XVI.

[14] Juan Miguel Lamet, «De subvenciones e ingratitudes», *op. cit.*, pág. 106.

El aumento del número de espectadores de cine español registrado en 1995 no fue más que un espejismo. La coincidencia de algunos títulos taquilleros que llegaron a las pantallas durante los últimos meses de aquel año *(Two Much, La flor de mi secreto, El día de la bestia, Boca a boca)* hizo el milagro. Pero éste no sólo ya no se repitió el año siguiente, sino que, situado en el contexto de la distribución y la exhibición, adquiriría otras proporciones más modestas. La cuota de mercado del cine español aumentó desde el 7,1 % de 1994 (la más baja en los últimos años) hasta un 12,15 % en 1995 aunque no tanto a costa del cine norteamericano, que sólo bajó del 72,3 % al 71,93 %, sino del procedente de otros países comunitarios. Hollywood seguía monopolizando el mercado español, como lo demuestra la hegemonía de las grandes distribuidoras multinacionales (UIP, Warner, Hispanofox) entre las que obtuvieron mayores índices de recaudación, con la excepción de Lauren Films, una empresa independiente pero que representa los intereses de Disney y Miramax, o Sogepaq y Alta Films, adláteres de dos de las grandes plataformas de producción del cine español.

5. Los cines autonómicos

El retrato del cine español de este periodo resulta incompleto sin las aportaciones de las cinematografías autonómicas, desarrolladas a caballo entre la reivindicación de su propia identidad cultural y la sumisión a criterios legislativos e industriales comunes a todo el Estado español. Políticamente, la difícil situación de la transición a la democracia había aconsejado suavizar las reivindicaciones independentistas de las dos nacionalidades históricas del Estado español —Cataluña y Euskadi— en una arbitraria subdivisión autonómica que diluía sus identidades específicas. A pesar de ello, el traspaso de competencias culturales recibidas por Cataluña y Euskadi en 1981 demostró su potencialidad como focos de producción cinematográfica dotados de una cierta identidad cultural y, en el caso del cine catalán, de la capacidad de reemprender un pasado histórico que había atravesado momentos de esplendor en décadas anteriores[15].

[15] Esteve Riambau, «Catalan Cinema: historic tradition and cultural identity», en David Hancock (ed.), *Mirrors of Our Own*, Estrasburgo, Council of Europe Publishing, 1996, págs. 31-44.

Sin embargo, los cimientos del cine catalán de este nuevo periodo autonómico nacieron sobre un precario equilibrio, ya que el Ministerio de Cultura se negó a transferir la parte alícuota del Fondo de Protección a un primer gobierno autónomo que, presidido por el nacionalista Jordi Pujol, designó al historiador cinematográfico Miquel Porter Moix como primer jefe del Servei de Cinematografia. Asumida la definición de cine catalán como aquel realizado por productoras afincadas en este territorio y que utilizase el idioma catalán como vehículo de expresión —algo que sólo se había conseguido regularmente durante la Guerra Civil, cuando la Generalitat produjo los noticiarios documentales de Laya Films—, sus primeras medidas favorecieron antes la política de normalización lingüística —mediante la subvención directa al doblaje en catalán para una población de seis millones de habitantes— que la consolidación de la producción.

Ésta sufrió un deterioro cuantitativo proporcional al del resto del cine español, desde 41 largometrajes producidos en 1981 (14 de los cuales pertenecían a la categoría «S») a sólo 13 en 1985. Este año fue especialmente nefasto, ya que si bien había acusado el sistemático incumplimiento del mantenimiento de la cuota habitual de la producción catalana (entre un 25 y un 30 % de la española) por parte del primer gobierno socialista, también reveló que las ayudas de la Generalitat al doblaje (dobles versiones —castellano/catalán— del cine producido en Cataluña o de producciones extranjeras al catalán) primaban sobre las subvenciones concedidas a la producción. La puesta en marcha de la televisión autonómica catalana (TV3) en septiembre de 1983, con emisiones exclusivamente en esta lengua, asumió desde entonces la política de normalización lingüística y dejó el terreno expedito para que el cine recibiera una dotación proporcionalmente mayor, aunque a todas luces muy inferior a la de otros ámbitos culturales[16].

La designación de Josep M.ª Forn, un productor y realizador con una amplia experiencia profesional a sus espaldas, como nuevo responsable del cine catalán con el rango de Director General coincidió

---

[16] Según cifras oficiales de la Generalitat, la proporción de gastos en ayuda a la cinematografía en relación con el presupuesto global del Departament de Cultura fue del 3,3 % en 1981, del 0,6 % en 1985 y del 3,9 % en 1987.

CUADRO 6

Año	LM	Subvenciones Generalitat	Subvenciones ICAA	% Cat.
1984	18	14,0	54,4	8,3
1985	13	12,3	149,6	14,7
1986	16	128,0	232,1	14,7
1987	19	177,8	536,3	28,4
1988	19	200,0	495,7	23,0
1989	13	301,0	592,0	30,7
1990	17	259,0	632,5	33,5

Evolución de la producción catalana en función de las subvenciones concedidas (en millones de pesetas) por la Generalitat de Cataluña, las otorgadas por el ICAA a producciones catalanas (excluyendo las coproducciones con otras empresas foráneas) y el porcentaje que ello representa respecto al conjunto de subvenciones al cine español (Fuente: *Memoria del Departament de Cultura de la Generalitat de Catalunya* y datos facilitados por el Col·legi de Directors de Catalunya).

con la buena disposición de Méndez Leite para el establecimiento de una Subcomisión de Calificación de Proyectos que, desde Barcelona, respetase el porcentaje del Fondo de Protección que correspondía a la producción catalana. En esas fechas también se produjo la agrupación de los realizadores catalanes en el gremialista Col·legi de Directors y la creación de una Oficina Catalana del Cinema destinada a la proyección internacional, pero que acabó siendo víctima de sus propias disensiones internas. El resultado (véase el cuadro 6) fue una estabilización de la producción —en torno a los quince largometrajes anuales— derivada de un incremento de las subvenciones —desde 128 millones en 1986 hasta 259 en 1990— y de la participación de TV3 en la adquisición de derechos de antena.

La confrontación política entre el gobierno central y el autonómico no facilitó, en una primera fase, la coordinación requerida por el carácter complementario de las subvenciones públicas y propició una cierta fuga de talentos en la figura de algunos realizadores catalanes de mayor capacidad, como Vicente Aranda o Bigas Luna, ahora vinculados a la producción madrileña, a los cuales seguirían Manuel Huerga, Agustí Villaronga o Marc Recha después de un prometedor largometraje. Posteriormente, los acuerdos de gobernabilidad establecidos entre el PSOE y Convergència i Unió tras las elecciones generales de 1993 reactivaron las solicitudes de transferencia de una parte del Fondo de Protección para su gestión directa desde Cataluña. En la práctica, entre un 25 y un 30 % de las subvenciones anticipadas se adjudicaron, desde Madrid, a producciones catalanas previamente evaluadas por una comisión designada por la Generalitat. No obstante, una vez aprobado el decreto de 1993 por el cual se reinstauraba un sistema de subvenciones automáticas basado en las recaudaciones de taquilla, sólo ocho de los largometrajes producidos en Cataluña desde 1989 se habrían podido beneficiar de las nuevas normas. Como excepcional compensación, el ICAA redujo de 30 a 10 millones el mínimo de recaudación exigible a las producciones catalanas estrenadas en esta lengua, pero ni siquiera esa medida de gracia consiguió revitalizar la agonía del sector.

Los pésimos resultados —comerciales, pero también artísticos— del cine catalán de los últimos años —sometido a las mismas presiones de distribución y exhibición que el resto del cine español y a la obligatoriedad de su estreno en catalán en Cataluña como justificante del carácter complementario de las subvenciones autonómicas— han provocado la reducción del volumen de la producción —sólo se estrenaron cuatro largometrajes en Barcelona durante 1995— a la espera de tiempos mejores. Pero éstos llegarán difícilmente si el cine catalán no atrae inversores privados y no escala posiciones en la lista de prioridades culturales de una Generalitat más preocupada por su vertiente vinculada a la normalización lingüística que por su carácter de productor cultural. Mientras tanto, una progresiva derivación de las ayudas autonómicas hacia productos televisivos —series y telefilms— en detrimento de los cinematográficos aleja los niveles industriales de la producción catalana del cine producido en Madrid con unas diferencias no sólo ostensibles, sino ya prácticamente insalvables.

Euskadi, la otra autonomía histórica, partió de presupuestos distintos en materia de política cinematográfica, en parte motivados por la naturaleza de una población de dos millones de habitantes de los que sólo un 21 % son vasco-parlantes y por unos antecedentes industriales de menor entidad que los catalanes. También en 1981, la Consejería de Cultura del Gobierno Vasco —dependiente del PNV— desarrolló un plan de producción a partir de subvenciones a fondo perdido de hasta el 25 % del presupuesto y con la contrapartida de la obligatoriedad del rodaje en 35 milímetros, localizaciones en el País

Vasco, equipos mayoritariamente integrados por profesionales nativos y el depósito de una copia doblada en euskera.

Entre 1981 y 1989, 35 largometrajes se beneficiaron de esta iniciativa, que si bien consiguió una cierta coherencia de identidad cultural e industrial, rubricada por la creación de la Asociación Independiente de Productores Vascos y la colaboración de Euskal Telebista, la televisión autonómica, chocaba con la contradicción de que la mayoría de los realizadores estaban afincados en Madrid y sólo se desplazaban a su país de origen para el puntual rodaje de estos proyectos. Posteriormente, esta política de subvenciones a fondo perdido fue sustituida por la creación de una empresa con capital público —Euskal Media—, pero capacitada para participar en régimen de coproducción con productoras privadas, ya sea mediante acuerdos concretos o a través del premio que esta entidad concede a la mejor *opera prima* estrenada en el Festival de San Sebastián, sea cual fuese su nacionalidad, para coproducir la siguiente película de su productor y/o realizador.

Mucho más modesta es, por último, la participación de otras autonomías en la producción cinematográfica local, limitada a casos concretos en Valencia, Canarias o Andalucía. En Galicia, un embrión surgido del cortometraje y el cine independiente desembocó en el estreno de tres largometrajes en 1989, y ha continuado desde entonces al ritmo de un largometraje por año y una ayuda global, por parte del gobierno autónomo, a la producción —largos y cortos— de unos 145 millones anuales.

6. Un cine polivalente

Resulta difícil establecer grandes líneas genéricas o estilísticas en la producción de un periodo que supera los 800 largometrajes y donde, por la propia idiosincrasia del contexto, la mayoría de los proyectos surgieron de empresas individuales, casi heroicas, de improbable continuidad industrial y fruto de enormes presiones para responder a diversos tipos de intereses. En un momento de la historia del cine que ha puesto en crisis la taxonomía de los géneros canónicos en favor de nuevos códigos narrativos o antropológicos, el «decreto Miró» acabó, de hecho, con los residuos del cine español de géneros. La nueva legislación barrió de un plumazo la fabricación en serie de

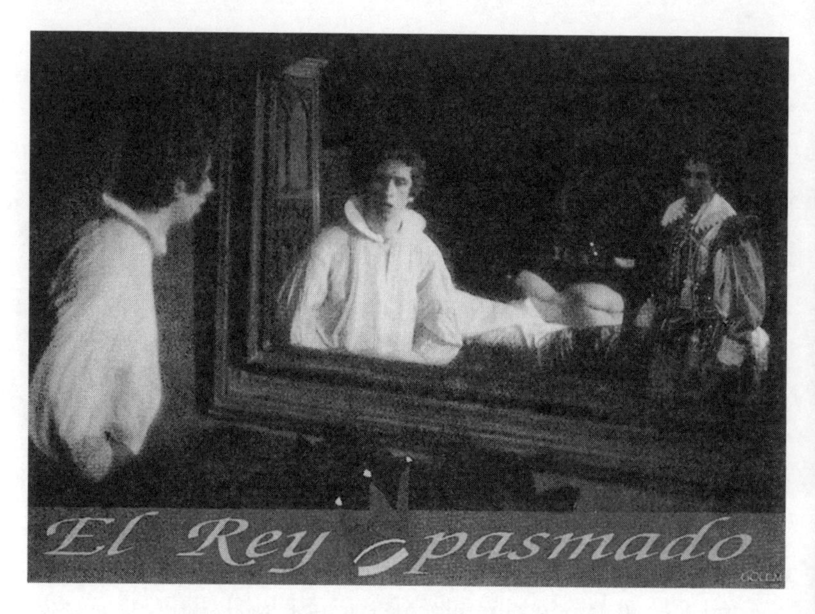

Gabino Diego en *El rey pasmado* (Imanol Uribe, 1991).

films eróticos o de comedias domésticas que habían sobrevivido de la picaresca legislativa en la misma tradición a la que anteriormente habían pertenecido los *spaghetti-westerns*, el cine de terror o la comedia de «destape».

Realizadores tan prolíficos en años inmediatamente anteriores como Javier Aguirre, Jesús Franco, Luis M.ª Delgado, Francisco Lara Polop, José Ramón Larraz o Jacinto Molina, pasaron al ostracismo o redujeron drásticamente su volumen de producción. Mariano Ozores, uno de los ejemplos más representativos, realizó (y produjo) 21 largometrajes entre 1980 y 1983 contra «sólo» 19 entre 1984 y 1991. Su intento de ridiculizar la llegada de Felipe González al poder con la comedia oportunista *¡Qué vienen los socialistas!* fue una venganza inútil contra el papel de víctimas que producciones de este estilo iban a asumir en la década posterior a la victoria del PSOE en las elecciones generales de 1982.

La disminución del volumen de la producción en más de un cincuenta por ciento redujo la diversidad de la oferta basada en películas baratas de explotación inmediata, en favor de una mayor polivalencia de los nuevos productos surgidos a raíz del «decreto Miró». Por lo tanto, a partir de 1983, cada film debía asumir diversas funciones de mercado con la consiguiente disolución de su especificidad y la exigencia de una mayor cobertura de los posibles riesgos derivados de inversiones cada vez más cuantiosas. En este sentido, *El rey pasmado*, un film dirigido en 1991 por Imanol Uribe, aporta un ejemplo plenamente representativo de dicha tendencia.

En primera instancia, se trata de una adaptación literaria basada en la novela de Gonzalo Torrente Ballester. El autor gallego, Académico de la Lengua galardonado con los más prestigiosos premios oficiales, había publicado la trilogía *Los gozos y las sombras* —adaptada a la pequeña pantalla— y no dudó en ceder los derechos cinematográficos de su novela *Crónica del rey pasmado* —editada en 1989—, con la condición de incluir a su hijo —Gonzalo Torrente Malvido— como coguionista de la película. En segundo lugar, por el propio contenido de la novela, *El rey pasmado* es también un film histórico que recrea —con la contribución de un notable esfuerzo escenográfico y *La venus del espejo* de Diego Velázquez como referente pictórico— el ambiente oscurantista e inquisitorial de la España del siglo XVII a través de un monarca a quien no resulta difícil identificar con Felipe IV en sus relaciones con su joven esposa francesa (Isabel de Borbón), con los consejos de su pérfido valido (Gaspar de Guzmán, conde de Olivares y duque de Sanlúcar) o su dependencia eclesiástica del Gran Inquisidor.

Sin embargo, la inexperiencia del protagonista en materia de política y lides de alcoba hace derivar el conjunto del film hacia el terreno de la comedia, ya que, tras recibir los favores de la prostituta más cara de la corte, el rey expresa públicamente el deseo de ver desnuda a la reina, con el consiguiente escándalo de militares, clérigos e hidalgos que anteponen este asunto al contexto de la guerra de los Treinta Años o a la llegada de la flota de Indias con las bodegas cargadas de oro. En esa atmósfera se suceden floridos diálogos pletóricos de equívocos, puertas que se abren y cierran a un ritmo heredado del «toque» Lubitsch y la sátira se convierte en la mejor desmitificación de un entorno social basado en la hipocresía.

Simultáneamente, *El rey pasmado* es también un film avalado por la trayectoria «autoral» de Imanol Uribe, realizador del documental *El proceso de Burgos* y de los largometrajes de ficción *La fuga de Segovia*, *La muerte de Mikel* y *Adiós muñeca*, o la posterior *Días contados*, directamente relacionados con la problemática social de Euskadi. Por último, el film responde a las características del *star system* español contemporáneo en el que coinciden veteranos como Fernando Fernán-Gómez, Eusebio Poncela o Juan Diego, con recientes valores de aquel momento, como Gabino Diego, María Barranco o Laura del Sol. El *casting* también incluye actores procedentes de otros terrenos del espectáculo —el cantante y *showman* Javier Gurruchaga—, unos secundarios de lujo o las puntuales presencias del portugués Joaquim de Almeida y la francesa Anne Roussel para justificar los respectivos porcentajes de coproducción de estos países.

Bien acogido por la crítica española e internacional —el film se proyectó en el Festival de Berlín— y por el público (400.000 espectadores en su primer año de exhibición), *El rey pasmado* podría ser un modelo perfectamente ajustado al diseño de producción global que el «decreto Miró» se planteó en 1983 para un cine español que reivindicara su idiosincrasia cultural y al mismo tiempo reuniera las condiciones exigidas para su homologación europea. De hecho, buena parte de los films contemporáneos responden a la suma de algunos de esos parámetros (cine de autor + géneros + adaptación literaria + *star system* + *look* formal) en diversas proporciones pero con idéntica voluntad de polivalencia.

No debe olvidarse, al respecto, que buena parte de la filosofía del «decreto Miró» convirtió al director en su propio productor para así hacerse cargo de la subvención que garantizara la realización del proyecto. En cambio, han sido excepcionales los productores —Elías Querejeta, Emiliano Piedra, Luis Megino o Andrés Vicente Gómez— capaces de mantener una línea de trabajo definida para acogerse al cambio de rumbo propuesto por el «decreto Semprún». Apenas ha tenido continuidad, por lo tanto, el «cine de encargo» o el diseño de líneas de producción que garantizasen una coherencia del producto con la que el público pudiera llegar a identificarse. En casos extremos, una película que hubiese obtenido buenos rendimientos en taquilla ha generado sucedáneos basados en la reiteración de las supuestas claves del éxito, con resultados a menudo insatisfactorios por la dificultad de su identificación dentro de ese sistema polivalente.

Los santos inocentes (Mario Camus, 1984).

7. La historia y la literatura

Una de las tendencias temáticas recurrentes del periodo comprendido entre 1975 y 1982, el cine de recuperación histórica, mantuvo su hegemonía en buena parte del periodo siguiente con una especial incidencia temática en el periodo de la República, la Guerra Civil española y la inmediata posguerra. No debe sorprender a nadie el hecho de que Jaime Camino, vista su anterior filmografía, regresase sobre ese tema con dos nuevas aportaciones. *El llarg hivern/El largo invierno* (1991) es un ambicioso díptico ambientado en Barcelona visto a través de las dos facciones de una familia divida ideológicamente que ocupan sucesivamente una gran mansión regentada por un simbólico mayordomo encarnado por Vittorio Gassman. En cambio, desde un punto de vista sociológico, resulta muy sintomático constatar cómo la primera de ellas, *Dragon Rapide* (1985), no sólo reconstruye el inicio de la contienda a partir del vuelo de Franco desde Canarias a Marruecos, sino que aporta una novedosa e insólita caricatura del dictador en actitudes domésticas. Y que esta sátira personalizada a través del cine de ficción sólo tendría continuidad en otro guión de Román Gubern —*Espérame en el cielo* (1987), esta vez realizado por Antonio Mercero a partir de una ingeniosa sustitución del personaje por un supuesto doble que lo suplantaría en los actos oficiales— y en el mordaz retrato perpetrado en *Madregilda* (1993) por Francisco Regueiro.

En términos generales, las vinculaciones entre el cine y la historia no tuvieron tanta relación con la relevancia de determinados acontecimientos o personajes considerados fundamentales como con la interposición de textos literarios llamados a desempeñar la función de filtros dramáticos. Algunos cineastas se amoldaron a esa tendencia reemplazando sus orígenes no precisamente formalistas por un aplicado caligrafismo. Ése fue el caso de Francesc Betriu —mediante *La plaza del diamante/La plaça del diamant* (1982), según la novela de Mercè Rodoreda, o *Réquiem por un campesino español* (1985), según Ramón J. Sender— y de Jaime Chávarri, que trasladó a la pantalla las evocacio-

Omero Antonutti y Sonsoles Aranguren en *El sur* (Víctor Erice, 1983).

nes infantiles sobre la Guerra Civil plasmadas por Fernando Fernán Gómez en su obra teatral *Las bicicletas son para el verano* (1984). Otro cineasta íntimamente vinculado a los soportes literarios, Vicente Aranda, recurrió a Luis Martín Santos —*Tiempo de silencio* (1986)— y a Juan Marsé —*Si te dicen que caí* (1989)— para ofrecer sendos retratos de la sordidez imperante en los grises años de la posguerra.

Buena parte de ese modelo adoptado en unos años muy concretos del cine español deriva del éxito de la versión cinematográfica que Mario Camus realizó de *Los santos inocentes* (1984) a partir de la novela de Miguel Delibes. En el currículum de Camus —después ampliado con la adaptación de otros autores— ya figuraba *La colmena* (1982) —una de las doce películas españolas más taquilleras de todos los tiempos—, pero el hecho de que Camilo José Cela no volviese a ser requerido por los productores tras haber recibido el Premio Nobel de literatura constituye un fiel barómetro del carácter aleatorio de esas relaciones entre cine y literatura mediatizadas por la historia.

Una constante de muchos de estos films —a los cuales se les puede añadir *El sur* (1983) de Víctor Erice, adaptación de un relato de Adelaida García Morales, junto con otros carentes de antecedentes literarios, como *Demonios en el jardín* (1982) de Manuel Gutiérrez Aragón o *El año de las luces* (1985) y *Belle Époque* (1992) de Fernando Trueba— es la adopción de un punto de vista evocativo del pasado a través de personajes infantiles o adolescentes que evolucionan hacia la madurez en un contexto histórico traumático donde predomina la memoria individual sobre la colectiva. También han proliferado las perspectivas de personajes marginales, como los cómicos de *El viaje a ninguna parte* (1986), de Fernando Fernán-Gómez, o los enfermos psiquiátricos de *La guerra de los locos* (1987), de Manuel Matji. Pero, hoy por hoy, los interrogantes históricos sobre las causas y repercusiones de la Guerra Civil y el franquismo siguen siendo una de las grandes asignaturas pendientes de un cine español dispuesto a ratificar la transición pacífica a la democracia con una generosa amnesia sobre el periodo de la dictadura. Resulta sintomático que tuviera que ser un realizador británico, Ken Loach con *Tierra y libertad* (1995), quien pusiera en evidencia las divisiones internas existentes dentro del bando republicano durante la Guerra Civil.

La literatura no ha sido, sin embargo, el único filtro impuesto entre el cine español de los ochenta y noventa y los hechos producidos

Tierra y libertad (Ken Loach, 1995).

en torno a la contienda civil. La polivalencia de los films del periodo han involucrado determinados géneros para la evocación dramatizada de acontecimientos históricos concretos. Jaime Chávarri convirtió el musical en el código narrativo utilizado por *Las cosas del querer* (1989) para desarrollar la biografía del cantante Miguel Molina, exiliado en Argentina a raíz de la represión franquista, y retomar su estela en la secuela *Las cosas del querer II* (1995). En cambio, cuando Luis García Berlanga realizó *La vaquilla* (1985) —a partir de un guión escrito con Rafael Azcona que había sido prohibido por la censura franquista— no dudó en adscribir a la comedia su satírica esquematización de la Guerra Civil a través de la disputa que los dos bandos contendientes mantienen por un simple becerro. No menos sintomático resulta el hecho de que Carlos Saura, tras sus numerosas metáforas realizadas durante el franquismo, abordara sin tapujos la Guerra Civil a través de *¡Ay, Carmela!* (1990). En este nuevo ejemplo de polivalencia, con la personalidad indiscutible del director aragonés coinciden los orígenes teatrales del guión de Azcona —una obra de Sanchis Sinisterra estrenada con gran éxito—, la confrontación de una actriz ya consagrada —Carmen Maura— con el primer papel dramático de un cómico popular

—Andrés Pajares— y la presencia de diversos números musicales sólidamente imbricados en la trama argumental.

No todas las vinculaciones entre cine, historia y literatura han coincidido en el periodo de la Guerra Civil. Otros autores, como Jesús Fernández Santos en *Extramuros* (1985), de Miguel Picazo, Federico García Lorca en *La casa de Bernarda Alba* (1987), de Mario Camus, Antonio Buero Vallejo en *Esquilache* (1989), de Josefina Molina, Ramón del Valle-Inclán en *Luces de bohemia* (1985), de Miguel Ángel Díez y *Divinas palabras* (1986) o *Tirano Banderas* (1993), de José Luis García Sánchez, así como Arturo Pérez Reverte en *El maestro de esgrima* (1992), de Pedro Olea, han abierto la perspectiva del cine español hacia otras épocas. No obstante, todos esos films tienen en común un *look* estandarizado a partir de un cierto diseño de producción, la coartada cultural del soporte histórico-literario y la vocación de popularidad expresada a través de la presencia recurrente de determinados actores.

Tampoco han sido ajenos a esa tendencia algunos de los realizadores avalados por una trayectoria más personal. Carlos Saura se apoyó

La vaquilla (Luis García Berlanga, 1985).

en el peso histórico del personaje de Lope de Aguirre para la realización de *El Dorado* (1988) —una de las producciones más costosas del cine español— y en el de San Juan de la Cruz para *La noche oscura* (1989). Gonzalo Suárez, por su parte, recurrió a la génesis de la novela *Frankenstein* como punto de partida de *Remando al viento* (1988) y al personaje de Don Juan en *Don Juan en los infiernos* (1991), en personales recreaciones cinematográficas de sendos mitos literarios con vocación internacional. Asimismo, *La marrana* (1992) de José Luis Cuerda surgió como fallida réplica a las superproducciones anglosajonas realizadas en torno a la conmemoración del quinto centenario del descubrimiento de América.

Paradójicamente, frente a la masiva preocupación de un cierto sector del cine español de este periodo —no por casualidad el más auspiciado por la administración— hacia determinados hechos históricos tratados con una evidente memoria selectiva, los acontecimientos más recientes han sido un patrimonio casi exclusivo de productos alejados de cualquier prestigio, con manifiesta vocación comercial y un ostensible espíritu crítico —desde la derecha— contra la política socialista. Ha sido desde la complicidad ideológica con esa óptica como se ha plasmado en la pantalla la recreación del golpe de Estado del 23-F en *Todos al suelo* (1982) de Mariano Ozores, la denuncia de la expropiación estatal del *holding* RUMASA en *La avispita Ruinasa* (1983) de José Luis Merino, la advertencia del peligro separatista de las comunidades autónomas en *Las autonosuyas* (1983) de Rafael Gil, la crítica al funcionamiento de la sanidad pública en *Y del seguro... líbranos señor* (1983) de Antonio del Real, la denuncia del terrorismo en *Goma II* (1984) de José A. de la Loma y la sátira de la política fiscal en *Hacienda somos casi todos* (1988) o de la corrupción de los políticos en el poder en *Disparate nacional* (1990) y *Pelotazo nacional* (1993), estas últimas dirigidas por Mariano Ozores.

Sólo una parte de los hechos sociopolíticos contemporáneos tratados por el cine español escapan a esa tendencia para decantarse hacia un cine negro de carácter sensacionalista —emparentado con el modelo de los films políticos italianos de finales de los sesenta—, con el fin de reflejar diversos escándalos carentes de una versión oficial concluyente. Es el caso de *Asalto al Banco Central* (1983) de Santiago Lapeira, *El caso Almería* (1984) y *Redondela* (1987) de Pedro Costa, *Los invitados* (1987) de Victor Barrera, *Matar al Nani* (1988) de Roberto Bo-

Vacas (Julio Medem, 1991).

degas o *Crimen en familia* (1984) y *Solo o en compañía de otros* (1990) de Santiago San Miguel. Pero a pesar de esos ejemplos aislados, y sin entrar en una larga enumeración puntual, sigue vigente la denuncia que Carlos F. Heredero efectuaba en 1989 cuando afirmaba que «todavía está por emprender, a estas alturas, la recreación, la ilustración o el análisis (desde la perspectiva que se quiera) de una ingente lista de acontecimientos o indicadores decisivos, e inequívocamente representativos, que han jalonado —en todos los ámbitos— el acontecer de estos años»[17].

Tampoco escapan a esa versión tangencial o mediatizada de la historia los films producidos en Euskadi y Cataluña sobre su propia realidad social. El cine del País Vasco, de rodaje obligado en sus tierras, se ha remontado a pasados lejanos —como *La conquista de Alba-*

[17] Carlos F. Heredero, «El reflejo de la evolución social y política en el cine español de la transición y de la democracia. Historia de un desencuentro», en VV. AA., *Escritos sobre el cine español. 1973-1987*, Valencia, Filmoteca Valenciana, 1989, pág. 19.

nia (1982) de Alfonso Ungría, *Akelarre* (1984) de Pedro Olea, *Viento de cólera* (1988) de Pedro Sota, todos ellos ambientados en la Edad Media—, a las guerras carlistas —*Crónicas de las guerras carlistas* (1988) y *Santa Cruz, el cura guerrillero* (1991) de José M.ª Tuduri— o a metáforas que atraviesan diversas generaciones —*Vacas* (1991) de Julio Medem— para abordar casi de puntillas la problemática contemporánea relacionada con ETA y el terrorismo. Sobre ese fenómeno han coincidido tangenciales puntos de vista locales —*La muerte de Mikel* (1983) y *Días contados* (1994) de Imanol Uribe, *Ander Eta Yul/Ander y Yul* (1988) de Ana Díez o *Ke arteko egunak/Días de humo* (1989) de Antxon Eceiza— con las miradas externas —desde Madrid— de Juan Miñón en *La blanca paloma* (1990), José Luis García Sánchez en *La noche más larga* (1991) —crónica de los últimos fusilamientos del franquismo en la persona de diversos independentistas vascos— o Mario Camus en *La rusa* (1987) —adaptación de una novela de Juan Luis Cebrián en clave de espionaje— y *Sombras en una batalla* (1992).

A pesar de referirse a un marco histórico mucho menos polémico, el cine catalán también ha rehuido el pasado más o menos reciente para escudarse tras diversos filtros literarios autóctonos, como Llorenç Villalonga —*Bearn* (1982) de Jaime Chávarri—, Juan Marsé —*Últimas tardes con Teresa* (1984) de Gonzalo Herralde, quien también adaptaría a Miquel Llor en *Laura a la ciutat dels sants/Laura, del cielo llega la noche* (1987) y a Narcis Oller en *La febre d'or/La fiebre del oro* (1992)—, Marià Vayreda —*La punyalada/La puñalada* (1989) de Jordi Grau—, Victor Català —*Solitud/Soledad* (1990) de Romà Guardiet—, Antoni Mus —*La senyora/La señora* (1987) de Jordi Cadena, también autor de una versión de *Els papers d'Aspern/Los papeles de Aspern* (1990) de Henry James— y Jordi Cabré en *La teranyina/La telaraña* (1990) de Antoni Verdaguer. Cuando el punto de partida ha sido original, los resultados han desembocado en las peculiares recreaciones de la colonización británica de Menorca en *El vent de l'illa/El viento de la isla* (1988) de Gerardo Gormezano, del contexto histórico de Diego Velázquez y la génesis de *Las meninas* en *Llums i ombres/Luces y sombras* (1988) de Jaime Camino, de las actividades esclavistas durante el siglo XIX en *Havanera* (1993) de Antoni Verdaguer o de la biografía del inventor del submarino, *Monturiol* (1993), realizada por Francesc Bellmunt. Antoni Ribas reincidió en diversas recreaciones históricas a través de una decepcionante biografía de *Dalí* (1990) que siguió a la trilogía *¡Victo-*

ria! (1983-1984), un fresco sobre la Cataluña de principios de siglo que pretendía reproducir el éxito de *La ciutat cremada* en unas circunstancias menos benévolas con el resultado, tanto en la pantalla como en la taquilla.

Por último, las contribuciones de Carles Mira por la vía de la parodia —*Que nos quiten lo bailao* (1984)— o de la reivindicación de la cultura árabe —*Daniya, el jardí de l'harem/Daniya, el jardín del harén* (1988)— y la visión aventurera que Carlos Pérez Farré ofreció de la Reconquista en *Tramontana* (1991) incrementan, desde el punto de vista valenciano, esa perspectiva del cine histórico español contemporáneo como un viaje hacia el pasado destinado a eludir el compromiso con el presente.

8. Los géneros canónicos

Un porcentaje importante de las adaptaciones literararias realizadas durante este periodo corresponden a la novela negra, prolongando así la tradición de un género que había tenido su auge en el seno de la producción barcelonesa de finales de los cincuenta y principios de los sesenta y reflotó durante la transición a la democracia, gracias a su capacidad de testimonio social indirecto y al establecimiento de una sólida base literaria. Quizá sea éste, por otra parte, uno de los cauces más fluidos para el establecimiento de vasos comunicantes entre escritores y cineastas, con múltiples implicaciones profesionales en diversos niveles.

Manuel Vázquez Montalbán, el más célebre de los escritores españoles de novela negra, fue adaptado por Vicente Aranda —*Asesinato en el Comité Central* (1982)— y Manuel Esteban —*Els mars del Sud/Los mares del Sur* (1991). Pero él mismo también colaboró en los guiones originales de una serie televisiva protagonizada por el detective Pepe Carvalho y escribió el largometraje *El laberinto griego* (1992), dirigido por Rafael Alcázar y con Omero Antonutti en el papel del célebre personaje. Dos novelas de otro escritor especializado en el género, Andreu Martín, fueron respectivamente adaptadas por Vicente Aranda en *Fanny Pelopaja* (1984) e Imanol Uribe en *Adiós muñeca* (1986), antes de escribir el guión original de *Barcelona Connection* (1988) de Miguel Iglesias y dirigir personalmente *Sauna* (1989), según un relato de María Jaén.

También han sido llevadas a la pantalla novelas de Jaume Fuster —*De mica en mica s'omple la pica*/*Dinero negro* (1983) de Carles Benpar—, Jorge Martínez Reverte —*Las huellas del lince* (1989) de Antonio Gonzalo y *Cómo levantar mil kilos* (1991) de Antonio Hernández—, Ferran Torrent —*Un negre amb un saxo*/*Un negro con un saxo* (1988) de Francesc Bellmunt—, Raul Núñez —*Sinatra* (1988) de Francesc Betriu—, Carlos Pérez Merinero —*Bueno y tierno como un ángel* (1988) de José M.ª Blanco—, Georges Simenon —*Els de davant*/*Los de enfrente* (1993) de Jesús Garay— o Antonio Muñoz Molina, autor de las obras sobre las que José A. Zorrilla realizó *Un invierno en Lisboa* (1991) y Pilar Miró adaptó *Beltenebros* (1991).

Algunos de estos cineastas reaparecerían al frente de otros *thrillers* carentes de un sustrato literario preciso pero plenamente identificados con los códigos del género. Es el caso de José Luis Garci —que prosiguió las andanzas de su detective Germán Areta en *El crack II* (1983)—, José A. Zorrilla —*El arreglo* (1983)—, Bigas Luna —*Angoixa*/*Angustia* (1987)—, Lluis Josep Comerón —*Puzzle* (1987)—, Carles Balagué —*Adela* (1986), *L'amor és estrany*/*El amor es extraño* (1988) y *Mal d'amors*/*Mal de amores* (1993)—, Francesc Bellmunt —*El complot dels anells*/*El complot de los anillos* (1988), a partir de una trama anticipatoria

Victoria Abril en *Amantes* (Vicente Aranda, 1991).

Carmen Maura y Rossy de Palma en *Mujeres al borde de un ataque de nervios* (Pedro Almodóvar, 1988).

de los Juegos Olímpicos de Barcelona—, Antonio Chavarrías —*Una ombra al jardí/Una sombra en el jardín* (1989) y *Manila* (1991)—, Jesús Garay —*Pasión lejana/Més enllà de la passió* (1987) y *La banyera/La bañera* (1990)— o Vicente Aranda en *Amantes* (1991), según un *fait divers* ocurrido en los años 50.

Por oposición al aval cultural que supone el recurso a la historia o al soporte literario, la otra gran tendencia cuantitativamente importante que se perfiló en este periodo fue la comedia. Este género suele ser invocado como teórico sinónimo de popularidad y rentabilidad económica inmediata, erigida en la gran asignatura pendiente de una producción excesivamente apoyada en las subvenciones del Estado. Pero se dio la circunstancia de que si Alfredo Landa —*No desearás al vecino del quinto* (1970)— o Paco Martínez Soria —*La ciudad no es para mí* (1966)— habían situado sus películas entre las más vistas del cine español, los grandes éxitos del periodo —*Mujeres al borde de un ataque de nervios* (1988), *Aquí huele a muerto* (1990) o *El robobo de la jojoya* (1991)— renunciaron a la fórmula de la subvención anticipada para acogerse al porcentaje automático de una recaudación en taquilla que preveían sería mucho más sustanciosa.

Los resultados económicos así lo confirmaron y, entre Pedro Almodóvar y los cómicos televisivos Martes y Trece, se abrió un amplio espectro de registros donde cabrían diversas tendencias de la comedia, a su vez herederas de diversos modelos ya experimentados por el cine español. En primer lugar, pese al ataque frontal que el «decreto Miró» supuso para ese tipo de cine, la comedia oportunista y chabacana, en la que se ha atrincherado la derecha para —como ya hemos visto— ejercer una sistemática crítica del gobierno socialista y las instituciones democráticas, mantuvo una cierta actividad en torno a la figura del realizador Mariano Ozores y otros acólitos que diversificaron su campo de acción hacia temas eróticos o parodias de fugaces éxitos televisivos o cinematográficos. Sin embargo, ésas serían líneas a extinguir, absorbidas por el mercado del vídeo, en una tendencia similar a la que seguirían las películas infantiles protagonizadas por el grupo musical

Belle Époque (Fernando Trueba, 1992).

Two much (Fernando Trueba, 1995).

Parchís o las parodias históricas derivadas de la adaptación hispánica del modelo impuesto por los Monty Phyton o Mel Brooks.

En cambio, la hasta entonces marginal producción de una cierta comedia destinada a públicos juveniles con vocación de testimonio generacional —procedente de directores como Fernando Trueba, José Luis Cuerda o Fernando Colomo— se institucionalizó gracias a niveles de producción mucho más solventes y al nuevo *look* europeo que se pretendía conseguir a partir del «decreto Miró». Resulta curioso constatar cómo, frente a la fidelidad hacia ese género de Colomo —a través de *La línea del cielo* (1983), *Miss Caribe* (1987), *La vida alegre* (1987), *Bajarse al moro* (1988), *Rosa Rosae* (1993), *Alegre ma non troppo* (1994) o *El efecto mariposa* (1995)— o Emilio Martínez Lázaro —*El juego más divertido* (1988), *Amo tu cama rica* (1991), *Los peores años de nuestra vida* (1994)—, otros cineastas inicialmente adscritos a él, como Trueba —*Sal gorda* (1983), *Sé infiel y no mires con quién* (1985)— se han visto obligados a regresar al mismo, tras la frustrante acogida comercial de *El sueño del mono loco* (1989), con *Belle Époque* (1992) —otro ejemplo de híbrido polivalente— o mediante el salto cualitativo a la aventura norteamericana emprendida con *Two Much* (1995) y avalada por la presencia de actores internacionales, incluido el ya consagrado Antonio Banderas. También recurrió a ciertas muletas culturales José Luis Cuerda cuando arropó *El bosque animado* (1987) en un texto de Wenceslao Fernández Flórez o *La marrana* (1992) en la tradición histórica de la novela picaresca, para volver al humor absurdo de *Amanece que no es poco* (1989) con *Así en el cielo como en la tierra* (1995).

El motor de dicha operación de maquillaje estético no partió, sin embargo, del modelo de comedias críticas de la España profunda que Berlanga había impuesto en la década de los sesenta y él mismo diluyó veinte años más tarde con *La vaquilla* (1984), *Moros y cristianos* (1987) y *Todos a la cárcel* (1993). Tampoco José Luis García Sánchez —heredero de una asidua colaboración con el guionista Rafael Azcona— conseguiría superar los límites de la sátira costumbrista con *La corte de Faraón* (1985), *Hay que deshacer la casa* (1986), *Pasodoble* (1988), *El vuelo de la paloma* (1989) o *Suspiros de España (y Portugal)* (1995), realizadas a caballo de otros proyectos históricos y literarios mucho más ambiciosos. Indudablemente, el eje central de la comedia española surgida en los ochenta no es otro que Pedro Almodóvar, sustituto de Luis Buñuel y Carlos Saura en la visión monogámica que se suele tener acerca del cine español desde el extranjero. Tras el periodo de aprendizaje profesional desarrollado en la década anterior con sus primeras películas, *¿Qué he hecho yo para merecer esto?* (1984) ofreció una peculiar versión del proletariado urbano en tono de comedia mordaz. *Matador* (1986) posee mayores ambiciones a través de su aproximación al *thriller* y reveló la capacidad de estilización que el cineasta manchego era capaz de aplicar a uno de los grandes mitos nacionales, el mundo de los toros. Otra constante de su obra, el *amour fou* en este caso aplicado a la homosexualidad, fue desarrollada por *La ley del deseo* (1987), pero un año más tarde su éxito se internacionalizó gracias a la comedia *Mujeres al borde de un ataque de nervios* (1988), que fue vista por más de tres millones de espectadores en España y le abrió las puertas de la distribución mundial. Ya plenamente reconocido como uno de los grandes cineastas europeos contemporáneos, Almodóvar renunció a diversos proyectos norteamericanos para incidir desde su óptica netamente hispánica en las relaciones sadomasoquistas que *Átame* (1989) retoma de *El coleccionista* de William Wyler, adentrarse posteriormente en los terrenos del melodrama con *Tacones lejanos* (1991) y conjugarlos con los de la comedia en *Kika* (1993). El retorno

Carmen Maura en *¿Qué he hecho yo para merecer esto?* (Pedro Almodóvar, 1984).

al melodrama derivado del sustrato de las novelas rosas que escribe la protagonista de *La flor de mi secreto* (1995) —una vez más interpretada por Marisa Paredes— también aproximó al cineasta manchego a la dimensión más personal de su obra y lo reconcilió con sectores de la crítica no tan incondicionales como buena parte de su público.

El éxito de Almodóvar, derivado del perfecto equilibrio entre el recurso a los tópicos españoles y un tratamiento estilístico adecuado a las tendencias de la postmodernidad, ha generado descendientes pero no herederos. Numerosos debutantes han visto en este modelo el espejo donde reflejar sus aspiraciones a la difícil inserción en la industria a través de temas similares o el recurso a tipologías ajustadas a actores comunes, como Carmen Maura, Antonio Banderas, Victoria Abril, Verónica Forqué, o bien —en el caso de Antonio Resines, Maribel Verdú o Jorge Sanz— situados en una órbita paralela. Ya en la década de los noventa, la afortunada coincidencia de un bien articulado equipo de guionistas encabezados por Joaquín Oristrell con el realizador Manuel Gómez Pereira ha dado como resultado un serie de comedias inspiradas en el modelo clásico norteamericano, progresivamente estilizadas y de indudable éxito de público: *Salsa rosa* (1991), *¿Por qué lo*

Sergi Mateu en *Boom Boom* (Rosa Vergés, 1989).

llaman amor cuando quieren decir sexo? (1993), *Todos los hombres sois iguales* (1994) y *Boca a boca* (1995).

También el cine catalán ha contribuido a la proliferación de este género desde una doble perspectiva. En primer lugar, desde la tradición emprendida por Francesc Bellmunt en los primeros años de la democracia y que después tendría su continuidad con *Pà d'àngel/Pan de ángel* (1984), *La ràdio folla/Radio Speed* (1985), *Un parell d'ous/Un par de huevos* (1984), *Rateta, rateta/Ratita, ratita* (1990) y *Escenes d'una orgia a Formentera/Escenas de una orgía en Formentera* (1995), alternadas con esporádicas incursiones en otros géneros. Por otra parte, el éxito obtenido por Ventura Pons gracias al humor chabacano de *¿Què t'hi jugues Mari Pili?/¿Qué te juegas Mari Pili?* (1991) y progresivamente deteriorado en *Aquesta nit o mai!/Esta noche o nunca* (1992) y *Rosita, please!* (1993) también desplazó el grueso de la producción catalana desde un cine histórico —derivado del modelo impuesto por *La ciutat cremada*— o con vocación experimental —tardíos herederos de la Escuela de Barcelona— hacia desesperados intentos de recuperación del público mediante productos teóricamente más comerciales.

La debutante Rosa Vergés salió airosa de ese reto tras la excelente acogida de *Boom Boom* (1990), a la que seguiría la menos estimulante *Souvenir* (1994), pero otros seguidores de esa tendencia oportunista obtuvieron resultados que, una vez más, demostraron que el cine no es una ciencia exacta y que los resultados, tanto artísticos como económicos, dependen antes del talento individual que de la aplicación de fórmulas magistrales. Si hubo alguna experiencia positiva de esa efímera «comedia a la catalana», fue la consolidación de un *star system* local formado por Juanjo Puigcorbé, Ariadna Gil, Sergi Mateu, Rosa M.ª Sardà o Alex Casanovas que, procedente de sus vasos comunicantes con el teatro y la televisión, extendería su ámbito profesional al cine producido en Madrid.

La presencia del resto de los géneros canónicos —con la excepción de los difusos márgenes del melodrama, a caballo entre el cine histórico, las adaptaciones literarias y diversas aproximaciones personales— ha sido meramente anecdótico. Tras el estrepitoso fracaso de *El caballero del dragón* (1984) de Fernando Colomo —con 132 millones de pesetas de subvención anticipada para un presupuesto reconocido de 264 millones y una recaudación en taquilla de 71 millones— el cine fantástico se mantuvo en las catacumbas habitadas por algunos subproductos hasta la sorprendente irrupción del debutante Alex de la Iglesia con *Acción mutante* (1992), un *thriller* futurista producido por Almodóvar con numerosas dependencias del cómic que tendría su continuidad en *El día de la bestia* (1995), puesta de largo de un realizador con una innegable capacidad visual.

El musical, antaño vinculado al folclore y la zarzuela, fue revitalizado por el éxito internacional de la trilogía de Carlos Saura, iniciada con *Bodas de sangre* y proseguida con *Carmen* (1983) y *El amor brujo* (1986). Sus repercusiones se extendieron hasta una nueva versión del viejo tema de Romeo y Julieta en ambientes gitanos —*Montoyas y Tarantos* (1989) de Vicente Escrivá— o a la utilización de Julia Migenes Johnson —protagonista de la versión de *Carmen* dirigida en España por Francesco Rosi— como protagonista de *Berlin Blues* (1988) de Ricardo Franco. El fracaso del lanzamiento cinematográfico de la cantante Marta Sánchez en *Supernova* (1993) fue un aviso para navegantes que tuvo sus efectos, y ya hemos visto cómo Jaime Chávarri, en *Las cosas del querer*, dotó al género de una cierta dimensión histórica, pero su productor —Luis Sanz— dio el paso decisivo hacia la reivindicación de los orígenes de la *españolada* cuando convirtió a la tonadi-

Antonio Gades y Cristina Hoyos en *El amor brujo* (Carlos Saura, 1986).

llera Isabel Pantoja en la estrella de *Yo soy ésa* (1990), uno de los grandes éxitos de taquilla recientes, que no volvió a repetirse cuando *El día que nací yo* (1991) incorporó un director —Pedro Olea— y un guionista —Jaime de Armiñán— de prestigio. A pesar de ello, Rocío Jurado reincidiría en el intento con una nueva versión de *La Lola se va a los puertos* (1993), adaptada por Josefina Molina a partir de la obra de los hermanos Machado, y la *españolada* en su estado más puro también regresó de la mano de una nueva y estilizada versión de *Sangre y arena* (1989), dirigida por Javier Elorrieta y protagonizada por Sharon Stone. ¡Ni el castizo Blasco Ibáñez quedaba a salvo del proceso de renovación emprendido por el más reciente cine español!

9. Estilos y autores

Tanto por la tendencia del cine mundial —donde el director ha dejado de ser la estrella— como por sus propias características deriva-

Fernando Fernán-Gómez, Gabino Diego y José Sacristán en *El viaje a ninguna parte* (Fernando Fernán-Gómez, 1986).

das del marco legal e industrial vigente, el cine español de este periodo fue poco propicio para la supervivencia de directores con un estilo propio y una obra coherente, según el modelo propugnado en los años 50 por la francesa *politique des auteurs*. Salvando todas las distancias, una operación de rastreo similar en el cine español de este periodo ofrece —de forma paradójica— una imagen directamente contraria. Ya no se trata de directores que, una vez encuadrados en una industria dotada de parámetros perfectamente definidos, ofrezcan unas peculiaridades individuales reconocibles a través de su trayectoria. Bien al contrario, por las antes definidas razones de polivalencia que se ha visto obligada a asumir una producción cuantitativamente reducida a casi un tercio de épocas anteriores, esos mismos directores —muchos de ellos también en función de productores— han tenido que contribuir a la reconstrucción de un tejido pseudoindustrial que cicatrizase las profundas heridas abiertas por el «decreto Miró» en la frágil epidermis del cine de subgéneros desarrollado en las dos décadas anteriores.

La reducción del número de largometrajes producidos anualmente comportó, lógicamente, una serie de variaciones en el paisaje de realizadores en activo con todas las características de una reconversión industrial. Entre los veteranos, mantuvieron una discreta actividad Luis G. Berlanga y Fernando Fernán-Gómez —que reapareció tras una pausa de siete años con *Mambrú se fue a la guerra* (1986), *El viaje a ninguna parte* (1986), *El mar y el tiempo* (1989), *Fuera de juego* (1992) o *Siete mil días juntos* (1994), una incursión en el esperpento a partir de un argumento original de Luis Alcoriza—, mientras Juan Antonio Bardem se reorientaba hacia series televisivas de carácter biográfico sobre Federico García Lorca o Pablo Picasso. También sobrevivieron con numerosas dificultades profesionales o se eclipsaron algunos de los nombres notorios del Nuevo Cine Español —como Julio Diamante, Miguel Picazo, Antonio Eceiza, Alfonso Ungría o Iván Zulueta— y, del periodo de la transición, como Eloy de la Iglesia —*La estanquera de Vallecas* (1987)—, Antonio Drove —autor de una adaptación de *El túnel* (1987) según la novela de Ernesto Sábato—, Antonio Artero —*Cartas desde Huesca* (1993)— o Ricardo Franco, indistintamente involucrado en la secuela de *El desencanto*, *Después de tantos años* (1993) o en la comedia *¡Oh, cielos!* (1994). Jaime de Armiñán, decantado desde 1986 hacia la televisión, reapareció en la pantalla grande con *Al otro*

Remando al viento (Gonzalo Suárez, 1988).

lado del túnel (1994) y *El palomo cojo* (1995), adaptación de una novela de Eduardo Mendicutti.

En cambio, otros realizadores de variopinta trayectoria personal pudieron acogerse a las nuevas directrices del cine español sin renunciar a sus inquietudes, como en el caso de Basilio Martín Patino a través de *Los paraísos perdidos* (1985), *Madrid* (1987) y *La seducción del caos* (1991). Francisco Regueiro también ha sabido sacar partido de presupuestos más generosos para mantenerse fiel a los retratos esperpénticos de *Padre nuestro* (1985) y *Diario de invierno* (1988). Un cambio notable es el que se advierte en la trayectoria de Gonzalo Suárez, quien, sin renunciar a su sustrato literario —explícto en *Epílogo* (1984)—, supo proyectarlo hacia metas mucho más ambiciosas, como las que subyacen en sus revisiones de mitos clásicos —*Remando al viento* (1988), *Don Juan en los infiernos* (1991) o *Mi nombre es sombra* (1995)—, sin renunciar por ello al esoterismo que caracteriza *La reina anónima* (1992) o a las claves policíacas de *El detective y la muerte* (1994).

No obstante, el hecho de que la administración primase la figura del director-productor —por lo menos durante los periodos Miró y

Méndez Leite— no implicó que muchos de los cineastas considerados «autores» no se vieran obligados a la renuncia de una cierta trayectoria personal en beneficio de las necesidades de polivalencia de un mercado mucho más reducido y excluyente. De este modo, Jaime Chávarri realizó sendas adaptaciones literarias antes de emprender una aventura mucho más personal —*El río de oro* (1986), una recreación contemporánea del mito de Peter Pan— y regresar al cine de género por imperativos comerciales. Manuel Gutiérrez Aragón, uno de los autores más personales del cine español, también alternó la fábula rural —*Feroz* (1984) y *El rey del río* (1995)— o urbana —*Malaventura* (1988)— con la comedia sofisticada —*La noche más hermosa* (1984)— o el melodrama histórico —*La mitad del cielo* (1986)— antes de trabajar en una nueva versión televisiva de *El Quijote* (1991). Asimismo, José Luis Borau emprendió una arriesgada aventura americana con *Río abajo* (1984) y en el terreno de la comedia nostálgica —*Tata mía* (1986)—, para después dirigir la serie televisiva *Celia* (1992), basada en un popular personaje infantil de raíces literarias, antes de ocupar la presidencia de la Academia. Incluso José Luis Garci, tras recibir el Oscar por *Volver a empezar*, se mantuvo fiel a sus comedias nostálgicas —*Sesión continua* (1984) y *Asignatura aprobada* (1987)— hasta que se vio impulsado a dirigir una serie de cuentos fantásticos para la pequeña pantalla y aplazar su regreso al cine con una voluntariamente *demodée* adaptación de *Canción de cuna* (1994), según la obra de Gregorio Martínez Sierra. Tampoco pudieron escapar a esa sumisión a las nuevas leyes del mercado algunos cineastas más jóvenes, como Felipe Vega, quien, tras dos personales *operas primas* —*Mientras haya luz* (1987) y *El mejor de los tiempos* (1989)—, abordó la comedia en *Un paraguas para tres* (1992) para denunciar el racismo en *El techo del mundo* (1995) a partir de un relato de Julio Llamazares. En cambio, las interrupciones en la trayectoria profesional de Pilar Miró fueron consecuencia de sus cargos públicos, que aun así le permitieron realizar una versión contemporánea de *Werther* (1986) y *Beltenebros* (1991), una metáfora sobre los ajustes de cuentas de índole política, antes de reintegrarse regularmente a su profesión con *El pájaro de la felicidad* (1993).

Pedro Olea es otro ejemplo de adecuación a las características del mercado. Haciendo honor a sus orígenes vascos, regresó a Euskadi para dirigir *Akelarre* (1983) y *Bandera negra* (1986) para, a continuación, ponerse al servicio de Isabel Pantoja en *El día que nací yo* (1991)

Omero Antonutti en *El Dorado* (Carlos Saura, 1987).

o adaptar la novela de Arturo Pérez Reverte *El maestro de esgrima* (1992), de ambientación histórica e intérpretes —Omero Antonutti y Assumpta Serna— con una cierta proyección internacional, antes de recurrir a la obra literaria radicalmente distinta que inspira *Morirás en Chafarinas* (1995). En el cine catalán, las adaptaciones literarias también constituyeron un puerto de refugio para cineastas dotados de antecedentes con voluntad rupturista o innovadora, como los ya citados Jordi Cadena, Gonzalo Herralde y Francesc Betriu, que intentó compaginar ambas tendencias en *Sinatra* (1988) antes de regresar a las series de televisión basadas en soportes literarios de carácter histórico.

Pero quizá el caso más paradigmático de ese proceso de adecuación de los cineastas españoles a las nuevas exigencias del mercado sea el de Carlos Saura. Su obra, antaño homogénea y coherente, sigue gozando de una cierta proyección internacional, pero se ha diversificado estilísticamente en función de variopintas tendencias: el cine musical vinculado al folclore español —a través de *Carmen* (1983), *El amor brujo* (1986) y los documentales *Sevillanas* (1992) y *Flamenco* (1995)—, las biografías históricas —*El Dorado* (1987) y *La noche oscura* (1988)—, un

Stefania Sandrelli y Javier Bardem en *Jamón, jamón* (Bigas Luna, 1992).

esporádico retorno a la colaboración con Rafael Azcona en *¡Ay, Carmela!* (1990), el thriller *¡Dispara!* (1993) o la dirección de *Marathon* (1993), el film oficial de los Juegos Olímpicos de Barcelona.

Menores problemas tuvieron los cineastas que, prescindiendo de cualquier veleidad autoral, se acoplaron a las dos grandes corrientes dominantes. Fieles a la comedia, Fernando Colomo, José Luis García Sánchez, Emilio Martínez Lázaro, José Luis Cuerda y Fernando Trueba o los catalanes Francesc Bellmunt y Ventura Pons hicieron de este género su estilo con ligeras variantes individuales y esporádicas tentativas de abordar otros terrenos más arriesgados, como fue el caso de este último con *El perquè de tot plegat/El porqué de las cosas* (1994). Otros cineastas —como Mario Camus o Antonio Giménez Rico— se especializaron, en cambio, en caligráficas adaptaciones literarias alternadas con obras de talante más personal —*La vieja música* (1985), *Después del sueño* (1991) o *Amor propio* (1994), en el primer caso, y *Soldadito español* (1988), *Catorce estaciones* (1991) o *Tres palabras* (1993) en el segundo—, pero sin llegar a obtener el reconocimiento de Vicente Aranda.

Amaia Lasa y Patxi Bisquert en *Tasio* (Montxo Armendáriz, 1984).

Gran parte de su obra procede de sustratos novelescos, pero conseguiría imprimir una impronta personal —en parte debida a su asidua colaboración con los actores Victoria Abril e Imanol Arias— basada en la contundente inserción de melodramas pasionales —*El amante bilingüe* (1992), *Intruso* (1993) o *La pasión turca* (1994)— en determinados contextos históricos o sociológicos.

Aranda, junto con Almodóvar y Bigas Luna, materializan a mediados de los noventa el modelo de cine español que se pretendía obtener en 1982 a través de su identificación con unas raíces históricas o literarias —en el primer caso—, una modernización de los tópicos hispánicos —en el segundo— y una proyección internacional de algunas obsesiones —el erotismo y la gastronomía— que inscriben el nombre del realizador de *Lola* (1986), *Angoixa* (1987) o *Las edades de Lulú* (1990) en la línea sucesoria del surrealismo español. Sus films han conseguido excelentes recaudaciones en el mercado español y, particularmente a raíz de la trilogía ibérica integrada por *Jamón, jamón* (1991), *Huevos de oro* (1993) y *La teta i la lluna*/*La teta y la luna* (1994), también una notoria proyección internacional con equitativa incidencia entre el público y la crítica que pueden servir de ejemplo emblemático, aunque no globalmente representativo, del cine español contemporáneo.

A su lado coexisten otros cineastas que jamás podrán ser invocados desde una concepción industrial pero, en cambio, responden con mucha mayor coherencia a los resultados esperables de una política cultural en materia cinematográfica. A pesar de realizar una sola película por década, Víctor Erice encabeza esa tendencia gracias a una mirada extraordinariamente lúcida y coherente sobre la naturaleza del propio lenguaje cinematográfico aplicada a motivos tan específicos como el paso de la infancia a la adolescencia durante la posguerra —*El sur* (1983)— o los vasos comunicantes establecidos entre la realidad, el cine y la pintura a partir de la obra de Antonio López, planteados con extraordinario rigor en *El sol del membrillo* (1992).

También responden a esa perspectiva personalizada sobre su entorno social la obra de Montxo Armendáriz —*Tasio* (1984), *27 horas* (1987) y *Las cartas de Alou* (1990)—, ocasionalmente interrumpida por la adaptación de la novela de José Ángel Mañas en la cual se basa *Historias del Kronen* (1995) o los prometedores debuts de los realizadores vascos Juanma Bajo Ulloa —*Alas de mariposa* (1991) y *La madre muerta* (1993)—, Enrique Urbizu, Álex de la Iglesia y Julio Medem, responsable del particular universo que transmiten *Vacas* (1991) o *La ardilla roja* (1993). Heredero de la tradición de la Escuela de Barcelona y presidido por el retorno a la realización de Pere Portabella con *Pont de Varsovia/Puente de Varsovia* (1990), el cine catalán también ha mantenido una cierta tendencia vanguardista a través de las aún incipientes filmografías de Gerardo Gormezano —*Ombres paral·leles/Sombras paralelas* (1994)—, José Luis Guerín —*Los motivos de Berta* (1983) e *Innisfree* (1990)—, Manuel Huerga —*Gaudí* (1987) y *Antártida* (1995)—, Agustín Villaronga —*Tras el cristal* (1985) y *El niño de la luna* (1989)—, Marc Recha —*El cielo sube* (1991)— o Jesús Garay.

Buena parte de esos films surgieron gracias al epígrafe del «decreto Miró», que reclamaba «un apoyo especial a los proyectos de nuevos realizadores o de carácter experimental». Sin embargo, no todos los cineastas que realizaron sus primeras películas durante este periodo optaron por esta vía, sino que, a menudo, apostaron por modelos más convencionales con la esperanza de obtener una cierta continuidad

Historias del Kronen (Montxo Armendáriz, 1995).

Francesc Orella y Carme Elías en *Pont de Varsovia* (Pere Portabella, 1989).

profesional. A falta de una Escuela Oficial de Cine, circunstancia sólo solventada en 1994 con la creación de centros docentes en Madrid y Barcelona, resulta ilustrativo constatar algunas vías de acceso a la profesión registradas en este periodo y distintas al meritoriaje o a los cortometrajes.

En algunos casos se trata de críticos o periodistas, como Augusto Martínez Torres, Octavi Martí, José María Carreño, Enric Alberich, Luis Aller o Albert Abril. También accedieron a una producción profesionalizada algunos cineastas procedentes del ámbito marginal o *underground*, con resultados que a menudo delatan esos orígenes: Andrés Linares, Antoni Martí, Raül Contel o Udolfo Arrieta, que dirigió *Merlín* (1990) tras un prolífico periodo parisino.

Otra fuente de acceso a la dirección mediante trayectorias en general menos efímeras que las anteriores ha sido generada por integrantes del equipo técnico o artístico de una película, bien fuesen guionistas, como Manuel Matji, Antonio Larreta y Andreu Martín, o ayudantes de dirección —Paco Lucio—, bien productores como Ge-

Innisfree (José Luis Guerín, 1990).

rardo Herrero —*Desvío al paraíso* (1993)— y Luis Sanz o directores de fotografía como Teo Escamilla, José M.ª Castellví o Carlos Suárez, e incluso escenógrafos, como Gerardo Vera en el caso de *Una mujer bajo la lluvia* (1992).

También algunos actores se han situado esporádicamente tras la cámara con resultados dispares, pero no siempre con la intención de subrayar su propia interpretación. Es el caso de Félix Rotaeta —*El placer de matar* (1988) y *Chatarra* (1991)—, Ana Belén —*Cómo ser mujer y no morir en el intento* (1991)—, Félix Sancho Gracia —*Huidos* (1992)—, José Sacristán —*Soldados de plomo* (1983), *Cara de acelga* (1986) y *Yo me bajo en la próxima, ¿y usted?* (1992)— o Imanol Arias en *Un asunto privado* (1995). Por último, ese retrato ilustrativo de los mecanismos endogámicos que alimentan una parte de las generaciones de recambio en el cine español se completa con la herencia perpetuada a través de los ilustres apellidos que ostentan Benito Rabal, José Luis Berlanga, Gracia Querejeta, Álvaro Forqué, Javier Elorrieta o Álvaro Sáenz de Heredia.

El trato deferente que la nueva normativa de subvenciones concede a los nuevos realizadores ha impulsado, sin embargo, la consolidación de un nueva hornada de cineastas. Éste es el caso de La Cuadrilla (*Justino, un asesino de la tercera edad*, 1994), Chus Gutiérrez (*Sexo oral*, 1994; *Alma gitana*, 1995), Álvaro Fernández Armero (*Todo es mentira*, 1994), Marta Balletbó (*Costa Brava*, 1995), Azucena Rodríguez (*Entre Rojas*, 1995; *Puede ser divertido*, 1995), Daniel Calparsoro (*Salto al vacío*, 1995), la actriz Icíar Bollaín (*Hola, ¿estás sola?*, 1995) o el guionista Agustín Díaz Yanes (*Nadie hablará de nosotras cuando hayamos muerto*, 1995).

El mandato del Partido Popular (1996-2004)

Esteve Riambau y Casimiro Torreiro

El triunfo del Partido Popular en las elecciones legislativas del 3 de marzo de 1996 abrió un nuevo período en la restaurada democracia española que condujo a un gobierno presidido por José María Aznar con el apoyo parlamentario de nacionalistas vascos (PNV) y catalanes (CiU). Cuatro años más tarde, Aznar obtuvo una cómoda mayoría absoluta en las elecciones del 12 de marzo de 2000 y ambas legislaturas estuvieron marcadas por una encarnizada lucha contra ETA y el terrorismo que, paradójicamente, culminó con el salvaje atentado islámico perpetrado en Madrid el 11 de marzo de 2004.

La liberación del funcionario de prisiones José Ortega Lara (1 de julio de 1997), el asesinato de Miguel Ángel Blanco, edil del PP en Ermua (12 de julio de 1997) y la condena de la Mesa Nacional de Herri Batasuna por colaboración con banda armada (28 de noviembre de 1997) precedieron al llamado Pacto de Estella entre los partidos nacionalistas vascos e IU-EB (12 de septiembre de 1998) que tuvo como inmediata respuesta un «alto el fuego unilateral e indefinido» de la banda terrorista. Más de un año después, ETA puso fin a esta tregua con el asesinato de un teniente coronel del Ejército (21 de enero del 2000). Descartada la vía del diálogo, durante la segunda legislatura del PP la policía detuvo a significados dirigentes de ETA y la banda respondió con el asesinato de Ernest Lluch, ex ministro socialista (21 de noviembre de 2000), pocos días antes de que el Congreso aprobara una reforma del Código Penal con severas medidas para reforzar la lucha antiterrorista, y de que PP y PSOE firmaran el pacto antiterrorista en defensa de las libertades en el País Vasco. El acoso contra ETA prosiguió con las sucesivas ilegalizaciones de partidos y asociaciones situados en su entorno y culminó con la aprobación de la Ley de Partidos (19 de abril de 2002) que permitió la ilegalización de Batasuna a pesar de la oposición del Gobierno vasco presidido por Juan José Ibarretxe desde el 12 de julio de 2001. El propio lehendakari propondría, un tiempo después, un referéndum sobre el derecho a la autodeterminación de Euskadi, primero prohibido por el Tribunal Supremo y más tarde rechazado por amplia mayoría en el Congreso. En Cataluña, más de veinte años de liderazgo del nacionalista Jordi Pujol dieron paso a un gobierno tripartito de izquierdas, integrado por PSC, ERC e IC-IV, surgido de las elecciones del 16 de noviembre de 2003 y presidido por el socialista Pasqual Maragall.

En el ámbito económico, España se incorporó al euro a partir de 1999 y la nueva moneda europea entró en vigor tres años después. En el terreno político, los escándalos destapados durante la última administración socialista provocaron la condena de Luis Roldán, ex Director General de la Guardia Civil, por malversación, estafa y cohecho, o las del ex ministro del Interior, José Barrionuevo (después absuelto), y Rafael Vera, secretario de Estado para la Seguridad, por su participación en el secuestro de Segundo Marey. Unos meses más tarde, el ex Gobernador civil de Guipúzcoa y un general de la Guardia Civil, Enrique Rodríguez Galindo, fueron condenados a prisión por el «caso Lasa y Zabala» (26 de abril del 2000). El PP tuvo que responsabilizarse, a su vez, a la pésima gestión de diversos accidentes ecológicos: la rotura de una balsa de residuos tóxicos en el entorno del parque natural de Doñana (25 de abril de 1999) y, sobre todo, el hundimiento del petrolero *Prestige* frente a las costas de Galicia (19 de noviembre de 2002).

El mundo cambió con los atentados terroristas contra las Torres Gemelas de Nueva York y el Pentágono de Washington (11 de setiembre de 2001) y José María Aznar no dudó en apoyar explícitamente a George Bush y Tony Blair en su invasión militar de Irak con el fin de derrocar al dictador Sadam Hussein como supuesto encubridor del terrorismo internacional. En febrero de 2003, miles de personas se manifestaron en España en contra de una guerra que actores y directores españoles criticaron con acritud, muy especialmente durante una tormentosa gala de entrega de los premios Goya, de la que el gobierno de Aznar y los medios de comunicación afines a su gobierno tomaron buena nota. Los cómicos, en su inmensa mayoría, jamás estuvieron bien vistos durante su mandato. Si, en abril de aquel año, la coalición internacional liderada por Estados Unidos cumplía sus objetivos militares y derrocaba a Sadam Hussein, su presencia en la zona desencadenó una larvada guerra civil entre diversas facciones locales al tiempo que aumentaba exponencialmente el terrorismo indiscriminado. En mayo de aquel mismo año, 62 militares de nuestro país que regresaban de una misión de paz en Afganistán morían al estrellarse un avión ucraniano afectado de diversos problemas técnicos.

Apenas unas semanas después de una tregua parcial de ETA, sólo para Cataluña, el 11 de marzo de 2004 explotaron diez bombas en cuatro trenes de cercanías de Madrid y provocaron el más sangriento atentado jamás perpetrado en España. En vísperas de las elecciones generales, convocadas tres días más tarde, el gobierno del PP acusó a ETA como principal sospechoso de la masacre mientras las evidencias —después corroboradas judicialmente— apuntaban hacia el terrorismo islámico. En ese ambiente enrarecido, el PSOE obtuvo una mayoría parlamentaria suficiente para formar un nuevo gobierno encabezado por José Luis Rodríguez Zapatero.

1. El estado y las televisiones

En el ámbito cinematográfico, el cambio de actitud mostrado por el PP desde una beligerante hostilidad hacia cualquier herencia recibida del anterior gobierno del PSOE hasta una continuidad mayoritariamente avalada por el sector revela, a las claras, que el cine español dispone de unas reglas particulares que no son las del libre mercado ni dependen de grandes matices políticos. La Ley de Protección y Fomento de la Cinematografía 17/1994, promulgada durante el anterior periodo socialista, ya había sentado las directrices de un nuevo paisaje audiovisual en el que el cine español estaba llamado a sustentarse no sólo de subvenciones estatales automáticamente dependientes por la taquilla sino mediante un entramado audiovisual en el que las televisiones —muy especialmente las privadas— desempeñaban un significativo protagonismo junto con la inversión directa de otras empresas relacionadas con la llamada sociedad de la información.

Apenas llegado al poder, el gobierno del PP impuso multas por valor de 54 millones de pesetas a varias empresas cinematográficas que, en 1994, habían incumplido la cuota de pantalla del cine europeo a la que estaban obligadas. Poco después, Esperanza Aguirre, ministra de Educación y Cultura, contradijo sus propias declaraciones en contra de las subvenciones al cine español con un aumento del Fondo de ayuda estatal que garantizaba su subsistencia. Estas tensiones internas entre una política liberal de privatizaciones y la realidad de un sector, el del cine español, inviable sin el apoyo del Estado, encontró su equilibrio con el nombramiento de José María Otero —un respetado profesional con amplia experiencia en la gestión del cine y la televisión— y desencadenó un Real Decreto de reforma de la Ley de Cine de 1994, aprobado en enero de 1997, que si bien mantenía la política de subvenciones dictada por el PSOE también iniciaba «un proceso de flexibilización del mercado cinematográfico» que respondía a la filosofía del PP. En la práctica, implicaba una cuota de pantalla que reducía la presencia de un film de la Unión Europea entre cada tres estrenados y la concesión de tres licencias de doblaje por cada producción europea. En lo que se refiere a la promoción del cine español, se mantenía el criterio de la ley de 1994 con una subvención automática del 15% de la recaudación obtenida en taquilla por cualquier película española y se introducían pequeñas modificaciones en las ayudas complementarias a los films que recaudasen más de 50 millones de pesetas (25% de la taquilla o 33% del presupuesto, con un tope de 100 millones) y el 33% de la inversión del productor a las obras de nuevos realizadores o de decidido contenido artístico y cultural.

El otro gran pilar de apoyo a una cinematografía española que encaraba los nuevos retos del siglo XXI eran las televisiones. El informe de la Academia de las Artes y Ciencias del Cine Español correspondiente a 1999 cifraba en el 45% el porcentaje de ingresos que el productor de una película española recuperaba de su inversión a través de la televisión[1]. El 16% procedía de las subvenciones estatales y/o auto-

[1] José María Álvarez Monzoncillo, «Informe del año: El cine español de 2000», *Academia: Revista del Cine Español*, núm. 29, 2001, págs. 130-179.

nómicas y sólo el 18% tenía su origen en la taquilla. El 21% restante se repartía entre las exportaciones, el vídeo y apenas un 9% correspondía a la inversión del productor. A mediados de los ochenta, Pilar Miró había arrancado a TVE un incipiente compromiso para apoyar el cine español. Poco más de una década después, el nuevo paisaje audiovisual vinculaba directamente su futuro a la inversión televisiva como principal motor de la producción. El nuevo apoyo era el resultado de la apuesta a largo plazo que los anteriores gobiernos socialistas habían hecho por las cadenas de pago y las plataformas digitales. Canal Satélite Digital, perteneciente al grupo PRISA y de netos tintes socialistas, había comenzado sus emisiones en enero de 1997. Vía Digital, accionariada por Telefónica (25%), TVE Temática (17%) y Televisa (17%), en una órbita cercana al PP, lo hizo en septiembre de aquel mismo año. Ambas apostaban por la presencia de cine español en sus canales temáticos y esa competencia favoreció los intereses de unos productores generosamente retribuidos con los derechos de antena de una u otra plataforma. Esta gallina de los huevos de oro lanzó sus primeras voces de alarma cuando en julio de 1998, ambas plataformas anunciaron un acuerdo para fusionarse. No lo hicieron hasta julio de 2003, fecha de las primeras emisiones de la refundada plataforma Digital + tras una larga y cruenta «guerra digital» que involucró a los partidos políticos, llegó a los tribunales y culminó con el sobreseimiento de causas abiertas y con un pacto que, en el fondo, delataba la imposibilidad del mercado español para mantener más de una estructura televisiva de estas características. La empresa resultante nació con una oferta de 150 canales y un capital social de 57.961.234 de euros, suscritos por varios accionistas, entre los que destacaban Telefónica (22,23%), PRISA y el francés Groupe Canal +, cada uno con el 16,38% de las acciones. Para los productores cinematográficos, este pacto fue ruinoso. De una situación de privilegio, con varias ventanillas a las que acudir, los derechos de antena quedaron reducidos a TVE y a las cadenas autonómicas, y quienes vendían los suyos a Canal + veían negada su posterior explotación por cadenas en abierto[2].

---

[2] José Enrique Monterde, «La industria cinematográfica en los años noventa», en Carlos Heredero y Antonio Santamarina (eds.), *Semillas de futuro. Cine español 1990-2001*, Sociedad Estatal España Nuevo Milenio, Madrid, 2002, pág. 106.

Para aquella fecha, sin embargo, ya había entrado en vigor la Ley de Modificación de la Directiva Europea de la Televisión sin Fronteras (Ley 22/mayo de 1999). Mediante dicha disposición, «los operadores de televisión deberán destinar, como mínimo, cada año, el 5% de la cifra total de ingresos devengados durante el ejercicio anterior, conforme a su cuenta de explotación, a la financiación de largometrajes cinematográficos y películas para la televisión». TVE fue la primera en dar ejemplo y firmar el compromiso con los productores pero pronto se sumaron las cadenas autonómicas y, a regañadientes, también las privadas.

Pilar del Castillo, sucesora de Esperanza Aguirre en la cartera de Cultura durante la segunda legislatura del PP, no tuvo dudas en confirmar a José María Otero como Director General del ICAA desde principios del 2000. Ese toque de sensatez, cuando no de realismo, recibió los aplausos del sector pero contrastaba con el anteproyecto de una nueva Ley de Fomento y Promoción de la Cinematografía y el Sector Audiovisual entestada en poner fecha de caducidad, en 2006, a las cuotas de pantalla del cine español, a limitar las ayudas estatales al 50% del presupuesto de un film y a establecer la posibilidad de incentivos a la incorporación de nuevos profesionales, a films de bajo presupuesto y al uso de idiomas cooficiales. Ya en diciembre de 2000, el Consejo Económico y Social fue el primero en instar al Gobierno a «buscar medidas alternativas al fomento del cine español que suplan la supresión de la cuota de pantalla» y denunció la práctica de las distribuidoras norteamericanas consistente en la venta a los exhibidores de películas por lotes. Unos meses más tarde, en la primera comparecencia del citado proyecto en el Congreso de los Diputados, los productores españoles agrupados en FAPAE manifestaron su oposición a la supresión de la cuota de pantalla del cine español. Les iba en ello la supervivencia.

La crisis que el cine español atravesó en 2002 y 2003 no se debió, sin embargo, a la aprobación de la Ley de Fomento y Promoción de la Cinematografía y del Sector Audiovisual (15/2001, de 9 de julio). El anuncio de la fusión de las dos plataformas digitales que, durante los últimos años, habían alimentado generosamente las arcas de los productores gracias a una competencia que añadía tintes políticos a los estrictamente mercantiles, abrió un inquietante compás de espera hasta que las inversiones de las restantes cadenas televisivas se hicieron realidad. El Real Decreto (526/junio de 2002) desarrollaba la Ley de Cine y disipaba posibles interpretaciones sesgadas de la inversión televisiva al fijar la obligación de coproducir con productores independientes para permitir el acceso a las ayudas públicas a «las empresas productoras participadas mayoritariamente por operadores de televisión de capital privado o que estén integradas en un grupo del que formen parte operadores de televisión, o que estén participadas mayoritariamente por compañías que a su vez sean accionistas mayoritarios de operadores de televisión». Esas empresas accederán a las ayudas «siempre que, al menos el 75% de las películas de largometraje que produzcan, sean en coproducción con una empresa productora independiente participando en la realización de las mismas con un porcentaje que oscila entre el 10% y el 50%»[3]. Los productores independientes acogieron estas medidas con entusiasmo a la vez que el gobierno anunciaba, en enero de 2004, una partida extraordinaria de 27,8 millones de euros para hacer frente a los retrasos en el pago de las subvenciones. A estos subsidios estatales hay que sumarles los de procedencia europea ya que, durante el periodo 2001-2005, España fue el segundo país receptor de ayuda europea al sector audiovisual, sobre todo a partir de los programas Media (Medidas para Estimular el Desarrollo de la Industria Audiovisual) y Eurimages[4]. El futuro inmediato del cine español quedaba así garantizado y, además, ajustado a los nuevos horizontes audiovisuales.

2. El capital y sus gestores

La decisiva irrupción de las televisiones en la producción del cine español supuso la penetración de un capital privado y el establecimiento de sinergias hasta entonces inéditas en este sector. Tal como había ocurrido en Hollywood cuando la televisión dejó de ser un enemigo en potencia para convertirse en un imprescindible aliado, las fil-

[3] José María Otero, *¿Por qué va la gente al cine?*, Instituto de Estudios Altoaragoneses/Festival de Cine, Huesca, 2005, pág. 145.

[4] Una relación de todas las líneas de ayuda y sus terrenos concretos de aplicación se encuentra en Antonio Vallés Copeiro del Villar, *Historia de la política de fomento del cine español*, IVAC, Valencia, 2000, págs. 254 y ss.

motecas de películas españolas acumuladas por diversos gestores de derechos se convirtieron en importantes activos de mercado. La alianza establecida por Andrés Vicente Gómez con Sogecine, empresa participada, entre otros, por el grupo de comunicación PRISA, el Banco Bilbao Vizcaya (más tarde, BBVA) y por diversos operadores, además de Canal + Francia, se consolidó sobre su aportación de un paquete de derechos sobre títulos cinematográficos valorado, a principios de los noventa, en 300 millones de pesetas. De dicha unión surgió no sólo una sociedad de nuevo cuño, Iberoamericana de Derechos Audiovisuales (IDEA), sino también una activa política de coproducción que originó, sólo entre 1993 y 1995, nada menos que 17 largometrajes. Los parcos resultados que éstos obtuvieron en taquilla provocaron una nueva operación de Gómez con Telefónica de España, entonces en fase de expansión de sus negocios audiovisuales. Otros productores que cimentaron su poder sobre la posesión de derechos cinematográficos —a menudo concomitantes con la concesión de licencias de emisión radiofónica y de televisión digital o el accionariado en televisiones privadas— fueron Enrique Cerezo, José Frade o Elías Querejeta.

Determinadas empresas de producción cinematográfica consolidadas en este periodo proceden, directamente, de la gestión de canales televisivos. Es el caso de Sogecable (y sus múltiples ramificaciones) respecto a Canal +/Canal Satélite Digital; de MediaPro, creada por Jaume Roures al amparo de la gestión de derechos de retransmisiones deportivas en televisión con el apoyo de poderosos grupos de inversionistas y su correspondiente ventana en la pequeña pantalla a través de La Sexta, cadena con la que comparte similares inversionistas; de la citada Telefónica de España; de Tele 5 y Antena 3 TV, creadoras de productoras satélite para autosuministrarse contenidos cinematográficos y, a la vez, tener acceso a las salas; de DeA Planeta, nacida de un gigante editorial español y del grupo italiano De Agostini; y hasta de El Mundo Audiovisual, creada desde el diario homónimo, a su vez penetrado por el grupo italiano de comunicación Rizzoli.

La distribución —una de las históricas locomotoras de arrastre del cine español— ha perdido peso en favor de las aportaciones televisivas pero sigue ocupando un lugar estratégico en la modulación de una producción que, paradójicamente, necesita de un buen estreno en salas para revalorizar sus películas en la pequeña pantalla. Resulta significativo que de las cuatro empresas más activas durante este periodo, tres de ellas (Sogetel, Andrés Vicente Gómez y Julio Fernández), posean su propia rama de distribución (Sogepaq, Iberoamericana y Filmax, respectivamente y no por casualidad la primera tributaria de los intereses de Warner), mientras la segunda en número de producciones, Tornasol Films (Gerardo Herrero), tiene acuerdos privilegiados con la distribuidora, ocasional productora y también empresa de exhibición Alta Films. José María Morales es, a su vez, productor —esencialmente de coproducciones con América Latina— y distribuidor, mediante sus empresas Wanda Visión y Nirvana.

Buena parte de los productores citados por su asociación con las principales fuentes de financiación privada de las que dispuso el cine español desde mediados de los noventa, encabezan la relación de los más activos durante este periodo con Sogetel y Tornasol en lugares claramente destacados.

Empresa	**1996**	**1997**	**1998**	**1999**	**2000**	**2001**	**2002**	**2003**	**2004**	**TOTAL**
Sogetel	18	13	9	7	3	9	12	1	11	83 (1)
Tornasol	4	6	7	5	11	10	8	6	12	69
A. V. Gómez	9	6	5	2	7	11	2	2	3	47 (2)
J. Fernández	5	3	5	7	2	4	7	5	6	44 (3)
E. Cerezo	6	6	4	5	3	5	4	5	5	43 (4)
E. Campoy	5	5	4	4	7	7	2	2	0	36 (5)
J. M. Morales	2	2	6	3	1	3	3	2	6	28 (6)
Alta Films	3	1	2	6	1	2	3	3	2	23
Grupo Z	3	7	3	7	3	–	–	–	–	23 (7)
M. Cantero	2	4	3	4	2	2	2	2	1	22
Tele 5	–	–	2	2	2	5	4	3	2	20 (8)
E. Querejeta	4	0	5	3	1	2	1	0	3	19 (9)
C. Benítez	4	2	4	1	2	2	0	2	1	18(10)
El Deseo	4	1	1	1	0	3	0	3	4	17
Alquimia	–	–	–	–	–	5	6	1	3	15

Empresas con participación en la producción de 15 o más títulos; 1. Incluye Sogepaq, Sogecable, Sogetel, Plural y Produce +; 2. Incluye Lolafilms, Iberoamericana y Rocabruno; 3. Incluye Sogedasa y Castelao; 4. Incluye Enrique Cerezo PC, Video Mercury y Atrium; 5. Incluye Cartel y Drive; 6. Incluye Prime, JMM y Wanda; 7. Incluye Aurum, PROARSA y Líder; 8. Incluye Estudio Tele 5 y Estudios Picasso; 9. Incluye Elías Querejeta PC y ESICMA; 10. Incluye Cristal PC y Bocaboca. (Fuente: Esteve Riambau y Casimiro Torreiro, *Productores en el cine español: Estado, dependencias y mercado*, Cátedra/Filmoteca Española, Madrid, 2008, pág. 912)

Otras activas empresas de producción hasta ahora no citadas corresponden a Eduardo Campoy quien, tras unos años de febril actividad al frente, sobre todo, de Cartel, ha integrado sus negocios en un grupo mayor, Drive. El Grupo Zeta, activo hasta el 2000, estuvo vinculado a Antena 3 TV hasta el *impasse* que se produjo en esta empresa tras la muerte de su fundador, Antonio Asensio Pizarro, y su sustitución por una nueva generación de directivos. César Benítez, activo con dos productoras, Cristal y Bocaboca, incluye en su accionariado al poderoso grupo de comunicación Vocento y desdobla su actividad entre el cine y una creciente dedicación a las series televisivas. Mate Cantero y Francisco Ramos, propietario de la muy activa Alquimia, son estrictos productores independientes, muy volcados ambos hacia el mercado de la coproducción internacional. El Deseo, finalmente, es no sólo la productora de Pedro Almodóvar sino que ocasionalmente también interviene en operaciones con empresas extranjeras, o impulsa trabajos de cineastas con la dedicación autoral de Isabel Coixet, el mexicano Guillermo del Toro o la argentina Lucrecia Martel.

En el ámbito autonómico, el desarrollo de incentivos locales —de larga tradición en el caso de Cataluña y el País Vasco o de más reciente creación en Galicia, Andalucía o Valencia— y la aplicación del 5% por parte de las televisiones autonómicas agrupadas en la FORTA —con inversiones anuales cercanas a los 1.500 millones de pesetas a principios del 2000—, han consolidado focos de producción mayoritariamente integrados por productores de perfil independiente. Cataluña contaba en este periodo con empresas de producción audiovisual tan importantes como MediaPro o Filmax y con sólidos independientes como ICC, Ovídeo, Messidor, Eddie Saeta, Oberon, D'Ocon, las distintas marcas que ha utilizado Josep Anton Pérez Giner o Els Films de la Rambla. En Andalucía, además de la actuación pionera de Maestranza Films, se han consolidado en los últimos años empresas como PC 29, Jaleo Films o las emergentes La Zanfoña y Ático 7, en una proporción como jamás conoció el cine andaluz hasta la fecha. Valencia cuenta con NISA o Malvarrosa Media mientras en Galicia, Pancho Casal y Xosé Xoan Cabanas Cao se han visto acompañados por la empresa de animación de Filmax, por el músico, showman y productor Antón Reixa (Portozás y Filmanova) o el realizador Juan Pinzás. En el País Vasco, a la labor de Ángel Amigo, durante años el buque insignia de la producción en aquella comunidad, se han sumado empresas como Sendeja, Lan, Luis Goya, Íñigo Silva, Irusoin, los hermanos Ibarretxe, Baleuko o José María «Txepe» Lara, con empresa domiciliada en Pamplona.

3. El mercado y la taquilla

El imparable aumento de los costes de producción, provocado por la necesidad de invertir cada vez más dinero en películas que se pretenden para públicos amplios y capaces de competir en el mercado internacional, ha contribuido a repartir la inversión entre un mayor número de coproductores asociados en un mismo proyecto. Si, en 1990, el coste medio de una película española era de 135,5 millones de pesetas, se habría más que duplicado diez años después, para situarse en los 299,9 de 2000, cifra que aconseja una amortización repartida. Esto hace que el número de películas en las que participa cada empresa sea anormalmente alto con respecto a los periodos anteriores y también ha contribuido a multiplicar el número total de producciones españolas.

Año	Esp.	Copr.	Total
1996	66	25	91
1997	55	25	80
1998	46	19	65
1999	44	38	82
2000	64	34	98
2001	67	40	107
2002	80	57	137
2003	68	42	110
2004	92	41	133

Producción de largometrajes íntegramente españoles y coproducciones (Fuente: ICAA)

Si, a finales de los ochenta, la política de subvenciones selectivas y anticipadas de Pilar Miró redujo la producción española a cincuenta largometrajes anuales —tantos como los que sufragaba el Estado—, los más de cien títulos generados durante la segunda legislatura del PP apuntan hacia cifras cercanas a las de los sesenta, la década más prolífica en la historia del cine español. Las circunstancias son muy distintas pero la coincidencia del porcentaje de coproducciones —a veces incluso superior al 50% del cómputo global— resulta alarmantemente similar. En aquella época de florecientes taquillas, el derecho a la subvención íntegra de cualquier coproducción liquidó el Fondo de Protección. En la actualidad, las menores recaudaciones en taquilla hacen que las consecuencias sean menos graves pero un análisis más detallado de algunos de los largometrajes implicados revelaría que el porcentaje de la inversión española es meramente simbólico, fruto de un *service* de rodaje en tierras hispanas o de acuerdos internacionales para cumplir los requisitos necesarios para acceder a determinadas subvenciones europeas o latinoamericanas.

Restadas estas películas sólo administrativamente españolas, también hay que deducir las que jamás llegan a las salas, aproximadamente el 10% del total según datos del ICAA, y acceden directamente al mercado del vídeo o la televisión sin que la taquilla que dejan de recaudar altere sustancialmente sus planes de financiación. Frente a este porcentaje, otro aún menor —no más de tres o cuatro películas por año— se miden de tú a tú en la taquilla con sus competidoras americanas mientras aumenta exponencialmente el de aquellos títulos —la gran mayoría— que difícilmente llegan a las 50.000 entradas vendidas. Los grandes éxitos del periodo tienen nombre propio y, a pesar de una disminución global de la cuota de pantalla del cine español, disparan puntuales picos de optimismo fácilmente relativizados por una lectura estadística mínimamente rigurosa.

Ese cómputo general, preocupante para una visión de conjunto del cine español que se maquilla con esporádicos Oscars de Hollywood, no disminuye el valor a los más de seis millones de espectadores que pasaron por la taquilla de *Los otros* (Alejandro Amenábar, 2001), el film español más visto desde que existe el control de taquilla. Si la sombra de Nicole Kidman, su protagonista, y Tom Cruise, productor ejecutivo, empañan su identidad nacional, los más de cinco millones de espectadores registrados por *Torrente 2, Misión en Marbella* (Santiago Se-

Los otros (Alejandro Amenábar, 2001)

gura, 2001), unidos a los casi tres millones de la primera aventura de ese detective inequívocamente castizo, certifican que un determinado cine español tiene su público, independientemente de cualquier consideración artística.

Esos éxitos se miden exclusivamente mediante el control de taquilla de su exhibición en salas, la cual dista mucho de ser la principal ventana de acceso por parte del público. La migración que éste ha efectuado hacia el consumo doméstico, ya sea a través de la televisión, el vídeo/DVD —del cual no existen otros datos oficiales que los títulos con mayor número de copias vendidas sin especificar cuántas— o una red informática cada vez más invadida por las descargas ilegales de películas, no impide que el Estado también tenga que velar por la preservación de parcelas de exhibición amenazadas por la invasión del cine norteamericano. El PP, movido por sus ansias liberales, llegó al poder con la intención de suprimir la cuota de pantalla. Todo cuanto se atrevió a proponer, con el Real Decreto 196/2000 respecto a la Ley de 1994, fue aumentar la cuota desde 3 a 4 días la exhibición de películas de terceros países (léase norteamericanas) por cada una de las españolas o comunitarias, con la salvedad de un día de película comunitaria por cinco de terceros países cuando se trata de películas dobladas a alguna de las lenguas reconocidas legalmente al margen del castellano. Además, esta proporción se mantenía también para las películas declaradas «de especial interés cinematográfico».

Película	Director y año	Espect.
Los otros	A. Amenábar (2001)	6.081.341
La gran aventura de Mortadelo y Filemón	J. Fesser (2003)	4.979.991
Mar adentro	A. Amenábar (2004)	3.998.550
Torrente 2	S. Segura (2001)	2.840.925
El otro lado de la cama	E. M. Lázaro (2002)	2.726.871
Días de fútbol	D. Serrano (2003)	2.424.949
Airbag	J. Bajo Ulloa (1997)	2.105.521
Todo sobre mi madre	P. Almodóvar (1999)	1.908.819
Muertos de risa	A. De la Iglesia (1999)	1.668.894
Juana la Loca	V. Aranda (2001)	1.630.645
Los lunes al sol	F. León Aranoa (2002)	1.602.946
Isi & Disi	Ch. de la Peña (2004)	1.578.671

Películas españolas más taquilleras durante el periodo 1996-2004. (Fuente: Riambau y Torreiro, *op. cit.*, pág. 910).

Las cifras relativas al consumo absoluto de cine en salas españolas revela un aumento progresivo del número de espectadores desde los 106 millones de 1996 hasta los 146 de 2001, lo cual equivale a un incremento aproximado del 40%. El declive registrado en 2002 (140 mi-

El otro lado de la cama (Emilio Martínez Lázaro, 2002)

llones) y 2003 (137 millones), se recuperó parcialmente en 2004, con la segunda mejor cifra del periodo: 143 millones. Estas oscilaciones varían significativamente si se analizan por separado los espectadores de películas extranjeras y españolas. Estos últimos también registran una tendencia global al alza, desde los 10 millones de 1996 hasta los aproximadamente 20 en 2003 y 2004. Este aumento es, sin embargo, sólo un espejismo con oscilaciones importantes en la taquilla que se manifiestan en cuotas de pantalla que van desde el 9,33% en 1996 al 17,87% en 2001 (el pico más alto del periodo), para descender en 2002 (13,66%), aumentar un año después (15,82%) y volver nuevamente a la baja en 2004 (13,40%). Esos desequilibrios se explican, estadísticamente, por el manejo de unas exiguas cifras absolutas frente a las cuales las pequeñas variaciones producidas por los citados éxitos puntuales provocan grandes cambios porcentuales. Si nos ceñimos al cine español, el aumento de la cuota registrado entre 1996 y 2001 fue casi del 100%. En términos absolutos del mercado en nuestro país se limitó, en cambio, a poco menos del 10%.

Año	1996	1997	1998	1999	2000	2001	2002	2003	2004
Esp.	10.394.001	13.948.157	14.117.253	18.152.855	13.422.006	26.205.964	19.018.156	21.731.317	19.264.004
Ext.	96.319.870	93.163.956	105.772.517	113.195.220	121.968.507	120.604.530	121.698.198	115.740.684	24.525.483
Total	106.713.871	107.112.113	119.889.770	131.348.075	135.390.513	146.810.494	140.716.354	137.472.001	43.789.487

Espectadores de películas españolas y de películas extranjeras. (Fuente: ICAA)

4. Generaciones sucesivas

En el cine español de este periodo, como en la mayoría de los cines nacionales con cierta continuidad en su aparato productivo, se han ido acumulando las prácticas artísticas de profesionales separados en edad incluso por varias décadas. Entre los más provectos, Luis García Berlanga rueda el desembozadamente testamentario *París Tombuctú* (1999) con un último plano que constituye una desarmante llamada de auxilio; un cartel al costado de la carretera en el que figura una única frase no justificada diegéticamente por nada que no sea el deseo de su realizador de colocarla: «Tengo miedo». Fernando Fernán Gómez apenas comenzó un único film, *Lázaro de Tormes* (2000), que tuvo que abandonar prematuramente (sustituido por José Luis García Sánchez, aunque ambos figuren acreditados en la dirección), aquejado ya del mal que habría de acabar con su vida en 2007. Juan Antonio Bardem, el último de la que José Enrique Monterde denomina «generación de la disidencia», aún habría de concluir, cuatro años antes de su muerte, el descolorido tramo final de su filmografía con *Resultado final* (1998), apenas un vehículo para el lucimiento de Mar Flores, una modelo reconvertida en actriz.

Más joven que los anteriores, aunque con una trayectoria que comenzó igualmente en los cincuenta, Carlos Saura no sólo ha logrado hilvanar una carrera constante y prolongada en el tiempo, sino que ha sido capaz de alternar su personalísima visión de un cine musical generosamente coreografiado y primorosamente fotografiado —*Tango* (1997), *Salomé* (2002) o *Iberia* (2005)— con películas de ecos autobiográficos (*Parajico,* 1997) y homenajes a las fuentes de su inspiración visual y conceptual, como son el pintor Francisco de Goya (en la esteticista *Goya en Burdeos,* 1999) o el cineasta Luis Buñuel, objeto de un rendido tributo en *Buñuel y la mesa del rey Salomón* (2000).

Cronológicamente, a estos veteranos les siguen aquellos directores formados alrededor del Nuevo Cine Español y de la Escuela de Barcelona, que cuajaran al albur de las políticas proteccionistas impulsadas en los primeros sesenta. Mario Camus, que nunca ha escondido su vocación de cineasta capaz de alternar los productos más personales con encargos puntuales (lo es, en el periodo que nos ocupa, una de las adaptaciones literarias más ambiciosas y fallidas del cine español reciente, *La ciudad de los prodigios,* 1999, según la novela de Eduardo Mendoza), ha seguido con su ya larga indagación en algunos de los recovecos oscuros y más problemáticos de la sociedad española contemporánea: *El color de las nubes* (1997) o *La playa de los galgos* (2002). Basilio Martín Patino, tras una polémica, bien que apasionante, serie de falsos documentales producidos por Canal Sur con el título genérico de *Andalucía, un siglo de fascinación* (1994-1996), regresó en la hermosa y otoñal *Octavia* (2002) al mundo de su infancia y de su formación intelectual y política, con una indisimulada y fértil voluntad de echar las cuentas con su propia trayectoria artística: es imposible no apreciar también en esta película, decididamente incomprendida por el público, aunque no por la crítica, un evidente afán testamentario.

Pedro Olea, también alumno de la EOC y progresivamente alejado de la industria, tan sólo firma en este periodo el mortecino melodrama *Tiempo de tormenta* (2003), mientras Víctor Erice, tras invertir largos años en la preparación de la adaptación de *El embrujo de Shanghai,* uno de los títulos esenciales de la producción novelística de uno de los autores más adaptados por el cine español de las tres últimas décadas, Juan Marsé, vio cómo ésta era finalmente encargada por el productor, Andrés Vicente Gómez, a otro realizador, Fernando Trueba, quien rodó su propia versión de la novela. Así, quien puede aspirar a ser considerado sin lugar a dudas como uno de los mayores directores de toda la historia del cine español ha visto reducida su producción en los últimos quince años a tan sólo un cortometraje, *Alumbramiento* (2002), incluido en el film colectivo y multinacional *Ten Minutes Older;* a un mediometraje, *La Morte Rouge* (2007), y a un puñado de cortometrajes integrados en la fascinante exposición conjunta con el director iraní Abbas Kiarostami *(Erice-Kiarostami: Correspondencias,* 2005-2007), exhibida en Barcelona, Madrid o París. A su vez, el otrora crucial José Luis Borau, ocupado en numerosos cargos de gestión cultural (como presidente de la Academia de las Artes y de las Ciencias Cinematográficas de España o como máximo responsable de la Sociedad General de Autores y Editores, SGAE), realizó dos feroces, atormentadas y muy personales contribuciones al mejor cine de estos años: *Niño nadie* (1997) y *Leo* (2001), en la que la turbia relación de sus personajes era el telón de fondo para la indagación de nuevas formas de vida en la periferia urbana y viejas relaciones de dominación, en la desastrada

Leo (José Luis Borau, 2001)

cutrez que constituye el basamento del lujo cotidiano de las nuevas clases medias de los primeros años del nuevo milenio.

De entre quienes comenzaron, en esa misma década de 1960 en la que se fraguaron los Nuevos Cines, destaca un Gonzalo Suárez cada vez más volcado hacia la escritura y que, no obstante, ha sido capaz de regresar a la fecunda Asturias, el escenario en el que ha anclado lo mejor de su filmografía, con dos títulos de distinto alcance e intenciones, la interesante recreación histórica *El portero* (2000) y la desangelada y un tanto trasnochada *Oviedo Express* (2007). Por su parte, Vicente Aranda ha ahondado en la dimensión del amor insano y la pasión destructiva, a veces en una inequívoca dimensión dramática *(Celos,* 1999), otras reverdeciendo y actualizando, desde una perspectiva contemporánea, viejos personajes cortesanos *(Juana la Loca,* 2001) o literarios, como su rigurosa revisitación del mito de *Carmen* (2003).

Joaquim Jordá, guionista de este último título, otrora principal teórico de la Escuela de Barcelona y profesional de trayectoria errante aunque feraz, vivió en el tramo final de su existencia un periodo de febril actividad en el que alternó la enseñanza en el crucial Master de

Monos como Becky (Joaquin Jordá y Nuria Villazán, 1999)

Documental de la barcelonesa Universitat Pompeu Fabra, tan importante para el despegue del documental catalán desde mediados de la década de los noventa, con la dirección de sus propios proyectos. Afectado por un accidente vascular cerebral, y como si fuera plenamente consciente de que su tiempo creador se le agotaba, el guionista, director y escritor abandonó el cine de ficción que había emprendido con una aproximación a la realidad social catalana de aquellos años en *Un cos al bosc / Cuerpo en el bosque* (1996), para volcarse luego a una frenética carrera en la que regresó al documental, que ya había cultivado anteriormente, aunque con escaso eco público (como en la extraordinaria *El encargo del cazador,* 1991). Así surge esa apasionante reflexión sobre la enfermedad mental como enfermedad social que es *Monos como Becky / Mones com la Becky* (1999), en la que el gusto por el collage y las referencias cruzadas y acumulativas terminan mezclando al psiquiatra y premio Nobel portugués Egas Moniz, triste difusor de la lobotomía, con una representación teatral realizada por internos en una residencia psiquiátrica y con filmaciones de la propia operación cerebral a la que fue sometido el director; la ambiciosa, torrencial y desmesurada *De niños / De nens* (2002), en la que un caso de aparente pederastia destapado por el Grupo de Menores de la Policía Nacional en el barcelonés barrio del Raval sirve a Jordá para una punzante, corrosiva y certera indagación sobre el papel de los medios de comunicación y las instituciones democráticas en la construcción de un «caso» mediático, al tiempo que denuncia las políticas especulativas desarrolladas en la ciudad condal, y amparadas por los ayuntamientos electos, desde la década de 1980. Y finalmente, también la revisitación de un documental anterior, *Númax presenta* (1980), a cuyos protagonistas recupera casi un cuarto de siglo después, en *Veinte años no es nada* (2004), para poner en evidencia sus rotos sueños de justicia social, pero también su integridad personal y colectiva.

De la fecunda generación surgida de las convulsiones de los primeros setenta hay que apuntar el frenazo productivo de directores que, como Francesc Betriu, Francesc Bellmunt (autor, empero, de una interesante adaptación de la novela histórica de Ferràn Torrent *Gràcies per la propina / Gracias por la propina*, 1997, y de una esperpéntica versión de *Lisístrata*, 2002, según el cómic de Ralf König), Alfonso Ungría (responsable de una vacilante película de turbias relaciones triangulares, negocios y delito: *El deseo de ser piel roja*, 2001) o Josefina Molina, habían realizado antes películas más que estimables. Pero también la continuidad sin demasiados altibajos industriales de otros realizadores, como Jaime Chávarri, muy activo en el periodo (aunque sólo con un film destacable, la sensible recreación juvenil *Besos para todos*, 2000, ambientado en Cádiz durante los sesenta) o Manuel Gutiérrez Aragón, autor de una exploración de sus raíces cubanas en *Cosas que dejé en La Habana* (1997), la denuncia del fanatismo religioso en *Visionarios* (2001) o una muy peculiar recreación del segundo libro del Quijote en *El caballero Don Quijote* (2001). Emilio Martínez Lázaro alternó títulos muy personales como *Carreteras secundarias* (1997) y *La voz de su amo* (2001), penetrante inmersión en el mundo del terrorismo etarra, con comedias de éxito fulminante, como *El otro lado de la cama* (2002) o su continuación, *Los dos lados de la cama* (2005). José Luis García Sánchez, siempre proclive a la exploración de los aspectos menos presentables de la sociedad española contemporánea, y bien auxiliado en general por el sabio oficio del gran guionista Rafael Azcona, cuajó comedias como *Siempre hay un camino a la derecha* (1997) o *La marcha verde* (2000), antes de abordar, con *María querida* (2004), la biografía de la filósofa María Zambrano en una mezcla de documental y ficción a medio camino entre el discurso personal y el apresurado didactismo.

Fernando Colomo, empeñado en afirmar una carrera en la que ha cultivado con proclividad la comedia, ha dedicado sus títulos recientes más interesantes al retrato social *(Eso,* 1997) o a la reconstrucción histórica de un episodio poco conocido de la oposición antifranquista: *Los años bárbaros* (1998). El siempre personal y provocador Bigas Luna, en cambio, no logró superar sus logros anteriores, a pesar de embarcarse en proyectos de gran envergadura industrial, como *La camarera del Titanic* (1997) o *Volavérunt* (1999), tras las cuales regresó a territorios más conocidos, mediterráneos y recorridos por un hálito de sensualidad, con la eficaz *Son de mar* (2001), basada en la novela homónima de Manuel Vicent. Igualmente activo, aunque empeñado en un recorrido artístico marcado por el indeleble sello del más añejo conservadurismo formal —es la suya una carrera construida sobre la reverencial revisitación de algunos de los lugares comunes explotados por el cine franquista—, José Luis Garci ha seguido, imperturbable, acumulando títulos de un indecible aire retro, desde la galdosiana *El abuelo* (1998) hasta las más personales, pero igualmente arcaizantes, *You're the one (Una historia de entonces)* (2000) —retrato en blanco y negro de una improbable postguerra civil— o *Ninette* (2005), forzada revisión del periclitado universo teatral de Miguel Mihura.

Entre quienes debutaron a comienzos de la década de 1980 se cuenta quien sin duda es el cineasta más internacional del cine español contemporáneo, Pedro Almodóvar. Si, a partir de *Mujeres al borde de un ataque de nervios* (1988), había logrado consolidarse no sólo como el cineasta postmoderno por antonomasia sino también ampliar su enorme influencia estética más allá de los límites europeos, su producción más reciente ha ahondado en la internacionalidad de sus propuestas, tan sólidamente ancladas, por paradójico que resulte, en tradiciones hondamente hispanas. Si en *Carne trémula* (1997) intentó, a partir de una novela criminal de Ruth Rendell, un cierto giro en sus propias convenciones, con *Todo sobre mi madre* (1999), emocionante fábula sobre la maternidad y el dolor de la pérdida, construida mediante retales de grandes películas y obras clásicas y sin embargo recorrida por vetas de genialidad y al tiempo por desconcertantes toques casi inverosímiles, obtuvo importantes galardones en Italia, Gran Bretaña o España (hasta siete premios Goya que, de alguna manera, supusieron el gran reconocimiento de la profesión cinematográfica hispana a su sin igual, bien que a veces desigual, trayectoria), así como el Oscar a la

Los años bárbaros (Fernando Colomo, 1998)

mejor película de habla no inglesa. Y si en *Hable con ella* (2002), Almodóvar propuso una parábola sobre la pulsión amorosa de discutibles contenidos, no por ello dejó de obtener, nuevamente, el importante reconocimiento de la Academia de Hollywood mediante el Oscar al mejor guión original. Mucho más coherente resulta, en cambio, el vigoroso ajuste de cuentas, no exento de los habituales toques humorísticos del cineasta, con su propia educación religiosa contenido en *La mala educación* (2004).

Fernando Trueba, quien debutara en el cine profesional en ese mismo 1980 en que lo hiciera Almodóvar, obtuvo con *La niña de tus ojos* (1998), eficaz recreación de los rodajes españoles en estudios alemanes durante la Guerra Civil, el reconocimiento de público y crítica que no lo había abandonado a lo largo de toda su carrera. Pero tras el tropezón que supuso para éste la adaptación de *El embrujo de Shanghai* (2002), Trueba se refugió en la seguridad del documental musical —que ya había abordado dos años antes, con *Calle 54* (2000), sólida filmación sobre las múltiples variaciones del jazz latino—, del que surgió *El milagro de Candeal* (2004), crónica/reportaje sobre la música como terapia social en un arrabal de la brasileña ciudad de Bahía, con absoluto protagonismo del percusionista y agitador social Carlinhos

Calle 54 (Fernando Trueba, 2000)

Brown, al tiempo que se dedicaba igualmente a la producción de discos de algunos de los músicos que más admira, en un sorprendente aunque también coherente desvío en sus preocupaciones estéticas y expresivas.

Por su parte, Imanol Uribe se ha volcado cada vez más hacia la adaptación literaria, aunque con resultados alejados de sus mejores logros, como demuestran las fallidas *Extraños* (1998) o *Plenilunio* (2000), basada en la novela de Antonio Muñoz Molina, en la que el terrorismo etarra aparece siempre como acechante amenaza; e incluso *El viaje de Carol* (2002), según una novela de García Roldán, sobre las vivencias de una niña en la ríspida España de postguerra. Mucho más riguroso en sus elecciones, Montxo Armendáriz siguió cultivando su paciente e inspirada filmografía con la sensible crónica de iniciación a la vida que supone *Secretos del corazón* (1997) y la reconstrucción de las penurias del maquis y de la árida vida cotidiana en la España de la década de 1940 que es *Silencio roto* (2001). Con *Obaba* (2005), sólida adaptación de varios relatos de Bernardo Atxaga, inició un nuevo derrotero en su carrera, esta vez marcado no sólo por sus habituales reflexiones sobre el pasado, sino también por un impensado viraje hacia los siempre difíciles terrenos de lo fantástico cotidiano.

La lengua de las mariposas (José Luis Cuerda, 1999)

José Luis Cuerda puede adjudicarse el mérito del descubrimiento de Alejandro Amenábar, uno de los talentos jóvenes de mayor éxito en los últimos años. Pero entre sus varias producciones como director en el periodo, casi siempre basadas en relatos previos, sólo merece reseñarse la popular *La lengua de las mariposas* (1999), sobre la novela homónima de Manuel Ribas, y una vez más (es uno de los temas recurrentes del cine español desde la Transición, e incluso antes), la revisión de las trágicas consecuencias que la Guerra Civil tuvo para la formación de toda una generación de nuevos españoles. El fecundo Gerardo Herrero, uno de los más activos productores de los últimos veinte años, es el responsable como director de una abundante filmografía entre la que destaca la que sin duda es su obra más inspirada, *Las razones de mis amigos* (2000), doliente, casi airado ajuste de cuentas con su propia generación, a partir de una denuncia de los comportamientos progresivamente aburguesados e integrados en el consumo de los otrora luchadores antifranquistas. Ventura Pons, entre lúcido artesano y perspicaz orfebre capaz de mantener una producción de casi un título por año (el único, por lo demás, en todo el cine catalán), ha seguido imperturbable una carrera en la que la adaptación de obras originalmente escritas para la escena teatral, primera dedicación en su historial creativo, se ha demostrado en los últimos tiempos particularmente interesante, tal como lo testimonian *Caricias/Carícies* (1998) y *Morir (o no)* (2000), según Sergi Belbel o *Actrius /Actrices* (1997) y *Amic/ Amat / Amigo/Amado* (1998), según Josep Maria Benet i Jornet. Pero también tiene gran interés su inmersión en el mundo homosexual del escritor estadounidense David Leavitt, adaptado en *Menja d'amor / Manjar de amor* (2002) o su recreación del trasfondo musical de Barcelona entre los años 70 y los 80 incluida en *El gran Gato* (2002), documental biográfico centrado en el inclasificable compositor y cantante catalano-argentino Gato Pérez.

Capítulo aparte merecen algunos francotiradores alejados de los trillados caminos habituales y capaces de reinventar trayectorias siempre a contramano. Lo es Agustí Villaronga, que propuso, en la estremecedora *El mar* (2000), el brutal al tiempo que poético y desgarrador abordaje de la postguerra en la Mallorca de su infancia, mientras que, en unión con Isaac P. Racine y Lydia Zimmermann, firmaba uno de los (falsos) documentales más estimulantes de la época, *Aro Tolbukhin, en la mente del asesino* (2002), centrado en un improbable asesino serial de origen húngaro y actuación latinoamericana. Lo es también Javier Maqua, cineasta guadianesco que fijó su acerada mirada sobre realidades de marginación y exclusión sociales en un díptico que no ha tenido continuidad, formado por *Chevrolet* (1997) y la esperpéntica y al tiempo desopilante *Carne de gallina* (2001).

Y lo es, en fin, José Luis Guerín, paciente cultor de un cine extremadamente personal, voluntariamente situado en los ambiguos terrenos colindantes entre el documental y la ficción. Si en *Tren de sombras* (1997) exploraba la estética y las intenciones del cine mudo a través del subterfugio de una *home movie* supuestamente de época, aunque primorosamente reconstruida desde el presente, sólo para bordar un discurso sobre dos de los grandes tótems inspiradores de todo el cine de la modernidad (la memoria y el discurrir del tiempo), *En construcción* (2000) pone sobre el tapete la reconstrucción de un sector deprimido de una gran ciudad, la Barcelona postolímpica, carne de un sentido discurso sobre la manera en que las mutaciones de un entorno urbano en perpetua restauración actúan sobre nuestra propia memoria, siempre con el telón de fondo de una interrogación, formalmente muy ambiciosa, sobre los mecanismos de significación cinematográfica, una constante en la obra de uno de los directores más autoconscientes de todo el cine español contemporáneo.

En construcción (José Luis Guerín, 2000)

5. NUEVAS HORNADAS

Si hacemos un alto en el recorrido generacional para dedicar un epígrafe concreto a aquellos cineastas que rodaron su primer largometraje en la década de 1990, no es por otra razón que para marcar la importancia de una oleada de debutantes que no tiene parangón en toda la historia del cine español. Cuantitativamente, nada menos que 251 realizadores comenzaron su andadura entre 1990 y 2001[5], y esa tendencia, lejos de moderarse, se ha acrecentado aún más en los primeros años del nuevo siglo. Muchas son las razones que explican el fenómeno. La primera radica en la Ley de 1994, plataforma abierta a una producción mucho más generosa que la del periodo anterior para el acceso a la profesión de nuevos realizadores selectivamente protegidos por las sub-

[5] Carlos Heredero y Antonio Santamarina: «Paisajes creativos de la última década del siglo XX», en Carlos Heredero y Antonio Santamarina (eds): *Semillas de futuro. Cine español 1990-2001*, Sociedad Estatal España Nuevo Milenio, Madrid, 2002.

venciones públicas y seleccionados por los productores —con sueldos mucho más reducidos que los de los veteranos— para explorar nuevas vías de un mercado sometido a una taquilla desconcertante que procede de nuevas generaciones de espectadores contaminados por otras formas de comunicación, como Internet, la televisión más o menos a la carta o la industria del video-juego. Pero también se debe considerar como un factor crucial la democratización del acceso a la dirección que supone la irrupción de las tecnologías digitales, no sólo en los procesos de rodaje, sino también en la postproducción y en el montaje; eventualmente, también en la exhibición, aunque aún de manera tímida. La utilización de cámaras digitales ha provocado la cada vez mayor irrupción, muchos de ellos en régimen de autoproducción, de jóvenes (32 en 2000, 37 en 2001, contra 14 en 1990 o 13 en 1991, por poner sólo un ejemplo), y se hace particularmente visible en el terreno del documental. Pero no sólo en él, sino también en los rodajes de gran presupuesto: no hay más que recordar el ejemplo de *Lucía y el sexo* (2001) de Julio Medem, en la cual la movilidad de la cámara permite la perfecta transmisión de la propia inestabilidad de la vida de los jóvenes que protagonizan la película.

Y aunque no todos los debutantes en la década de los noventa son parejamente jóvenes (por poner un par de ejemplos, Agustín Díaz Yanes tiene 45 años y cinco guiones para otros directores a sus espaldas cuando debuta, en la dirección, con la impactante peripecia *noir Nadie hablará de nosotras cuando hayamos muerto*, en 1995; o Manuel Gómez Pereira, que cuenta ya 34 años y unas cuantas ayudantías cuando debuta como director con *Salsa rosa*, 1992), lo cierto es que será en la segunda mitad de la década cuando se consoliden las carreras de los mejor dotados de entre ellos. Cronológicamente, el primero de los debutantes de lo que bien podríamos llamar la «generación de los noventa»[6] fue Julio Medem, quien desde 1992 ha desarrollado una carrera en la que casi siempre ha contado con el favor del público, sobre todo joven. Sus historias cálidamente románticas, aunque frecuentemente recorridas por un hálito trágico, suelen presentar como característica claramente distintiva el uso de fructíferas bifurcaciones narrativas que lle-

---

[6] Carlos F. Heredero, *Espejo de miradas. Entrevistas con nuevos directores del cine español de los años noventa*, Festival de Cine, Alcalá de Henares, 1997.

Lucía y el sexo (Julio Medem, 2001)

van sus argumentos hacia terrenos inexplorados, tal como atestiguan *Tierra* (1996), *Los amantes del círculo polar* (1998) y *Lucía y el sexo* (2001), tal vez su obra más conseguida, en la que el encuentro entre diferentes personajes en el límite crea situaciones de pérdida y fuga que tendrán consecuencias siempre en el futuro. Comparte Medem con otros compañeros generacionales el gusto puntual por el cultivo del documental. En su caso, aportó un valioso film de no ficción con la polémica *La pelota vasca. La piel contra la piedra* (2003), contribución personal a un posible debate sobre el final de la violencia en Euskadi, duramente atacada desde las filas del gobierno derechista por su supuesto carácter no beligerante contra la organización terrorista ETA, aunque bien vista por otros sectores sociales por lo que tiene de invocación al diálogo y vigorosa puesta en imágenes de la situación social y política del viejo País Vasco.

Mucho más interesado en el abordaje de lo social en su cine, a pesar de que su primer largometraje, *Familia* (1996), hablaba justamente de un ámbito más reducido, la institución familiar, para atacar de raíz sus convenciones y falsedades más frecuentes, Fernando León de Aranoa trazó después en *Barrio* (1998), y más tarde con la exitosa y multipremiada *Los lunes al sol* (2002, 2,3 millones de entradas vendidas), contundentes y a la vez muy precisos retratos de periferia urbana, ilusiones rotas, paro obrero y reconversión industrial caracterizados por guiones férreamente escritos y mejor dialogados, fruto de su previa experiencia como guionista «para todo» desde comedias cinematográficas hasta series y programas de televisión. Y si Medem se ocupó de su Euskadi natal en un documental, León se fue más lejos, hasta la remota Chiapas y la insurgencia zapatista, para componer, en *Caminantes* (2001), un muy interesante cuadro sobre las aspiraciones de los postergados indígenas mexicanos.

David Trueba, hermano menor de Fernando Trueba, guionista y cada vez más frecuente escritor, debutó como director con una película hermosamente generacional, *La buena vida* (1996), que muestra su admiración por el cine de la Nouvelle Vague, a la que siguió el feroz retrato de envidias artísticas contenido en la hilarante aunque negrísima y hasta sádica *Obra maestra* (2000). Cineasta ecléctico en lo que tiene que ver con la elección de sus temas, dio un impensado giro artístico a su carrera con la notable *Soldados de Salamina* (2003), su mayor éxito de público, adaptación de la novela homónima de Javier Cercas y uno de los fenómenos literarios españoles de las dos últimas

Los lunes al sol (Fernando León de Aranoa, 2002)

décadas. La indagación de una escritora y profesora universitaria sobre la memoria de la Guerra Civil se mezcla con una sentida reivindicación de los anónimos luchadores contra el fascismo y con retazos de la historia del dirigente falangista Sánchez Mazas, detenido por las tropas republicanas. Salvador García Ruiz, guionista y no muy fecundo director, debutó con un film generacional, *Mensaka* (1998), que no hacía prever el interés creciente que su carrera adquiriría desde su siguiente film, la sensible crónica social *El otro barrio* (2000), y sobre todo su impecable recreación, debidamente transportada a la España de los cincuenta, de la novela de Natalia Ginzburg adaptada como *Las voces de la noche* (2003). Con tan sólo dos largometrajes a sus espaldas, Víctor García León, hijo del también director José Luis García Sánchez, apunta modos más que interesantes y una mirada entre crítica y tierna sobre unos personajes desvalidos que en ocasiones bordean la candidez, pero que en otras se comportan como indomables cínicos irresponsables. Así lo atestiguan su debut, *Más pena que Gloria* (2001), o la implacable *Vete de mí* (2006), impagable duelo interpretativo basado en las relaciones entre un hijo y un padre que no tiene ninguna vocación de serlo.

Los lobos de Washington (Mariano Barroso, 1999)

A diferencia de los cineastas hasta aquí citados, la carrera del catalán Cesc Gay no comenzó en España, sino en Nueva York, donde rodó una modesta aunque ya interesante película *underground* de tintes negros, *Hotel Room* (1997), codirigida con el argentino Daniel Gimelberg, para cuya finalización debió recurrir a financiación española. Su arranque en solitario se produjo con *Krámpack* (2000), turbia peripecia sobre el despertar sexual de un adolescente, a la que siguió, en una línea de interés netamente ascendente, su recreación de formas de vida y mentalidades de los propios miembros de su generación, abordados en la compleja y absorbente *En la ciudad* (2002). También la formación cosmopolita y el interés por el cine criminal anglosajón se hacen patentes en el film de exordio de un reputado escritor súbitamente metido a cineasta, Ray Loriga, autor de la insólita *La pistola de mi hermano* (1997). Mariano Barroso ha cultivado el mismo género en *Éxtasis* (1996) y *Los lobos de Washington* (1999) y los ecos delictivos aparecen también reflejados en uno de los exordios más memorables del periodo, el de Achero Mañas, hijo del dramaturgo y guionista Alfredo Mañas, autor de *El Bola* (2000), desgarrada crónica del maltrato infantil que esconde toda una lección de tolerancia y exigencia de respeto hacia la vida de los seres diferentes.

La televisión autonómica, en este caso Canal Sur, como motor de la producción está detrás de la consolidación de un nuevo polo productivo en Sevilla. Allí se forjó el éxito de Benito Zambrano, cuyo guión para el film *Solas* (1999) se paseó por muchas oficinas madrileñas antes de recalar en Maestranza Films, una productora andaluza habitual proveedora de contenidos de la televisión autonómica. Su repercusión en la taquilla, casi un millón de espectadores, actuó como la espoleta que precipitó el debut de otros dos cineastas de trayectoria interesante, Santi Amodeo y Alberto Rodríguez, firmantes al alimón de una inspirada aunque un tanto vacilante película de inequívoco aire independiente *(El factor Pilgrim*, 2001), antes de obtener sonoros respaldos de crítica y, más moderadamente, también de público con *Astronautas* (2004) y *Cabeza de perro* (2006), ambas de Amodeo; y con *El traje* (2002) y *7 vírgenes* (2005), de Rodríguez.

Al margen de modas y tendencias se sitúa la producción de algunos cineastas que han hecho de la interrogación formal y de la más estricta independencia sus bazas más sobresalientes. Sus films llegan mal a las carteleras y suelen ser, en su mayor parte, producciones de empresas situadas en los márgenes de la industria, pero no por ello resultan menos interesantes. Es el caso del crítico de arte y escritor Pablo Llorca, que desde su debut en un film virtualmente clandestino, *Venecias* (1989), y a partir de sus propias marcas de producción, y en ocasiones ayudado en formatos digitales, realizaría en el periodo un film desequilibrado pero rompedor, *Todas hieren* (1998), otro que constituye toda una indagación sobre el amor y sus heridas a veces irreparables (uno de los grandes temas que recorre centralmente su filmografía), *La espalda de Dios* (2001), antes de *La cicatriz* (2004), un film rodado en Alemania y hablado en inglés y alemán, sobre un oscuro episodio de traiciones en tiempos de la Guerra Fría. Igualmente inclasificable resulta la filmografía del catalán Marc Recha, quien debutó en 1991 nada menos que con una versión de la intraducible novela de Eugeni d'Ors *La oceanografía del tedio*, que dio origen a *El cielo sube*. Dado que el film pasó completamente desapercibido fuera de estrechos círculos de iniciados, la carrera de Recha sufrió un parón que el interesado logró rellenar con algunos cortometrajes, antes de sorprender con la hermosa reflexión sobre la vida rural y el paso del tiempo contenida en *El árbol de las cerezas / L'arbre de les cireres* (1998), uno de los mejores filmes españoles de los noventa, al que seguirían peripecias teñidas de autobiografía, como *Pau i el seu germà / Pau y su hermano* (2001) —proyectada en la sección oficial del festival de Cannes— o la coproducción *Las manos vacías / Les mans buides* (2003), que consolidó la carrera del joven realizador. Finalmente, Gonzalo López Gallego debutó en la realización con un film completamente a contracorriente, *Nómadas* (2001), en el que una historia compleja se desarrolla con una elegancia formal que sería, desde entonces, una de sus marcas de estilo. Con *Sobre el arco iris* (2004), film itinerante e igualmente autorreflexivo, ahondó su territorio de búsquedas hacia la agilidad que le dan los formatos digitales, en una historia en la que la cámara se convierte en el personaje central de toda la peripecia, teñida, como en su film de exordio, de elementos criminales.

Surge también en este periodo una nueva generación de mujeres cineastas, igualmente en una proporción sin parangón en la historia del cine español (entre 1990 y 2001 debutan nada menos que 33), como parte de una renovación que afectará también a la mayor parte de los rubros profesionales en que se divide la actividad cinematográfica. De entre esas debutantes, algunas han escalado muy alto. Es el caso de Isabel Coixet, cuya débil carta de presentación *(Demasiado viejo para morir joven / Massa vell per a morir jove,* 1988) no le impidió, casi una década después, sorprender con una película, *Cosas que nunca te dije/ Things I never told you* (1996), rodada en inglés, con actores mayoritariamente estadounidenses y en suelo norteamericano, en la que se aprecian ya con plena madurez algunas de las características que recorrerán su futuro cinematográfico: la influencia de históricos autores europeos pero también una sensibilidad muy afín al cine independiente estadounidense; una atención primorosa en el abordaje de los conflictos amorosos, verdadero motor de todas sus posteriores ficciones; y una escritura tersa y con original vuelo poético, en la que en ocasiones se aprecia la fuerte impronta de su paralela carrera como realizadora publicitaria. De su pluma y de su cámara nacerían algunos de los grandes títulos del reciente cine español, como la emocionantemente rigurosa revisitación de la mitología romántica contenida en *A los que aman* (1998) o la estremecedora *Mi vida sin mí* (2003), en la que los últimos días en la vida de una joven obrera y madre de dos niños pequeños, afectada de un cáncer terminal, se muestra con una de-

Te doy mis ojos (Icíar Bollaín, 2003)

licadeza y un cuidado en la puesta en escena de los que está exenta toda tentación sensacionalista.

Icíar Bollaín, sin abandonar por completo su anterior carrera de actriz (fue la protagonista, por ejemplo, de *Leo* de José Luis Borau), confirmó las expectativas puestas tras su debut como directora con *Hola ¿estás sola?* (1995) filmando, con *Flores de otro mundo* (1999), una historia hecha de nuevas realidades sociales, las que protagonizan los inmigrantes que, en número siempre creciente, y desde destinos tan alejados como Pakistán o América Latina, han fijado su residencia en España. Y si en este film no sólo no se obvia, sino que se explicita una mirada de género sobre la situación de las mujeres, ello se hace mucho más nítido aún en *Te doy mis ojos* (2003), en el que los maltratos físicos y sicológicos sufridos por una mujer de clase media, asediada por su compulsivo marido en una capital de provincias, encontraron amplio eco en un público sensibilizado por similares noticias aparecidas en los medios de comunicación.

Hija del más influyente de los productores independientes españoles, Gracia Querejeta ha consolidado una trayectoria como directora en la que la pulcritud de la puesta en escena o el cosmopoli-

Poniente (Chus Gutiérrez, 2003)

tismo de algunas de sus propuestas (como *El último viaje de Robert Rylands,* 1996, basada en una novela de Javier Marías) queda a menudo empañada por una incómoda frialdad en el abordaje de los sentimientos que lastran las ambiciones artísticas que, sin excepción, suelen ser la marca de estilo de sus creaciones. Chus Gutiérrez es autora de ocho largometrajes hasta la fecha, no particularmente marcados por una ambición de estilo, pero entre los que destacan la curiosa comedia de tintes negros *Insomnio* (1997) y muy especialmente *Poniente* (2003), vigorosa denuncia de las condiciones de explotación a las que son sometidos los trabajadores extranjeros en los invernaderos de Almería. Junto a ellas, merecen mencionarse igualmente algunos logros de cineastas que debutaron hacia los ochenta, como Rosa Vergés (con la interesante propuesta infantil *Tic tac,* 1997); pero también de otras de más reciente incorporación en el oficio, como Helena Taberna (*Yoyes,* 2000), Patricia Ferreira (*El alquimista impaciente,* 2002) o María Ripoll, la solidez de cuyo cometido ha quedado de manifiesto en la insólita comedia *Lluvia en los zapatos* (1997) y en el contenido melodrama generacional *Tu vida en 65 minutos* (2005).

Muchos de los realizadores que debutaron en los noventa ya no responden a la tradición autoral que caracterizaba a sus homólogos de los sesenta. Miembros de una generación formada en el cajón de sastre de la televisión y su indiscriminada oferta de películas, series, reportajes y programas de entretenimiento, estos cineastas ajustan mucho más sus propuestas a la tradicional clasificación de géneros, aunque también con el desparpajo, en ocasiones desembozadamente postmoderno (Álex de la Iglesia, Santiago Segura), de la desprejuiciada mezcla y contaminación genérica. Sin lugar a dudas, el mejor tratado por las plateas de entre estos directores ha sido Alejandro Amenábar. Su debut, en 1996, con *Tesis*, un extraño thriller *à clé* de ambiente universitario, dejó ya en evidencia su interés por recorrer los caminos del film genérico, aunque en su segundo largometraje, *Abre los ojos* (1997), que conocería un *remake* estadounidense (*Vanilla Sky*, 2001, de Christopher Crowe), lo criminal aparecía filtrado por el tamiz del fantásti-

Mar adentro (Alejandro Amenábar, 2004)

co. Tras el apoteósico éxito de *Los otros* (2001), un sólido film histórico de fantasmas protagonizado por Nicole Kidman y coproducido por el entonces marido de ésta, Tom Cruise, Amenábar revisó otro género, el melodrama, en *Mar adentro* (2004). Esta crónica del suicidio asistido de un tetrapléjico gallego, Ramón Sampedro, no sólo sedujo a los académicos de Hollywood, que la galardonaron con el Oscar al mejor film de habla no inglesa, sino que provocó un impacto mediático en España, bien promocionado por los medios afines a su coproductora, Sogecine, que resucitaría el debate sobre el derecho a la eutanasia para enfermos terminales.

Álex de la Iglesia, que ya había presentado sus sólidas credenciales en 1992 con la esperpéntica historia de ciencia-ficción *Acción mutante,* se orientó a continuación hacia el cine de terror, con la peripecia graciosamente teológica y esquinadamente política *El día de la bestia* (1995), y dos años más tarde tanteó una arriesgada aventura estadounidense que culminó con el rodaje de la inquietante *Perdita Durango* (1997), adaptación de un novelista, Barry Gifford, que paralelamente había reclamado la atención de David Lynch. Posteriormente se metió en los linderos de la comedia negra con *Muertos de risa* (1999), una descarnada burla sobre la televisión y la competición entre cómicos, y con *La comunidad* (2000), su mejor película del período, donde abundaban los matices criminales y un indisimulado, bien que irónico, homenaje al cine popular español de los cincuenta. *800 balas* (2002), otro homenaje al cine de géneros de antaño, en este caso el *spaghetti western,* fracasó en taquilla y provocó la ruina de la flamante productora del realizador, que regresó a la palestra con otra ácida comedia de tintes fantásticos, *Crimen ferpecto* (2004), sobre las toscas hazañas amorosas de un improbable galán empleado de unos grandes almacenes.

También por los terrenos de la comedia criminal discurre la exitosa *Airbag* (1997, casi 2,2 millones de entradas), la única contribución apenas atendible del otrora mucho más interesante Juanma Bajo Ulloa, mientras que el cine criminal fue la salida que encontró Daniel Calparsoro tras su debut en el drama de periferia urbana *Salto al vacío* (1995), todavía hoy su mejor película. Ni *Pasajes* (1997), en la que asomaba el interés por mezclar terrorismo y *film noir;* ni *Asfalto* (2000), una película ortodoxamente criminal; ni *Guerreros* (2002), un terreno indefinido entre el film bélico y la recreación de la actuación de los soldados españoles en el conflicto de la ex Yugoslavia; ni, en fin,

800 balas (Álex de la Iglesia, 2002)

Ausentes (2005), que tiene más de peripecia fantástica que de film policiaco, han hecho mucho por la carrera de un director mejor dotado para la puesta en escena que para el guión.

Otro de los debutantes interesados por el cine de género ha sido Enrique Urbizu, sin duda alguna uno de los realizadores más concienzudos y meticulosos a la hora de poner en pie sus películas. De su producción en el periodo destaca poderosamente *La caja 507* (2002), en el que la excusa del género está al servicio de una denuncia sobre uno de los fenómenos más turbios y menos abordados por el cine español entre el cambio de siglo, la especulación inmobiliaria en la costa mediterránea. Con *La vida mancha* (2004), vigoroso drama familiar teñido de negrura y muerte, Urbizu se confirmó como uno de los directores mejor dotados de su generación.

Junto a contribuciones puntuales al cine criminal como *Intactos* (2001) de Juan Carlos Fresnadillo, o *Incautos* (2004) de Miguel Bardem, merece destacarse la trayectoria del antiguo crítico cinematográfico Daniel Monzón, cuyo debut en *El corazón del guerrero* (2000) había evidenciado su gusto por la cita a uno de sus géneros preferidos, el fan-

El corazón del guerrero (Daniel Monzón, 2000)

tástico, en una película cuyo fracaso de taquilla no impidió la continuidad de su seguro oficio mediante la comedia criminal *El robo más grande jamás contado* (2002), desopilante revisitación de las películas de atracos perfectos. Del fantástico y del terror históricos también bebe, y muy abundantemente, Jaume Balagueró. A la producción local *Los sin nombre / Els sense nom* (1999), siguió un resonante éxito internacional con un film de fantasmas, *Darkness* (2002), al que sucedería el también aclamado *Frágiles* (2005), ambos rodados en inglés y con actores británicos y norteamericanos. Paco Plaza, autor de una película terrorífica de corte clásico, *El segundo nombre* (2002), se uniría a Balagueró en el popular documental *OT, la película* (2002), siempre bajo la tutela de la productora barcelonesa Filmax que ha hecho del género fantástico una de sus marcas de fábrica.

Mientras el *biopic* musical fue recorrido por dos veteranos, Jaime Chávarri en un homenaje al cantaor *Camarón* (2005) y Miguel Hermoso en *Lola, la película* (2007), sobre una parte de la vida de la folclórica Lola Flores, con mejores resultados de taquilla que artísticos, no cabe duda de que el género mayor del periodo ha sido, como casi siempre en el cine español, la comedia en todas sus variantes. Desde el elegante clasicismo de Manuel Gómez Pereira, autor de algunas de las mejores de los últimos veinte años (*El amor perjudica seriamente la salud,* 1996; *Cosas que hacen que la vida valga la pena,* 2004), fielmente secundado por el oficio del guionista Joaquim Oristrell (autor, por lo demás, como director, de dos comedias desconcertantes, atípicas y estimulantes: *Novios,* 1999, e *Inconscientes,* 2005), hasta la variante bochornoso-costumbrista que suponen las tres entregas del personaje del desastrado comisario José Luis Torrente, interpretado y dirigido por Santiago Segura (*Torrente, el brazo tonto de la ley,* 1998; *Torrente 2: Misión en Marbella,* 2001, y *Torrente 3, el protector,* 2005), no obstante, el más taquillero de la historia del cine español (3,01, 5,32 y 3,58 millones de entradas vendidas, respectivamente), pasando por renacidas comedias de enredos reforzadas por el tirón que para el público juvenil supone la presencia de actores populares gracias a la televisión.

Epílogo provisional (2005-2008)

CASIMIRO TORREIRO

El cine español posterior a la victoria del partido socialista (PSOE) en las elecciones de marzo de 2004 ha asistido a la definitiva consolidación de las tendencias que se habían apuntado para el periodo anterior. Si el modelo de desarrollo industrial, fuertemente unido también desde el punto de vista legal al destino de las televisiones, hacía que ya no pudiéramos hablar, en puridad, de cinematógrafo, sino más genéricamente de industria audiovisual, lo acontecido en los últimos años en lo que hace a la inversión de las televisiones en el terreno de las películas a estrenar en salas ha confirmado que, dado que están obligadas por ley a producir cine, han reorientado su estrategia en el sector para hacerlo esencialmente a partir de sus propias productoras, mientras se ponen en práctica sinergias, sobre todo desde el punto de vista publicitario, para un mejor aprovechamiento de esos estrenos.

1. LA PRODUCCIÓN

Algunas de las películas más taquilleras de los últimos cuatro años, títulos que sobrepasan el millón de entradas vendidas, tienen el sello de empresas de cariz televisivo como Estudios Picasso Fábrica de Ficción (*Alatriste*, 2006, de Agustín Díaz Yanes; *El laberinto del fauno*, 2006, de Guillermo del Toro; *Días de fútbol*, 2003, de David Serrano; *Los dos lados de la cama*, 2005, de Emilio Martínez Lázaro; *Che*, 2008, de Steven Soderbergh) o Producciones Cinematográficas Tele 5, como la anterior, vinculada a esta cadena (*El orfanato*, 2007, de Juan Antonio Bayona); Ensueño Films / Antena 3 (*El penalti más largo del mundo*, 2005, de Roberto Santiago; *Los Borgia*, 2006, de Antonio Hernández), Sogecine / Grupo PRISA (*La gran aventura de Mortadelo y Filemón*, 2003, de Javier Fesser; *Mar adentro*, 2004, de Alejandro Amenábar) o MediaPro que tiene, a su vez, inversionistas comunes en otra de las cadenas que emiten en abierto, La Sexta (*Vicky, Cristina, Barcelona*, 2008, de Woody Allen; *Princesas*, 2005, de Fernando León de Aranoa, además de algunas películas con más de 500.000 espectadores, como *La vida secreta de las palabras*, 2005, de Isabel Coixet, *Salvador*, 2006, de Manuel Huerga, o *Va a ser que nadie es perfecto*, 2006, de Joaquim Oristrell).

Dejando de lado el caso de MediaPro, que a pesar de mantener una ecléctica política de producción que mezcla el género con el film político o el producto de autor, y a la cual paradójicamente le ha funcionado mucho mejor esta última vertiente que algunas comedias a priori destinadas al gran público, hay una perfecta explicación para el por qué las cadenas invierten y obtienen el éxito con esas películas: en el caso de Amenábar, la inteligente política de promoción de *Mar adentro*, que revivió mediáticamente el tema de la eutanasia, benefició claramente al film, basado, además, en la peripecia vital de un ciudadano que logró amplísima resonancia pública en su calvario personal durante largos años. Tanto *El penalti más largo del mundo* como *Días de fútbol* o *Los dos lados de la cama* son comedias destinadas al gran público que funcionaron según lo previsto, sólidamente asentadas sus campañas publicitarias en la presencia de actores cuya fama se ha forjado en el propio medio televisivo, reforzando así una curiosa endogamia entre ambas pantallas. Las propuestas fantásticas (*El laberinto del fauno*, *El orfanato*) van destinadas al sector más dinámico de la platea, los adolescentes amantes del terror y lo sobrenatural. Y, en fin, el inmenso éxito anterior de las novelas o de los cómics en que se basan *Alatriste* (aunque en este caso la fortuna en la taquilla no parece ajena a la opción de contratar a un actor internacional, Viggo Mortensen, ampliamente conocido por su interpretación de la saga de *El señor de los anillos / The Lord of the Rings*, de Peter Jackson) o los célebres personajes Mortadelo y Filemón deriva ante todo de la ya demostrada ca-

El laberinto del fauno (Guillermo del Toro, 2006)

pacidad de aceptación de las obras que les dan origen entre los lectores hispanos.

En lo que tiene que ver con las cifras de producción, el periodo que se abre con el segundo gobierno de José Luis Rodríguez Zapatero ha visto aumentar, paradójicamente, el número de films producidos, hasta alcanzar cifras que lucen más parecidas a los prolíficos años sesenta que a momentos inmediatamente cercanos.

Año	Esp.	Copr.	Total
2005	89	53	142
2006	109	41	150
2007	115	57	172

Producción de largometrajes en España (Fuente: ICAA).

Este aumento del número de films realizados tiene características similares a las del octenio anterior, vale decir que se trata de películas para cuya producción se alían más de dos empresas, en parte fruto de la legislación que obliga a las televisiones a sumar esfuerzos con productores independientes, pero en parte también gracias a la agilidad con que se realizan las coproducciones con países terceros, o incluso de la propia Comunidad Europea. En lo que hace a la cuota de pantalla obtenida por el cine español en su propio mercado, las cifras en cambio han ido en retroceso de año en año: 16,7% en 2005, 15,4% en 2006 y sólo el 13,5% en 2007. Y todo ello sin contar que, al igual que ocurre en muchos otros países, en los últimos años se ha producido una apreciable contracción de la frecuentación de salas, particularmente visible, entre 2005 y 2006, en el caso del cine de producción española.

Año	Esp.	Extr.	Total
2004	19,3	124,6	143,9
2005	21,3	106,4	127,7
2006	15,4	90,3	105,7
2007	15,8	101,1	116,9

La frecuentación del cine en España (en millones de entradas vendidas) (Fuente: ICAA).

A la vez que el público no abandona del todo las salas, también ha ido erosionando, si no dejando sencillamente obsoletas, otras formas tradicionales del consumo cinematográfico, por ejemplo, el vídeo o el DVD (en virtual retirada, como sistema, en todo el mundo), lo que perjudica seriamente a la industria al imposibilitarle una nueva amortización de los films en un segundo mercado. Más aún que el fenómeno de la piratería en su versión de venta callejera, es el alcance de las descargas ilegales de películas por Internet, ayudada por factores de orden tecnológico, como la amplitud de la alta velocidad en las líneas telefónicas, la que lleva a que algunos industriales del sector, y a pesar de las dificultades de establecer científicamente el volumen de descargas reales que se producen cada año, afirmen que éstas llegaron, en 2007, a los 207 millones de películas «bajadas» de la red, mientras que las previsiones para todo 2008 eran de 350 millones. O dicho de otra forma, 43 películas por internauta y año[1]. Y aunque en estos datos no se distinga entre películas comerciales y films de carácter pornográfico —presumiblemente, una porción alta de estas mismas descargas—, no cabe duda de que los números resultan harto expresivos de los cambios de hábito en el consumo cinematográfico: nunca se ha visto más cine, pero desde luego en soportes y formatos diferentes a los 35 mm y la sala de pago tradicionales.

El panorama de la producción, por lo demás, parece haberse complicado en los dos últimos años, fruto de la propia dinámica empresarial seguida por las empresas televisivas, los imprescindibles *partners* de las empresas independientes españolas. Porque junto a la contracción de la participación de las cadenas de pago en la producción de películas (con el cese de actividades de Sogecable, provocado por la necesaria reestructuración de una empresa abocada a grandes pérdidas, fruto entre otros factores del fracaso de algunas de sus arriesgadas apuestas cinematográficas), hay que agregar igualmente la nueva gestión de la televisión pública, TVE, regulada por la ley 17/2006[2]. El ente público está capitaneado desde 2007 por el periodista Luis Fernández y es ya independiente de las decisiones del gobierno, lo que ha provocado la aparición en la ahora llamada Corporación RTVE, de un nuevo modelo de gestión, mucho más cercano al vigente en las cadenas privadas, lo que ha llevado a los actuales responsables de la principal cadena pública a un evidente descenso de sus inversiones en coproducción o derechos de antena de títulos españoles.

---

[1] Datos de la patronal Asociación Videográfica Española Independiente (AVEI), que agrupa a las pequeñas distribuidoras videográficas dedicadas al cine de autor, recogidos por Paula Ponga: «SOS, *indies* en peligro de muerte», en *Fotogramas*, núm. 1982, diciembre de 2008, págs. 154-160.

[2] Publicada en el Boletín Oficial del Estado núm. 134, del 5 de junio de 2006.

En el orden estrictamente legal, la promulgación de la Ley de Cine 55/2007, 28 de diciembre de 2007[3], pretende regular la nueva situación a que se ha visto abocado el audiovisual hispano. Largamente debatida, comenzada durante el ministerio de una Carmen Calvo que comenzó su mandato invocando el modelo francés de la «exención cultural» para el cine y ultimada ya cuando ésta había dejado el cargo a su sucesor, César Antonio Molina (2007), y con Fernando Lara al frente del ICAA, pero en cuya tramitación realizó una decisiva labor de pacto político la propia vicepresidenta del gobierno, María Teresa Fernández de la Vega, la ley surgió después de un laborioso proceso de consenso entre los muy distintos actores. Las televisiones privadas manifestaron una fuerte y dura oposición, descontentas con el aumento de la obligación de invertir en cine a través de empresas independientes (y siguiendo en esto las directrices comunitarias en la materia) un porcentaje que pasó del 5% del presupuesto de cada cadena, al 6%, y tras una nueva revisión a la baja, luego incluso opuestas a ese 5% que es el que finalmente establece la ley. Una vez aprobada en el Parlamento, ésta necesita aún de un Real Decreto para su desarrollo, con lo cual sigue siendo aún intensamente debatida entre los distintos agentes del sector, lo que indica a las claras hasta qué punto es compleja y nueva la situación en que vive el audiovisual español en la primera década del siglo XXI.

Otro de los fenómenos claramente destacables, y que también viene, en algunos casos, de mucho tiempo atrás, aunque sea sólo ahora cuando se materializa con una visibilidad mayor, es lo que Carlos F. Heredero[4] llamó la «transnacionalización» del cine español. Dicho de otra manera, que por vez primera, y de una forma plenamente conciente, las películas españolas han dado espacio y palabra a una nueva realidad social propia de los tiempos de globalización, llena de ecos, lenguas y culturas diversas y que conviven (a veces no sin grandes conflictos) con los usos y costumbres españolas, tal como lo muestran pelí-

[3] Publicada en el Boletín Oficial del Estado núm. 312, sábado 29 de diciembre de 2007. Consultable igualmente en una publicación ex profeso de la Academia de las Artes y las Ciencias Cinematográficas de España.

[4] Carlos Heredero: «Miradas con horizontes», en Burkhard Pohl y Jörg Türschmann (eds.): *Miradas glocales. Cine español en el cambio de milenio*, Iberoamericana/Vervuert, Madrid/Frankfurt del Mein, 2007, págs. 10-11.

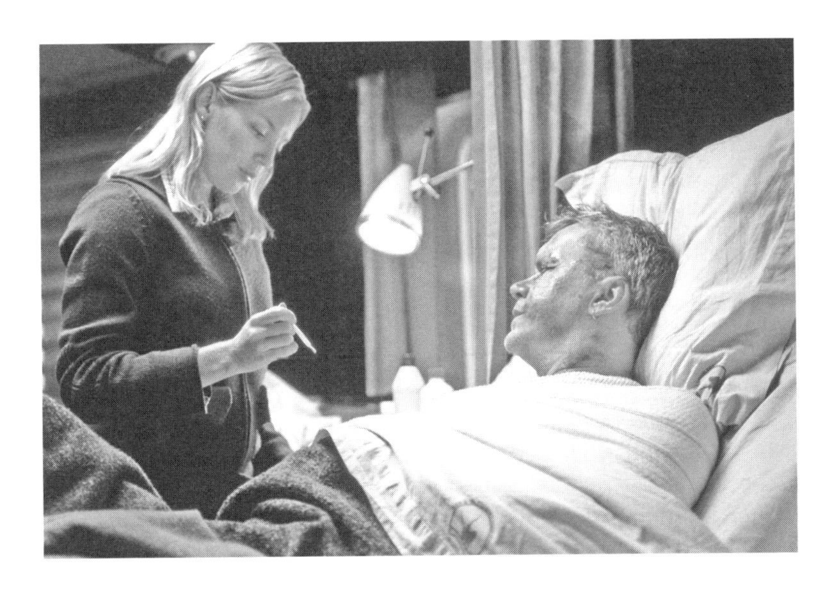

La vida secreta de las palabras (Isabel Coixet, 2005)

culas tan diferentes entre sí como *Susanna* (Antonio Chavarrías, 1996), *Poniente* (Chus Gutiérrez, 2002), *Tomándote* (Isabel Gardela, 2000), *Mi vida sin mí* (2003) y *La vida secreta de las palabras* (2005) de Isabel Coixet o *El próximo Oriente* (Fernando Colomo, 2006), por poner sólo algunos ejemplos, que podrían ser muchos más. Y también se ha operado, en los cuatro últimos años, una transnacionalización progresiva de las carreras de intérpretes que, tras los pasos pioneros de Antonio Banderas —cuya carrera estelar en Hollywood no le ha impedido regresar a España como director de *El camino de los ingleses* (2005), sensible retrato generacional de Málaga durante los setenta a partir de la novela de Antonio Soler—, han recalado en el cine aún más poderoso de este principio de siglo, el estadounidense. Javier Bardem (quien incluso llegó a obtener el primer Oscar para un actor español por su interpretación en la producción norteamericana *No es país para viejos / No Country for Old Man*, 2007, de los hermanos Joel y Ethan Coen), Penélope Cruz (nominada al Oscar por *Volver*, 2006, de Pedro Almodóvar y galardonada por *Vicky, Cristina, Barcelona* en 2009) o Paz Vega alternan con perfecta naturalidad encargos a los dos lados del océano, en

Vicky, Cristina, Barcelona (Woody Allen, 2008)

una proporción y con papeles de una entidad hasta ahora desconocida entre nosotros. Esto se amplía también a los directores, contratados por productoras estadounidenses en un contexto de globalización creciente, y casi desde el comienzo de sus carreras: Juan Carlos Fresnadillo, J. A. Bayona, Luiso Berdejo, Gonzalo López Gallego o Daniel Calparsoro, mientras otros, como Isabel Coixet, puede asumir encargos anglosajones y rodados en inglés, como *Elegy* (2008), antes de rodar en Japón *Mapa de los sonidos de Tokio* (2009). Sin olvidar, por lo demás, que Barcelona y otros escenarios españoles han sido elegidos por cineastas consagrados en el mercado internacional, como Woody Allen (*Vicky, Cristina, Barcelona*, 2008, producción MediaPro) o Alejandro González Iñárritu (*Biutiful*, 2009).

Y también al terreno de una cierta transnacionalización institucional pertenece el Programa Ibermedia. Nacido en noviembre de 1997 como una iniciativa de la Cumbre Iberoamericana de Jefes de Estado y de Gobierno, y con la forma de un fondo nutrido por los países miembros, su finalidad principal es el estímulo a la producción de cine y televisión para países de la comunidad iberoamericana (la mayor parte de los latinoamericanos, más Portugal y España), tanto en su vertiente de producción de contenidos como de distribución y de fomento a la formación de nuevos talentos. Pero en la práctica, su principal aportación ha sido el impulsar las relaciones entre productoras de ambos lados del Atlántico, e incrementar así el número de películas nacidas bajo su influjo. Y si en 1998, el primer año en que el fondo fue operativo, éste financió parcialmente 15 coproducciones, el número de éstas se incrementaría sin cesar y de año en año: 19 en 2000, 30 en 2003, 35 en 2005 o 49 en 2007, contribuyendo a estrechar aún más los lazos profesionales entre América y Europa.

2. La creación

A partir de 2004 se ha consolidado la carrera de algunos nuevos directores portadores de una mirada claramente diferenciada. Entre quienes han iniciado su andadura profesional ya entrado el siglo XXI, merece destacarse ante todo a Jaime Rosales, quien sorprendió en su debut con un áspero, tremendo film sobre la rutinaria cotidianidad de un asesino en serie, *Las horas del día* (2003). Pero su carrera adquirió nuevos vuelos con un auténtico mazazo sobre la incomunicación y el drama cotidiano de gentes anónimas que es *La soledad* (2007), con la que, contra todo pronóstico, se hizo con los máximos galardones de la entrega 2008 de los premios Goya. Y si en este film asomaba ya la siniestra sombra del terrorismo, ésta se hacía el verdadero eje del más radical discurso cinematográfico sobre la actuación etarra abordado hasta la fecha por el cine español, *Tiro en la cabeza* (2008), una película sin diálogos, en la que los terroristas son vistos en su deambular cotidiano por una cámara implacable, que les niega cualquier tipo de explicación para sus actos, convertidos sólo en ceremonia de muerte y dolor.

Tan peculiar como Rosales, e incluso mucho más radical en sus planteamientos cinematográficos, el gerundense Albert Serra realizó un concienzudo desmontaje de sentido nada menos que de *Don Quijote de la Mancha* en *Honor de cavalleria / Honor de caballería* (2006), en la que los impagables diálogos, dichos además para mayor heterodoxia en riguroso catalán, entre un Don Quijote cansado pero raramente parlanchín chocan con el mutismo campesino y ancestral de un Sancho Panza incómodamente parco, en un film que, como su siguiente propuesta *(El Cant dels Ocells,* 2008, centrada en el mito de los Reyes Magos) ha tenido amplia acogida en festivales internacionales, comenzando por el de Cannes. Menos radical en las formas, pero no en los contenidos de su historia, Daniel Sánchez Arévalo propuso, en su exordio *Azuloscurocasinegro* (2006) una terrible mirada sobre el día a día de un joven atropellado por una vida que no le da ninguna ocasión para la felicidad.

Entre quienes han seguido con una carrera de alto riesgo artístico y sin ninguna concesión a la facilidad, merece destacarse, en primer lugar, José Luis Guerín, quien después de un silencio de siete años volvió a la realización con la exigente *En la ciudad de Sylvia* (2007), a la que va anexo un extraño film-ensayo hecho de fotografías fijas, *Algunas fotos en la ciudad de Sylvia* (2008), sólo visto en algunas proyecciones aisladas, aunque editado en DVD, que se propone como una explicación, con otras formas, de las intenciones del film anterior. Y si en *Tren de sombras* el director investigaba sobre el cine mudo y sus posibilidades expresivas más allá de la palabra, y lo hacía con ingredientes tomados casi en préstamo del documental, aquí la interrogación se dirige hacia la estética y el alcance de los lenguajes de la modernidad, una interrogación enmascarada en el aparentemente anodino deambular de un viajero por una ciudad, Estrasburgo, en la que alguna vez conoció a una mujer llamada Sylvia, cuyo recuerdo persigue obsesivamente.

Pero también la cada vez más consolidada como una de las voces más personales de la «generación de los noventa», Isabel Coixet, quien abordó en *La vida secreta de las palabras* (2005) las cicatrices, visibles e invisibles, del conflicto bélico en los Balcanes, en la trabajosa relación que establecen un herido por una explosión laboral y una taciturna enfermera, víctima de la guerra en la antigua Yugoslavia, en el increíble y aislado escenario de una plataforma petrolífera. El éxito internacional del film, protagonizado por Tim Robbins y Sarah Polley, le permitió abordar encargos tan ambiciosos como *Elegy (*2008), producción íntegramente estadounidense, basada en la novela de Philip Roth *El animal moribundo,* y con un reparto tan internacional como el de la mayor parte de sus films, en el que el autismo emocional de un profesor universitario es puesto duramente a prueba por un amor otoñal e indeciblemente triste. Marc Recha, por su parte, consolidó su apuesta por un cine diferente, difícilmente encasillable en categorías como

La soledad (Jaime Rosales, 2007)

«ficción» o «documental» con el itinerante e inquisidor de sus propias formas *Días de agosto / Díes d'agost* (2007), bellísimo homenaje a algunos de los cineastas más admirados por el autor, entre ellos Terrence Malick. Junto a ellos, Fernando León de Aranoa, con *Princesas* (2005), mezcló lo privado con la radiografía social, a partir de la amistad entre dos jóvenes prostitutas, una española y la otra latinoamericana, para hablar de sus sueños, sus esperanzas, sus frustraciones y la dureza cotidiana de la vida que han elegido... o no han podido elegir. Y que Icíar Bollaín no ha renunciado a explicar el mundo desde su posición de mujer lo deja palmariamente de manifiesto un film como *Mataha-*

ris (2007), en el que un tema hasta ahora tan abiertamente masculino como es el mundo de los investigadores privados es mostrado a partir del protagonismo coral de un grupo de mujeres detectives, en un planteamiento insólito que desmonta no sólo la cómplice mirada del género criminal sobre el mundo de los hombres sino también muchos de los lugares comunes que el *film noir* ha acuñado a lo largo de las décadas de su existencia

Además de ellos, el argentino radicado en Barcelona Julio Wallowits y el catalán Roger Gual, biznieto del pionero cinematográfico Adrià Gual, firmaron al alimón, en 2002, *Smoking Room,* acerada crítica de las relaciones laborales en una gran empresa contemporánea, que fue su acertada carta de presentación en sociedad. Ya en solitario, Gual firmaría el más duro alegato sobre la educación de los hijos de la generación contestataria de los sesenta, con *Remake* (2006), uno de los escasos, e intempestivos, ajustes de cuentas generacionales que firma el cine español del periodo. Mucho más arriesgado, aunque no por ello más afortunado, Wallowits firmó ese mismo año un film insólito, *La silla,* homenaje a cierto cine de vanguardia de los sesenta, recorrido por un hálito de surrealidad ciertamente infrecuente en el cine hispano.

Pero no sólo los jóvenes explican el último cine español. Hay que contar también con directores de carrera exitosa, como Pedro Almodóvar, quien ha continuado con sus indagaciones sobre los sentimientos, la culpa y el peso de las tradiciones familiares, como en *Volver* (2006), que presenta en su superficie la habitual brillantez de las propuestas del manchego. Felipe Vega ha propuesto un curioso díptico sobre la dificultad de las relaciones de pareja, traiciones incluidas, compuesto por *Nubes de verano* (2004) y *Mujeres en el parque* (2007), mientras que ese personaje guadianesco, pero siempre original que es el novelista, crítico musical y esporádico director Álvaro del Amo con *El ciclo Dreyer* (2006) logró no sólo la mejor película de su larga dedicación al cine, sino un artefacto extraño, complejo y autoconsciente, un meta-discurso sobre el amor y la atracción ambientado en un cineclub madrileño de la década de los sesenta.

También son de mencionar algunas contribuciones de veteranos, como algunos de los nombres históricos de la Escuela de Barcelona, entre los que destaca la siempre sinuosa trayectoria de Pere Portabella. Fiel a su estilo y a sus más rotundas investigaciones estéticas, el direc-

El pollo, el pez y el cangrejo real (José Luis López-Linares, 2008)

tor catalán cuajó en *El silencio antes de Bach / El silenci abans de Bach* (2007) una de las películas más hermosas, excitantes y preñadas de ideas (visuales, de puesta en escena; pero también conceptuales, y hasta cinematográficamente programáticas) del cine español de las últimas décadas. Joaquim Jordá, por su parte, culminó su apasionante búsqueda en el terreno del documental con *Más allá del espejo* (2006), película póstuma en la que indaga en la vida de personajes que, como él, sufren de una extraña enfermedad neurológica, la agnosia. Y dando un nuevo giro a su carrera, Manuel Gutiérrez Aragón firmó el díptico que parece finalizar su ya larga dedicación al cine, compuesto por *Una rosa de Francia* (2005), paradójica recreación de la Cuba en vísperas de la revolución castrista, cargada de metáforas perfectamente contemporáneas, y *Todos estamos invitados* (2007), una tan cívicamente arriesgada como cinematográficamente fallida denuncia de los mecanismos de coacción que emplean los terroristas etarras y sus adláteres no fichados en la sociedad vasca contemporánea, tras la cual anunció su definitivo alejamiento de la dirección.

El documental es, finalmente, uno de los terrenos más persistentemente recorridos por los cineastas de las nuevas hornadas, y no sólo por ellos. De hecho, el fenómeno del cine de no ficción arranca con fuerza en España, después de su poderosa eclosión en los años de la Transición, muy pronto oscurecida por la falta de un público adepto, tras el solitario intento de Víctor Erice con *El sol del membrillo* (1992) hacia mediados de la década de los noventa, cuando Javier Rioyo y José Luis López-Linares firman al alimón *Asaltar los cielos* (1996), una punzante reflexión sobre los ideales revolucionarios a lo largo del siglo XX, con la excusa de la revisión del asesinato de León Trostki por parte del estalinista Ramón Mercader, a la que siguieron *A propósito de Buñuel* (2000) o *Extranjeros de sí mismos* (2000), antes de que la pareja se separara; desde entonces, López Linares ha firmado en solitario títulos tan valiosos como *Un instante en la vida ajena* (2003), galardonada con el Goya, o *El pollo, el pez y el cangrejo real* (2008).

Plenamente consolidado a partir de una necesidad concreta, la de las televisiones especializadas que se ocupan prioritariamente del documental histórico, y movido también por la programación de algunos canales autonómicos (lo que explica la consolidación de polos de producción en lugares de tradicional arraigo cinematográfico, como Cataluña, pero de menor tradición, como Galicia y el País Vasco), el

La leyenda del tiempo (Isaki Lacuesta, 2006)

documental arranca el siglo XXI con numerosos nombres que conviene tener en cuenta de cara al futuro. Algunos provienen del Master de Documental de la catalana universidad Pompeu Fabra, como Mercedes Álvarez y su multipremiada inmersión en sus propios recuerdos de infancia *(El cielo gira,* 2004), Ariadna Pujol *(Aguaviva,* 2006) y sobre todo el más constante de entre los ex alumnos del master, Isaki Lacuesta. Realizador de un apasionante collage hecho a partir de las (muy pocas) imágenes que se conservan del dandy, poeta y boxeador Arthur Cravan *(Cravan vs Cravan,* 2002), incursionó en la vida de otro personaje fascinante, el cantaor Camarón de la Isla, objeto de un abordaje muy lateral en la espléndida *La leyenda del tiempo* (2006). También merecen ser mencionados otros profesionales cuya obra muestra a las claras el dinamismo de un tipo de cine tradicionalmente menospreciado por la producción comercial al uso: Carles Bosch y Josep Maria Doménech, quienes en *Balseros* (2002) dieron cuenta del difícil exilio económico cubano en EE.UU., en un film que, a sus numerosos galardones internacionales, unió incluso una nominación al Oscar del mejor film de no ficción del año; Javier Corcuera, quien actualizó el documental con intenciones socio-políticas con *La espalda del mundo* (2000) y, sobre todo, con el estremecedor *Invierno en Bagdad* (2005); Adán

Aliaga, autor de *La casa de mi abuela* (2005), en el que la memoria constituye el elemento central; Ricardo Iscar, quien en *Tierra negra* (2005) trazó un cuadro terrible de la vida cotidiana de los mineros leoneses; Elisabet Cabeza y Esteve Riambau, autores al alimón de un fascinante juego de espejos, *La doble vida del faquir* (2005), en el que presente y pasado se mezclan y retroalimentan con proverbial intención de revisión; Carlos Molinero y la veterana guionista y productora Lola Salvador Maldonado, quienes con *La niebla en las palmeras* (2006) aportaron uno de los mejores *mockumentaries* de los últimos años; o, en fin, el director de fotografía francés, aunque afincado en Cataluña, Christophe Farnarier, que en *El somni* (2008) registra concienzudamente la vida cotidiana de un pastor, y de paso, todo el final de un mundo, el del pastoreo trashumante y sus ya periclitadas formas de vida.

Cronología

ESTEVE RIAMBAU

1896 MAYO: El día 14 tiene lugar la primera presentación pública del cinematógrafo en un local de la madrileña Carrera de San Jerónimo. Paralelamente se presentan en diversas ciudades españolas otros artilugios capaces de reproducir imágenes en movimiento (Animatógrafo, Cronofotógrafo, etc.).
JUNIO: El operador francés Alexandre Promio rueda diversas «vistas» españolas con el cinematógrafo de los hermanos Lumière.

1897 JUNIO: El operador francés (aunque afincado en A Coruña) José Sellier rueda en esta ciudad el *Entierro del General Sánchez Bregua,* tal vez la primera filmación autóctona llevada a cabo en España.
AGOSTO: El operador barcelonés Fructuós Gelabert rueda *Riña en un café,* primera película argumental española.

1898 Inicio de la guerra hispano-americana a propósito del conflicto colonial cubano iniciado, en términos militares, en abril de 1895. Firma del Tratado de París.

1899 Noviembre: Eduardo Jimeno rueda *Salida de misa de doce del Pilar de Zaragoza.* Manipulaciones de la historiografía franquista hicieron que, durante muchos años, ésta fuera considerada la primera película impresionada por un operador español.

1900 ABRIL: Creación del Ministerio de Instrucción Pública. La tasa de analfabetismo en España es del 63%.

1902 MAYO: Fin de la regencia de María Cristina y subida al trono de Alfonso XIII.

1904 Creación de la empresa valenciana Films Cuesta.

1906 Fundación de la productora barcelonesa Hispano Films.

	FEBRERO: La empresa francesa Pathé abre una sucursal en Barcelona. Le seguirán Méliès y Gaumont desde 1907.
1909	Semana Trágica: Las reivindicaciones sociales y la guerra que España mantiene en Marruecos desencadenan una huelga general con repercusiones especialmente importantes en Barcelona.
1910	SEPTIEMBRE: Fundación de *Arte y Cinematografía*, primera revista cinematográfica española.
	OCTUBRE: Creación del sindicato anarquista Confederación Nacional del Trabajo.
1912	NOVIEMBRE: Real Orden que regula la censura cinematográfica. Será completada por un nuevo texto sobre policía de espectáculos promulgado en diciembre del año siguiente.
1913	DICIEMBRE: El dramaturgo catalán Adrià Gual impulsa la creación de la productora Barcinógrafo, inspirada en los criterios del Film d'Art.
1915	El conde de Romanones ocupa la presidencia del gobierno español.
	Creación del organismo corporativo profesional Mutua de Defensa Cinematográfica.
	Los operadores barceloneses Joan Solá Mestres y Alfred Fontanals crean la productora Studio Films.
	Benito Perojo impulsa en Madrid la creación de la productora Patria Films.
1917	JUNIO: Las Juntas militares propician la sustitución del gobierno liberal de García Prieto, elegido dos meses antes, por el del conservador Eduardo Dato.
	JULIO: Asamblea de Parlamentarios en Barcelona para pedir Cortes constituyentes.
	AGOSTO: Huelga General Revolucionaria abortada tras la proclamación del estado de guerra por parte del Gobierno.
1918	MAYO: Gabinete de «concentración nacional» presidido por Antonio Maura.
	NOVIEMBRE: Efímero gobierno de García Prieto en plena reivindicación autonomista de Cataluña y el País Vasco.
	Creación de la productora Cantabria Cines, en cuyo seno Jacinto Benavente adaptará a la pantalla *Los intereses creados*.
1919	ENERO: Aprobación de un proyecto de Estatuto para Cataluña por parte de una asamblea conjunta de diputados provinciales y senadores y diputados a Cortes.
	ABRIL: El conde de Romanones es sustituido por Antonio Maura

como presidente del gobierno, a su vez reemplazado por el industrial Sánchez de Toca dos meses más tarde.
Creación de la productora madrileña Atlántida S.A.C.E.
DICIEMBRE: Gobierno conservador de Manuel Allendesalazar.

1920 ABRIL: El Comité Nacional de Juventudes Socialistas decide transformarse en Partido Comunista Español.
MAYO: Gobierno conservador de Eduardo Dato.

1921 ENERO: Asesinato de diversos sindicalistas, en Barcelona, a manos de pistoleros contratados por la Patronal.
MARZO: Eduardo Dato es acribillado por los sindicalistas Matheu, Nicolau y Casanellas. Es sustituido por Allendesalazar como presidente del Gobierno.
DICIEMBRE: El desastre sufrido por las tropas españolas en Annual (Marruecos) provoca la caída del gobierno español, desde entonces presidido por el marqués de Alhucemas.

1922 DICIEMBRE: Gobierno de concentración liberal formado por García Prieto.

1923 MARZO: Asesinato del militante sindicalista Salvador Seguí.
SEPTIEMBRE: Golpe de Estado del general Miguel Primo de Rivera, que impone el partido único Unión Patriótica.

1924 AGOSTO: Creación de la Compañía Telefónica Nacional de España, cuya concesión fue otorgada a la International Telephon and Telegraph Corporation, perteneciente al grupo Morgan.
NOVIEMBRE: Inauguración de EAJ-1, Radio Barcelona, primera emisora de la Península.

1926 NOVIEMBRE: Fallido complot del coronel Francesc Maciá, en Prats de Molló, contra la dictadura de Primo de Rivera.
El jefe rifeño Abd-el-Krim se entrega a las tropas francesas y finaliza la guerra de Marruecos con el definitivo repliegue de las tropas españolas en la primavera de 1927.
Fundación de las revistas *Popular Films* y *Fotogramas*.

1927 Creación de una Asamblea Nacional consultiva que prepara el anteproyecto de Constitución de la Monarquía Española promulgado en 1929.
JUNIO: Primera exhibición, en Barcelona, del sistema de cine sonoro Phonofilm, patentado por Lee de Forest.

1928 OCTUBRE: Primer Congreso Español de Cinematografía, impulsado por la revista *La Pantalla*.

1929 ENERO: Fallido pronunciamiento de Sánchez Guerra contra la dictadura, al cual se suman en meses sucesivos diversos movimientos universitarios.

1930 ENERO: Tras una grave crisis financiera se produce la dimisión de Primo de Rivera, sustituido por el general Berenguer, y su exilio a París donde moriría tres meses más tarde.

FEBRERO: Estreno de *El misterio de la Puerta del Sol* de Francisco Elías, primera película sonora hablada en castellano.

DICIEMBRE: Alzamiento prorrepublicano de la guarnición de Jaca, sofocado con el fusilamiento de sus líderes, los capitanes Galán y García.

1931 ABRIL: Triunfo de los partidos republicanos en las elecciones municipales y proclamación de la II República española con Niceto Alcalá Zamora como presidente. Alfonso XIII abandona el país.

JUNIO: Descentralización de la censura cinematográfica, ejercida por los gobernadores civiles de Madrid y Barcelona.

OCTUBRE: Primer Congreso Hispano-Americano de Cinematografía.

DICIEMBRE: Aprobación de la nueva Constitución. Manuel Azaña forma gobierno.

1932 Fracasada sublevación militar del general Sanjurjo.

Estatutos de Autonomía para Cataluña y el País Vasco.

MARZO: Ley de impuestos sobre ingresos generados por la explotación cinematográfica con cuotas del 4,5% para la producción extranjera y 1,5% para la española.

Ley de Divorcio.

Fundación de la productora y distribuidora valenciana Cifesa.

MAYO: Inauguración de los estudios Orphea en el Palacio de la Química de la Exposición Universal de Montjuic, en Barcelona. La primera película rodada en ellos es *Pax* de Francisco Elías.

JUNIO: Publicación del primer número de la revista *Nuestro Cinema.*

1933 ENERO: Creación del Comité de Cinema de la Generalitat de Catalunya, presidido por Alexandre Galí. El Estatuto de Autonomía otorga la gestión, que no la legislación, de la actividad cinematográfica en Cataluña.

Inauguración en Barcelona de los estudios de doblaje de la Metro Goldwyn Mayer.

OCTUBRE: Inauguración de los estudios CEA en Madrid y los ECESA en Aranjuez.

NOVIEMBRE: Elecciones generales con el triunfo de la derecha y la designación de Alejandro Lerroux como nuevo presidente del Gobierno.

1934 OCTUBRE: Lluís Companys, presidente de la Generalitat, declara la independencia de Cataluña. Huelgas mineras en Asturias brutalmente reprimidas.

El Ministerio de Agricultura, Industria y Comercio crea un Consejo de Cinematografía.

Se inauguran en Madrid los estudios Ballesteros.

1935 MARZO: Renovación del gobierno Lerroux.

OCTUBRE: Dimisión de Lerroux como presidente del Gobierno como consecuencia del escándalo Straperlo.

La productora Filmófono inicia sus actividades con Luis Buñuel en calidad de accionista, productor y guionista.

Decreto del presidente de la República que autoriza al Ministerio de la Gobernación la prohibición de películas «que traten de desnaturalizar los hechos históricos o tiendan a menoscabar el prestigio debido a instituciones o personalidades de nuestra patria».

Se inauguran, en Barcelona, los estudios Trilla y Lepanto.

1936 FEBRERO: Elecciones generales con el triunfo del Frente Popular.

Incendio de los estudios Orphea, que provoca graves deterioros.

MAYO: Manuel Azaña es elegido presidente de la República.

JULIO: Sublevación militar del general Franco e inicio de la Guerra Civil.

SEPTIEMBRE: Largo Caballero es elegido presidente del Gobierno republicano. Francisco Franco es proclamado, en la llamada Zona Nacional, nuevo Jefe de Gobierno y Generalísimo de los Ejércitos.

NOVIEMBRE: Creación de Laya Films, sección cinematográfica del Comissariat de Propaganda de la Generalitat de Catalunya. Dirigida por Joan Castanyer, un mes más tarde iniciará la producción de un centenar de noticiarios y documentales.

Creación, en Salamanca, de una Oficina de Prensa y Propaganda del gobierno rebelde de Franco.

La CNT constituye la productora y distribuidora SIE-Films, de la que surgirán cortometrajes propagandísticos y largometrajes de ficción.

1937 ENERO: Film Popular, productora y distribuidora comunista, inicia la edición del noticiario *España al día*.

El gobierno republicano, instalado en Valencia, crea el Ministerio de Propaganda.

MARZO: Creación de unos gabinetes de censura franquista que darán lugar a un Gabinete de Censura Cinematográfica radicado en Sevilla.

	MAYO: Negrín sustituye a Largo Caballero como presidente del Gobierno de la República. Creación, en el bando republicano, de una Subsecretaría de Propaganda, dependiente del Ministerio del Estado, con una sección cinematográfica a cargo de Manuel Villegas López.
1938	FEBRERO: Constitución del primer Gobierno Nacional franquista en Burgos. MAYO: Creación del Departamento Nacional de Cinematografía, dependiente de la Dirección General de Propaganda, que producirá un *Noticiario Español.* Su primer director es el falangista Manuel García Viñolas. NOVIEMBRE: Organización de la Junta Superior de Censura Cinematográfica, con sede en Salamanca. La empresa germano-española Hispano-Film Produktion produce, en Berlín, cinco largometrajes de caracter folclórico para suplir la imposibilidad de rodar cine de ficción en la España franquista.
1939	ABRIL: Final de la Guerra Civil española y promulgación de la Ley de Responsabilidades Políticas. SEPTIEMBRE: España proclama su neutralidad en el conflicto bélico mundial. NOVIEMBRE: Creación de la Subcomisión Reguladora de la cinematografía, dependiente del Ministerio de Comercio e Industria.
1940	FEBRERO: Creación del Departamento de Cinematografía, inscrito en la Dirección General de Propaganda de la Subsecretaría de Prensa y Propaganda del Ministerio de Gobernación, del cual era titular Ramón Serrano Súñer, cuñado de Franco. JUNIO: España se declara «no beligerante» en la Segunda Guerra Mundial. OCTUBRE: Entrevista Franco-Hitler en Hendaya. Reorganización de la Junta Superior de Censura. Primer número de la revista *Primer plano*, dirigida por García Viñolas.
1941	FEBRERO: El rey Alfonso XIII muere exiliado en Roma. Entrevista Franco-Mussolini. ABRIL: Orden del Ministerio de Industria y Comercio que establece la obligatoriedad del doblaje en castellano de todas las películas exhibidas en España. Creación del Fondo de Protección a la producción a partir de los cánones de importación y las licencias de doblaje.

MAYO: Creación de la Vicesecretaría de Educación Popular, controlada por la Falange, que se responsabiliza de la censura.
JUNIO: Comienza el reclutamiento de la «División Azul».
NOVIEMBRE: Se instituyen los premios y los créditos del Sindicato Nacional del Espectáculo. Creación de una Comisión de Clasificación para la concesión de licencias de importación de películas extranjeras.
DICIEMBRE: Orden del Ministerio de Industria y Comercio que establece una cuota de pantalla para las películas españolas (una semana de cine español por cada seis semanas de cine extranjero).

1942 ENERO: Estreno de *Raza*, dirigido por José Luis Sáenz de Heredia sobre un argumento de Jaime de Andrade, seudónimo de Francisco Franco.
JULIO: Creación de las Cortes Españolas.
Inauguración de los estudios Sevilla Films, en Madrid.
NOVIEMBRE: Creación de la Comisión de Censura Cinematográfica y del Comité Nacional Superior de Censura.
DICIEMBRE: Creación del Noticiario Cinematográfico español, NO-DO, de proyección exclusiva y obligatoria en todos los cines del país.

1943 MAYO: Creación de la Comisión Clasificadora de Películas Nacionales.

1944 JUNIO: Creación de la categoría de «películas de interés nacional».
OCTUBRE: Orden del Ministerio de Industria y Comercio que modifica la cuota de pantalla (cinco días de exhibición de extranjeras por una de españolas).

1945 JUNIO: La Organización de las Naciones Unidas (ONU) deniega el ingreso de España.
JULIO: Promulgación del Fuero de los Españoles.
AGOSTO: La Subsecretaría de Educación Popular del Ministerio de Educación Nacional, controlado por los católicos, absorbe las funciones de la Vicesecretaría de Educación Popular regida por los falangistas.
Incendio en los laboratorios Riera, con la destrucción de 650.000 metros de película.
Creación del Círculo de Escritores Cinematográficos, presidido por Fernando Viola.

1946 ENERO: Decreto-ley por el que se aplica a la producción cinematográfica el mismo régimen establecido para las industrias declaradas «básicas para la economía nacional».
FEBRERO: La ONU aprueba sanciones diplomáticas contra el régimen franquista.

	ABRIL: Una declaración conjunta de Francia, Gran Bretaña y Estados Unidos condena el régimen franquista.
	DICIEMBRE: Orden que suprime la obligatoriedad del doblaje y regula la clasificación de las películas españolas en función de su valor de cambio por «permisos de doblaje» de películas extranjeras.
	Manifestación de apoyo a Franco en la plaza de Oriente de Madrid.
	La ONU vota la retirada de embajadores de España.
	Primer número de la revista *Fotogramas*.
1947	FEBRERO: Creación del Instituto de Investigaciones y Experiencias Cinematográficas (IIEC), promovido por Victoriano López García.
	ABRIL: Ley de Sucesión en la Jefatura del Estado, aprobada en referéndum, por la que España se constituye en Reino.
1948	MARZO: España es excluida del Plan Marshall.
	JUNIO: Se celebra en Madrid el Certamen Cinematográfico Hispanoamericano, en el que se crea la Unión Cinematográfica Hispanoamericana.
	OCTUBRE: El PCE renuncia a la lucha guerrillera.
1950	MAYO: Se celebra en Madrid el II Certamen Cinematográfico Hispanoamericano.
	Rodaje de *Jack el negro* de Julien Duvivier, primera coproducción española con capital norteamericano.
	Creación de la Oficina Nacional Permanente de Vigilancia de Espectáculos, vinculada a la Iglesia.
1951	MARZO: Retorno de los embajadores occidentales a Madrid, tras la retirada por parte de la ONU de las resoluciones contrarias al franquismo.
	ABRIL: Tras la «huelga de usuarios de tranvías» en Barcelona, se produce la huelga general en buena parte del País Vasco.
	JULIO: Creación del Ministerio de Información y Turismo con Gabriel Arias Salgado como primer titular. El teniente coronel José Mª García Escudero es nombrado Director General de Cinematografía y Teatro.
1952	FEBRERO: Supresión de la cartilla de racionamiento.
	García Escudero dimite de su cargo y es sustituido por Joaquín Argamasilla de la Cerda y Elio.
	MARZO: Creación de la Junta de Clasificación y Censura de Películas.
	MAYO: Congreso Eucarístico en Barcelona. Ignacio F. Iquino produce *El Judes,* primera película doblada en catalán tras el fin de la Guerra Civil.
	JULIO: Orden para la reforma de la legislación de protección a la cinematografía y de las normas de censura.

	OCTUBRE: Ingreso de España en la UNESCO.
1953	FEBRERO: Creación de la Filmoteca Nacional, dirigida por Carlos Fernández Cuenca.
	MARZO: Firma de los primeros convenios de coproducción cinematográfica con Francia e Italia.
	AGOSTO: Firma del Concordato de Cooperación y Defensa Mutua.
	SEPTIEMBRE: Pacto hispano-norteamericano de Cooperación y Defensa Mutua.
	Publicación del primer número de la revista *Objetivo.*
	Celebración de la Primera Semana Internacional de Cine de San Sebastián, embrión del futuro festival.
1954	Primera edición de NO-DO en color.
1955	FEBRERO: Manuel Torres López sustituye a Joaquín Argamasilla como Director General de Cinematografía y Teatro a causa del escándalo de la doble versión de la coproducción hispano-británica *La princesa de Éboli.*
	MAYO: Conversaciones de Salamanca, organizadas por el Cine Club del SEU.
	JULIO: Cuota de distribución (una película española por cada cuatro extranjeras dobladas).
	La Motion Pictures Export Association (MPEA) inicia el boicot de distribución de cine norteamericano en España a causa de las elevadas exigencias de cuota de pantalla.
	DICIEMBRE: España ingresa en la ONU.
1956	FEBRERO: Incidentes estudiantiles en Madrid, con declaración del Estado de excepción.
	ABRIL: José Muñoz Fontán es nombrado Director General de Cinematografía y Teatro.
	OCTUBRE: Inauguración de Televisión Española (TVE).
	Se celebra la primera Semana de Cine Religioso y de Valores Humanos de Valladolid.
	Publicación del primer número de la revista *Film Ideal.*
1957	Quinto gobierno del general Franco con una significativa incorporación de miembros del Opus Dei.
	MARZO: Creación del registro oficial de cine-clubs.
1958	MARZO: Finaliza el boicot de la MPEA a la distribución de cine norteamericano en España.
	MAYO: Ley de los Principios Fundamentales del Movimiento.

1959 Se celebra en Barcelona la Primera Semana de Cine en Color y el I Congreso Internacional de Cine.

MARZO: Creación de Uniespaña (Servicio para la Difusión del Cine Español en el Extranjero).

JUNIO: Ley del Orden Público.

Samuel Bronston rueda su primera producción norteamericana en España, *John Paul Jones*.

1960 Creación de la Asociación de Directores-Realizadores Españoles de Cinematografía (ASDREC), que reclama nuevas normas de censura.

1961 Se publican los primeros números de las revistas especializadas *Nuestro Cine* y *Cinestudio*.

Viridiana, primer film realizado por Luis Buñuel en España después de la Guerra Civil, obtiene la Palma de Oro en Cannes pero las críticas de *L'Osservatore Romano* provocan el cese fulminante de José Muñoz Fontán como Director General de Cinematografía y Teatro, la prohibición del estreno de la película y la retirada del cartón de rodaje que anula su reconocimiento legal.

Se celebran en San Sebastián las Primeras Conversaciones de Escuelas de Cine.

1962 FEBRERO: España solicita la apertura de negociaciones para su ingreso en la CEE.

ABRIL: Los estudios Orphea de Barcelona son destruidos por un incendio.

MAYO: «Conferencia de Múnich», donde 118 políticos españoles reclaman el retorno de la democracia a España.

JULIO: Sexto gobierno del general Franco. Manuel Fraga Iribarne sustituye a Gabriel Arias Salgado como Ministro de Información y Turismo.

AGOSTO: José María García Escudero vuelve a ser Director General de Cinematografía y Teatro. Reorganización de la Junta de Clasificación y Censura.

NOVIEMBRE: El IIEC se convierte en Escuela Oficial de Cinematografía (EOC).

Creación de la sociedad anónima Cinespaña, destinada a la promoción del cine español, después absorbida por el Ministerio de Información y Turismo.

1963 FEBRERO: Nuevas normas de censura.

MARZO: Resolución de la Dirección General de Cinematografía y Teatro sobre subvenciones especiales al cine infantil.

I Plan de Desarrollo Económico.
Realización de los primeros films del Nuevo Cine Español.
TVE emite 62 horas semanales. El parque de receptores domésticos es de 360.000 aparatos.

1964 El franquismo celebra los «25 años de paz».
La CEE niega el ingreso de España.
Inauguración de un clandestino Congrés de Cultura Catalana.
Constitución del sindicato ilegal Comisiones Obreras, de filiación procomunista.
MAYO: Balcázar, la productora más prolífica del cine español de la década, construye unos estudios cinematográficos cercanos a Barcelona.
AGOSTO: Promulgación de la orden ministerial que regula las nuevas normas para el desarrollo de la cinematografía española. Se establece el control de taquilla.

1965 Séptimo gobierno del franquismo.
ENERO: La Junta de Clasificación y Censura de Películas es sustituida por la de Censura y Apreciación de Películas.
Primeras emisiones del segundo canal de TVE (UHF). El número de receptores es de 1.250.000.

1966 MARZO: Nueva Ley de Prensa. Desaparece la censura obligatoria y es sustituida por la «consulta voluntaria».
DICIEMBRE: Ley Orgánica del Estado, aprobada por las Cortes y en referéndum.
Creación de la llamada Escuela de Barcelona.

1967 ENERO: Entra en vigor la Ley Orgánica del Estado.
Decreto de institución de las salas de arte y ensayo, limitadas a ciudades de más de 50.000 habitantes.
FEBRERO: Huelgas universitarias. Clausura de las Universidades de Madrid y Barcelona.
SEPTIEMBRE: El almirante Luis Carrero Blanco es nombrado Vicepresidente del Gobierno.
OCTUBRE: Primeras Jornadas de Escuelas de Cine, celebradas en Sitges. Las conclusiones son prohibidas y en la clausura interviene la policía.
NOVIEMBRE: Devaluación de la peseta.
DICIEMBRE: Carlos Robles Piquer sustituye a García Escudero al frente de la Dirección General de Cinematografía, que se diluye en una Dirección General de Cultura Popular.

1968 II Plan de Desarrollo. Ampliación de la Ley de Prensa de 1966. ETA mata al comisario de policía Melitón Manzanas.
Los cineastas vascos Néstor Basterretxea y Fernando Larruquert realizan *Ama Lur*, primer largometraje hablado en euskera.

1969 ENERO: Estado de excepción en todo el país.
ABRIL: Escándalo MATESA.
Encarcelamiento masivo de sacerdotes en el País Vasco.
JULIO: Juan Carlos de Borbón es designado sucesor de Franco en la Jefatura del Estado.
OCTUBRE: Cambio de gobierno con presencia masiva de miembros del Opus Dei. Alfredo Sánchez Bella sustituye a Fraga Iribarne como Ministro de Información y Turismo. Enrique Thomas de Carranza es nombrado Director General de Cultura Popular y Espectáculos.

1970 Crisis del sector cinematográfico por agotamiento del Fondo de Protección Oficial.
MARZO: Asamblea de ASDREC en la que se solicita la libertad de expresión y la supresión de la censura.
DICIEMBRE: Consejo de guerra, en Burgos, contra 16 militantes de ETA. Estado de excepción vigente hasta junio de 1971.

1971 ENERO: Indulto de nueve sentencias de muerte del proceso de Burgos.
MARZO: Reforma del Decreto de protección al cine de 1964. La subvención del 15% sobre los ingresos en taquilla se reduce al 10%. La cuota de pantalla se fija en tres días de cine extranjero por uno de cine español.
AGOSTO: Decreto de clausura de la EOC. Creación de la Facultad de Ciencias de la Información.
NOVIEMBRE: Creación de la Assemblea de Catalunya, plataforma unitaria de oposición democrática.

1972 III Plan de Desarrollo.
AGOSTO: La Dirección General de Cultura Popular y Espectáculos se subdivide en la Dirección de Cultura Popular y la de Espectáculos, de la que depende la cinematografía.
Aparece el primer número de la revista *Dirigido por...*

1973 JUNIO: El almirante Luis Carrero Blanco es nombrado Presidente del Gobierno. Fernando de Liñán y Zofío ocupa la cartera de Información y Turismo.
SEPTIEMBRE: Restablecimiento de la subvención del 15% sobre la recaudación bruta en taquilla.

OCTUBRE: Restablecimiento de la Subdirección de Cinematografía en el seno de la Dirección General de Espectáculos.
DICIEMBRE: Proceso «1001» contra dirigentes de Comisiones Obreras.
Carrero Blanco es asesinado en un atentado reivindicado por ETA.

1974 ENERO: Carlos Arias Navarro es nombrado presidente del Gobierno.
Pío Cabanillas ocupa la cartera ministerial de Información y Turismo. Rogelio Díaz se hace cargo de la nueva Dirección General de Cinematografía.
FEBRERO: Arias Navarro presenta su política aperturista, conocida como «el espíritu del 12 de febrero».
JULIO: Atentado fascista contra un cine de Barcelona donde se proyecta *La prima Angélica* de Carlos Saura.
El príncipe Juan Carlos sustituye transitoriamente a Franco, gravemente enfermo, en la Jefatura del Estado.
Creación de la Junta Democrática de España por diversos partidos en la oposición.
OCTUBRE: Pío Cabanillas dimite de su cargo por el bloqueo de la política de apertura.
DICIEMBRE: Felipe González es nombrado secretario general en el XIII Congreso del PSOE celebrado en la localidad francesa de Suresnes.

1975 FEBRERO: Nuevas «Normas de Calificación Cinematográfica» que toleran el desnudo «siempre que esté exigido por la unidad total del film».
AGOSTO: Se suprime la obligatoriedad de proyección del NO-DO.
SEPTIEMBRE: Últimos fusilamientos del franquismo contra militantes de ETA y FRAP.
NOVIEMBRE: Fallecimiento del general Franco.
DICIEMBRE: Juan Carlos de Borbón es proclamado Rey de España.
Arias Navarro es nombrado presidente del Gobierno.
Fundación, en Barcelona, del Institut de Cinema Català.

1976 FEBRERO: Abolición de la censura previa de guiones.
Aprobación de la Ley para la Reforma Política.
JULIO: Dimisión de Carlos Arias Navarro.
Nombramiento de Adolfo Suárez como presidente del Gobierno.
SEPTIEMBRE: Estreno de *La ciutat cremada*, primer film hablado en catalán del posfranquismo.
NOVIEMBRE: Aprobación por las Cortes del proyecto de Reforma Política que, un mes después, se aprueba en referéndum nacional.

1977 Abril: Dimisión de Rogelio Díaz como Director General de Cinematografía.
Legalización del Partido Comunista de España.
Estreno en España de *Viridiana* de Luis Buñuel, prohibida desde 1961.
Mayo: Félix Benítez de Lugo es nombrado Director General de Cinematografía.
Junio: Primeras elecciones democráticas en España desde 1936. Victoria de Adolfo Suárez al frente de la Unión de Centro Democrático.
Julio: El Ministerio de Información y Turismo es sustituido por el de Cultura y Bienestar Social, con Pío Cabanillas como titular.
Septiembre: Restablecimiento de la Generalitat de Catalunya, con Josep Tarradellas como presidente.
Octubre: Decreto-ley sobre actividades cinematográficas, que regula aspectos de distribución y exhibición.
Amnistía para los delitos políticos anteriores al 15 de diciembre de 1976.
Noviembre: Decreto-ley por el que desaparece la censura cinematográfica y los permisos de rodaje, se regula la cuota de pantalla, se crea la «especial calidad» y desaparece la categoría de «arte y ensayo».
Diciembre: Huelga de espectáculos en Barcelona en defensa de la libertad de expresión.

1978 Enero: Estreno de *Emmanuelle*, primer film calificado como «S».
Abril: Decreto-ley por el que se suprime la exclusividad del NO-DO como noticiario documental.
Junio: Decreto-ley que establece la obligatoriedad del control de taquilla.
Octubre: Las Cortes aprueban el proyecto de Constitución, aprobada en referéndum dos meses más tarde.
Diciembre: Celebración del I Congreso Democrático del Cine Español.

1979 Enero: Huelga de laboratorios cinematográficos.
Marzo: Elecciones generales, con nueva victoria de UCD.
Abril: Elecciones municipales, con victoria de la izquierda en las principales capitales.
Mayo: Luis Escobar de la Serna es nombrado Director General de Cinematografía.
Junio: Clavero Arévalo es nombrado Ministro de Cultura.

AGOSTO: RTVE convoca un concurso de guiones con disponibilidad de 1.300 millones de pesetas para su producción.
OCTUBRE: Los Estatutos de Autonomía de Cataluña y Euskadi son aprobados en referéndum.
DICIEMBRE: Secuestro judicial de *El crimen de Cuenca* de Pilar Miró.

1980 ENERO: Decreto-ley sobre cuota de pantalla y distribución.
Ricardo de la Cierva es nombrado Ministro de Cultura. Carlos Gortari es designado Director General de Cinematografía.
FEBRERO: Triunfo del Partido Nacionalista (PNV) en las primeras elecciones autonómicas vascas. En Cataluña vence Convergència i Unió (CIU).
SEPTIEMBRE: Quinto gabinete de Adolfo Suárez.
OCTUBRE: Íñigo Cavero es nombrado Ministro de Cultura y Matías Vallés se hace cargo de la Dirección General de Cinematografía.

1981 ENERO: Dimisión de Adolfo Suárez como presidente del Gobierno.
FEBRERO: Converses de Cinema en Catalunya.
Frustrado golpe de estado de Tejero y Miláns del Bosch.
Leopoldo Calvo Sotelo es nombrado presidente del Gobierno.
Decreto-ley sobre el traspaso de competencias culturales a la Generalitat de Catalunya con la salvedad, en el terreno cinematográfico, de la Filmoteca y el Fondo de Protección.
JUNIO: Decreto-ley sobre protección a la producción cinematográfica.
AGOSTO: Estreno de *El crimen de Cuenca.*
Segundo gobierno de Calvo Sotelo.

1982 FEBRERO: Decreto-ley sobre salas de exhibición, que contempla la creación de las salas «X», la recuperación de las de «arte y ensayo» y regula la Filmoteca Española y las tarifas de las licencias de doblaje.
JULIO: Landelino Lavilla sustituye a Calvo Sotelo como presidente del Gobierno.
SEPTIEMBRE: Orden ministerial sobre las subvenciones a la «especial calidad».
Elecciones generales con victoria del PSOE por mayoría absoluta.
OCTUBRE: El Parlamento Vasco aprueba las normas de fomento a la cinematografía autonómica.
DICIEMBRE: Felipe González toma posesión como presidente del primer Gobierno socialista. Javier Solana es nombrado ministro de Cultura y la realizadora Pilar Miró ocupa el cargo de Directora General de Cinematografía.

1983 ENERO: Orden ministerial designando los vocales de la Comisión para el Visado de Películas.

ABRIL: *Volver a empezar*, de José Luis Garci, gana el Oscar a la mejor película extranjera.

Decreto-ley sobre salas «X» y «arte y ensayo». Supresión de la categoría «S».

JUNIO: Orden ministerial que regula las calificaciones de películas.

SEPTIEMBRE: Primera emisión de TV3, la televisión autonómica catalana.

Las asociaciones de productores alcanzan un primer acuerdo de colaboración con RTVE.

DICIEMBRE: Decreto ley, conocido como «Ley Miró», sobre protección a la producción cinematográfica.

1984 MAYO: Orden ministerial para la creación de la Comisión de Calificación de Películas Cinematográficas.

SEPTIEMBRE: Orden de Presidencia del Gobierno para la regulación de las coproducciones.

DICIEMBRE: Disolución de Cinespaña, organismo promotor del cine español en el extranjero.

1985 ENERO: Creación del Col.legi de Directors de Cinema de Catalunya.

Decreto-ley para la creación del Instituto de Cinematografía y las Artes Audiovisuales (ICAA), que sustituye a la Dirección General de Cinematografía. Regulación de la Calificación de Películas y del Fondo de Protección.

JUNIO: España ingresa en la Comunidad Económica Europea (CEE).

DICIEMBRE: Pilar Miró dimite como directora del ICAA.

1986 ENERO: El realizador Fernando Méndez Leite es nombrado Director General del ICAA.

FEBRERO: Creación de la Academia de las Artes y Ciencias Cinematográficas de España.

JUNIO: Decreto-ley sobre las consecuencias del ingreso en la CEE sobre la cinematografía española.

Elecciones generales con nueva victoria del PSOE por mayoría absoluta.

OCTUBRE: Pilar Miró es nombrada Directora General de RTVE.

1987 FEBRERO: Manifiesto de un centenar de profesionales contra la parcialidad de la política de subvenciones cinematográficas.

MARZO: Primera entrega de los premios Goya, concedidos por la Academia de Cine.
ABRIL: Segundo acuerdo entre RTVE y el sector cinematográfico.
OCTUBRE: El Tribunal Supremo anula la orden de mayo de 1984 sobre protección cinematográfica.

1988 MARZO: Orden ministerial que modifica la orden anulada por el Supremo e introduce diversos retoques al «decreto Miró».
JUNIO: La Federación de Distribuidores Cinematográficos denuncia el «decreto Miró» en Bruselas por atentar contra la libertad de mercado.
JULIO: El escritor y guionista Jorge Semprún es nombrado ministro de Cultura.
Tercer acuerdo entre RTVE y la Asociación de Productores.
DICIEMBRE: Méndez Leite dimite como Director General del ICAA y es sustituido por Miguel Marías.

1989 ENERO: Pilar Miró dimite como Directora General de RTVE y es sustituida por Luis Solana.
MARZO: Jorge Semprún anuncia el proyecto de decreto sobre protección cinematográfica.
Creación del Comité Unitario Interprofesional del Cine y el Audiovisual (CUICA) que rechaza frontalmente el proyecto de Semprún.
JULIO: Convenio entre el ICAA y RTVE para el apoyo a la cinematografía española.
AGOSTO: Decreto ley de ayuda a la cinematografía, conocido como «decreto Semprún».
Concesiones de licencias para tres canales privados de televisión.
OCTUBRE: Elecciones generales con tercera victoria del PSOE.
DICIEMBRE: Convenio entre el Ministerio de Cultura y el Banco de Crédito Industrial para el fomento de la producción cinematográfica.

1990 ENERO: Anuncio de un Plan Nacional para la promoción de la Industria Audiovisual.
Enrique Balmaseda sustituye a Miguel Marías como Director General del ICAA.
FEBRERO: Acuerdo entre el Ministerio de Cultura y el CUICA sobre el desarrollo del «decreto Semprún».
JULIO: Convenio entre RTVE y el CUICA.
DICIEMBRE: Acuerdo entre el ICAA y el Banco de Crédito Industrial para la financiación de proyectos cinematográficos.

1991 MARZO: Jordi Solé Tura es nombrado Ministro de Cultura.

	DICIEMBRE: Huelga general de actores de cine y teatro contra la política cultural del gobierno.
	Decreto-ley que reforma las medidas de protección a la producción cinematográfica española.
1992	ENERO: El Banco Exterior de España abre una línea de créditos a bajo interés para la producción cinematográfica, con un fondo de garantía de 800 millones a cargo del ICAA.
	El productor y guionista Juan Miguel Lamet sustituye a Enrique Balmaseda como Director General del ICAA.
	ABRIL: Inauguración de la Exposición Universal de Sevilla.
	JUNIO: Se celebran en Madrid los encuentros Audiovisual 93, donde se debate la precaria situación de la cinematografía española.
	JULIO: Juegos Olímpicos de Barcelona.
	SEPTIEMBRE: Presentación de la Fundación Procine, que agrupa a los principales productores españoles.
	Solé Tura anuncia nuevas medidas de protección mediante una normativa para la concesión de licencias de doblaje.
1993	JULIO: Carmen Alborch es nombrada ministra de Cultura.
	DICIEMBRE: Se aprueba un Real Decreto-Ley con diversas medidas de protección y fomento del cine español que enfrentan a los diversos sectores de la industria. Los cines efectúan una huelga como protesta al endurecimiento del sistema de concesión de licencias de doblaje. Pocos días después se firman en Ginebra los acuerdos del GATT, que excluyen transitoriamente el audiovisual de las negociaciones entre Europa y Estados Unidos.
1994	MARZO: Juan Miguel Lamet dimite como director del ICAA y es reemplazado por Enrique Balmaseda, quien ya había sido su antecesor en el cargo.
	Belle Époque de Fernando Trueba, que había acaparado buena parte de los premios Goya del año anterior, obtiene el Oscar de Hollywood a la mejor película de habla no inglesa.
	MAYO: El Congreso de los Diputados aprueba la nueva Ley de Cine que limita las subvenciones anticipadas a los nuevos realizadores y películas de especial interés artístico y promueve las subvenciones automáticas basadas en la recaudación en taquilla. El cine catalán se beneficia de medidas especiales que rebajan las exigencias de comercialidad para aquellas películas exhibidas únicamente en esta lengua.

OCTUBRE: Inicio del primer curso académico de la Escola Superior de Cinema i Audiovisuals de Catalunya (ESCAC) con rango de Escuela Universitaria.

NOVIEMBRE: Se crea la Escuela de Cinematografía y del Audiovisual con sede en Madrid.

1995 OCTUBRE: Gala inicial de los actos conmemorativos del Centenario del Cine Español.

1996 MARZO: El Partido Popular gana las elecciones generales y forma gobierno con el apoyo parlamentario de Convergència i Unió, el Partido Nacionalista Vasco y Coalición Canaria. El ministerio de Educación se funde con el de Cultura y Esperanza Aguirre es nombrada titular del mismo, con Miguel Ángel Cortés como secretario de Estado para la Cultura y José M.ª Otero como Director General del ICAA.

El nuevo gobierno del PP impone multas por valor de 54 millones de pesetas a varias empresas cinematográficas que, en 1994, incumplieron la cuota de pantalla del cine europeo a la que estaban obligadas.

JUNIO: A pesar de las declaraciones de Esperanza Aguirre, Ministra de Educación y Cultura, en contra de las subvenciones al cine español, en 1996 se aumenta el Fondo de ayuda estatal al cine hasta 4.000 millones de pesetas. El gobierno de José María Aznar desarrolla un proyecto de Real Decreto que inicie «un proceso de flexibilización del mercado cinematográfico».

OCTUBRE: El cine español conmemora su centenario, en Zaragoza, con una reproducción de la filmación de *Salida de misa de 12 del Pilar de Zaragoza*, durante muchos años considerada como la primera película de producción española.

1997 ENERO: Se aprueba el Real Decreto de reforma de la Ley de Cine de 1994 en el que se mantiene la política de subvenciones pero se flexibilizan la cuota de pantalla (un film de la Unión Europea de cada tres estrenados) y las licencias de doblaje (tres por una europea).

Primeras emisiones de Canal Satélite Digital, televisión de pago perteneciente al grupo PRISA.

JUNIO: Se aprueba el Real Decreto que refunde la normativa de promoción al cine español basada en la subvención automática del 15% de la recaudación en taquilla, una prima a los films que recauden más de 50 millones (25% de la taquilla o 33% del presupuesto, con un tope de 100 millones de pesetas) y ayudas complementarias del 33%

de la inversión del productor a las obras de nuevos realizadores o de decidido contenido artístico y cultural.

SEPTIEMBRE: Vía Digital, una nueva plataforma televisiva de pago y a la carta, inicia sus emisiones vía satélite. Presidida por Pedro Pérez, sus principales accionistas son Telefónica (25%), TVE Temática (17%) y Televisa (17%). Ofrece un paquete básico con 35 canales, algunos de ellos monográficamente dedicados al cine, y firma un convenio con FAPAE para invertir un total de 2.275 millones de pesetas en la producción de cine español en 1998.

La Comisión delegada del Gobierno para Asuntos Culturales aumenta hasta el 20% la deducción en el impuesto de sociedades en producciones cinematográficas.

NOVIEMBRE: La Escuela de Cine de Madrid (ECAM), dirigida por Fernando Méndez Leite, inaugura su nueva sede en la Ciudad de la Imagen. El aula magna lleva el nombre de Pilar Miró, cineasta fallecida este mismo año.

DICIEMBRE: El presupuesto del Fondo de protección a la cinematografía española para 1998 se establece en 3.500 millones de pesetas.

1998 MARZO: La FORTA se compromete con FAPAE a invertir 1.200 millones de pesetas en la producción de largometrajes y películas para televisión.

ABRIL: Inauguración del Museu del Cinema de Girona. Sus fondos comprenden 7.500 objetos y aparatos del cine de los orígenes, procedentes de la colección del cineasta amateur Tomàs Mallol.

JULIO: Canal Satélite Digital y Vía Digital anuncian un acuerdo para fusionarse en una única plataforma digital. Posteriores discrepancias aplazan dicha fusión.

1999 ABRIL: Constitución de DAMA, nueva asociación destinada a gestionar Derechos de Autor de los Medios Audiovisuales.

MAYO: Se aprueba en el Congreso la Ley de Modificación de la Directiva Europea de la Televisión sin Fronteras (Ley 22/1999), que incluye la obligatoriedad de que las cadenas inviertan el 5% de sus ingresos en la producción de películas y telefilms comunitarios. TVE firma con FAPAE un acuerdo por el que se compromete a invertir 3.000 millones de pesetas anuales hasta el 2001.

JUNIO: Antena 3 firma con FAPAE un convenio por el que se compromete a invertir 9.000 millones de pesetas en los próximos tres años en apoyo del mercado audiovisual.

JULIO: La Generalitat de Catalunya crea el Institut Català de Indústries Culturals (ICIC) para impulsar y ejecutar el Plan de Acción Conjunto de Ayuda al Audiovisual.
SEPTIEMBRE: Sogecable, la empresa que gestiona Canal +, anuncia una inversión de diez mil millones de pesetas en cine español. A ellos se añaden los 1.500 destinados por la FORTA.

2000 FEBRERO: Comienzan los actos de conmemoración del centenario de Luis Buñuel, que incluyen exposiciones, publicaciones y la realización de diversos films documentales y de ficción.
MARZO: *Todo sobre mi madre* obtiene el Oscar de Hollywood a la mejor película de habla no inglesa. El film de Pedro Almodóvar ya había recibido otros múltiples galardones internacionales, entre ellos el premio al Mejor Director en el festival de Cannes.
El Partido Popular obtiene mayoría absoluta en las elecciones legislativas y José María Aznar repite como presidente del Gobierno.
MAYO: La Generalitat de Catalunya renuncia a aplicar el Decreto de cine doblado y subtitulado al catalán, aprobado a principios de 1999, por el rechazo de las Majors norteamericanas y de la Federación Española de Distribuidoras de Cine. Ambas partes realizan una declaración de intenciones sin compromiso.
JUNIO: Tras el nombramiento de Pilar del Castillo como ministra de Educación, Cultura y Deportes en el nuevo gabinete de Aznar, José María Otero es confirmado en el cargo de Director General del ICAA.
SEPTIEMBRE: Comienzan las obras para la construcción de la Ciudad de la Luz, un complejo de instalaciones cinematográficas ubicado en Alicante. Paralelamente, el Gobierno valenciano aprueba un plan de promoción y fomento del audiovisual con un presupuesto de 3.000 millones de pesetas anuales.
DICIEMBRE: El Consejo de Ministros aprueba el anteproyecto de Ley de Fomento y Promoción de la Cinematografía y el Sector Audiovisual que pone fecha de caducidad, en 2006, a las cuotas de pantalla del cine español, limita las ayudas estatales al 50% del presupuesto de un film y se establece la posibilidad de incentivos a la incorporación de nuevos profesionales, a films de bajo presupuesto y al uso de idiomas cooficiales.
El Consejo Económico y Social (CES) insta al Gobierno a «buscar medidas alternativas al fomento del cine español que suplan la supresión de la cuota de pantalla» y denuncia la práctica de las distri-

buidoras norteamericanas consistente en la venta a los exhibidores de películas por lotes.

2001 MARZO: En su primera comparecencia en el Congreso, el citado proyecto de Ley de Cine encuentra la oposición de FAPAE a la supresión de la cuota de pantalla del cine español.

ABRIL: La Generalitat aprueba los estatutos del Institut Català de les Indústries Culturals (ICIC), organismo del que dependerá la política cinematográfica catalana.

JULIO: Tras su paso por el Senado, el Congreso de los Diputados aprueba la Ley de Fomento y Promoción de la Cinematografía y del Sector Audiovisual (15/2001, de 9 de julio).

2002 MAYO: José María Otero, director del ICAA, comparece ante la Comisión de Educación, Cultura y Deporte del Congreso para responder ante las alarmas del sector por una caída en la producción cinematográfica derivada del anuncio de la fusión de las dos plataformas digitales.

Se inaugura la nueva sede de Filmoteca Española, en el madrileño Palacio de Perales.

JUNIO: Un Real Decreto (526/2002) que desarrolla la Ley de Cine refuerza el papel de los productores independientes, incentiva el cine documental y el de animación y crea un comité destinado a velar por la transparencia del mercado. El documento cuenta con el apoyo de productores y distribuidores y el rechazo de los exhibidores.

2003 ENERO: La gala de los Goya se convierte en una espontánea protesta de los cineastas premiados contra la presencia de tropas españolas en la guerra de Irak.

FEBRERO: Dieciséis agrupaciones cinematográficas, que incluyen productores, directores, guionistas, actores, sindicatos y la Academia de Cine, hacen público un manifiesto en el que solicitan del gobierno las medidas necesarias para posibilitar que la cinematografía española se consolide como industria. Los firmantes se agrupan en una Plataforma para la Defensa del Cine Español.

Filmoteca Española celebra sus primeros cincuenta años de existencia.

MARZO: Luis Alberto de Cuenca, Secretario de Estado de Cultura, comparece en el Senado para rendir cuentas de la situación de crisis que atraviesa el cine español.

Pedro Almodóvar recibe un Oscar de Hollywood por el guión de *Hable con ella*. La película también había sido nominada en el apartado de producciones de habla no inglesa.

La Plataforma para la Defensa del Cine Español pide al gobierno del PP que excluya al sector audiovisual de las ofertas de liberalización en las negociaciones de la Organización Mundial del Comercio.
JULIO: Primeras emisiones de la nueva plataforma Digital +, resultante de la fusión entre Canal Satélite y Vía Digital. La nueva oferta incluye más de 150 canales, uno de los cuales dedicado al cine español. Las cadenas en abierto, públicas y privadas, reorientan su política cinematográfica.

2004 ENERO: El gobierno anuncia una partida extraordinaria de 27.8 millones de euros que, sumados a los 32.8 presupuestados para el Fondo de Protección de la Cinematografía, permitirán hacer frente a los retrasos en el pago de las ayudas a los productores.
MARZO: Bajo la conmoción del atentado terrorista perpetrado en Madrid, el PSOE gana las elecciones generales. José Luis Rodríguez Zapatero es nombrado presidente del gobierno y Carmen Calvo ocupa la cartera de Cultura.
JUNIO: Manuel Pérez Estremera es nombrado director general del ICAA.
La FORTA suscribe con FAPAE un convenio por el cual se compromete a invertir en el sector audiovisual 30 millones de euros en tres años.
JULIO: Diez años después de la aprobación de la Directiva del Consejo de Europa, el Real Decreto 1652/2004 establece la obligatoriedad de que los operadores de televisión inviertan el 5% de sus ingresos en producción audiovisual europea.
SEPTIEMBRE: El Fondo de protección a la Cinematografía aumenta desde 33.6 hasta los 63 millones de euros presupuestados para 2005.
NOVIEMBRE: La Unión de Televisiones Comerciales Asociadas (UTECA), que representa los intereses de las cadenas privadas, presenta sendos recursos ante los tribunales Supremo y de Luxemburgo contra la obligatoriedad de la inversión del 5%.
DICIEMBRE: Manuel Pérez Estremera es nombrado director de TVE. Fernando Lara, hasta entonces director de la SEMINCI de Valladolid, le sustituye como director general del ICAA.

2005 FEBRERO: *Mar adentro*, de Alejandro Amenábar, consigue el Oscar de Hollywood a la mejor película de habla no inglesa. Previamente ya había obtenido el premio del Jurado y la Copa Volpi de interpretación masculina para Javier Bardem en la Mostra de Venecia.

El Senado aprueba, por unanimidad, una moción del grupo Popular que solicita al gobierno la elaboración de un Plan de apoyo a la producción cinematográfica.

MARZO: Fernando Fernán-Gómez es galardonado con un Oso de Oro honorífico en el Festival de cine de Berlín.

SEPTIEMBRE: Inauguración de las instalaciones de la Ciudad de la Luz, en Alicante. Desde esta fecha, acogerán el rodaje de diversas producciones internacionales atraídas por los parabienes concedidos por el gobierno de la Comunidad valenciana.

2006 MARZO: El Congreso de los Diputados aprueba la nueva Ley de Propiedad Intelectual.

MAYO: El Tribunal de Defensa de la Competencia multa a las filiales de las Majors norteamericanas que operan en España, con más de dos millones de euros cada una, por uniformizar sus prácticas comerciales impidiendo la libre competencia. La misma sentencia condena a FEDICINE a pagar 900.000 euros por compartir información sensible para la competencia.

2007 FEBRERO: De los tres Oscar obtenidos por la coproducción hispano-mexicana *El laberinto del fauno*, los de Montse Ribé y David Martí por el Maquillaje y el de Pilar Revuelta por la Dirección Artística corresponden a técnicos españoles.

JUNIO: El proyecto de una nueva Ley de Cine entra en fase de presentación de enmiendas por parte de los grupos parlamentarios.

JULIO: César Antonio Molina, hasta entonces director del Instituto Cervantes, releva a Carmen Calvo en el ministerio de Cultura.

DICIEMBRE: El Congreso de los Diputados aprueba la nueva Ley de Cine (55/2007), que regula un nuevo paisaje audiovisual en el que las televisiones desempeñan un papel fundamental como motores del cine español y los productores independientes son los grandes protegidos por las subvenciones del Estado.

2008 FEBRERO: Javier Bardem obtiene el Oscar al Mejor actor de reparto por su interpretación en la producción norteamericana *No es país para viejos (No country for old men).*

OCTUBRE: Se realiza en México el I Congreso de la Cultura Iberoamericana, impulsado por México y España, en el curso del cual se aprueba la llamada Declaración de México. En ella se insta a la constitución de un espacio cultural común y a la defensa de la producción cinematográfica por parte de los 22 Estados que integran la Conferencia de Ministros de Cultura de Iberoamérica.

2009 Febrero: Penélope Cruz recibe el Oscar a la mejor actriz de reparto por *Vicky, Cristina, Barcelona,* una comedia de Woody Allen coproducida con la empresa catalana Media Pro.

Bibliografía

ESTEVE RIAMBAU

a) TEXTOS GENERALES

AGUILAR, Carlos (2002), *Fantaespaña. Orrore e fascienza nel cinema spagnolo: un secolo di delirio filmico*, Turín, Lindau.

— (2005), *Cine fantástico y de terror español 1984-2004*, San Sebastián, Semana de Cine Fantástico y de Terror.

AGUILÓ, Catalina y PÉREZ DE MENDIOLA, Josep Antoni (coord.) (1995), *Cent anys de cinema a les Illes*, Palma de Mallorca, Sa Nostra Obra Social y Cultural.

AGULLÓ, Mercedes (ed.) (1986), *El cinematógrafo en Madrid (1896-1960)*, Madrid, Ayuntamiento.

AGUSTO, Serena y MORSIANI, Alberto, con la col. de MALAGUTI, Isabella (2007), *España cinema 2007: Nuovi autori, vecchi classici*, Modena, Cineforum.

ALBERICH, Ferran (1991), *4 años de cine español (1987-1990)*, Madrid, Imagfic.

ALEGRE, Sergi (1994), *El cine cambia la historia: Las imágenes de la División Azul*, Barcelona, Promociones y Publicaciones Universitarias/Film-Historia.

— CAPARRÓS, José M.ª, CRUSELLS, Magí, *et al.* (1993), *El cine en Cataluña. Una aproximación histórica*, Barcelona, Promociones y Publicaciones Universitarias/Film Historia.

ALONSO BARAHONA, Fernando (1992), *Biografía del cine español*, Barcelona, CILEH.

ALONSO GARCÍA, Luis (coord.) (2003), *Once miradas sobre la crisis y el cine español*, Madrid, Ocho y Medio.

ÁLVAREZ, Rosa y PÉREZ PERUCHA, Julio (1980), *Revisión histórica del cine documental español. El cine de las organizaciones populares republicanas entre 1936 y 1939. I: La CNT*, Bilbao, Certamen de Cine Documental y Cortometraje.

ÁLVAREZ, Rosa y SALA, Ramón (1978), *Laya Films: 1936-1939*, Madrid, Filmoteca Nacional de España.
— (2000), *El cine en la zona nacional 1936-1939*, Bilbao, Mensajero.
ÁLVAREZ, Rosa, AMO, Antonio del, *et al.* (1981), *Revisión histórica del cine documental español. El cine de las organizaciones populares republicanas entre 1936 y 1939. II: Las organizaciones marxistas*, Bilbao, Certamen de Cine Documental y Cortometraje.
ÁLVAREZ CEDENA, José Luis (1995), *España en blanco y negro. No-Do: una historia próxima*, Madrid, Metrovideo Multimedia.
ÁLVAREZ MONZONCILLO, José María (dir.) (1993), *La industria cinematográfica en España (1980-1991)*, Madrid, Ministerio de Cultura/FUNDESCO.
AMELL, Samuel y GARCÍA CASTAÑEDA, Salvador (1992), *La cultura española en el postfranquismo. Diez años de cine, cultura y literatura (1975-1985)*, Madrid, Playor.
AMITRANO, Alessandra (1998), *Cortometragio in Spagna: 1964-1995*, Ferrara, Cartografica Artigiana (versión castellana: *El cortometraje en España. Una larga historia de ficciones breves*, Valencia, Filmoteca, 1997).
AMO, Álvaro del (1970), *Cine y crítica de cine*, Madrid, Taurus.
— (1975), *Comedia cinematográfica española*, Madrid, Edicusa.
ANGULO, Jesús, REBORDINOS, José Luis y SANTAMARINA, Antonio (2006), *Breve historia del cortometraje vasco*, San Sebastián, Filmoteca Vasca.
ANSOLA, Txomín (2001), *Del taller a la fábrica de sueños*, Bilbao, Universidad País Vasco.
ANTOLÍN, Matías (1979), *Cine marginal en España*, Valladolid, SEMINCI.
ARANDA, Juan Francisco (1954), *Cinema de vanguardia en España*, Lisboa, Guimaraes.
ARCONADA, Andrés y VELAYOS, Teresa (2006), *Rodajes al borde de un ataque de nervios*, Madrid, T&B.
ARMERO, Álvaro (1995), *Una aventura americana. Españoles en Hollywood*, Madrid, Compañía Literaria.
ARMOCIDA, Pedro, SPAGNOLETTI, Giovanni y VIDAL, Nuria (eds.) (2002), *Cinema in Spagna oggi: Nuovi autori, nuovi tendence*, Turín, Lindau/Fondazione Pesaro Nuovo Cinema.
ASOCIACIÓN ESPAÑOLA DE HISTORIADORES DE CINE (1993), *El paso del mudo al sonoro en el cine español*, Madrid, Editorial Complutense.
AA.VV. (1949), *El cine español*, Madrid, Oficina Informativa Española
— (1979), *El cinema del gobierno republicano entre 1936 y 1939*, Bilbao, Certamen Internacional de Cine Documental y Cortometraje.
— (1985), *Cine español (1975-1984)*, Murcia, Universidad.
— (1986), *El cine y la Transición política española*, Valencia, Filmoteca/Generalitat.
— (1988), *Valencia «late»: El cinematógrafo,* Valencia, Generalitat.
— (1996), *Filmar en femenino*, Dijon, Hispanística XX, Université de Bourgogne.
— (2000), *Cine fantástico y de terror español (1900-1983)*, San Sebastián, Donostia Cultura.

— (2007), *Vestir los sueños. Figurinistas del cine español*, Valladolid, SEMINCI.
— (2008), *50 cineastas de Iberoamérica. Generaciones en tránsito 1980-2008*, Ciudad de México, Cineteca Nacional.
ÁVILA, Alejandro (1997), *La censura del doblaje cinematográfico en España*, Barcelona, CIMS.
BALLESTER CASADO, Ana (1995), *La política del doblaje en España*, Valencia, Episteme.
— (2001), *Traducción y nacionalismo. La recepción del cine americano en España. Desde los inicios del sonoro hasta los años cuarenta*, Granada, Comares.
BALLESTEROS, Isolina (2001), *Cine (ins)urgente. Textos fílmicos y contrastes culturales de la España postfranquista*, Madrid, Fundamentos.
BALLESTEROS TORRES, Pedro (1995), *Alcalá y el cine. Una aproximación al desarrollo cinematográfico de la ciudad*, Alcalá de Henares, Festival de Cine.
BALLÓ, Jordi, ESPELT, Ramón y LORENTE, Joan (1990), *Cinema català 1975-1986*, Barcelona, Columna.
BARRIENTOS BUENO, Mónica (2006), *Inicios del cine en Sevilla (1896-1906)*, Sevilla, Universidad.
BAYÓN, Miguel (1990), *La cosecha de los 80 (El «boom» de los nuevos realizadores españoles)*, Murcia, Filmoteca Regional.
— (1991), *La cosecha del año*, Murcia, Filmoteca Regional
BELLAPART i ROIG, Jordi (1995), *El nostre cinema: Introducció a la història del cinema a Torroella de Montgrí (1895-1995)*, Torroella de Montgrí, Museu.
BENET, Vicente, COMPANY, Juan Miguel, GONZÁLEZ REQUENA, Jesús, *et al.* (1989), *Escritos sobre el cine español 1973-1987*, Valencia, Filmoteca.
BENITO, José Luis de (1932), *La cinematografía en la economía nacional*, Madrid, Instituto de Cine Iberoamericano.
BÉRTHIER, Nancy (1998), *Le franquisme et son image. Cinéma et propagande*, Toulouse, Presses Universitaires du Mirail.
— y SEGUIN, Jean-Claude (2007), *Cine, nación y nacionalidades en España*, Madrid, Casa de Velázquez.
BESAS, Peter (1985), *Behind the Spanish Lens. Spanish Cinema under Fascism and Democracy*, Denver (Colorado), Arden Press.
BIGAS, Anna, BUSSOT, Gerard y DELGADO, Neus (1995), *Cent anys de cinema a Sant Feliu de Guixols*, Sant Feliu de Guixols, Ajuntament.
BLASCO, Ricard (1981), *Introducció a la història del cine valencià*, Valencia, Ajuntament.
BONET, Eugeni y PALACIO, Manuel (eds.) (1983), *Práctica fílmica y vanguardia artística en España (1925-1981)*, Madrid, Universidad Complutense.
BRASÓ, Enrique, GALÁN, Diego, LARA, Fernando, *et al.* (1975), *Siete trabajos de base sobre el cine español*, Valencia, Fernando Torres.
BUSTAMANTE, Enrique y ZALLO, Ramón (1988), *Las industrias culturales en España*, Torrejón de Ardoz, Akal.

CABALLERO RODRÍGUEZ, José (1999), *Historia gráfica del cine en Mérida (1898-1998)*, Mérida, Editora Regional de Extremadura.
CABELLO-CASTELLET, George, MARTÍ-OLIVELLA, Jaume y WOOD, Guy H. (eds.) (2000), *Cine-Lit II: Essays on Hispanic Film and Fiction*, Corvallis, Oregon State University Press.
CABERO, Juan Antonio (1949), *Historia de la cinematografía española (1896-1948)*, Madrid, Gráficas Cinema.
CABEZA SAN DEOGRACIAS, José (2005), *El descanso del guerrero. El cine en Madrid durante la Guerra Civil española (1936-1939)*, Madrid, Rialp.
CABO, José Luis (1990), *Espectáculos precinematográficos en Galicia*, A Coruña, Xociviga.
— *Cinematógrafos de Compostela: 1900-1986*, Santiago de Compostela, CGAI/Xunta de Galicia.
CABRERIZO, Felipe (2007), *Tiempo de mitos. Las coproducciones cinematográficas entre la España de Franco y la Italia de Mussolini (1939-1943)*, Zaragoza, Diputación.
CAMÍ-VELA, María (2001; 2.ª ed., 2005), *Mujeres detrás de la cámara. Entrevistas con cineastas españolas de la década de los 90*, Madrid, Ocho y Medio.
CAMPORESI, Valeria (1994), *Para grandes y chicos: un cine para los españoles (1940-1990)*, Madrid, Turfan.
CÁNOVAS, Joaquín y PÉREZ PERUCHA, Julio (eds.) (1991), *Florentino Hernández Girbal y la defensa del cine español*, Murcia, Universidad/AEHC.
CANDEL, José María (1993), *Historia del dibujo animado español*, Murcia, Filmoteca Regional.
CAÑADA ZARRANZ, Alberto (2005), *El cine en Pamplona durante la II República y la Guerra Civil (1931-1939)*, Pamplona, Gobierno de Navarra.
CAPARRÓS LERA, José M.ª (1977), *El cine republicano español (1931-1939)*, Barcelona, Dopesa.
— (1981), *Arte y política en el cine de la República (1931-1939)*, Barcelona, Universidad.
— (1983), *El cine español bajo el régimen de Franco*, Barcelona, Universidad.
— (1992), *El cine español de la democracia. De la muerte de Franco al «cambio» socialista (1975-1989)*, Barcelona, Anthropos.
— (coord.) (1996), *Cine español: una historia por autonomías*, Barcelona, Promociones y Publicaciones Universitarias.
— (1999; 2.ª ed., 2007), *Historia crítica del cine español (desde 1897 hasta hoy)*, Barcelona, Ariel.
— (2000), *Estudios sobre el cine español del franquismo (1941-1964)*, Valladolid, Fancy.
— (2006), *La pantalla popular. El cine español durante el gobierno de la Derecha (1996-2003)*, Madrid, Akal.
— y BIADIU, Ramón (1978), *Petita història del cinema de la Generalitat (1932-1939)*, Mataró, Robrenyo.

— y ESPAÑA, Rafael de (1987), *The Spanish Cinema. An Historical Approach*, Barcelona, Center for Cinematic Research «Film Historia».
—, CARNER RIBALTA, J. y DELGADO, B. (1988), *El cinema educatiu i la seva incidència a Catalunya*, Barcelona, ICE Universitat.
CAPARRÓS MASEGOSA, Lola, FERNÁNDEZ MAÑAS, Ignacio y SOLER VIZCAÍNO, Juan (1997), *La producción cinematográfica en Almería: 1951-1975*, Almería, Instituto de Estudios Almerienses/Diputación.
CARMONA, Luis Miguel (2007), *La música en el cine español*, Madrid, Cacitel.
CASTRILLÓN HERMOSA, José Luis y MARTÍN JIMÉNEZ, Ignacio (1996), *El espectáculo cinematográfico en Valladolid (1920/1932)*, Valladolid, Junta de Castilla y León/SEMINCI.
CASTRO, Antón (2002), *Vidas de cine*, Zaragoza, Biblioteca Aragonesa de Cultura.
CASTRO, Antonio (1974), *El cine español en el banquillo*, Valencia, Fernando Torres.
CASTRO DE PAZ, José Luis (1995), *La Coruña y el cine: 100 años de historia*, Oleiros, Vía Láctea.
— (2002), *Un cinema herido. Los turbios años cuarenta en el cine español (1939-1950)*, Barcelona, Paidós.
— y PÉREZ PERUCHA, Julio (2001), *Gonzalo Torrente Ballester y el cine español*, Ourense, Festival de Cine.
— y PENA, Jaime (coords.) (2001), *Las imágenes y el inventor de palabras. Camilo José Cela en el cine español*, Ourense, Festival de Cine.
— y PENA, Jaime (2005), *Cine Español. Otro trayecto histórico. Nuevos puntos de vista. Una aproximación sintética*, Valencia, IVAC.
—, PENA, Jaime, PÉREZ PERUCHA, Julio y ZUNZUNEGUI, Santos (2005), *La Nueva Memoria. Historia(s) del cine español (1939-2000)*, A Coruña, Vía Láctea.
CATALÀ, Josep Maria, CERDÁN, Josetxo y TORREIRO, Casimiro (coords.) (2001), *Imagen, memoria y fascinación. Notas sobre el documental en España*, Málaga/Madrid, Festival de Cine Español/Ocho y Medio.
CENTRE D'ESTUDIS DE PLANIFICACIÓ (L. Bonet, X. Cubeles y J. M. Miralles) (1989), *La indústria del cinema a Catalunya*, Barcelona, Generalitat de Catalunya.
CERDÁN, Josetxo y PÉREZ PERUCHA, Julio (coords.) (1998), *Tras el sueño. Actas del Centenario*, Madrid, Cuadernos de la Academia núm. 2.
— y TORREIRO, Casimiro (eds.) (2007), *Al otro lado de la ficción. Trece documentalistas españoles contemporáneos*, Madrid, Cátedra.
CERÓN GÓMEZ, Juan Francisco (ed.) (2002), *Años de corto. Apuntes sobre el cortometraje español desde los noventa*, Murcia/Lorca, Universidad/Primavera Cinematográfica.
CERVERA, Elena, IRIARTE, Ana Cristina y SANTAMARINA, Antonio (coords.) (2003), *50 años de la Filmoteca Española. El cine español de los años 50*, Madrid, Sociedad Estatal de Conmemoraciones Culturales.
COLMENA TALAVERÓN, Enrique (1992), *La vuelta al cine en ochenta Sevillas*, Sevilla, Productora Andaluza de Programas.

COLOMER AMAT, Emília (1995), *Saló Imperial: un cinema històric a Sabadell*, Sabadell, Societat Cinematogràfica del Saló Imperial.
COLÓN, Carlos (1981), *Los comienzos del cinematógrafo en Sevilla (1896-1928)*, Sevilla, Ayuntamiento.
— (1983), *El cine en Sevilla, 1929-1950: de la Exposición y la llegada del sonoro a la postguerra*, Sevilla, Ayuntamiento.
COMAS, Ángel (2004), *El star system del cine español de posguerra (1939-1945)*, Madrid, T&B.
COMPANY, Juan Miquel (1997), *Formas y perversiones del compromiso. El cine español de los años cuarenta*, Valencia, Eutopías/Episteme.
— MONCHO AGUIRRE, J. de M., VANACLOCHA, J., *et al.* (1975), *Cine español, cine de subgéneros*, Valencia, Fernando Torres.
CONGRÈS DE CULTURA CATALANA (1978), *Ponències: Ambit de Cinema*, Barcelona, CCC.
CONQUERO, Dolores (2002), *¡Filmando! Seis maneras de hacer cine en España*, Madrid, Nuer.
COSTA, Jordi (2006), *El sexo que habla. El porno español explicado por sí mismo*, Madrid, Aguilar.
CRESPO, Alfonso (2006), *El batallón de las sombras. Nuevas formas documentales en el cine español*, Madrid, Fundación Rosa Luxemburgo.
CRUSELLS, Magí (2001), *La Guerra Civil española: Cine y propaganda*, Barcelona, Ariel.
— (2001), *Las Brigadas Internacionales en la pantalla*, Ciudad Real, Universidad de Castilla La Mancha.
— (2006), *Cine y Guerra Civil: Imágenes para la memoria*, Madrid, JC.
CUETO, Roberto (2003), *El lenguaje invisible. Entrevistas con compositores del cine español*, Alcalá de Henares, Festival de Cine.
CUEVAS, Antonio (1976; 2.ª ed. aumentada, 1999), *Economía cinematográfica. La producción y el comercio de películas*, Madrid, Ed. del autor.
— *et al.* (1994), *Las relaciones entre el cinema y la televisión en España y otros países de Europa*, Madrid, EGEDA/Comunidad de Madrid.
CUSACHS, Manuel y SIVILLA, Josep (1994), *El cinema a Mataró (1897-1939). De la llanterna màgica al cinema sonor*, Barcelona, Caixa d'Estalvis Laietana.
DELGADO, Juan Fabián (1991), *Andalucía y el cine. Del 75 al 92*, Sevilla, El Cerro de la Nieve.
DELGADO CASADO, Juan (1993), *La bibliografía cinematográfica española. Aproximación histórica*, Madrid, Arco/Libros.
DEVENY, Thomas G. (1993), *Cain on Screen. Contemporary Spanish Cinema*, Metuchen (New Jersey), Scarecrow Press.
DIAMANTE, Julio, CASTRO, Antonio, GARCÍA SEGUI, Alfonso, *et al.* (1977), *40 anni di cinema spagnolo. Testi e documenti*, Pesaro, Mostra Internazionale del Nuovo Cinema.

DÍEZ PUERTAS, Emeterio (2000), *Historia del movimiento obrero en la industria española del cine 1931-1999*, Valencia, IVAC.
— (2002), *El montaje del franquismo. La política cinematográfica de las fuerzas sublevadas*, Barcelona, Laertes.
— (2003), *Historia social del cine en España*, Madrid, Fundamentos.
D'LUGO, Marvin (1997), *Guide to the Cinema in Spain*, Westport (Connecticut), Greenwood.
EDWARDS, Gwynne (1994), *Indecent Exposures: Buñuel, Saura, Erice & Almodóvar,* Londres/New York, Marion Boyars.
ESCALERA, Manuel de la (1971), *Cuando el cine rompió a hablar*, Madrid, Taurus.
ESPELT, Ramón (1998), *Ficció criminal a Barcelona 1950-1963*, Barcelona, Laertes.
EVANS, Peter W. (1999), *Spanish Cinema. The Autorist Tradition*, Oxford, Oxford University Press.
FABBRI, Marina (1990), *La Nuova Spagna. Cinema e televisione*, Conegliano, Antennacinema.
FALQUINA, Ángel (1975), *30 años de cine (1945-1975)*, Madrid, CEC.
— y PORTO, Juan José (1974), *El cine español en premios (1941-1972)*, Madrid, Editora Nacional.
— (2001), *El CEC: Historia de un mal olvido*, Madrid, Caballoloco Ed.
FANÉS, Félix (1978), *Kurze Geschichte des Spanischen Films*, Frankfurt, Kommunales Kino.
FEENSTRA, Pietsie y HERMANS, Hub (dirs.) (2008), *Miradas sobre pasado y presente en el cine español (1990-2005)*, Amsterdam/Nueva York, Rodopi.
FERNÁNDEZ BLANCO, Víctor (1998), *El cine y su público en España. Un análisis económico*, Madrid, Fundación Autor.
FERNÁNDEZ COLORADO, Luis y DÍAZ, Marina (eds.) (1999), *Los límites de la frontera: La coproducción en el cine español*, Madrid, Cuadernos de la Academia núm. 5.
— y COUTO CANTERO, Pilar (eds.) (2001), *La herida de las sombras. El cine español en los años 40*, Madrid, Cuadernos de la Academia núm. 9
FERNÁNDEZ CUENCA, Carlos (1959), *Promio, Jimeno y los primeros pasos del cine en España*, Madrid, Filmoteca Nacional de España.
— (1967), *30 años de documental de arte en España*, Madrid, EOC.
— (1972), *La guerra de España y el cine* (2 vols.), Madrid, Editora Nacional.
FERNÁNDEZ SÁNCHEZ, Manuel Carlos (1986), *Hacia un cine andaluz*, Algeciras, Bahía.
FIDDIAN, Robin W. y EVANS, Peter W. (1988), *Challenges to Autorithy: Fiction and Film in Contemporary Spain*, Londres, Tamesis.
FILMOTECA REGIONAL DE MURCIA (1991), *La Escuela de Barcelona*, Murcia, Semana de Cine Español/Filmoteca Regional.
FOLGAR DE LA CALLE, José M.ª (1987), *El espectáculo cinematográfico en Galicia (1896-1920)*, Santiago de Compostela, Universidad.
FONT, Domènec (1976), *Del azul al verde. El cine español durante el franquismo*, Barcelona, Avance.

FRUTOS ESTEBAN, Francisco Javier (ed.) (1996), *El cine español desde Salamanca (1955/1995)*, Salamanca, Junta de Castilla y León.
FRAGA IRIBARNE, Manuel (1965), *Cine, cultura y política*, Madrid, EOC.
FREIXES SAURI, Joaquín (1924), *La cinematografía en España (Guía de la industria y el comercio cinematográfico en España e industrias relacionadas con el mismo)*, Barcelona, Arte y Cinematografía.
FURNÓ, Antonio «Anfurso» (1939), *El problema de la producción nacional cinematográfica*, Barcelona, Bistagne.
GALÁN, Diego (1981), *Memorias del cine español*, Madrid, Tele Radio.
— y LARA, Fernando (1972), *18 españoles de posguerra*, Barcelona, Planeta.
GARCÍA DE DUEÑAS, Jesús (1993), *¡Nos vamos a Hollywood!*, Madrid, Nickel-Odeon.
— (2008), *Cine español. Una crónica visual*, Madrid, Lunwerg/Instituto Cervantes.
— y GOROSTIZA, Jorge (coords.) (2001), *Los estudios cinematográficos españoles*, Madrid, Cuadernos de la Academia núm. 10.
GARCÍA ESCUDERO, José M.ª (1954), *La historia en cien palabras del cine español y otros escritos sobre cine*, Salamanca, Cine Club del SEU.
— (1962) *Cine español*, Madrid, Rialp.
— (1967) *Una política para el cine español*, Madrid, Editora Nacional.
— (1970) *Vamos a hablar de cine*, Barcelona, Salvat.
— (1978) *La primera apertura. Diario de un Director General*, Barcelona, Planeta.
— (1995) *Mis siete vidas*, Barcelona, Planeta.
GARCÍA FERNÁNDEZ, Emilio Carlos (1985a), *Historia ilustrada del cine español*, Barcelona, Planeta.
— (1985b), *Historia del cine en Galicia*, A Coruña, Voz de Galicia.
— (1992), *El cine español: Una propuesta didáctica*, Barcelona, CILEH.
— (1993), *El cine español contemporáneo*, Barcelona, CILEH.
— (1995), *Ávila y el cine. Historia, documentos y filmografía*, Ávila, Diputación.
— (coord.) (1998), *Memoria viva del cine español*, Madrid, Cuadernos de la Academia núm. 3.
— (2002), *El cine español entre 1896 y 1939. Historia, industria, filmografía y documentos*, Barcelona, Ariel.
— y RODRÍGUEZ MARTÍNEZ, Joaquín (1992), *Antología del cine español*, Murcia, Mundografic.
GARCÍA RODRIGO, Jesús y LÓPEZ ZORNOZA, José Fidel (1995), *La aventura del cine (1897-1995). Albacete en el centenario del séptimo arte*, Albacete, Diputación.
GARCÍA RODRIGO, Jesús y RODRÍGUEZ MARTÍN, Fran (2005), *El cine que nos dejó ver Franco*, Toledo, Junta Castilla-La Mancha.
GAROFANO, Rafael (1986), *El cinematógrafo en Cádiz. Una sociología de la imagen (1896-1930)*, Cádiz, Cátedra Municipal de Cultura.
— (1996), *Crónica social del cine en Cádiz*, Cádiz, Quorum.

GAVILÁN SÁNCHEZ, Juan Antonio y LAMARCA ROSALES, Manuel (2002), *Conversaciones con cineastas españoles*, Córdoba, Universidad.
GIFREU, Josep (1983), *Sistema i polítiques de la comunicació a Catalunya: Premsa, radio, televisió i cinema (1970-1980)*, Barcelona, L'Avenç.
GIL, Rafael (1936), *Luz del cinema*, Madrid, Grupo de Escritores Cinematográficos Independientes.
— (1945), *Justificación del cinema español*, Zaragoza, Departamento de Cultura de Educación Nacional.
GIMÉNEZ CABALLERO, Ernesto (1945), *Cine y política*, Madrid, Instituto de Estudios Políticos.
GISBERT, Paco y VALENCIA, Manuel (2005), *Exxxpaña. Historia del cine porno español*, Barcelona, Glenat.
GÓMEZ BERMÚDEZ DE CASTRO, Ramiro (1989), *La producción cinematográfica española. De la transición a la democracia (1976-1986)*, Bilbao, Mensajero.
GÓMEZ INGLADA, Margarita (coord.) (1994), *El cinema amateur al Prat*, Prat de Llobregat, Ajuntament.
GÓMEZ MESA, Luis (1947), *El rostro de España (Vol II: El cine de España)*, Madrid, Editora Nacional.
— (1978), *La literatura española en el cine nacional (Documentación y crítica)*, Madrid, Filmoteca Nacional de España.
GONZÁLEZ ÁLVAREZ, Manuel (1992), *Documentos para a historia do cine en Galicia (1970-1990)*, A Coruña, CGAI/Xunta.
GONZÁLEZ BALLESTEROS, Teodoro (1981), *Aspectos jurídicos de la censura cinematográfica en España*, Madrid, Universidad Complutense.
GONZÁLEZ LÓPEZ, Palmira (1986), *Història del cinema a Catalunya. I. L'època del cinema mut (1896-1931)*, Barcelona, Llar del Llibre.
— (1987), *Els anys daurats del cinema clàssic a Barcelona (1906-1923)*, Barcelona, Institut del Teatre de la Diputació/Edicions 62.
GONZÁLEZ TORREBLANCA, Nieves (2007), *Madrid, patio de butacas*, Madrid, La Librería.
GORDILLO, Inmaculada (coord.) (2007), *Duetos en cine. Coproducciones hispano-cubanas con música de fondo*, Sevilla/San Lúcar de Barrameda, EIHCEROA/Pedro Romero S.A.
GOROSTIZA, Jorge (2001), *La arquitectura de los sueños. Entrevistas con directores artísticos del cine español*, Alcalá de Henares, Festival de Cine.
GRAHAM, Helen y LABANYI, Jo (eds.) (1995), *Spanish Cultural Studies*, Oxford, Oxford University Press.
GRAHIT GRAU, José (1943), *El cine en Gerona*, Barcelona, Gráficas Fénix.
GRANADO, Verónica P. (2006), *Veinte años de Goyas al cine español*, Madrid, Aguilar.
GRAU, Mariano (1962), *Historia del cine en Segovia (desde los comienzos hasta la implantación del sonoro)*, Segovia, Instituto Diego Colmenares.
GUARINOS, Virginia (ed.) (1999), *Alicia en Andalucía*, Filmoteca de Andalucía.

GUARNER, José Luis (1971), *Treinta años de cine en España*, Barcelona, Kairós.
GUBERN, Román (1976), *Cine español en el exilio (1936-1939)*, Barcelona, Lumen.
— (1977), *El cine sonoro en la segunda República (1929-1936)*, Barcelona, Lumen.
— (1981), *La censura. Función política y ordenamiento jurídico bajo el franquismo 1936-1975*, Barcelona, Península.
— (1986), *La guerra de España en la pantalla*, Madrid, Filmoteca Española.
— (ed.) (1997), *Un siglo de cine español*, Madrid, Cuadernos de la Academia núm. 1.
— (1997), *Viaje de ida*, Barcelona, Anagrama.
— (1999), *Proyector de luna. La generación del 27 y el cine*, Barcelona, Anagrama.
— y FONT, Domènec (1975), *Un cine para el cadalso. 40 años de censura cinematográfica en España*, Barcelona, Euros.
GURPEGUI, Carlos (2004), *Cine por primera vez*, Zaragoza, Festival Cortometrajes/Gobierno de Aragón.
HEININK, Juan Bautista y DICKSON, Robert G. (1991), *Cita en Hollywood*, Bilbao, Mensajero.
HEREDERO, Carlos F. (1993), *Las huellas del tiempo. Cine español 1951-1961*, Valencia/Madrid, Filmoteca/Filmoteca Española.
— (1994) *El lenguaje de la luz. Entrevistas con directores de fotografía del cine español*, Alcalá de Henares, Festival de Cine.
— (1996), *La pesadilla roja del general Franco. El discurso anticomunista en el cine español de la dictadura*, San Sebastián, Festival Internacional de Cine.
— (1997), *Espejo de miradas. Entrevistas con nuevos directores del cine español de los años noventa*, Alcalá de Henares, Festival de Cine.
— (ed.) (1998), *La mitad del cielo. Directoras españolas de los años 90*, Málaga, Festival de Cine Español.
— (1999), *20 nuevos directores del cine español*, Madrid, Alianza.
— (coord.) (2002), *La imprenta dinámica. Literatura española en el cine español*, Madrid, Cuadernos de la Academia núm. 11/12.
— y SANTAMARINA, Antonio (2002), *Semillas de futuro. Cine español 1990-2001*, Madrid, Sociedad Estatal España Nuevo Milenio.
— y MONTERDE, José Enrique (eds.) (2003), *Los «Nuevos Cines» en España. Ilusiones y desencantos de los años sesenta*, Valencia, IVAC La Filmoteca.
HEREDERO GARCÍA, Rafael (2000), *La censura del guión en España. Peticiones de permisos de rodaje para producciones extranjeras entre 1968 y 1973*, Valencia, IVAC La Filmoteca.
HERNÁNDEZ, Marta (1976), *El aparato cinematográfico español*, Madrid, Akal.
— y REVUELTA, Manolo (1976), *30 años de cine al alcance de todos los españoles*, Bilbao, Zero.
HERNÁNDEZ GIRBAL, Florentino (ed. de J. B. Heinink) (1992), *Los que pasaron por Hollywood*, Madrid, Verdoux.
HERNÁNDEZ LES, Juan y GATO, Miguel (1978), *El cine de autor en España*, Madrid, Castellote.

HERNÁNDEZ MARCOS, José Luis y RUIZ BUTRÓN, Eduardo Ángel (1978), *Historia de los cine-clubs de España*, Madrid, Ministerio de Cultura.
HERNÁNDEZ ROBLEDO, Miguel Ángel (2003), *Estado e información. El No-Do al servicio del Estado unitario (1943-1945)*, Salamanca, Universidad Pontificia.
HERNÁNDEZ RUIZ, Javier y PÉREZ RUBIO, Pablo (2004), *Voces en la niebla: El cine durante la Transición española (1973-1982)*, Barcelona, Paidós.
HERREROS, Enrique (1994), *Dos Oscar españoles y quince nominaciones*, Madrid, Kodak.
— (2000), *Hay bombones y caramelos. Bar en el entresuelo*, Madrid, EDAF.
HIGGINBOTHAM, Virginia (1988), *Spanish Film under Franco*, Austin (Texas), University of Texas Press.
HOPEWELL, John (1986), *Out of the Past. Spanish Cinema after Franco*, Londres, British Film Institute (versión castellana: *El cine español después de Franco (1973-1988)*, Madrid, El Arquero, 1989).
HUESO MONTÓN, Ángel Luis (1992), *La exhibición cinematográfica en La Coruña (1940-1989)*, A Coruña, Diputación.
INSTITUTO DE LA OPINIÓN PÚBLICA (1968), *Estudio sobre la situación del cine en España*, Madrid, Editora Nacional.
JAIME, Antoine (2000), *Literatura y cine en España (1975-1995)*, Madrid, Cátedra.
JONES, Daniel E. y CORBELLA, Joan M. (eds.) (1989), *La indústria audiovisual de ficció a Catalunya: Producció i comercialització*, Barcelona, Centre d'Investigació de la Comunicació (Generalitat de Catalunya).
JORDAN, Barry y MORGAN-TAMOSUNAS, Rikki (eds.) (1998), *Contemporary Spanish Cinema*, Manchester, Manchester University Press.
JOSÉ I SOLSONA, Carles (1983a), *El sector cinematogràfic a Catalunya: una aproximació quantitativa. I: Exhibició*, Barcelona, Institut del Cinema Cátala (ICC).
— (1983b), *El sector cinematogràfic a Catalunya: una aproximació quantitativa. II: Producció i distribució*, Barcelona, ICC.
— (1987), *Tendències de l'exhibició cinematogràfica a Catalunya*, Barcelona, ICC.
— (1994), *Els cinemes de Catalunya. Evolució Municipal i Comarcal*, Barcelona, ICC.
JULIÁN, Oscar de (2002), *De Salamanca a ninguna parte. Diálogos sobre el Nuevo Cine Español*, Salamanca, Junta de Castilla y León.
JURADO ARROYO, Rafael (1997), *Los inicios del cinematógrafo en Córdoba*, Córdoba, Filmoteca de Andalucía.
KINDER, Marsha (1993), *Blood Cinema. The Reconstruction of National Identity in Spain*, Berkeley (California), University of California Press.
— (ed.) (1997), *Refiguring Spain. Cinema/Media/Representation*, Durnham, Duke University Press.
LAHOZ, Ignacio (ed.) (1991), *Historia del cine valenciano*, Valencia, Levante.
LARA GARCÍA, Mari Pepa (1988), *Historia de los cines malagueños. Desde sus orígenes hasta 1946*, Málaga, Diputación.
LARRAÑAGA, Koldo y CALVO, Enrique (1997), *Lo vasco en el cine (Las películas)*, San Sebastián, Filmoteca Vasca.

— (1999), *Lo vasco en el cine (Las personas)*, Vitoria, Filmoteca Vasca.
LARRAZ, Emmanuel (1973), *El cine español*, París, Masson.
— (1986), *Le cinéma espagnol des origines à nos jours*, París, Cerf.
LÁZARO REBOLL, Antonio y WILLIS, Andrew (2004), *Spanish Popular Cinemas*, Manchester, Manchester University Press.
LETAMENDI, Jon y RUIZ ÁLVAREZ, Luis Enrique (1996), *Aportaciones a los orígenes del cine español*, Barcelona, Royal Books.
LETAMENDI, Jon y SEGUIN, Jean-Claude (1997), *Los orígenes del cine en Álava y sus pioneros 1896-1897*, San Sebastián, Filmoteca Vasca.
— (1998), *Los orígenes del cine en Guipúzcoa y sus pioneros*, San Sebastián, Filmoteca Vasca.
— (1998), *Los orígenes del cine en Bizkaia y sus pioneros*, San Sebastián, Filmoteca Vasca.
— (1998), *La cuna fantasma del cine español*, Barcelona, CIMS.
— (2005), *Los orígenes del cine en Cataluña*, Barcelona/San Sebastián, Generalitat de Catalunya/Filmoteca Vasca
LLINÁS, Francisco (1986), *Cortometraje independiente español*, Bilbao, Certamen de Cine Documental y Cortometraje.
— (1987), *4 años de cine español (1983-1986)*, Madrid, Imagfic/Dicrefilm.
— (ed.) (1999), *50 años de la Escuela de Cine*, Madrid, Cuadernos de la Filmoteca Española núm. 4.
LÓPEZ CLEMENTE, José (1960), *Cine documental español*, Madrid, Rialp.
LÓPEZ ECHEVERRIETA, Alberto (1977), *El cine en Vizcaya*, Bilbao, Caja de Ahorros Vizcaína.
— (1982), *Cine vasco: ¿realidad o ficción? Época muda*, Bilbao, Mensajero.
— (1985), *Cine vasco de ayer a hoy. Época sonora*, Bilbao, Mensajero.
— (2000), *Los cines de Bilbao*, San Sebastián, Filmoteca Vasca.
LÓPEZ GARCÍA, Victoriano (1945), *La industria cinematográfica española*, Madrid, Asociación Nacional de Ingenieros Industriales.
— (1972), *Chequeo al cine español*, Madrid, Ed. del autor.
—, MARTÍN PROHARAM, Miguel A. y CUEVAS PUENTE, Antonio (1955), *La industria de producción de películas en España*, Madrid, Espectáculo.
LÓPEZ RUBIO, José (1948), *Panorama del cine español*, Madrid, Instituto de Cultura Hispánica.
LÓPEZ SERRANO, Fernando (1999), *Madrid, figuras y sombras. De los teatros de títeres a los salones de cine*, Madrid, Universidad Complutense.
LORENZO BENAVENTE, Juan Bonifacio (1984), *Asturias y el cine*, Gijón, Mases.
LOZANO AGUILAR, Arturo y PÉREZ PERUCHA, Julio (eds.) (2005), *El cine español durante la transición democrática (1974-1983)*, Madrid, Cuadernos de la Academia núms. 13-14.
LUNA, Alicia (2000), *Matad al guionista... y acabaréis con el cine*, Madrid, Nuer.
MACHETTI, Sandro (1995), *El pre-cinema a Lleida (Cultura i espectacles pre-cinematogràfics i el seu públic entre 1845 i 1896)*, Lleida, Pagès.

MADARIAGA ATEKA, Javier (1988), *Los inicios del cine y la fotografía en Navarra, 1840-1940*, Pamplona, Gobierno de Navarra.
MADRID, Juan Carlos de (1997), *Primeros tiempos del cinematógrafo en España*, Avilés, Ed. del autor.
MANZANERA, María (1992), *Cine de animación en España: largometrajes 1945-1985*, Murcia, Universidad.
MAQUA, Javier, PÉREZ MERINERO, Carlos y PÉREZ MERINERO, David (1976), *Cine español. Ida y vuelta*, Valencia, Fernando Torres.
MARQUET, Félix (1938), *Por un cinema de guerra*, Barcelona, Unió Gràfica Cooperativa Obrera.
MÁRQUEZ ÚBEDA, José (1999), *Almería, plató de cine*, Almería, Instituto de Estudios Almerienses/Diputación.
MARTÍN, Annabel (2005), *La gramática de la felicidad. Relecturas franquistas y postmodernas del melodrama*, Madrid, Libertarias.
MARTÍN ARIAS, Luis y SÁINZ GUERRA, Pedro (1986), *El cinematógrafo (1896-1919)*, Valladolid, Obra Cultural de la Caja de Ahorros Popular.
MARTÍN-MÁRQUEZ, Susan (1999), *Feminist Discourse and Spanish Cinema: Sight Unseen*, Oxford, Oxford University Press.
MARTÍNEZ, Josefina (1992), *Los primeros 25 años de cine en Madrid (1986-1920)*, Madrid, Filmoteca Española/Consorcio Madrid 92.
MARTÍNEZ BRETÓN, Juan Antonio (1987), *Influencia de la Iglesia católica en la cinematografía española (1951-1962)*, Madrid, Harofarma.
— (2000), *Libertad de expresión cinematográfica durante la II República española (1931-1936)*, Valencia, Fragua.
MARTÍNEZ FERNÁNDEZ, Benito (1991), *Córdoba en el cine*, Córdoba, Diputación.
MARTÍNEZ HERRANZ, Amparo (2005), *Los cines en Zaragoza (1939-1975)*, Zaragoza, Alzar.
MARTÍNEZ MOYA, José Enrique (1999), *Almería, un mundo de película*, Almería, Instituto de Estudios Almerienses.
MARTÍNEZ TORRES, Augusto (1973), *Cine español, años sesenta*, Barcelona, Anagrama.
— (ed.) (1984; 2.ª ed. 1989), *Cine Español 1896-1983*, Madrid, Ministerio de Cultura.
— (2000), *Cineastas insólitos. Conversaciones con directores, productores y guionistas españoles*, Madrid, Nuer.
—, GALÁN, Diego y LLORENS, Antonio (1984), *Cine maldito español de los años sesenta*, Valencia, Quaderns de la Mostra núm. 2, Fundación Municipal de Cine/Fernando Torres.
MEDINA, Elena (2000), *Cine negro y policiaco español de los años cincuenta*, Barcelona, Laertes.
MEDINA, Pedro y GONZÁLEZ, Luis Mariano (coords.) (2005), *Cortos pero intensos. Las películas breves de los cineastas españoles*, Alcalá de Henares, Festival de Cine/Comunidad de Madrid.

— y Martín Velázquez, José (coord.) (1996), *Historia del cortometraje español*, Alcalá de Henares, Festival de Cine.
Méndez Leite von Haffe, Fernando (1941), *45 años de cinema español*, Madrid, Bailly Baillière.
— (1952), *Nuestro cine, antes y después de la tutela del nuevo Estado*, Madrid, Editorial Madrid.
— (1965), *Historia del cine español* (2 vols.), Madrid, Rialp.
Meseguer, Manuel Nicolás (2004), *La intervención velada. El apoyo cinematográfico alemán al bando franquista (1936-1939)*, Lorca/Murcia, Primavera Cinematográfica/Universidad.
Miguel, Casilda de, Rebolledo, José Ángel y Marín, Flora (2000), *Ilusión y realidad. La aventura del cine vasco en los años 80*, San Sebastián, Filmoteca Vasca.
Minguet, Joan M. (2008), *Paisaje(s) del cine mudo en España*, Valencia, IVAC.
— y Pérez Perucha, Julio (eds.) (1994), *El paso del mudo al sonoro en el cine español. Tomo II. Textos y debates: breve antología*, Madrid, AEHC.
Moix, Terenci (1993), *Suspiros de España: La copla y el cine de nuestro recuerdo*, Barcelona, Plaza & Janés.
Molina-Foix, Vicente (1977), *New Cinema in Spain*, Londres, British Film Institute.
Moncho Aguirre, Juan de Mata (1982), *Cine Español 1941-1981*, Huelva, Festival de Cine Iberoamericano.
— (1986), *Cine y literatura. La adaptación literaria en el cine español*, Valencia, Generalitat.
Monterde, José Enrique (1993), *Veinte años de cine español. Un cine bajo la paradoja (1973-1992)*, Barcelona, Paidós.
— (coord.) (1999), *Ficciones históricas (El cine histórico español)*, Madrid, Cuadernos de la Academia núm. 6.
Morales Quintero, Sergio y Modolell Koppel, Andrés (coords.) (1997), *Un siglo de producción de cine en Canarias (1897-1997). Textos para una historia*, Las Palmas de Gran Canaria, Cabildo Insular de Canarias.
Moreiras-Menor, Cristina (2002), *Cultura herida: Literatura y cine en la España democrática*, Madrid, Libertarias.
Morris, C. B. (1980), *The Loving Darkness: The Cinema and the Spanish Writers (1920-1936)*, Oxford, Oxford University Press.
Moya, Eduardo (1954), *El cine en España*, Madrid, Oficina de Estudios Económicos, Ministerio de Comercio.
Munsó Cabús, Juan (1972), *El cine de Arte y Ensayo en España*, Barcelona, Picazo.
— (1995), *Els cinemes de Barcelona*, Barcelona, Proa/Ajuntament.
Muñoz, Abelardo (1999), *El baile de los malditos. Cine independiente valenciano (1967-1975)*, Valencia, Filmoteca.
Muñoz Zielinski, Manuel (1985), *Inicios del espectáculo cinematográfico en la región murciana (1896-1907)*, Murcia, Academia Alfonso X el Sabio.

NARVÁEZ TORREGROSA, Daniel C. (2000), *Los inicios del cinematógrafo en Alicante (1896-1931)*, Valencia, Filmoteca.
NAVARRO, Tomás (1930), *El idioma español en el cine parlante: ¿Español o hispanoamericano?*, Madrid, Centro de Estudios Históricos.
NEUSCHAFER, Hans-Jörg (1994), *Adiós a la España eterna: La dialéctica de la censura. Novela, teatro y cine bajo el franquismo*, Madrid/Barcelona, Ministerio Asuntos Exteriores/Anthropos.
NIETO FERRANDO, Jorge (2008), *La memoria cinematográfica de la Guerra Civil española (1939-1982)*, Valencia, PUV.
— y COMPANY, Juan Miguel (coords.) (2006), *Por un cine de lo real. Cincuenta años después de las «Conversaciones de Salamanca»*, Valencia, IVAC.
OLIVELLA FERRAN, Anna (1989), *Història del cinema a Vilafranca*, Vilafranca del Penedès, Ajuntament.
OMS, Marcel (1986), *La guerre d'Espagne au cinéma. Mythes et réalités*, París, Cerf.
— y PASSEK, Jean-Loup (1988), *30 ans de cinéma espagnol 1958-1988*, París, Centre Georges Pompidou.
ORDÓÑEZ, Marcos (1996), *The Spanish Fantasy Pictures Show*, Sitges, Festival de Cinema Fantàstic.
— (2004), *Beberse la vida. Ava Gardner en España*, Madrid, Aguilar.
ORTEGA, María Luisa (coord.) (2005), *Nada es lo que parece. Falsos documentales, hibridaciones y mestizajes del documental en España*, Madrid, Ocho y Medio/ Ayuntamiento.
ORTEGA CAMPOS, Ignacio (1983), *Ensayos de cine español*, Madrid, Instituto de Cultura Hispánica.
OTERO, José María (2005), *¿Por qué se va al cine?*, Huesca, Festival de Cine.
— (2006), *TVE: Escuela de cine*, Huesca, Festival de Cine.
PABLO, Santiago de (2006), *Tierra sin paz. Guerra Civil, cine y propaganda en el País Vasco*, Madrid, Biblioteca Nueva.
PABLOS MIGUEL, Clemente de (1999), *Un lugar de cine. Rodajes cinematográficos en Segovia (1898-1999)*, Segovia, Obra Social y Cultural de Caja Segovia.
PACO NAVARRO, José de (2005), *Historia del cinematógrafo de la región de Murcia*, Murcia, Semana Cine Español de Mula/Cine Club Segundo de Chomón.
PAGOLA, Manu (1990), *Bilbao y el cine*, Bilbao, Ayuntamiento.
PAYÁN, Miguel Juan (1993), *Cine español de los 90*, Madrid, JC.
— (2001), *El cine español actual. Conversaciones con realizadores*, Madrid, JC.
PÉREZ BASTIAS, Luis y ALONSO BARAHONA, Fernando (1995), *Las mentiras del cine español*, Barcelona, Royal Books.
PÉREZ BOWIE, José Antonio (1996), *Materiales para un sueño. En torno a la recepción del cine en España (1896-1936)*, Salamanca, Librería Cervantes.
— (2004), *Cine, literatura y poder. La adaptación cinematográfica durante el primer franquismo (1939-1950)*, Salamanca, Cervantes.
PÉREZ MERINERO, Carlos & David (1973), *Cine español. Algunos materiales por derribo*, Madrid, Edicusa.

— (eds.) (1974), *En pos del cinema. Antología de La Gaceta Literaria*, Barcelona, Anagrama.
— (eds.) (1975), *Del cinema como arma de clase. Antología de Nuestro Cinema (1932-1935)*, Valencia, Fernando Torres.
— (1975), *Cine y control*, Madrid, Castellote.
— (1976), *Cine español, una reinterpretación*, Barcelona, Anagrama.
PÉREZ PENA, Amparo (1985), *O cine da posguerra en Santiago: 1939-1944*, Santiago de Compostela, Xunta de Galicia
PÉREZ PERUCHA, Julio (ed.) (1984), *Madrid y el cine*, Madrid, Ayuntamiento/ Filmoteca Española.
— (1992), *Cine español. Algunos jalones significativos*, Madrid, Films 210.
— (ed.) (1995a), *Huellas de luz*, Madrid, Asociación Cien Años de Cine.
— (ed.) (1995b), *De Dalí a Hitchcock: los caminos en el cine*, A Coruña, Centro Galego de Artes de Imaxe.
PERRIAM, Chris (2003), *Stars and Masculinities in Spanish Cinema*, Oxford, Oxford University Press.
PEYROU, Óscar (2004), *El cine anarquista, el inicio de una ilusión*, Huesca, Festival de Cine.
PINA, Luis de y MATOS-CRUZ, José de (1986), *Panorama do cinema espanhol*, Lisboa, Cinemateca portuguesa.
PINEDA NOVO, Daniel (1991), *Las folklóricas y el cine*, Huelva, Festival de Cine Iberoamericano.
PLATERO, Carlos (1981), *Historia del cine en Canarias*, Las Palmas de Gran Canaria, Editorial Regional Canaria.
POHL, Burckhard y TÜRSCHMANN, Jörg (coord.) (2007), *Miradas glocales. Cine español en el cambio de milenio,* Madrid/Frankfurt, Iberoamericana/Vervuert.
PORTER MOIX, Miquel (1985), *Adrià Gual i el cinema primitiu a Catalunya*, Barcelona, Universitat.
— (1992), *Història del cinema a Catalunya*, Barcelona, Generalitat de Catalunya.
—, ALOGUIN, M.ª Antònia, GONZÁLEZ, Palmira y HUERRE, Guillemette (1977), *Breu història del cinema primitiu a Catalunya*, Mataró, Robrenyo.
— y HUERRE, Guillemette (1958), *La cinematografia catalana (1896-1925)*, Palma de Mallorca, Moll.
— y ROS VILELLA, Maria Teresa (1969), *Història del cinema català (1895-1968)*, Barcelona, Tàber.
POYATO, Pedro (comp.) (2005), *Historia(s), motivos y formas del cine español*, Córdoba, Plurabelle.
POZO, Santiago (1984), *La industria del cine en España. Legislación y aspectos económicos (1896-1970)*, Barcelona, Universitat.
PRODESCON (2001), *La producción audiovisual española ante el reto de la internacionalización*, Madrid, FAPAE/ICES.
PUERTO, Carlos (1975), *La censura como problema*, Madrid, Cedel.

PUIGDOMENECH, Jordi (2007), *30 años de cine español en democracia (1977-2007)*, Madrid, JC.
PULIDO CORRALES, Catalina (1997), *Inicios del cine en Badajoz (1896-1900)*, Mérida, Editora Regional de Extremadura.
PUYAL, Alfonso (2003), *Cinema y arte nuevo. La recepción fílmica de la vanguardia española (1917-1937)*, Madrid, Biblioteca Nueva.
QUESADA, Luis (1986), *La novela española y el cine*, Madrid, JC.
RAMÍREZ, Luis Ángel y VELÁZQUEZ, José María (2000), *Una década prodigiosa. El cortometraje español de los noventa*, Alcalá de Henares, Festival de Cine.
RAMÍREZ GUEDES, Enrique (2002), *El espectáculo cinematográfico en La Laguna*, La Laguna, Ayuntamiento.
RESINA, Joan Ramon, con la col. de LEMA-HINCAPIÉ, Andrés (eds.) (2008), *Burning Darkness. A Half Century of Spanish Cinema*, Nueva York, State University of New York Press.
REY REGUILLOS, Antonia del (1998), *El cine español de los años veinte. Una identidad negada*, Valencia, Episteme.
RIAMBAU, Esteve (1994), *El paisatge abans de la batalla. El cinema a Catalunya (1896-1939)*, Barcelona, Index.
— y TORREIRO, Casimiro (1989), *Sobre el guió. Productors, directors, escriptors i guionistes*, Barcelona, Festival Internacional de Cinema (versión castellana: *Sobre el guión. Productores, directores, escritores y guionistas*, Festival Internacional de Cine, Barcelona, 1990).
— (1993), *Temps era temps. El cinema de l'Escola de Barcelona i el seu entorn*, Barcelona, Generalitat de Catalunya (versión castellana: *La Escuela de Barcelona. El cine de la «gauche divine»*, Barcelona, Anagrama, 1999).
— (1999), *Historias, palabras, imágenes. Entrevistas con guionistas del cine español contemporáneo*, Alcalá de Henares, Festival de Cine.
RÍOS CARRATALÁ, Juan A. (2000), *El teatro en el cine español*, Alicante, Universidad.
— (2001), *Cómicos ante el espejo. Los actores españoles y la autobiografía*, Alicante, Universidad.
RIPOLL i FREIXES, Enric (1992), *Cien películas sobre la Guerra Civil española*, Barcelona, CILEH.
RIVAS, Miguel Ángel (2001), *Debut y despedida. Directores españoles de una sola película*, Barcelona, Ariel.
RODERO, José Ángel (1981), *Aquel Nuevo Cine Español de los 60*, Valladolid, SEMINCI.
RODRÍGUEZ, Hilario J. (coord.) (2006), *Miradas para un nuevo milenio. Fragmentos para una historia futura del cine español*, Alcalá de Henares, Festival de Cine.
— (2007), *Voces en el tiempo. Conversaciones con el último cine español*, Alcalá de Henares/Valencia, Festival de Cine/Comunidad de Madrid/IVAC.
RODRÍGUEZ, María Pilar (2002), *Mundos en conflicto: Aproximaciones al cine vasco de los noventa*, Deusto, Universidad.

Rodríguez Gordillo, Primitivo (1977), *Cine infantil y juvenil (Datos para una historia del cine para menores en España)*, Madrid, Ministerio de Cultura.
Rodríguez Martínez, Saturnino (1999), *El No-Do. Catecismo social de una época*, Madrid, Editorial Complutense.
Rodríguez Mateos, Araceli (2008), *Un franquismo de cine. La imagen política del Régimen en el noticiario NO-DO (1943-1959)*, Madrid, Rialp.
Roldán Larreta, Carlos (2008), *Secundarios vascos de primera*, San Sebastián, Filmoteca Vasca.
Romaguera i Ramió, Joaquim (ed.) (1979), *Jornades de cinema català. Materials, memorandum i document final*, Barcelona, Semana Internacional de Cinema.
— (ed.) (1981), *Converses de cinema a Catalunya. Història i conclusions*, Barcelona, Institut de Cinema Català (ICC)/Caixa de Barcelona.
— (ed.) (1983), *Muestra de cine catalán reciente: Cortometrajes y documentales*, Bilbao, Certamen de Cine Documental y Cortometrajes
— (1988), *Historia del cine documental de largometraje en el Estado español*, Bilbao, Certamen de Cine Documental y Cortometrajes.
— (1992), *Quan el cinema començà a parlar en català (1927-1934)*, Barcelona, ICC.
— (ed.) (1995), *El patrimoni Cinematogràfic a Catalunya*, Barcelona, ICC.
— (2004), *Presencia del deporte en el cine español*, Córdoba/Madrid, Fundación Andalucía Olímpica/Consejo Superior de Deportes.
— y Aldazábal Bardaji, Peio (eds.) (1990), *Hora actual del cine de las autonomías del Estado español*, San Sebastián, Filmoteca Vasca
— Aldazábal Bardaji, Peio y Aldazábal Sergio, M. (eds.) (1991), *Las vanguardias artísticas en la historia del cine español*, San Sebastián, Filmoteca Vasca.
— y Lorenzo Benavente, Juan Bonifacio (eds.) (1989), *Metodologías de la Historia del Cine*, Gijón, Festival de Cine/Fundación Municipal de Cultura.
— y Soler de los Martires, Llorens (2006), *Historia crítica y documentada del cine independiente en España (1955-1975)*, Barcelona, Laertes.
Romero, Vicente, Martínez, Josefina y Amor, Medardo (1991), *Cine mudo español, un primer acercamiento de investigación*, Madrid, Universidad Complutense.
Rosa, Emilio de la y Martos, Eladi (1999), *Cine de animación experimental en Cataluña y Valencia*, Madrid/Valencia, Semana de Cine Experimental/Filmoteca.
Rotellar, Manuel (1970), *Cine aragonés*, Zaragoza, Cine Club Saracosta.
— (1971), *Aragoneses en el cine español*, Zaragoza, Ayuntamiento.
— (1977), *Cine español de la República*, San Sebastián, Festival Internacional de Cine.
— (1981), *Dibujo animado español*, San Sebastián, Festival Internacional de Cine.
Rubio, Ramón (coord.) (1986), *La comedia en el cine español*, Madrid, Imagfic/Ayuntamiento/Comunidad Autónoma.
— (textos y doc.) (2007] *La historia de España a través del cine*, Madrid, Polifemo/Ministerio de Asuntos Exteriores.

RUIZ, Luis Enrique (2004), *El cine mudo español en sus películas*, Bilbao, Mensajero.
RUIZ ROJO, José Antonio (1987), *90 años de cine en Guadalajara (1897-1987)*, Guadalajara, Cine-Club Alcarreño.
SADA, Javier M.ª (1991), *Cinematógrafos donostiarras*, San Sebastián, Filmoteca Vasca.
SÁIZ VIADERO, Ramón (1991), *El cine de los realizadores cántabros*, Santander, Tantín.
— (1999), *Una historia del cine en Cantabria*, Santander, Ayuntamiento/Ed. Librería Estudio.
SÁINZ, Salvador (1989), *La historia del cine fantástico español (de Segundo de Chomón a Bigas Luna)*, Ibiza, Semana Internacional del Film.
SALA NOGUER, Ramón (1993), *El cine en la España republicana durante la Guerra Civil (1936-1939)*, Bilbao, Mensajero.
SÁNCHEZ ALARCÓN, Immaculada y FERNÁNDEZ PARADAS, Mercedes (2006), *Cine en Málaga durante la Transición política*, Málaga, Diputación.
SÁNCHEZ BARBA, Francesc (2007), *Brumas del franquismo. El auge del cine negro español (1950-1965)*, Barcelona, Universitat.
SÁNCHEZ BIOSCA, Vicente (2006), *Cine y Guerra Civil española. Del mito a la memoria*, Madrid, Alianza.
SÁNCHEZ MILLÁN, Alberto (1987), *Cine Amateur e Independiente en Aragón*, Zaragoza, Gandaya/Cine Club Zaragoza.
SÁNCHEZ SALAS, Bernardo (1990), *1896-1955 Del cinematógrafo al cinemascope. Primera vuelta de manivela para una historia del cine en la Rioja*, Logroño, Gobierno de la Rioja.
— (1995), *100 años luz. El tiempo del cinematógrafo en La Rioja*, Logroño, Cultural Rioja.
SÁNCHEZ SALAS, Daniel (2007), *Historias de luz y papel. El cine español de los años veinte a través de su adaptación de la narrativa literaria española*, Murcia, Filmoteca Regional.
— y SÁNCHEZ SALAS, Bernardo (1998), *Doce (Historia de la Academia, 1986-1998)*, Madrid, Cuadernos de la Academia núm. 4.
SANGRO Y ROS DE OLANO, Pedro (Marqués de Guad-el-Jelu) (1937), *Bases para el fomento del buen cinematógrafo español*, Pamplona, Confederación Católica Nacional de Padres de Familia.
SANTAOLALLA, Isabel (2005), *Los «otros». Etnicidad y «raza» en el cine español contemporáneo*, Madrid/Zaragoza, Ocho y Medio/Prensa Universitaria.
SANTOS, Mateo (1937), *El cine bajo la svástica*, Barcelona, Tierra y Libertad.
SANTOS, Soro de los (1934), *La verdad sobre la cinematografía española*, Madrid, Graphia.
SANTOS FONTENLA, César (1966), *Cine español en la encrucijada*, Madrid, Ciencia Nueva.
SCHWARTZ, Ronald (1991), *The Great Spanish Films: 1950-1990*, Metuchen (New Jersey), Scarecrow Press.

SEGUIN, Jean-Claude (1994), *Histoire du cinéma espagnol*, París, Nathan (versión castellana: *Historia del cine español*, Madrid, Acento, 1995).
SERRANO, Alfredo (1925), *Las películas españolas. Estudio crítico-analítico del desarrollo de la producción cinematográfica en España. Su pasado, su presente y su porvenir*, Barcelona, Ed. del autor.
SERRANO CUETO, José Manuel (2001), *Gaditanos en el cine*, Cádiz, Muestra del Atlántico.
— (2003), *Malagueños en el cine*, Málaga, Festival de Cine Español.
SMITH, Paul Julian (1996), *Vision Machines. Cinema, Literature and Sexuality in Spain and Cuba, 1983-1993*, Londres/Nueva York, Verso (versión española: *Las leyes del deseo: la homosexualidad en la literatura y el cine español, 1960-1990*, Barcelona, La Tempestad, 1998).
— (2000), *The Moderns: Time, Space, and Subjectivity in Contemporary Spanish Culture*, Oxford, Oxford University Press.
— (2006), *Spanish Visual Culture: Cinema, Television, Internet*, Manchester, Manchester University Press.
STONE, Rob (2002), *Spanish Cinema*, Harlow (Essex), Pearson Education Ltd.
SUÁREZ DE LA DEHESA, José Antonio (1971), *Geografía económica del cine hispano*, Madrid, Ministerio de Información y Turismo.
TALENS, Jenaro y ZUNZUNEGUI, Santos (eds.) (1998), *Modes of Representation in Spanish Cinema*, Minneapolis, Minnesota University Press.
— (eds.) (2007), *Contracampo. Ensayos sobre teoría e historia del cine*, Madrid, Cátedra.
TEJEDOR SÁNCHEZ, Miguel (1999), *Vivir para ver cine (1940-1949)*, Valencia, Fundación Municipal de Cine/Mostra del Mediterrani (nueva ed.: *Valencia, ciudad de cines (1940-1950)*, Valencia, IVAC, 2000).
TORIL, Núria y GARCÉS, Óscar (1996), *El cinema a L'Hospitalet: de l'espectacle de fira a la multisala (1907-1996)*, L'Hospitalet, Centre d'Estudis.
TORRAS, Jordi (2002), *Viaje sentimental por los cines de Barcelona*, Barcelona, Parsifal.
TORRELLA, José (1950), *El cine amateur español 1930-1950*, Barcelona, Centro Excursionista de Cataluña.
— (1965), *Crónica y análisis del cine amateur español*, Madrid, Rialp.
— (1980), *Introducció i desenvolupament del cinema a Sabadell: 1897-1936*, Sabadell, Fundació Bosch i Cardellach.
— (1991), *Rodatges de postguerra a Barcelona. Un recorregut pels estudis de cinema*, Barcelona, Institut del Cinema Català.
TRANCHE, Rafael R. y SÁNCHEZ BIOSCA, Vicente (2001), *NO-DO: El tiempo y la memoria*, Madrid, Cátedra/Filmoteca Española.
TRENZADO ROMERO, Manuel (1999), *Cultura de masas y cambio político: el cine español de la Transición*, Madrid, Centro de Investigaciones Sociológicas/Siglo XXI.
TRIANA-TORIBIO, Nuria (2003), *Spanish National Cinema*, Londres, Routledge.

TUBAU, Iván (1983), *Crítica cinematográfica española. Bazin contra Aristarco: la gran controversia de los años 60*, Barcelona, Universitat.
— (1984), *Hollywood en Argüelles: cine americano y crítica española*, Barcelona, Universitat.
UNSAIN, José María (1985), *Hacia un cine vasco*, San Sebastián, Filmoteca Vasca.
— (1986), *El cine y los vascos*, San Sebastián, Filmoteca Vasca.
UTRERA MACÍAS, Rafael (1981), *Modernismo y 98 frente a cinematógrafo*, Sevilla, Universidad.
— (1985), *Escritores y cinema en España: un acercamiento histórico*, Madrid, JC.
— (1987a), *Literatura cinematográfica. Cinematografía literaria*, Sevilla, Alfar.
— (1987b), *Federico García Lorca/cine*, Sevilla, Asociación Escritores Cinematográficos.
— (2002), *Luis Cernuda. Recuerdos cinematográficos*, Sevilla, Fundación El Monte.
— (2005), *Las rutas del cine en Andalucía*, Sevilla, Fundación José Manuel Lara.
— (2006), *Poética cinematográfica de Rafael Alberti*, Sevilla, Fundación El Monte.
— y DELGADO, Juan Fabián (eds.) (1980), *Cine en Andalucía: un informe*, Sevilla, Argantonio/Eds. Andaluzas.
VALERO DE BERNABÉ, Antonio (1943), *España cinematográfica: recopilación de cuanto concierne al arte, industria y comercio del cine*, Madrid, Cinégrafos.
VALLE FERNÁNDEZ, Ramón del (1966), *Aspectos económicos del cine español (1953-1965)*, Madrid, Servicio Sindical de Estadística.
VALLEAU, Marjorie A. (1977), *The Spanish Civil War in American and European Films*, Ann Arbor (Michigan), UMI Research Press.
VALLÉS COPEIRO DEL VILLAR, Antonio (1992; 2.ª ed. 2000), *Historia de la política de fomento del cine español*, Valencia, Filmoteca.
VARELA RAMOS, I., CABO VILLAVERDE, J. L. y PENA PÉREZ, J. (dirs.) (2003), *Audiovisual galego*, A Coruña, Xunta de Galicia.
VÁZQUEZ ANEIROS, Aurora (2002), *Torrente Ballester y el cine. Un paseo entre luces y sombras*, Ferrol, Embora.
VECCHI, Paolo (ed.) (1991), *Maravillas. Il cinema spagnolo degli anni ottanta*, Città di Castello, La Casa Usher.
VELLIDO, Juan, RIVILLAS, Leticia P., CUADROS, Roberto y GARCÍA, Jesús (eds.) (2001), *Cine español: situación actual y perspectivas*, Granada, Grupo Editorial Universitario.
VERA NICOLÁS, Pascual (1991), *Empresa y exhibición cinematográfica en Murcia: 1895-1939*, Murcia, Academia Alfonso X el Sabio.
VIGAR, Juan Antonio y GRIÑÁN, Francisco (2004), *Málaga cinema. Rodajes desde el nacimiento del cine hasta 1960*, Málaga, Festival de Cine Español.
VILLEGAS LÓPEZ, Manuel (1938), *Hoy, en el cinema español. Posibilidades, problemas, soluciones*, Barcelona, Ateneo
— (1967), *El Nuevo Cine Español. Problemática*, San Sebastián, Festival Internacional de Cine.

VINSAM, Elena y VECCHIA, Aldo della (1991), *Uno sguardo sull cinema spagnolo. Degli anni dell franchismo ai nostri giorni*, Milán, Arcipielago.
VIOLA, Fernando (1932), *La cinematografía y las relaciones hispanoamericanas*, Madrid, Instituto Cinematográfico Ibero-Americano (ICIA).
— (1956), *La implantación del cine sonoro y hablado en España*, Madrid, ICIA.
VIOTA, Paulino (1982), *El cine militante en España durante el franquismo*, México, Filmoteca UNAM.
VIVAR, Hipólito y ROSA, Emilio de la (1994), *Breve historia del cine de animación en España*, Teruel, Animateruel.
VIZCAÍNO CASAS, Fernando (1970), *La cinematografía española*, Madrid, Publicaciones españolas.
— (1976), *Historia y anécdota del cine español*, Madrid, Adra.
YÁNEZ, Jara (coord.) (2007), *Cine español para el nuevo siglo. La mirada contemporánea*, Salónica, Thessaloniki International Film Festival.
YÉBENES, Pilar (2002), *Cine de animación en España*, Barcelona, Ariel.
ZUNZUNEGUI, Santos (1985), *El cine en el País Vasco*, Bilbao, Diputación Foral de Vizcaya.
— (1986), *El cine en el País Vasco: la aventura de una cinematografía periférica*, Murcia, Filmoteca Regional.
— (1999), *El extraño viaje. El celuloide atrapado por la cola o la crítica norteamericana ante el cine español*, Valencia, Episteme.
— (2002), *Historias de España. De qué hablamos cuando hablamos de cine español*, Valencia, IVAC-La Filmoteca.
— (2005), *Los felices sesenta. Aventuras y desventuras del cine español (1959-1971)*, Barcelona, Paidós.

b) CATÁLOGOS, DICCIONARIOS Y TEXTOS DE REFERENCIA

AA.VV. (2001), *Diccionario do Cine en Galicia (1896-2000)*, A Coruña, CGAI/Xunta de Galicia.
— (2003), *Diccionario do Audiovisual Galego*, A Coruña, CGAI/Xunta de Galicia.
AGUILAR, Carlos (2007), *Guía del cine español*, Madrid, Cátedra.
— y GENOVER, Jaume (1992), *El cine español en sus intérpretes*, Madrid, Verdoux.
— (1997), *Las estrellas de nuestro cine. 500 biofilmografías de intérpretes españoles*, Madrid, Alianza.
AMO, Alfonso del e IBÁÑEZ, María Luisa (1997), *Catálogo general del cine de la Guerra Civil*, Madrid, Filmoteca Española/Cátedra.
ASENJO, Frutos (1998), *Índices del cine español*, Madrid, JC.
BARROSO, Miguel Ángel y GIL-DELGADO, Miguel Ángel (2002), *Cine español en cien películas*, Madrid, Jaguar.
BENAVENT, Francisco María (2000), *Cine español de los noventa. Diccionario de películas, directores y temático*, Bilbao, Mensajero.

BORAU, José Luis (dir.) (1998), *Diccionario del Cine Español*, Madrid, Alianza/Academia de las Artes y de las Ciencias del Cine Español.
CÁNOVAS BELCHI, Joaquín y CERÓN GÓMEZ, Juan Francisco (1990), *Murcianos en el cine*, Murcia, Cajamurcia.
— y GONZÁLEZ LÓPEZ, Palmira (1993), *Catálogo del cine español. Películas de ficción 1921-1930*, Madrid, Filmoteca Española.
CEBOLLADA, Pascual y RUBIO GIL, Luis (1996), *Enciclopedia del cine español: cronología* (2 vols.), Barcelona, Serbal.
CENTRO DE INVESTIGACIONES SOCIOECONÓMICAS (CISE) (1990), *Euskal Zinema: 1981-1998*, San Sebastián/Vitoria, Filmoteca Vasca/Departamento Cultura y Turismo.
CINE ESPAÑOL (1962-2007), *Catálogos de producción anual*, Madrid, Ministerio de Información y Turismo/Ministerio de Cultura.
COMAS, Ángel (1997), *El cine en Cataluña después de Franco. Diccionario de películas*, Barcelona, Col·legi de Directors i Directores de Catalunya.
— (2003), *Diccionari de llargmetratges. El cinema a Catalunya desprès del franquisme (1975-2003)*, Valls, Cossetània.
— (2005), *Diccionari de llargmetratges. El cinema a Catalunya durant la segona República, la Guerra Civil i el franquisme (1930-1975)*, Valls, Cossetània.
CUEVAS, Antonio (1944), *Anuario del Espectáculo 1944-1945*, Madrid, Sindicato Nacional del Espectáculo (SNE).
— (1950), *Anuario Cinematográfico Hispanoamericano*, Madrid, SNE.
— (1953), *Los cinematógrafos españoles*, Madrid, Delegación Nacional de Sindicatos.
— (1956), *Acuerdos de coproducción e intercambio cinematográficos*, Madrid, Dirección General de Cinematografía y Teatro/Ministerio de Información y Turismo.
— (1957), *Anuario del Cine Español 1955/1956*, Madrid, SNE.
— (1964), *El Mercado Común Europeo y la cinematografía española*, Madrid.
EQUIPO RESEÑA (1972-2007), *Cine para leer*, Bilbao, Mensajero.
ESPAÑA, Rafael de (1994), *Directory of Spanish and Portuguese Film-Makers and Films*, Wiltshire, Flicks Books.
FERNÁNDEZ, Miguel Anxo (2005), *Rodado en Galicia 1916-2004*, Santiago de Compostela, Consorcio Audiovisual de Galicia.
FREIXAS, Ramón y BASSA, Joan (2006), *Diccionario personal e intransferible de directores del cine español*, Madrid, Jaguar.
GARCÍA FERNÁNDEZ, Emilio Carlos (1994), *Diccionario filmográfico de Galicia*, Santiago de Compostela, Fundación Universitaria «Coordenadas».
GASCA, Luis (1998), *Un siglo de cine español*, Barcelona, Planeta.
GASCÓN, Antonio (1928 y 1930), *Anuario del Cinematografista*, Madrid, Imprenta de Julio Cosano.
GENERALITAT DE CATALUNYA (1985-2007), *Catalan Films & Television*, Barcelona, Generalitat de Catalunya.

Gómez Vilches, José (1999), *Diccionario de adaptaciones de la literatura española*, Málaga, Ayuntamiento.
Gorostiza, Jorge (1997), *Directores artísticos del cine español*, Madrid, Cátedra/ Filmoteca Española.
— (coord.) (2004), *Rodajes en Canarias (1896-1950)*, Tenerife, Filmoteca Canaria.
Hernández Ruiz, Javier y Pérez Rubio, Pablo (1992), *Cineastas aragoneses*, Zaragoza, Ayuntamiento.
— (1994), *Diccionario de aragoneses en el cine y el vídeo (1896-1994)*, Zaragoza, Mira.
Hueso Montón, Ángel Luis (1998), *Catálogo del Cine Español. Películas de ficción 1941-1950*, Madrid, Cátedra/Filmoteca Española.
— y Folgar, José María (dirs.) (1998), *Filmografía galega: Longametraxes de ficción*, Santiago de Compostela, Centro Ramón Piñeiro.
— (2002), *Filmografia galega: Curtametraxes*, Santiago de Compostela, Xunta de Galicia.
López, José Luis (2000), *Diccionario de películas españolas*, Madrid, JC.
López Echevarrieta, Alberto (1988), *Vascos en el cine*, Bilbao, Mensajero.
López Yepes, Alfonso (1991), *Bibliografía de obras de consulta españolas sobre Cinematografía (1896-1989)*, Madrid, Universidad Complutense.
— (1992), *Catálogo de revistas cinematográficas españolas (1907-1989)*, Madrid, Universidad Complutense.
Llinás, Francisco (1990), *Directores de fotografía del cine español*, Madrid, Filmoteca Española.
Martínez Torres, Augusto (1994; 3.ª ed., 1999), *Diccionario del cine español*, Madrid, Espasa-Calpe.
— (1997), *El cine español en 119 películas*, Madrid, Alianza.
Méndez Leite Jr., Fernando (1986), *Historia del cine español en cien películas*, Madrid, Guía del Ocio.
Merino, Azucena (1994), *Diccionario de directores de cine español*, Madrid, JC.
Ministerio de información y turismo (1966), *Informe sobre el Fondo de Protección a la Cinematografía*, Madrid, Instituto Nacional de Cinematografía.
— (1968), *Estudio del mercado cinematográfico español (1964-1967). Control de taquilla*, Madrid, Subdirección General de Espectáculos.
— (1972), *Datos informativos cinematográficos (1965-1972)*, Madrid.
Ministerio de cultura (1978), *Datos informativos cinematográficos. Años 1965-1976*, Madrid, Dirección General de Cinematografía.
— (1982), *El cine y el Estado*, Madrid, Ministerio de Cultura.
— (1991), *La producción cinematográfica en España, 1990*, Madrid, Ministerio de Cultura.
— (1993), *La industria cinematográfica en España (1980-1991)*, Madrid, Ministerio de Cultura.
Olid, Miguel (1993), *Cortometrajes andaluces*, Granada, Filmoteca de Andalucía.

Oltra i Costa, Romà (1990), *Seixanta anys de cinema català (1930 -1990)*, Barcelona, Institut del Cinema Català.
Pérez Gómez, Ángel y Martínez Montalbán, José Luis (1978), *Cine Español 1951-1978. Diccionario de directores*, Bilbao, Mensajero.
Pérez Perucha, Julio (1989), *Les empremtes de la memòria. Catàleg d'imatges (1905-1945)*, Valencia, Generalitat.
— (1990), *Mestizajes. Realizadores extranjeros en el cine español 1913-1973,* vol. I, Valencia, Mostra Cinema del Mediterrani.
— (ed.) (1997), *Antología crítica del cine español*, Madrid, Cátedra/Filmoteca Española.
Riambau, Esteve y Torreiro, Casimiro (1998), *Guionistas en el cine español. Quimeras, picarescas y pluriempleo*, Madrid, Cátedra/Filmoteca Española.
— (2008), *Productores en el cine español. Estado, dependencias y mercado*, Madrid, Cátedra/Filmoteca Española.
Ríos Carratalá, Juan Antonio (2003), *Dramaturgos en el cine español (1939-1975)*, Alicante, Universidad.
Rodríguez Aragón, Mario (1956), *Bibliografía cinematográfica española*, Madrid, Dirección General de Archivos y Bibliotecas.
Rodrigo, R. de (ed.) (1935), *Anuario cinematográfico español*, Madrid.
Roldán Larreta, Carlos (1999), *El cine del País Vasco. De Ama Lur (1968) a Air Bag (1997)*, San Sebastián, Sociedad de Estudios Vascos.
— (2003), *Los vascos y el séptimo arte. Diccionario enciclopédico de cineastas vascos*, San Sebastián, Filmoteca Vasca.
Romaguera i Ramió, Joaquim (ed.) (1983/9), *Catàleg de films disponibles parlats o retolats en català 1982/1987*, Barcelona, Generalitat de Catalunya.
— (1994), *Diccionario filmográfico universal. Directores de España, Portugal y Latinoamérica*, Barcelona, Laertes.
— (dir.) (2005), *Diccionari del cinema a Catalunya*, Barcelona, Enciclopèdia Catalana.
— (2005), *Silenci, rodem! Història del cinema a les comarques de Girona*, Girona, Col·legi de Periodistes de Catalunya.
Rubio, Ramón (coord.) (1985), *Catálogo del cine español*, Madrid, Ministerio de Asuntos Exteriores.
Salazar López, J. M. (1966), *Diccionario legislativo de cinematografía y teatro*, Madrid, Editora Nacional.
Schwartz, Ronald (1986), *Spanish Film Directors 1950-1985: 21 Profiles*, Metuchen (New Jersey), Scarecrow Press.
Torreiro, Casimiro (coord.) (2008), *Historias en común. 40 años/50 películas del cine iberoamericano,* Madrid, Sociedad Estatal de Conmemoraciones Culturales.
Valle Fernández, Ramón del (1963), *Anuario español de cinematografía*, Madrid, Sindicato Nacional del Espectáculo (SNE).
— (1965), *Cines en España*, Madrid, Servicio Sindical de Estadística.

— (1969), *Anuario español de cine (1963-1968)*, Madrid, SNE.
VEGA, F. (ed.) (1990), *Quién es quién en el teatro y el cine español e hispanoamericano*, Barcelona, CILEH.
VIZCAÍNO CASAS, Fernando (1952), *Derecho cinematográfico español*, Madrid, García Enciso.
— (1954), *Legislación cinematográfica y teatral*, Madrid, Publicaciones EIA.
— (1962), *La nueva legislación cinematográfica*, Madrid, Santillana.
— (1966), *Diccionario del cine español (1896 -1965)*, Madrid, Editora Nacional.

c) MONOGRAFÍAS

Harry d'Abadie d'Arrast

BORAU, José Luis (1990), *El caballero D'Arrast*, San Sebastián, Festival Internacional de Cine.

Javier Aguirre

AYALA, F., MAQUA, J, BARCO, P. del y MADERUELO, J. (1995), *Entre, antes, sobre, después del Anti-Cine*, Madrid, Semana de Cine Experimental/Consejo Superior de Investigaciones Científicas.
JULIO DE ABAJO DE PABLOS, Juan Eugenio (1999), *Mis charlas con Javier Aguirre y Esperanza Roy*, Madrid, Fancy.
AA.VV. (1999), *Vida/Perra*, Madrid, Fancy.

Javier Aguirresarobe

ANGULO, Jesús, HEREDERO, Carlos F. y REBORDINOS, José Luis (1995), *En el umbral de la oscuridad: Javier Aguirresarobe*, San Sebastián, Filmoteca Vasca/ Fundación Kutxa.

Enrique Alarcón

LINARES, Andrés (ed.) (1984), *El decorador en el cine: Enrique Alarcón*, Alcalá de Henares, Festival de Cine.

Julio Alejandro

ALEJANDRO, Julio (1989), *Fanal de popa*, Zaragoza/Huesca, Ayuntamiento y Diputación.
ROMÁN LEDO, José Antonio (2005), *Julio Alejandro, guionista de Luis Buñuel. Una vida fecunda y azarosa*, Zaragoza, Ibercaja.

Manuel Alexandre/Rafael Alonso

TEBAR, Juan (1994), *Manuel Alexandre/Rafael Alonso*, Valladolid, SEMINCI.

Néstor Almendros

ALMENDROS, Néstor (1982; 3.ª ed., 1990), *Días de una cámara*, Barcelona, Seix Barral.
— (1992), *Cinemanía*, Barcelona, Seix Barral.
AA.VV. (1993), *Néstor Almendros*, Barcelona, Universitat Autónoma.

Pedro Almodóvar

VIDAL, Nuria (1988), *El cine de Pedro Almodóvar*, Madrid, ICAA-Ministerio de Cultura (2.ª ed., Destino, Barcelona, 1989).
GARCÍA DE LEÓN, María Antonia y MALDONADO, Teresa (1989), *Pedro Almodóvar. La otra España cañí (sociología y crítica cinematográficas)*, Ciudad Real, Diputación.
AA.VV. (1989), *El cine de Pedro Almodóvar y su mundo*, Madrid, Universidad Complutense.
BOQUERINI (1989), *Pedro Almodóvar*, Madrid, JC.
ZAMIGNAN, Roberto (1991), *Pedro Almodóvar*, Venecia, Circuito Cinema, Comune di Venezia.
ALMODÓVAR, Pedro (1991), *Patty Diphusa y otros textos*, Barcelona, Anagrama.
NAITZA, Sergio y PATANÉ, Valeria (1992), *Folle, folle, folle, Pedro*, Cagliari, Tredicilune.
HOLGUIN, Antonio (1994; nueva ed., 2006), *Pedro Almodóvar*, Madrid, Cátedra.
SMITH, Paul Julian (1994; 2.ª ed., 2000), *Desire Unlimited. The Cinema of Pedro Almodóvar*, Londres/Nueva York, Verso.
— (1995), *García Lorca/Almodóvar: Gender, nationality, and the limits of the visible*, Cambridge, Cambridge University Press.
STRAUSS, Frédéric (1994), *Conversations avec Pedro Almodóvar*, París, Cahiers du Cinéma (versión castellana: Madrid, Akal, 2001).
TRIANA-TORIBIO, María Nuria (1994), *Subculture and popular culture in the films of Pedro Almodóvar*, Newcastle upon Tyne, University.
— (1995), *Hollywood melodrama in the films of Pedro Almodóvar*, Salford, University.
VERNON, Kathleen M. (1995), *Post-Franco, Postmodern. The Films of Pedro Almodóvar*, Westport, Greenwood.
VARDERI, Alejandro (1996), *Severo Sarduy y Pedro Almodóvar: del barroco al kitsch en la narrativa y el cine postmodernos*, Madrid, Pliegos.
EVANS, Peter W. (1996), *Women on the verge of a nervous breackdown*, Londres, British Film Institute.

FANTONI MINNELLA, Mauricio (1998), *Trasgressione e Hispanidad: il cinema di Pedro Almodóvar*, Florencia, Tarab.
VAIDOVITS, Guillermo (1998), *Laberinto de pasiones: El cine de Pedro Almodóvar*, México, Universidad de Guadalajara.
YARZA, Alejandro (1999), *Un caníbal en Madrid. La sensibilidad camp y el reciclaje de la historia en el cine de Almodóvar*, Madrid, Libertarias.
POYATO, Pedro (1999), *Todo sobre mi madre*, Barcelona/Valencia, Octaedro/Nao.
ARONICA, Daniela (2000), *Pedro Almodóvar*, Florencia, Il Castoro.
ALLINSON, Mark (2001), *Spanish Labyrinth. The Films of Pedro Almodóvar*, Londres, Tauris.
EDWARDS, Gwynne (2001), *Almodóvar: Labyrinths of Passion*, Londres, Peter Owen.
MARKUS, Sasa (2001), *La poética de Pedro Almodóvar*, Barcelona, Litera.
COLMENERO, Silvia (2001), *Pedro Almodóvar: Todo sobre mi madre*, Barcelona, Paidós.
OBADIA, Paul (2002), *Pedro Almodóvar, l'iconoclaste (Pepi, Kika, Victor, Manuela et les autres)*, París, Cerf.
FORGIONE, Anna Pasqualina (2003), *Spiando Pedro Almodóvar: Il regista della distorsione*, Nápoles, Giannini.
ALLINSON, Mark (2003), *Un laberinto español. Las películas de Pedro Almodóvar*, Madrid, Ocho y Medio/Semana de Cine Experimental.
POLIMENI, Carlos (2004), *Pedro Almodóvar y el kitch español*, Madrid, Campo de Ideas.
RODRÍGUEZ, Jesús (2004), *Almodóvar y el melodrama de Hollywood. Historia de una pasión*, Valladolid, Maxtor.
WILLOQUET-MARICONDI, Paula (ed.) (2004), *Pedro Almodóvar: Interviews*, Jackson, Mississippi University Press.
ZURIÁN, Fran A. y VÁZQUEZ VARELA, Carmen (coords.) (2005), *Almodóvar: El cine como pasión*, Cuenca, Universidad Castilla-La Mancha.
ROYO-VILANOVA, Javier (2006), *Almodóvar, mon amour*, Madrid, Temas de Hoy.
CORREA ULLOA, David (20006), *Pedro Almodóvar. Alguien del montón*, Bogotá, Panamericana.
MÉJEAN, Jean-Max (2007), *Pedro Almodóvar*, Barcelona, Robinbook.
SOTINEL, Thomas (2007), *Pedro Almodóvar*, París/Madrid, Cahiers du Cinema/ Le Monde/El País.

Ernesto Alterio

TORRES, Cipriano (2006), *Ernesto Alterio. El rigor del comediante*, Madrid/Huelva, Ocho y Medio/Festival de Cine.

Alejandro Amenábar

SEMPERE, Antonio (2000), *Alejandro Amenábar. Cine en las venas*, Madrid, Nuer.
— (2004), *Amenábar, Amenábar*, Alicante, Club Universitario.
ROBLES, Jesús (coord.) (2001), *El libro de Los Otros*, Madrid, Ocho y Medio/ SGAE.
RODRÍGUEZ MARCHANTE, Oti (2002), *Amenábar, vocación de intriga*, Madrid, Páginas de Espuma.
VERA, Cecilia y BADARIOTTI, Silvia (2002), *Cómo hacer cine: Tesis, de Alejandro Amenábar*, Madrid, Fundamentos.

Ángel Amigo

AMIGO, Ángel (2001), *Veinte años y un día*, San Sebastián, Igeldo Komunikazioa.

Antonio del Amo

AMO, Antonio del (1961), *La batalla del cine*, Madrid, Visor.
JULIO DE ABAJO DE PABLOS, Juan Eugenio (1996), *Mis charlas con Antonio del Amo*, Valladolid, Fancy.

Pablo G. del Amo

HIDALGO, Manuel (1987), *Pablo G. Del Amo, montador de sueños*, Alcalá de Henares, Festival de Cine.

Rafaela Aparicio

GÓMEZ, Concha (1989), *Rafaela Aparicio. Oficio de cómica*, Huelva, Festival de Cine Iberoamericano.

Vicente Aranda

GUARNER, José Luis y BESAS, Peter (1985), *El inquietante cine de Vicente Aranda*, Madrid, Imagfic.
VERA, Pascual (1989), *Vicente Aranda*, Madrid, JC.
ÁLVARES, Rosa y FRÍAS, Belén (1991), *Vicente Aranda y Victoria Abril*, Valladolid, SEMINCI.
COLMENA, Enrique (1996), *Vicente Aranda*, Madrid, Cátedra.
CÁNOVAS, Joaquín (ed.) (2000), *Miradas sobre el cine de Vicente Aranda*, Murcia, Universidad.
ALEGRE, Luis (2002), *Vicente Aranda: La vida con encuadre*, Huesca, Festival de Cine.

CASTILLEJO, Jorge (2006), *Vicente Aranda. El cine como compromiso*, Alzira, Ajuntament.

Imperio Argentina

ARGENTINA, Imperio (con la col. de Pedro M. VILLORA) (2001), *Malena Clara*, Madrid, Temas de Hoy.
PLAZA, Martín de la (2003), *Imperio Argentina. Una vida de artista*, Madrid, Alianza.

Imanol Arias

ÁLVARES, Rosa (2001), *Imanol Arias. Historia de una seducción*, Lorca, Semana de Cine Español.

Montxo Armendáriz

PÉREZ MANRIQUE, José María (1993), *Montxo Armendáriz. Imagen y narración en libertad*, Burgos, Encuentro Internacional de Cine.
ANGULO, Jesús, GÓMEZ, Concha, HEREDERO, Carlos F. y REBORDINOS, José Luis (1998), *Secretos de la elocuencia. El cine de Montxo Armendáriz*, San Sebastián, Filmoteca Vasca.
RODRÍGUEZ, Hilario J. (coord.) (2007), *Montxo Armendáriz. Itinerarios*, Cáceres, Asociación Cinéfila Re Bross/Festival Solidario de Cine Español.

Jaime de Armiñán

CRESPO, Pedro (1987), *Jaime de Armiñán. Los amores marginales*, Huelva, Festival de Cine Iberoamericano.
GALÁN, Diego (1990), *Jaime de Armiñán*, Huesca, Festival de Cine.
ARMIÑÁN, Jaime de (1994), *Diario en blanco y negro*, Madrid, Nickel Odeón.
— (2000) *La dulce España*, Barcelona, Tusquets.
RIVERA CALVO, Alfonso (ed.) (2001), *Jaime de Armiñán y su mundo*, Valencia, Fundación Municipal de Cine/Mostra del Mediterrani.

Antonio Artero

HERNÁNDEZ RUIZ, Javier y PÉREZ RUBIO, Pablo (1998), *Yo filmo que... Antonio Artero en las cenizas de la representación*, Zaragoza, Ayuntamiento.

María Asquerino

ASQUERINO, María (1987), *Memorias*, Barcelona, Plaza & Janés.

Rafael Azcona

OMS, Marcel (1986), *Scribere il cinema: Rafael Azcona*, Rimini, Europa Cinema.
FRUGONE, Juan Carlos y PÉREZ, Ernesto (1987), *Rafael Azcona: atrapados por la vida*, Valladolid, SEMINCI.
SÁNCHEZ, Bernardo (ed.) (1991), *Otra vuelta en «El cochecito»*, Logroño, Cultural Rioja, 1991.
— (2006), *Rafael Azcona. Hablar el guión*, Madrid/Málaga, Cátedra/Festival de Cine Español.
CABEZÓN, Luis Alberto (coord.) (1997), *Rafael Azcona, con perdón*, Logroño, Instituto de Estudios Riojanos/Gobierno de La Rioja.
HARGUINDEY, Ángel S., AZCONA, Rafael y VICENT, Manuel (1998), *Memorias de sobremesa*, Madrid, Aguilar.
AZOFRA, Pedro María (2006), *La tauromaquia según Rafael Azcona*, Logroño, Ochoa.
CARPIO, Maite (2008), *Matrimonio a la italiana. Marco Ferreri y Rafael Azcona*, Valladolid, SEMINCI.

Mauro y Víctor Azkona

LÓPEZ ECHEVERRIETA, Alberto (1994), *El cine de los hermanos Azkona*, San Sebastián/Bilbao, Filmoteca Vasca/Festival de Cine.

Adolfo Aznar

HERNÁNDEZ RUIZ, Javier y PÉREZ RUBIO, Pablo (2000), *El cine de Adolfo Aznar*, Zaragoza, Diputación/Asociación Amigos Florián Rey.

Azorín

AZORÍN (1953), *El cine y el momento*, Madrid, Biblioteca Nueva (nueva edición, con prólogo de Rafael Utrera: Biblioteca Nueva, Madrid, 2000).
— (1955), *El efímero cine*, Madrid, Afrodisio Aguado.
ROMA, Francisco (1977), *Azorín y el cine*, Alicante, Diputación.
PAYÁ BERNABÉ, José y RIGUAL BONASTRE, Magdalena (ed.) (1995), *El Cinematógrafo. Artículos sobre el cine y guiones de películas (1921-1964)*, Valencia, Pre-Textos.

Joan Baca y Toni Garriga

MARTOS, Eladi (2005), *La pareja feliz. Baca y Garriga: La animación como un juego*, Madrid, AnimaMadrid.

Pere Balañà

GARCÍA FERRER, J. M. y ROM, Marti (1997), *Pere Balañà: enginyer i cineasta*, Barcelona, Associació d'Enginyers Industrials de Catalunya.

Balcázar

ESPAÑA, Rafael de y JUAN, Salvador (2005), *Balcázar. Más allá de Espulgas City*, Barcelona, Universitat.

Antonio Banderas

OLIVA, Ana (2002), *Antonio Banderas. Una vida de cine*, Barcelona, Ediciones B.
— y FERNÁNDEZ, Gloria (1995), *Antonio Banderas. Tan sólo un actor*, Manresa, Grata Lectura.

Ramón de Baños

LASA, Juan Francisco de (1975), *Los hermanos Baños*, Madrid, Filmoteca Nacional de España.
— (1996), *Els germans Baños: aquell primer cinema català*, Barcelona, Generalitat de Catalunya.
BAÑOS, Ramón de (1991), *Un pioner del cinema català a l'Amazònia*, Barcelona, Ixia.

Juan Antonio Bardem

EGIDO, Luis G. (1958), *Bardem*, Madrid, Visor.
— (1963), *Juan Antonio Bardem*, Huelva, Festival de Cine Iberoamericano.
OMS, Marcel (1961), *Juan Bardem*, Lyon, Premier Plan núm. 21.
LIZALDE, Eduardo (1962), *Juan Antonio Bardem*, México, UNAM.
SAGASTIZÁBAL, Javier (1962), *Bardem*, Bilbao, Ayuntamiento de Sestao.
BARDEM, Juan Antonio (1976), *Arte, política y sociedad*, Madrid, Ayuso.
— (2002), *Y todavía sigue. Memorias de un hombre de cine*, Barcelona, Ediciones B.
MÉNDEZ LEITE, Fernando (1987), *La noche de Juan Antonio Bardem*, Madrid, ICAA.
JULIO DE ABAJO DE PABLOS, Juan Eugenio (1996), *Mis charlas con Juan Antonio Bardem*, Valladolid, Quirón.
CERÓN GÓMEZ, Juan Francisco (1998), *El cine de Juan Antonio Bardem*, Murcia/Lorca, Universidad/Primavera Cinematográfica.
RÍOS CARRATALÁ, Juan A. (2000), *La ciudad provinciana. Literatura y cine en torno a Calle Mayor*, Alicante, Universidad.

CASTRO DE PAZ, José Luis y PÉREZ PERUCHA, Julio (coords.) (2004), *Juan Antonio Bardem. El cine a codazos*, Ourense, Festival de Cine.
CUETO, Roberto (coord.) (2006), *Calle Mayor... 50 años después*, Valencia, IVAC.

Pilar Bardem

TORRES, Cipriano (2002), *Pilar Bardem. El compromiso de la coherencia*, Lorca, Primavera Cinematográfica.
BARDEM, Pilar (2005), *La Bardem*, Barcelona, Plaza & Janés.

Mariano Barroso

AA.VV. (2003), *Cómo hacer cine: Éxtasis, de Mariano Barroso*, Madrid, Fundamentos.

Cecilia Bartolomé

CERDÁN, Josetxo y DÍAZ, Marina (eds.) (2001), *Cecilia Bartolomé. El encanto de la lógica*, Barcelona/Madrid, La Fàbrica de Cinema Alternatiu/Ocho y Medio

Néstor Basterrechea y Fernando Larruquert

UNSAIN, José M.ª (1993), *Haritzaren Negua. «Ama Lur» y el País Vasco de los años 60*, San Sebastián, Filmoteca Vasca.

Aurora Bautista

RODRÍGUEZ MARTÍNEZ, Joaquín (1992), *Conversaciones con Aurora Bautista*, Orihuela, Diputación Provincial de Alicante.
CASTILLEJO, Jorge (1998), *Las películas de Aurora Bautista*, Valencia, Fundación Municipal de Cine/Mostra del Mediterrani.

Ana Belén

RODRÍGUEZ MARCHANTE, Oti (1993), *Ana Belén*, Barcelona, Icaria.
VILLENA, Miguel Ángel (2002), *Ana Belén. Biografía de un mito, retrato de una generación*, Barcelona, Plaza & Janés.

Pedro Beltrán

HEREDERO, Carlos F. (1989), *Pedro Beltrán, la humanidad del esperpento*, Murcia, Filmoteca Regional.

Luis G. Berlanga

PÉREZ LOZANO, José María (1958), *Berlanga*, Madrid, Visor.

GALÁN, Diego (1978), *Carta abierta a Berlanga*, Huelva, Festival de Cine Iberoamericano.

— (1990), *Diez palabras sobre Berlanga*, Teruel, Instituto de Estudios Turolenses/Ministerio de Asuntos Exteriores.

PÉREZ PERUCHA, Julio (ed.) (1980/1), *En torno a Berlanga* (2 vols), Valencia, Ayuntamiento.

HERNÁNDEZ LES, Juan e HIDALGO, Manuel (1981), *El último austrohúngaro. Conversaciones con Berlanga*, Barcelona, Anagrama.

AA.VV. (1989), *¡Con Berlanga hemos topado!*, Benicarló, Medios.

GÓMEZ RUFO, Antonio (1990; 2.ª ed., 1997), *Berlanga, contra el poder y la gloria. Escenas de una vida*, Madrid, Temas de Hoy.

— (2000), *Berlanga. Confidencias de un cineasta*, Madrid, JC.

CAÑEQUE, Carlos y GRAU, Maite (1993), *¡Bienvenido Mr. Berlanga!*, Barcelona, Destino.

ÁLVAREZ, Joan (1997), *La vida casi imaginaria de Berlanga*, Barcelona, Prensa Ibérica.

PERALES, Francisco (1997), *Luis García Berlanga*, Madrid, Cátedra.

MATELLANO, Víctor (1997; 2.ª ed. 2007), *Rodando... ¡Bienvenido Mr. Marshall!*, Colmenar Viejo, La Comarca.

GARCÍA JIMÉNEZ, Jesús (coord.) (2000), *La poética de Berlanga*, Madrid, Tarvos.

TENA, Agustín (2002), *50 aniversario de Bienvenido Mr. Marshall*, Madrid, TF Editores.

RUIZ SANZ, Mario (2003), *El verdugo: un retrato satírico del asesino ilegal*, Valencia, Tirant lo Blanc.

AA.VV. (2004), *Bienvenido Mr. Marshall... 50 años después*, Valencia, IVAC.

FRANCO, Jess (2005), *Bienvenido Míster Cagada. Memorias caóticas de Luis García Berlanga*, Madrid, Aguilar.

CASTRO DE PAZ, José Luis y PÉREZ PERUCHA, Julio (dirs.) (2005), *La atalaya de la tormenta. El cine de Luis García Berlanga*, Ourense, Festival de Cine.

Carmelo Bernaola

CALVO, Fernando (coord.) (1986), *Evolución de la banda sonora en España: Carmelo Bernaola*, Alcalá de Henares, Festival de Cine.

GARCÍA DEL BUSTO, José Luis (2004), *Carmelo Bernaola. La obra de un maestro*, Madrid, SGAE.

Francesc Betriu

LLORENS, Antonio y AMITRANO, Alessandra (1999), *Francesc Betriu. Profundas raíces*, Valencia, Filmoteca.

Bigas Luna

ESPELT, Ramón (1989), *Mirada al món de Bigas Luna*, Barcelona, Laertes.
WENRICHTER, Antonio (1992), *La línea del vientre. El cine de Bigas Luna*, Gijón, Festival de Cine.
BIGAS LUNA, José Juan y CANALS, Cuca (1994), *Retratos ibéricos. Crónica pasional de Jamón Jamón, Huevos de Oro, La Teta y la Luna*, Barcelona, Lunwerg.
SÁNCHEZ, Alberto (ed.) (1999), *Bigas Luna. La fiesta de las imágenes*, Huesca, Festival de Cine.
PISANO, Isabel (2001), *Sombras de Bigas, luces de Luna*, Madrid, SGAE.
BERTHIER, Nancy, LARRAZ, Emmanuel, MERLO, Philippe y SEGUIN, Jean-Claude (2001), *Le cinéma de Bigas Luna*, Toulouse, Cinespaña/Presses Universitaires du Mirail.
EVANS, Peter W. (2004), *Jamón, jamón*, Barcelona, Paidós.
ANGULO, Javier (2007), *El poderoso influjo de Jamón, jamón*, Madrid, El Tercer Nombre.

Yvonne Blake

MATELLANO, Víctor (2006), *Diseñado por... Yvonne Blake*, Madrid, Fundación Autor.

Carlos Blanco

COBOS, Juan (2001), *Conversaciones con Carlos Blanco. Un guionista para la historia*, Valladolid, SEMINCI.

Gabriel Blanco

UTRERA, Rafael y PALACIO, Manuel (eds.) (1999), *Gabriel Blanco*, Filmoteca de Andalucía.

Roberto Bodegas

FERNÁNDEZ, Ángel M. (2008), *Roberto Bodegas. El oficio de la vida, los oficios del cine*, Arnedo, Aborigen.

Iciar Bollaín

BOLLAÍN, Iciar (1996), *Ken Loach. Un observador solidario*, Madrid, El País/Aguilar.
VERA, Cecilia (2003), *Cómo hacer cine: Hola, ¿estás sola?*, Madrid, Fundamentos.

José Luis Borau

SÁNCHEZ VIDAL, Agustín (1987), *José Luis Borau. Una panorámica*, Teruel, Instituto de Estudios Turolenses.
— (1990), *Borau*, Zaragoza, Caja de Ahorros de la Inmaculada de Aragón.
SÁEZ, Elena (ed.) (1989), *José Luis Borau*, Málaga, Semana de Cine de Autor.
HEREDERO, Carlos F. (1990), *José Luis Borau. Teoría y práctica de un cineasta*, Madrid, Filmoteca Española.
UTRERA, Rafael (ed.) (1991), *El cine de José Luis Borau*, Sevilla, Universidad.
MARTÍNEZ DE MINGO, Luis (1996), *José Luis Borau*, Madrid, Fundamentos.
ALEGRE, Luis y SÁNCHEZ, Alberto (1998), *José Luis Borau*, Huesca/Zaragoza, Festival de Cine/Ibercaja.
RODRÍGUEZ, HILARIO J. (ed.) (2008), *Un extraño entre nosotros. Las aventuras y utopías de José Luis Borau*, Madrid, Notorious.

Joan Bosch

COMAS, Ángel (2006), *Joan Bosch. El cine i la vida*, Valls, Cossetània.

Samuel Bronston

GARCÍA DE DUEÑAS, Jesús (2000), *El imperio Bronston*, Madrid, Ed. del Imán.

José Buchs

FERNÁNDEZ CUENCA, Carlos (1949), *La obra de José Buchs*, Madrid, Documentos para la Historia del Cine Español.

Luis Buñuel

MOULLET, Luc (1957), *Luis Buñuel*, Bruselas, Club du Livre du Cinéma.
TREBOUTA, Jacques (1958/9), *Luis Buñuel: sa vie, son oeuvre en Espagne*, París, IDHEC.
AGEL, Henri (1959), *Luis Buñuel*, París, Editions Universitaires.
BUACHE, Freddy (1960; 2.ª ed. 1964), *Luis Buñuel*, Lyon, Premier Plan núm. 13, Serdoc.
KYROU, Ado (1962; 3.ª ed., 1970), *Luis Buñuel*, París, Seghers.
ESTEVE, Michel (1962/3), *Luis Buñuel*, París, Etudes Cinématographiques números 20-21/22-23.
REBOLLEDO, Carlos y GRANGE, Fréderic (1964), *Luis Buñuel*, París, Ed. Universitaires.
DURGNAT, Raymond (1967), *Luis Buñuel*, Londres, Studio Vista (versión castellana: Madrid, Fundamentos, 1973).

LUNDKVIST, Artur (1967), *Luis Buñuel*, Estocolmo, Borkförlager Pan/Norstents.
MALMIKIAER, Paul (1968), *Buñuel. Statements og antistatements*, Copenhague, Danske Filmmuseum.
ARANDA, Juan Francisco (1969; 2.ª ed. 1975), *Luis Buñuel, biografía crítica*, Barcelona, Lumen.
BUACHE, Freddy (1970), *Luis Buñuel*, Lausanne, La Cité (versión castellana: Madrid, Guadarrama, 1976).
GÁLVEZ, Antonio (1970), *Luis Buñuel*, París, Le Terrain Vague.
DROUZY, Martin (1970), *Kaetteren Buñuel*, Copenhague, Rhodes.
TINAZZI, Giorgio (1973), *Il cinema di Luis Buñuel*, Palermo, Palumbo.
ALCALÁ, Manuel (1973), *Buñuel: cine e ideología*, Madrid, Cuadernos para el Diálogo.
CREMONINI, Giorgio (1973), *Buñuel*, Roma, Savelli.
TURRIN, Paola y VAZZOLER, Renzo (1974), *Luis Buñuel*, Pordenone, Quaderni di Cinema núm. 10.
EDER, Klaus, JANSEN, Peter W. y PRINZLER, Hans Helmut (1975), *Luis Buñuel*, Munich, Carl Hanser (versión castellana: Buenos Aires, Kyrios, 1978)
BRAGAGLIA, Cristina (1975), *La realtà dell'immagine in Luis Buñuel*, Bolonia, Patron.
CESARMAN, Fernando (1976), *El ojo de Buñuel: psicoanálisis desde una butaca*, Barcelona, Anagrama.
MELLEN, Joan (1978), *The World of Luis Buñuel: Essays on Criticism*, Oxford, Oxford University Press.
DROUZY, Maurice (1978), *Luis Buñuel, architecte du rêve*, París, Lherminier.
HIGGINBOTHAM, Virginia (1979), *Luis Buñuel*, Boston, Twayne Publishers.
CATINI, Alberto (1979), *Luis Buñuel*, Florencia, La Nuova Italia.
GABUTTI, Giuseppe (1981), *Luis Buñuel. L'utopia della libertà*, Milán, Paoline.
SCHWARZE, Michael (1981), *Buñuel*, Hamburgo, Taschenbuch Verlag (versión castellana: Barcelona, Plaza & Janés, 1988).
ABRUZZESE, Alberto y MASI, Stefano (1981), *I film di Luis Buñuel*, Roma, Gremese.
BUÑUEL, Luis (1982), *Mon dernier soupir*, París, Robert Laffont (versión castellana: *Mi último suspiro*, Barcelona, Plaza & Janés, 1982).
EDWARDS, Gwynne (1982), *The Discret Art of Luis Buñuel: A Reading of his Films*, Londres, Marion Boyars.
SÁNCHEZ VIDAL, Agustín (ed.) (1982), *Luis Buñuel. Obra literaria*, Zaragoza, Heraldo de Aragón.
— (1984), *Luis Buñuel. Obra cinematográfica*, Madrid, JC.
— (1985), *Vida y opiniones de Luis Buñuel*, Teruel, Instituto de Estudios Turolenses.
— (1988), *Buñuel, Lorca, Dalí: El enigma sin fin*, Barcelona, Planeta.
— (1991; 3.ª ed., 1999), *Luis Buñuel*, Madrid, Cátedra.
— (1993), *El mundo de Buñuel*, Zaragoza, Caja de Ahorros de la Immaculada.

RAMSEY, Cynthia (1983), *The Problem of Dual Consciounsness: The Structures of Dream and Reality in the Films of Luis Buñuel*, Ann Arbor, Florida University.
BRUNO, Edoardo (ed.) (1984), *Luis Buñuel*, Venecia, Mostra Internazionale del Cinema.
LEFÈBVRE, Raymond (1984), *Luis Buñuel*, París, Edilig.
GARCÍA BUÑUEL, Pedro Christian (1985), *Recordando a Luis Buñuel*, Zaragoza, Ayuntamiento/Diputación.
AUB, Max (1985), *Conversaciones con Buñuel*, Madrid, Aguilar.
OMS, Marcel (1985), *Don Luis Buñuel*, París, Cerf.
BERTELLI, Pino (1985), *Buñuel: l'arma dello scandalo. L'anarchia nel cinema di Luis Buñuel*, Turín, Nautilus.
PÉREZ TURRENT, Tomás y COLINA, José de la (1986), *Luis Buñuel: Prohibido asomarse al interior*, México, Joaquín Moritz Planeta (versión castellana: *Buñuel por Buñuel*, Madrid, Plot, 1992; 2.ª ed., 1999).
TALENS, Jenaro (1986), *El ojo tachado. Lectura de Un Chien Andalou de Luis Buñuel*, Madrid, Cátedra.
BARBACHANO, Carlos (1986), *Buñuel*, Barcelona, Salvat.
— (2000), *Luis Buñuel*, Madrid, Alianza.
GONZÁLEZ DUEÑAS, Daniel (1986), *Luis Buñuel: la trama soñada*, México, UNAM.
CIESLAR, Jiri (1987), *Luis Buñuel*, Praga, Filmovy Ustav.
SARANO, Paul (1987), *Diversions of Pleasure: Luis Buñuel and the Crisis of Desire*, Columbus, Ohio State University Press.
AA.VV. (1988), *Luis Buñuel. Iconografía personal*, México, Fondo de Cultura Económica-Universidad de Guadalajara.
GÁLVEZ, Antonio (1989), *Alegoría a Luis Buñuel*, Córdoba, Ed. de la Posada del Potro.
RUCAR DE BUÑUEL, Jeanne y MARTÍN DEL CAMPO, Marisol (1991), *Memorias de una mujer sin piano*, Madrid, Alianza.
VALDIVIESO MIQUEL, Emilio (1992), *El drama oculto: Buñuel, Dalí, Falla, García Lorca y Sánchez Mejías*, Madrid, Ed. de la Torre.
RUBIA BARCIA, José (1992), *Con Buñuel en Hollywood y después*, A Coruña, Castro.
BALLABRIGA, Luis (1993), *El cine de Luis Buñuel según Luis Buñuel*, (2.ª ed.: Huesca, Festival de Cine, 2000).
PÉREZ RUBIO, Pablo y HERNÁNDEZ RUIZ, Javier (1993), *La poética del deseo. Pasión y melodrama en el cine de Luis Buñuel*, Teruel, Animateruel.
MONEGAL, Antonio (1993), *Luis Buñuel. De la literatura al cine*, Barcelona, Anthropos.
FUENTES, Víctor (1993), *Buñuel en México*, Teruel, Instituto de Estudios Turolenses.
— (2000), *Los mundos de Buñuel*, Madrid, Akal.
— (2005), *Luis Buñuel. Cine, literatura y vida*, Madrid, Tabla Rasa.
BAXTER, John (1994), *Luis Buñuel*, Londres, Fourth Estate (version castellana: *Luis Buñuel. Una biografía*, Barcelona, Paidós, 1996).

PÉREZ BASTIAS, Luis (1994), *Las dos caras de Luis Buñuel*, Barcelona, Royal Books.
TESSON, Charles (1995), *Luis Buñuel*, París, Éditions de l'Étoile/Cahiers du Cinéma.
EVANS, Peter W. (1995), *The Films of Luis Buñuel. Subjectivity and Desire*, Oxford, Clarendon (version castellana: *Las películas de Luis Buñuel. La subjetividad y el deseo*, Paidós, Barcelona, 1998)
— y SANTAOLALLA, Isabel (eds.) (2004), *Luis Buñuel. New Readings*, Londres, British Film Institute.
DAVID, Yasha (ed.) (1996), *¿Buñuel! La mirada del siglo*, Madrid/México, Centro de Arte Reina Sofía/Consejo Nacional para la Cultura y las Artes de México.
HAMMOND, Paul (1997), *L'Âge d'Or*, Londres, British Film Institute.
VILLEGAS LÓPEZ, Manuel (1998), *Sade y Buñuel*, Teruel, Instituto de Estudios Turolenses.
SÁNCHEZ BIOSCA, Vicente (1999), *Viridiana*, Barcelona, Paidós.
IBARZ, Mercè (ed.) (1999), *Tierra sin pan. Luis Buñuel i els nous camins de les avantguardes*, Valencia, IVAM.
— (2000), *Buñuel documental. Tierra sin pan y su tiempo*, Zaragoza, Prensas Universitarias.
LÓPEZ VILLEGAS, Manuel (ed.) (2000), *Escritos de Luis Buñuel*, Madrid, Páginas de Espuma.
BERMÚDEZ, Xavier (2000), *Buñuel: Espejo y sueño*, Valencia, Ed. de la Mirada.
CARNICERO, Marisol y SÁNCHEZ SALAS, Daniel (eds.) (2000), *En torno a Buñuel*, Madrid, Cuadernos de la Academia núms. 7-8.
MARTÍN, Miguel Ángel y SEMPERE, Antonio (2000), *Las miradas de Buñuel*, Málaga, Diputación.
CRISTÓBAL, Ramiro (ed.) (2000), *Luis Buñuel. Los primeros cien años*, Huelva, Festival de Cine Iberoamericano.
PAZ, Octavio (2000), *Luis Buñuel: El doble arco de la belleza y de la rebeldía*, Barcelona, Galaxia Guttenberg.
GUERRERO RUIZ, Pedro (ed.) (2001), *Querido sobrino: Cartas a Francisco Rabal de Luis Buñuel*, Valencia, Pre-Textos.
BIKANDI-MEJÍAS, Aitor (2001), *El carnaval de Luis Buñuel*, Madrid, Laberinto.
PARANAGUA, Paulo Antonio (2001), *Él*, Barcelona, Paidós.
GUIGON, Emmanuel (coord.) (2001), *Luis Buñuel y el surrealismo*, Teruel, Museo.
CASTRO, Antonio (ed.) (2001), *Obsesión Buñuel*, Madrid, Ocho y Medio.
CORDELLI, Valentina y GIUSTI, Luciano de (eds.) (2001), *L'occhio anarchico del cinema. Luis Buñuel*, Milán, Il Castoro.
CAMACHO, Enrique (ed.) (2001), *Luis Buñuel: 100 years*, Nueva York, MOMA.
ISAAC, Claudio (2002), *Luis Buñuel: A mediodía*, Universidad de Gaudalajara, Conaculta y Gobierno del Estado de Colima (versión castellana: Calanda, Fundación Centro Buñuel, 2004).
ACEVEDO MUÑOZ, Ernesto R. (2003), *Buñuel and México. The Crisis of National Cinema*, Berkeley, University of California Press.

ROSES, Joaquín (ed.) (2004), *Buñuel a imagen de la letra*, Córdoba, Diputación.
SANTAOLALLA, Isabel (ed.) (2004), *Buñuel, siglo XXI*, Zaragoza, Prensas Universitarias.
MILLÁN, Francisco J. (2004), *Las huellas de Buñuel. Influencias en el cine latinoamericano*, Teruel, Instituto de Estudios Turolenses.
AA.VV. (2006), *Los olvidados. Una película de Luis Buñuel*, México, Fundación Televisa.
AGUIRRE CARBALLEIRA, Arantxa (2006), *Buñuel, lector de Galdós*, Cabildo de Gran Canaria.
HERRERA, Javier (2006), *Estudio sobre Las Hurdes de Buñuel (Evidencia fílmica, estética y recepción)*, Sevilla, Renacimiento.
PEÑA ARDID, Carmen y LAHUERTA GUILLÉN, Víctor M. (eds.) (2007), *Los olvidados. Guión y documentos*, Teruel, Diputación, Caja Rural y Gobierno de Aragón.
CHEMOR, Beatriz y MILLÁN, Javier (2007), *De Buñuel a Santo*, Guanajuato, Festival de Cine en Corto.
GONZÁLEZ REQUENA, Jesús (2008), *Amor loco en el jardín. La diosa que habita el cine de Buñuel*, Madrid, Abada.

Jordi Cadena

VIDAL, Nuria (2006), *Jordi Cadena. Entre l'experiment i la indústria*, Barcelona, Pòrtic/Filmoteca.

Armando Calvo

CALVO, Armando (1943), *Mi vida*, Madrid, Astros.
BENÍTEZ, Elisa (1945), *Armando Calvo. Actor, torero, cantante*, Madrid, Purcalla.

Jaime Camino

BESSIE, Alvah (1975), *Spain Again*, San Francisco, Chandler & Sharp.
AA.VV (1987), *Jaime Camino*, Málaga, Semana Internacional de Cine de Autor.
RIAMBAU, Esteve (2008), *Jaime Camino. La Guerra Civil i altres històries*, Barcelona, Pòrtic/Filmoteca.

Mario Camus

FRUGONE, Juan Carlos (1984), *Oficio de gente humilde... Mario Camus*, Valladolid, SEMINCI.
SÁNCHEZ NORIEGA, José Luis (1994), *Cine en Cantabria: las películas de Mario Camus y los rodajes en Comillas*, Santander, Tantín.
— (1998), *Mario Camus*, Madrid, Cátedra.

Pío Caro Baroja

AUMESQUET NOSEA, Santiago (2005), *El documental etnográfico en España: Pío Caro Baroja*, Pamplona, Gobierno de Navarra.

Mary Carrillo

CARRILLO, Mary (2001), *Sobre la vida y el escenario*, Madrid, Martínez Roca.

Antonio Casal

CASAL, Antonio (1943), *Mi vida*, Madrid, Astros.
CASTRO DE PAZ, José Luis (ed.) (1999), *Antonio Casal. Comicidad y melancolía*, Ourense, Festival de Cine.

Estrellita Castro

CASTRO, Estrellita (1943), *Mi vida*, Madrid, Astros.

José Manuel Cervino

GOROSTIZA, Jorge (2001), *José Manuel Cervino. El oficio de actor*, Las Palmas, Festival de Cine.

CIFESA

Aportación de CIFESA y CIFESA-Producción a la reconstrucción de España (1944), Valencia, CIFESA.
FANÉS, Félix (1982), *CIFESA. La antorcha de los éxitos*, Valencia, Institución Alfonso el Magnánimo.
— (1989), *El cas CIFESA: Vint anys de cine espanyol (1932 -1951)*, Valencia, Filmoteca.
FRANCO I GINER, Josep (2000), *CIFESA, mite i modernitat. Els anys de la República*, Barcelona, Comercial l'Eixam.

Isabel Coixet

COIXET, Isabel (2004), *La vida es un guión*, Barcelona, El Aleph.
AA.VV. (2007), *De los que aman: El cine de Isabel Coixet*, Madrid, Ayuntamiento.
ANDREU, Cristina (2008), *Una mujer bajo la influencia. Isabel Coixet*, Madrid, Ediciones Autor.
CERRATO, Rafael (2008), *Isabel Coixet*, Madrid, JC.

Antoñita Colomé

OLID, Miguel (1998), *Antoñita Colomé. Recuerdos de una vida*, Filmoteca de Andalucía.

Fernando Colomo

VILLALBA, Silvia (1995), *¡Con Fernando Colomo hemos topado!*, Peñíscola, Festival de Cine de Comedia.

MONTERO, Pablo y UTRILLA, David (1999), *El efecto Colomo*, Huelva/Huesca, Festival de Cine Iberoamericano/Festival de Cine.

COLOMO, Fernando (2003), *Diario de rodaje de Al Sur de Granada*, Madrid, Ocho y Medio.

Pepón Coromina

RIAMBAU, Esteve (1999), *Pepón Coromina. Un productor con carisma*, Madrid, Academia de las Artes y de las Ciencias Cinematográficas de España.

Ignacio Coyne

AÑOVER, Rosa (1995), *Memorias del cine español: Ignacio Coyne*, Madrid, Interfilms.

José Crespo

CRESPO, Antonio (1986), *José Crespo, actor murciano*, Murcia, Filmoteca Regional.

PACO NAVARRO, José de (1994), *José Crespo. Memorias de un actor*, Murcia, Filmoteca Regional.

Luis Cuenca

FERNÁNDEZ COLORADO, Luis (2004), *Luis Cuenca. La buena mala vida*, Badajoz, Diputación.

José Luis Cuerda

ÚBEDA, Alberto (2001), *José Luis Cuerda: Ética de un corredor de fondo*, Madrid, SGAE.

MÉNDEZ LEITE, Fernando (2002), *El cine de José Luis Cuerda*, Málaga, Festival de Cine Español.

Jaime Chávarri

ÁLVARES, Rosa y ROMERO, Antolín (1999), *Jaime Chávarri. Vivir rodando*, Valladolid, SEMINCI.

Florinda Chico

PÉREZ MATEO, Juan Antonio (2003), *Florinda Chico. En el gran teatro del mundo*, Madrid, Martínez Roca.

Segundo de Chomón

FERNÁNDEZ CUENCA, Carlos (1972), *Segundo de Chomón (maestro de la fantasía y de la técnica)*, Madrid, Editora Nacional.
CEBOLLADA, Pascual (1986), *Segundo de Chomón*, Teruel, Instituto de Estudios Turolenses.
THARRATS, Juan Gabriel (1988), *Los 500 films de Segundo de Chomón*, Zaragoza, Prensas Universitarias.
— (1990), *Inolvidable Chomón*, Murcia, Filmoteca Regional.
SÁNCHEZ VIDAL, Agustín (1992), *El cine de Segundo de Chomón*, Zaragoza, Caja de Ahorros de la Inmaculada de Aragón.
BATLLE CAMINAL, Jordi (coord.) (1995), *Segundo de Chomón. Retrospectiva*, Barcelona, Festival Cinema Fantàstic de Sitges/Filmoteca de Catalunya.
MINGUET, Joan M. (1999), *Segundo de Chomón. Más allá del cine de atracciones (1904-1912)*, Barcelona, Filmoteca de Catalunya.

Cruz Delgado

YÉBENES, Pilar (2008), *Don Quijote Animado. El cine de animación de Cruz Delgado*, Madrid, Animadrid.

Fernando Delgado

DELGADO, Fernando (1941), *Recuerdos del pasado*, Madrid, Circe.
FERNÁNDEZ CUENCA, Carlos (1949), *La obra de Fernando Delgado*, Madrid, Círculo de Escritores Cinematográficos.

Julio Diamante

AA.VV. (1996), *Julio Diamante, los trabajos y los días*, Cádiz, Muestra del Atlántico.

José Luis Dibildos

FRUTOS, Francisco Javier y LLORENS, Antonio (1998), *José Luis Dibildos. La huella de un productor*, Valladolid, SEMINCI.

Antonio Drove

ALBERICH, Ferran (2002), *Antonio Drove. La razón del sueño*, Alcalá de Henares, Festival de Cine/Comunidad de Madrid.

Rafael Durán

DURÁN, Rafael (1943), *Mi vida*, Madrid, Astros.
MATEU, L.C. (1944), *Vida novelesca de Rafael Durán*, Barcelona, Castell Bonet.

Francisco Elías

LASA, Juan Francisco de (1976), *Francisco Elías. Pionero del cine sonoro en España*, Madrid, Filmoteca Nacional de España.
CAPARRÓS LERA, José María (ed.) (1992), *Memoria de dos pioneros: Fructuós Gelabert/Francisco Elías*, Barcelona, CILEH.
NAVARRETE GALIANO, Ramón (2002), *Francisco Elías. Escritor de cine*, Sevilla, Fundación El Monte.
— (ed.) (2007), *Francisco Elías. Documentos inéditos*, Sevilla, Fundación El Monte.
SÁNCHEZ OLIVEIRA, Enrique (2004), *Aproximación histórica al cineasta Francisco Elías Riquelme (1890-1977)*, Sevilla, Universidad.

Víctor Erice

GREINER, Hélène (1989), *El espíritu de la colmena*, París, Ed. Hispaniques.
AROCENA, Carmen (1996), *Víctor Erice*, Madrid, Cátedra.
HIGGINBOTHAM, Virginia (1998), *The Spirit of the Beehive*, Trowbridge, Wiltshire, Flicks Books.
CASTRILLÓN, José Luis y MARTÍN JIMÉNEZ, Ignacio (2000), *El cine de Víctor Erice*, Valladolid, Caja España.
EHRLICH, Linda C. (ed.) (2000), *An Open Window: The Cinema of Víctor Erice*, Lanham (Maryland), Scarecrow Press.
ERICE, Víctor (2001), *La promesa de Shanghai*, Barcelona, Areté.
PENA, Jaime (2004), *El espíritu de la colmena*, Barcelona, Paidós.
SABORIT, José (2004), *El sol del membrillo*, Valencia/Barcelona, Nau/Octaedro.
CERRATO, Rafael (2006), *Víctor Erice. El poeta pictórico*, Madrid, JC Clementine.
PÉREZ PERUCHA, Julio (ed.) (2005), *El espíritu de la colmena... 31 años después*, Valencia, IVAC.

BERGALA, Alain y BALLÓ, Jordi (dir.) (2006), *Erice-Kiarostami. Correspondències*, Barcelona, CCCB/Diputació.
LATORRE, Jorge (2006), *Tres décadas de El Espíritu de la Colmena*, Madrid, Ed. Internacionales Universitarias.

Luis Escobar

ESCOBAR, Luis (2000), *En cuerpo y alma. Memorias*, Madrid, Temas de Hoy.

César Fernández Ardavín

ANTÓN SÁNCHEZ, Laura (2000), *César Fernández Ardavín: Cine y Autoría*, Madrid, EGEDA.

Eusebio Fernández Ardavín

GIL, Rafael (1965), *Recuerdo y presencia de Eusebio F. Ardavín*, San Sebastián, Festival Internacional de Cine.

Fernando Fernán-Gómez

HIDALGO, Manuel (1981), *Fernando Fernán-Gómez*, Huelva, Festival de Cine Iberoamericano.
TEBAR, Juan (1984), *Fernando Fernán-Gómez, escritor*, Madrid, Enjana.
AA.VV. (1985), *Fernando Fernán-Gómez. Acteur, réalisateur et écrivain espagnol*, Burdeos, Presses Universitaires.
FERNÁN-GÓMEZ, Fernando (1987), *El actor y los demás*, Barcelona, Laia.
— (1990), *El tiempo amarillo. Memorias (1943-1987)* (2 vols), Madrid, Debate.
— (1995), *Desde la última fila: Cien años de cine*, Madrid, Espasa Calpe.
ANGULO, Jesús y LLINÁS, Francisco (eds.) (1993), *Fernando Fernán Gómez. El hombre que quiso ser Jackie Cooper*, San Sebastián, Patronato Municipal de Cultura.
GALÁN, Diego (1997), *La buena memoria de Fernando Fernán-Gómez y Eduardo Haro Tecglen*, Madrid, Alfaguara.
— y LLORENS, Antonio (1984), *Fernando Fernán Gómez: Apasionadas andanzas de un señor muy pelirrojo*, Valencia, Fernando Torres/Fundación Municipal de Cine.
BRASÓ, Enrique (2002), *Conversaciones con Fernando Fernán-Gómez*, Madrid, Espasa Calpe.

Antonio Ferrandis

MANFREDI DÍAZ, Antonio (1993), *El último papel: Antonio Ferrandis*, Huelva, Festival de Cine Iberoamericano.

Marco Ferreri

RIAMBAU, Esteve (ed.) (1990), *Antes del Apocalipsis. El cine de Marco Ferreri*, Valencia/Madrid, Mostra del Mediterrani/Cátedra.
AZCONA, Rafael (ed. a cargo de SÁNCHEZ, Bernardo) (1991), *Otra vuelta en «El cochecito»*, Logroño, Cultural Rioja.
PARIGI, Stefania (ed.) (1995), *Marco Ferreri*, Pesaro, Mostra Internazionale del Nuovo Cinema.
CARPIO, Maite (2008), *Matrimonio a la italiana. Marco Ferreri y Rafael Azcona*, Valladolid, SEMINCI.

Angelino Fons

PASTOR, Ernesto J. (2005), *Conversaciones con Angelino Fons. La necesidad de la memoria*, Lorca/Murcia, Primavera Cinematográfica/Universidad.

Josep Maria Forn

QUINTANA, Ángel (2007), *Josep Maria Forn. Indústria i identitat*, Barcelona, Pòrtic/Filmoteca de Catalunya.

José María Forqué

SORIA, Florentino (1990), *José M.ª Forqué*, Murcia, Filmoteca Regional
CEBOLLADA, Pascual (1993), *José M.ª Forqué: un director de cine*, Barcelona, Royal Books.
AA.VV. (1994), *¡Con José María Forqué hemos topado!*, Peñíscola, Festival de Cine de Comedia.
PÉREZ NÚÑEZ, Jesús (1995), *José María Forqué: La lucha del hombre por la supervivencia*, Bilbao, Festival de Cine.

Jesús Franco

BALBO, Lucas, BLUMENSTOCK, Peter, KESSLER, Christian y LUCAS, Tim (1993), *Obsession. The Films of Jesús Franco*, Berlín, Selbstverlag Frank Trebbin.
AGUILAR, Carlos (1999), *Jess Franco, el sexo del horror*, Florencia, Glittering Images.
FRANCO, Jesús (2004), *Memorias del tío Jess*, Madrid, Aguilar.

Ricardo Franco

ÚBEDA-PORTUGUÉS, Alberto (1998), *Contra viento y marea. El cine de Ricardo Franco, 1949-1998*, Madrid, SGAE Iberautor.

María Galiana

SUSO, Rut y RIVILLAS, Leticia P. (2000), *María Galiana: La vida por delante*, Madrid, Nuer.
— (2004), *María Galiana. La vida continúa*, Huelva, Festival de Cine Inédito de Islantilla.

Jesús Garay

SÁIZ VIADERO, J. R. (1990), *Jesús Garay, cineasta*, Santander, Tantín.

Antón García Abril

HERNÁNDEZ RUIZ, Javier y PÉREZ RUBIO, Pablo (2003), *Música en la imagen. Antón García Abril, el cine y la televisión*, Zaragoza, Diputación.

Eduardo García Maroto

GARCÍA MAROTO, Eduardo (1988), *Aventuras y desventuras del cine español*, Barcelona, Plaza & Janés.

Gregorio García Segura

LLUIS I FALCÓ, Josep y LUENGO, Antonio (1994), *Gregorio García Segura. Historia, testimonio y análisis de un músico de cine*, Murcia, Filmoteca Regional.

Fructuós Gelabert

FERNÁNDEZ CUENCA, Carlos (1957), *Fructuoso Gelabert. Fundador de la cinematografía española*, Madrid, Filmoteca Nacional de España.
FALQUINA, Ángel (1974), *Vida y filmografía de Fructuoso Gelabert*, Madrid, Cine Club Urbis/Círculo de Escritores Cinematográficos.
LASA, Joan Francesc de (1988), *El món de Fructuós Gelabert*, Barcelona, Generalitat de Catalunya.
CAPARRÓS LERA, José María (ed.) (1992), *Memoria de dos pioneros: Fructuós Gelabert/Francisco Elías*, Barcelona, CILEH.

Rafael Gil

FERNÁNDEZ CUENCA, Carlos (1956), *Rafael Gil*, Madrid, Gráficas Cinema.
FERNÁNDEZ MELLADO, Rafael (ed.) (1997), *Rafael Gil. Director de cine*, Madrid, Celeste.
GIL, Rafael (2004), *Rafael Gil, escritor de cine* (selección y comentarios: Fernando Alonso Barahona), EGEDA, Madrid.

Castro de Paz, José Luis (coord.) (2006), *Rafael Gil. El cinema que va marcar una época (1940-1047)*, Valencia, Generalitat.
AA.VV. (2007), *Rafael Gil y CIFESA*, Madrid, Filmoteca Española.

Andrés Vicente Gómez

Gómez, Andrés Vicente (2001), *El sueño loco de Andrés Vicente Gómez*, Málaga, Festival de Cine Español/Ayuntamiento.

Agustín González

Millás, Lola (2005), *Agustín González. Entre la conversación y la memoria*, Madrid, Ocho y Medio.

Cesáreo González

AA.VV. (1965), *Cesáreo González en sus bodas de plata con la cinematografía española (1940-1965)*, Madrid, Suevia Films.
Taibo I, Paco Ignacio (2000), *Un cine para un imperio*, México, Consejo Nacional para la Cultura y las Artes (versión castellana: Madrid, Oberón, 2002).
Durán, José Antonio (2003), *Cesáreo González, el empresario-espectáculo. Viaje al taller de cine, fútbol y varietés del general Franco*, A Coruña/Madrid, Taller de Ediciones J.A. Durán/Diputación Provincial de Pontevedra.
Castro de Paz, José Luis y Cerdán, Josetxo (coords.) (2005), *Suevia Films-Cesáreo González: 30 años de cine español*, A Coruña, CGAI/Filmoteca Española/ AEHC/IVAC.

Jordi Grau

Quesada, Luis (1978), *La obra fílmica de Jordi Grau*, Madrid, Club Orbis.

Adrià Gual

Porter Moix, Miquel (1985), *Adrià Gual i el cinema primitiu a Catalunya*, Barcelona, Universitat.
Batlle, Carles, Bravo, I. y Coca, Jordi (1992), *Adrià Gual: mitja vida de modernisme*, Barcelona, Àmbit Serveis Editorials/Diputació.

Claudio Guerin Hill

Utrera, Rafael (1991), *Claudio Guerin Hill. Obra audiovisual (radio, prensa, televisión, cine)*, Sevilla, Universidad.

José Luis Guerín

García Ferrer, J. M. y Marti Rom, J. M. (eds.) (1984), *Surcando el jardín dorado*, Barcelona, Cine Club Associació Enginyers Industrials de Catalunya.
Losilla, Carlos y Pena, Jaime (coords.) (2007), *Algunos paseos por la ciudad de Sylvia. Un cuaderno de notas*, Gijón, Festival de Cine.

Armand Guerra

Alberich, Ferran (1993), *Carne de fieras*, Madrid, Cuadernos de la Filmoteca Española núm. 2.
Guerra, Armand (2005), *A través de la metralla. Escenas vividas en los frentes y en las retaguardias*, Madrid, La Malatesta.

Fernando Guillén

Oliva, César y García de Dueñas, Jesús (1999), *Fernando Guillén, un actor de hoy*, Murcia/Lorca, Universidad/ Primavera Cinematográfica.
Guillén Cuervo, Natalia (2004), *Siempre suena con su voz*, Huelva, Festival de Cine Inédito de Islantilla.

Manuel Gutiérrez Aragón

Antolín, Matías (1983), *Manuel Gutiérrez Aragón. El tiempo y los sueños*, Madrid, Sombras Chinescas.
Martínez Torres, Augusto (1985; 2.ª ed., 1992), *Conversaciones con Manuel Gutiérrez Aragón*, Madrid, Fundamentos.
Payán, Miguel Juan y López, José Luis (1985), *Manuel Gutiérrez Aragón*, Madrid, JC.
Heredero, Carlos F. (1998a), *Cuentos de magia y conocimiento: El cine de Manuel Gutiérrez Aragón*, Madrid, Alta Films.
— (1998b), *El cine según Manuel Gutiérrez Aragón. Historias de vida y de ficción*, Huesca, Festival de Cine.
— (ed.) (2004), *Manuel Gutiérrez Aragón. Las fábulas del cronista*, Madrid, SGAE/Ocho y Medio.
Molina Foix, Vicente (2003), *Manuel Gutiérrez Aragón*, Madrid/Málaga, Cátedra/Festival de Cine Español.

José Gutiérrez Maesso

García de Dueñas, Jesús (2003), *José G. Maesso, el número 1*, Badajoz, Diputación.

Manuel Hernández Sanjuán (Hermic Films)

ORTÍN, Pere y PEREIRO, Vic (2006), *MBINI. Cazadores de imágenes en la Guinea colonial*, Barcelona, Altair.

Gerardo Herrero

VIDAL, Nuria (1996), *Gerardo es un nombre de cine. Aproximación al trabajo de Gerardo Herrero*, Huesca, Festival de Cine.
COLMENA, Enrique (1999), *Gerardo Herrero: El cine de un luchador*, Huelva, Festival de Cine Iberoamericano.

Hispano Film Produktion

NICOLÁS MESSEGUER, Manuel (2004), *La intervención velada. El apoyo cinematográfico alemán al bando franquista (1936-1939)*, Lorca/Murcia, Primavera Cinematográfica/Universidad.

Narciso Ibáñez Serrador

SERRATS OLLE, Jaime (1971), *Narciso Ibáñez Serrador*, Barcelona, Dopesa.

Álex de la Iglesia

ORDÓÑEZ, Marcos (1997), *La bestia anda suelta. ¡Álex de la Iglesia lo cuenta todo!*, Barcelona, Glenat.
BARDEM, Carlos (1997), *Durango perdido. Diario de rodaje de Perdita Durango*, Barcelona, Ediciones B.
VERA, Cecilia y BADARIOTTI, Silvia (2002), *Cómo hacer cine: El día de la bestia, de Álex de la Iglesia*, Madrid, Fundamentos.
SÁNCHEZ NAVARRO, Jordi (2005), *Freaks en acción. Álex de la Iglesia o el cine como fuga*, Madrid, Calamar.

Eloy de la Iglesia

AA.VV. (1996), *Conocer a Eloy de la Iglesia*, San Sebastián, Filmoteca Vasca/Festival Internacional de Cine.

Miquel Iglesias Bonns

COMAS, Ángel (2003), *Miguel Iglesias Bonns. «Cult Movies» y cine de género*, Valls, Cossetània.

Ignacio F. Iquino

COMAS, Ángel (2003), *Ignacio F. Iquino, hombre de cine*, Barcelona, Laertes.

Antonio Isasi-Isasmensi

PORTO, Juan Antonio (1999), *Antonio Isasi-Isasmendi. Una mitad de los cien años de cine español*, Málaga, Festival de Cine Español.
ISASI-ISASMENDI, Antonio (2004), *Memorias tras la cámara. Cincuenta años de un cine español*, Madrid, Ocho y Medio.
BATLLE CAMINAL, Jordi (2005), *Antonio Isasi-Isasmendi, el cineasta de l'acció*, Barcelona, Pòrtic/Filmoteca de Catalunya.

José Isbert

YSBERT, Pepe (1969), *Mi vida artística*, Barcelona, Bruguera.
PÉREZ PERUCHA, Julio (ed.) (1984), *El cine de José Isbert*, Valencia, Ayuntamiento.
GARCÍA RODRIGO, Jesús (1999), *José Isbert*, Albacete, Diputación.

Joaquín Jordá

GARCÍA FERRER, J. M. y MARTI ROM, J. M. (2001), *Joaquín Jordá*, Barcelona, Cine Club Associació Enginyers Industrials de Catalunya.
BARCELÓ MORTE, Lola y FERNÁNDEZ DE CASTRO, David (2001), *Monos como Becky*, Barcelona, Virus.
MANRESA, Laia (2006), *Joaquín Jordá. La mirada lliure*, Barcelona, Pòrtic/Filmoteca de Catalunya.
VIDAL, Nuria (ed.) (2006), *Joaquín Jordá*, Turín, Festival/Museo del Cinema.

Joselito

MANZANO, Manuel (2002), *La jaula del ruiseñor*, Madrid, Martínez Roca.

María Fernanda Ladrón de Guevara

LADRÓN DE GUEVARA, María Fernanda (1943), *Mi vida*, Madrid, Astros.

Juan Miguel Lamet

LAMET, Juan Miguel (1996), *El cine y la memoria*, Madrid, Nickel Odeón.

Alfredo Landa

DELGADO, Juan-Fabián (1991), *Alfredo Landa, el artista cotidiano*, Huelva, Festival de Cine Iberoamericano.
RECIO, Juan Manuel (1992), *Biografía y películas de Alfredo Landa*, Barcelona, CILEH.
AA.VV. (2000), *¡Con Alfredo Landa hemos topado!*, Peñíscola, Festival de Cine.
ORDÓÑEZ, Marcos (2008), *Alfredo El Grande. Vida de un cómico*, Madrid, Aguilar.

Juan de Landa

ARMEZKETA, José Miguel de (2004), *Juan de Landa, actor*, San Sebastián, Filmoteca Vasca.

Tony Leblanc

LEBLANC, Tony (1999), *Esta es mi vida*, Madrid, Temas de Hoy.
ORDÓÑEZ, Marcos (1999), *Tony Leblanc. Genio y figura*, Málaga, Festival de Cine Español.

Fernando León de Aranoa

PONGA, Paula, MARTÍN, Miguel Ángel y TORREIRO, Casimiro (2002), *Hipótesis de realidad. El cine de Fernando León de Aranoa*, Melilla, Consejería de Cultura/UNED.

Vicent Lluch

CERDÁN, Josetxo (ed.) (1999), *Vicent Lluch: Amb ulls ressuscitats*, Barcelona, La Fàbrica de Cinema Alternatiu.

Charo López

GUTIÉRREZ CABA, Emilio (2007), *Conversaciones con Charo López*, Huelva, Festival de Cine Inédito de Islantilla.

Luis Mamerto López-Tapia

UTRERA VINUESA, Margarita (1998), *Historia de Mino Films*, Córdoba, Filmoteca de Andalucía/Junta de Andalucía.

José Luis López Vázquez

Fernández Oliva, Antonio (1988), *José Luis López Vázquez. Un cómico dramático*, Madrid, Difusión Cinematográfica Española.
Rodríguez, Eduardo (1989), *José Luis López Vázquez. Los disfraces de la melancolía*, Valladolid, SEMINCI.

Manuel Luna

Raygadas, José (1942), *Manuel Luna*, Barcelona, Alas.

Francisco Macián

Artigas, Jordi (2005), *Francisco Macián. Els somnis d'un mag*, Barcelona, Pòrtic/ Filmoteca de Catalunya.

Tomàs Mallol

Mallol, Tomàs (2005), *Si la memoria no em falla*, Girona, CCG.

Arturo Marcos

Marcos Tejedor, Arturo (2005), *Una vida dedicada al cine. Recuerdos de un productor*, Salamanca, Junta de Castilla y León.

Juan Mariné

Soria, Florentino (1991), *Juan Mariné. Un explorador de la imagen*, Murcia, Filmoteca Regional.

Ana Mariscal

Mariscal, Ana (1943), *Mi vida*, Madrid, Astros.
— (1946), *Notas de una actriz*, Bilbao, Tipografía Hispano-Americana.
Fonseca, Victoria (2002), *Ana Mariscal. Una cineasta pionera*, Madrid, EGEDA.

Marisol

Barreiro, Javier (1999), *Marisol frente a Pepa Flores*, Barcelona, Plaza & Janés.
Aguilar, José y Losada, Miguel (2008), *Marisol*, Madrid, T&B.

Luis Marquina

Pérez Perucha, Julio (1983), *El cinema de Luis Marquina*, Valladolid, SEMINCI.

Adolfo Marsillach

PÉREZ DE OLAGUER, Gonzalo (1972), *Adolfo Marsillach*, Barcelona, Dopesa.
MARSILLACH, Adolfo (1998), *Tan lejos, tan cerca*, Barcelona, Tusquets.

Basilio Martín Patino

COLÓN PERALES, Carlos (1986), *Basilio Martín Patino*, Sevilla, Fundación Luis Cernuda.
BELLIDO LÓPEZ, Adolfo (1996), *Basilio Martín Patino. Un soplo de libertad*, Valencia, Filmoteca.
PÉREZ MILLÁN, Juan Antonio (1999), *Basilio Martín Patino. Obra audiovisual*, Salamanca, Filmoteca de Castilla y León/Instituto Cervantes/Colegio de España.
— (2002), *La memoria de los sentimientos. Basilio Martín Patino y su obra audiovisual*, Valladolid, SEMINCI.
NIETO FERRANDO, Jorge (2006), *Posibilismos, memorias y fraudes. El cine de Basilio Martín Patino*, Valencia, IVAC.
UTRERA, Rafael (ed.) (2006), *Andalucía, un siglo de fascinación. Homenaje a Basilio Martín Patino*, Sevilla, Pedro Romero/Universidad.
MARTÍN, Carlos (coord.) (2008), *En esto consistían los paraísos. Aproximaciones a Basilio Martín Patino*, Granada, Diputación.

Augusto Martínez Torres

MARTÍNEZ TORRES, Augusto (2002), *Las películas de mi vida*, Madrid, Espasa Calpe.

Ramón Masats

CERDÁN, Josetxo (ed.) (2000), *Ramón Masats. Iberia inédita*, Barcelona, La Fàbrica de Cinema Alternatiu.

Alfredo Matas

LLINÁS, Francisco y WEINRICHTER, Antonio (1992), *¡Con Alfredo Matas hemos topado!*, Peñíscola, Festival de Cine.

Carmen Maura

PONGA, Paula (1993), *Carmen Maura*, Barcelona, Icaria.

Alfredo Mayo

MANTUA, Cecilia A. (sin fecha), *Alfredo Mayo*, Barcelona, Alas.

Julio Medem

MEDEM, Julio (2003), *La pelota vasca. La piel contra la piedra (2 vols.)*, Madrid, Punto de Lectura.
ANGULO, Jesús y REBORDINOS, José Luis (2005), *Contra la certeza. El cine de Julio Medem*, San Sebastián/Huesca, Filmoteca Vasca/Festival de Cine.

Antonio Mercero

SÁNCHEZ, Mikel E. (coord.) (1987), *Antonio Mercero, 25 años de cine*, Bilbao, Certamen de Cine Documental y Cortometrajes.
PLAZA, Carlos J. y REBORDINOS, José Luis (2001), *El humor y la emoción. El cine y la televisión de Antonio Mercero*, San Sebastián, Filmoteca Vasca.

Miguel Mihura

LARA, Fernando y RODRÍGUEZ, Eduardo (1990), *Miguel Mihura*, Valladolid, SEMINCI.
MOREIRO, Julián (2004), *Mihura. Humor y melancolía*, Madrid, Algaba.

Pilar Miró

THOMPSON, Owen (1991), *Beltenebros. Historia secreta de un rodaje*, Barcelona, Ixia.
PÉREZ MILLÁN, Juan Antonio (1992), *Pilar Miró. Directora de cine*, Valladolid, SEMINCI.
— (2007), *Pilar Miró. Directora de cine*, Huesca/Madrid, Festival de Cine/Calamar.
GALÁN, Diego (2006), *Pilar Miró. Nadie me enseñó a vivir*, Madrid, Espasa Calpe.

Ángela Molina

CASTILLEJO, Jorge (1997), *Ángela Molina*, Valencia, Mitemas/Fundación Municipal de Cine.

Jacinto Molina (Paul Naschy]

ARMADA MANRIQUE, Ignacio y HERRERO PEÑA, Guzmán (1993), *Paul Naschy: el ciclo de la luna llena*, Madrid, Dorián.

DÍAZ, Adolfo Camilo (1993), *El cine fantaterrorífico español: una aproximación al género fantaterrorífico en España a través del cine de Paul Naschy*, Gijón, Santa Bárbara.
NASCHY, Paul (1993), *Crónicas de las tinieblas*, Burgos, Ed. del autor.
— (1997), *Memorias de un hombre lobo*, Madrid, Ed. Alberto Santos.
— (coord.) (2001), *Las tres caras del terror. Un siglo de cine fantaterrorífico español*, Madrid, Alberto Santos/Imágica.
ALONSO BARAHONA, Fernando (1998), *Paul Naschy*, Oporto, Cinemanovo/Fantasporto.

Josefina Molina

MOLINA, Josefina (2000), *Sentada en un rincón*, Valladolid, SEMINCI.

Moncayo Films

HERNÁNDEZ RUIZ, Javier y PÉREZ RUBIO, Pablo (1997), *Moncayo Films. Una aventura de producción cinematográfica en Zaragoza*, Zaragoza, Fernando el Católico/Ayuntamiento.
DUCE, José Antonio y DUCE REBLET, Juan (1997), *La década de Moncayo Films*, Zaragoza, Ayuntamiento.

Sara Montiel

ALFAYA, Javier (1971), *Sara Montiel*, Barcelona, Dopesa.
MONTIEL, Sara, con la col. de Pedro Manuel VILLORA (2000), *Memorias. Vivir es un placer*, Barcelona, Plaza & Janés.
AGUILAR, José y LOSADA, Miguel (2007), *Sara Montiel*, Madrid, T&B.

Antonio Moreno

FERNÁNDEZ, Manuel Carlos (2000), *Antonio Moreno. Un actor español en Hollywood*, Córdoba, Filmoteca de Andalucía.

Ricardo Muñoz Suay

MUÑOZ SUAY, Ricardo (1998), *Columnas de cine*, Valencia, Filmoteca.
RIAMBAU, Esteve (2007), *Ricardo Muñoz Suay. Una vida en sombras*, Barcelona, Tusquets.
GAVELA, César (2007), *De Ricardo Muñoz Suay*, Valencia, Centro Francisco Tomás y Valiente.

Manuel Mur Oti

MARÍAS, Miguel (1990), *Manuel Mur Oti. Las raíces del drama*, Lisboa, Cinemateca Portuguesa/Filmoteca Española.
CASTRO DE PAZ, José Luis y PÉREZ PERUCHA, Julio (1999), *El cine de Manuel Mur Oti*, Ourense, Festival de Cine.
RICHART, Mabel (2000), *Narración y deformación en Cielo Negro de Mur Oti*, Valencia, Episteme.

Magí Murià

MURIÀ, Magí y ROMAGUERA, Joaquim (2002), *Magí Murià, periodista i cineasta. Memòries d'un exiliat, 1939-1948*, Lleida, Pagès Editors.

Carlos Nazarí

UTRERA, Rafael (2000), *Film Dalp Nazarí. Productoras andaluzas*, Sevilla, Junta de Andalucía.

Edgar Neville

NEVILLE, Edgar (1976), *Las terceras de ABC*, Madrid, Prensa Española.
AA.VV. (1977), *Edgar Neville en el cine*, Madrid, Filmoteca Nacional de España.
PÉREZ PERUCHA, Julio (1982), *El cinema de Edgar Neville*, Valladolid, SEMINCI.
AGUILAR, Santiago (2002), *Edgar Neville: tres sainetes criminales*, Madrid, Cuadernos de la Filmoteca Española núm. 8.
GARCÍA DE DUEÑAS, Jesús (2003), *Ángeles Rubio-Argüelles, una dama del teatro*, Málaga, Teatro Cervantes/Ayuntamiento.
LOBATO, Flora (2007), *Edgar Neville, entre la literatura y el cine. Análisis narratológico comparativo de algunas de sus adaptaciones*, Salamanca, Librería Cervantes.
RÍOS CARRATALÁ, Juan Antonio (2007), *Una arrolladora simpatía. Edgar Neville: de Hollywood al Madrid de la posguerra*, Barcelona, Ariel.
— (coord.) (2007), *Universo Neville*, Málaga, Consulado del Mar/Instituto Municipal del Libro.

José Nieto (compositor)

ÁLVARES, Rosa (1996), *La armonía que rompe el silencio. Conversaciones con José Nieto*, Valladolid, SEMINCI.
NIETO, José (2003), *Música para la imagen*, Madrid, SGAE.

José Nieto (actor)

NIETO, José (1943), *Mi vida*, Madrid, Astros.
SALAZAR, Antonio (1944), *José Nieto*, Madrid, Mediterráneo.

José Antonio Nieves Conde

LLINÁS, Francisco (1995), *José Antonio Nieves Conde. El oficio de cineasta*, Valladolid, SEMINCI.
CASTRO DE PAZ, José Luis y PÉREZ PERUCHA, Julio (2003), *Tragedia e ironía: el cine de Nieves Conde*, Ourense, Festival de Cine.

José María Nunes

MINGUET BATLLORI, Joan M. (2006), *Nunes, el cineasta intrèpid*, Barcelona, Pòrtic/Filmoteca de Catalunya.

Pablo Núñez

LLORENS, Antonio y URIS, Pedro (2001), *Miles de metros. A propósito de Pablo Núñez*, Huesca/Valencia, Festival de Cine/IVAC.

Pedro Olea

ANGULO, Jesús, HEREDERO, Carlos F. y REBORDINOS, José Luis (1993), *Un cineasta llamado Pedro Olea*, San Sebastián, Filmoteca Vasca/Fundación Kutxa.
LÓPEZ ECHEVARRIETA, Alberto (2006), *Making of/Así se hizo: el cine de Pedro Olea*, Valladolid, SEMINCI.

Antonio, Mariano & José Luis Ozores

OZORES, Antonio (1998), *El anticiclón de los Ozores*, Barcelona, Ediciones B.
— (2004), *La profesión más antigua del mundo*, Barcelona, Belaqva.
OZORES, Mariano (2002), *Respetable público. Cómo hice casi cien películas*, Barcelona, Planeta.
COMBARROS PELÁEZ, César (2003), *José Luis Ozores. La sonrisa robada*, Valladolid, SEMINCI.

Ricardo Palacios

AGUILAR, Carlos (2003), *Ricardo Palacios. Actor, director, observador*, Santander, Festival de Cine Deportivo.

Cecilio Paniagua

Fernández Colorado, Luis (2000), *Cecilio Paniagua. Arquitectura de la luz*, Almería, Festival de Cortometrajes.

Marisa Paredes

Francia, Juan (1993), *Marisa Paredes*, Barcelona, Icaria.

Gil Parrondo

Matellano, Víctor (2008), *Decorados, Gil Parrondo*, Madrid, T&B.

Julio Peña

Peña, Julio (1943), *Mi vida*, Madrid, Astros.

Francisco Pérez Dolz

Alberich, Ferran (2007), *Paco Pérez Dolz. El camí de l'ofici*, Barcelona, Pòrtic/Filmoteca de Catalunya.

Josep Anton Pérez Giner

Español, Piti (2008), *Josep Anton Pérez Giner. La veritable història de l'Innombrable*, Barcelona, Pòrtic/Filmoteca de Catalunya.

Benito Perojo

Fernández Cuenca, Carlos (1949), *La obra de Benito Perojo*, Madrid, Documentos para la Historia del Cine Español.

Gubern, Román (1994), *Benito Perojo. Pionerismo y supervivencia*, Madrid, Filmoteca Española.

Miguel Picazo

Iznaola Gómez, Enrique (coord.) (2003), *Miguel Picazo, un cineasta jienense*, Jaén, Diputación.

— (coord.) (2005), *La tía Tula. Guión cinematográfico*, Jaén, Diputación.

Emiliano Piedra

AA.VV. (1983), *Emiliano Piedra*, Alcalá de Henares, Festival de Cine.

Galán, Diego (1990), *Emiliano Piedra. Un productor*, Huelva, Festival de Cine Iberoamericano.

Conchita Piquer

PLAZA, Martín de la (2001), *Conchita Piquer*, Madrid, Alianza/El Delirio.

Juan Piqueras

LLOPIS, Juan Manuel (1988), *Juan Piqueras: El «Delluc» español*, Valencia, Filmoteca.

Leopoldo Pomés

GARCÍA FERRER, J. y MARTI ROM, J. M. (1994), *Leopoldo Pomés*, Barcelona, Cine Club Associació Enginyers Industrials de Catalunya.

Ventura Pons

CAMPO VIDAL, Anabel (2000), *Ventura Pons. La mirada libre*, Huesca, Festival de Cine (2.ª edición ampliada: SGAE, Madrid, 2004).

Pere Portabella

AA.VV. (1975), *Pere Portabella*, Barcelona, Cine Club d'Enginyers.
— (2003), *L'Ecole de Barcelone. Hommage à Pere Portabella*, París, Centre Georges Pompidou.
PONCE, Vicente (ed.) (1983), *Pere Portabella pres al camp de batalla*, Valencia, Diputación.
EXPÓSITO, Marcelo (ed.) (2001), *Historias sin argumento. El cine de Pere Portabella*, Valencia/Barcelona, Ed. de la Mirada/MACBA.
FANÉS, Félix (2008), *Pere Portabella. Avantguarda, cinema, política*, Barcelona, Pòrtic/Filmoteca de Catalunya.
HERNÁNDEZ, Rubén (2008), *Pere Portabella. Hacia una política del relato cinematográfico*, Madrid, Errata Naturae.

Luis Prendes

PRENDES, Luis (1943), *Mi vida*, Madrid, Astros.

Juanjo Puigcorbé

ORISTRELL, Joaquín (2001), *Cinco horas con Juanjo*, Huesca, Festival de Cine.

Elías Querejeta

HERNÁNDEZ LES, Juan (1986), *El cine de Elías Querejeta, un productor singular*, Bilbao, Mensajero.
ANGULO, Jesús, HEREDERO, Carlos F. y REBORDINOS, José Luis (1996), *Elías Querejeta: la producción como discurso*, San Sebastián/Vitoria, Filmoteca Vasca/Fundción Caja Vital Kutxa.
CRISTÓBAL, Ramiro (1997), *Elías Querejeta. El hombre que hace posible la magia*, Huelva, Festival de Cine Iberoamericano.
BAZA, Ruth (2000), *La primera vez: Una producción de Elías Querejeta*, Málaga, Festival de Cine Español.

Francisco Rabal

HIDALGO, Manuel (1985), *Francisco Rabal... un caso bastante excepcional*, Valladolid, SEMINCI.
GUERRERO RUIZ, Pedro (1992), *Francisco Rabal: Un actor de raza*, Murcia, Filmoteca Regional.
RABAL, Francisco y CEREZALES, Agustín (1994), *Si yo te contara*, Madrid, El País/Aguilar.
RODRÍGUEZ BLANCO, Manuel (1998), *Paco Rabal: Un demi-siècle de présence*, Toulouse, Cinespaña.
GARCÍA GARZÓN, Juan Ignacio (2004), *Paco Rabal. Aquí un amigo*, Madrid, Algaba.
BALAGUER, Asunción y RABAL, Paco (2004), *Las cartas de nuestra vida. Correspondencia privada (1949-1975)*, Barcelona, Belaqva.

Antonio del Real

DIOSDADO, Ana y PORTO, Juan Antonio (2003), *Antonio del Real. El cine, una pasión*, Cartagena, Semana de Cine Naval.

Marc Recha

AA.VV. (2007), *Marc Recha, al desnudo*, Huesca/Madrid, Festival de Cine/Calamar.

Francisco Regueiro

BARBACHANO, Carlos (1989), *Francisco Regueiro*, Madrid, Filmoteca Española.

Juanita Reina

PÉREZ ORTIZ, María Jesús (2006), *Juanita Reina*, Málaga, Arguval.

Resines, Antonio

SARTORI, Beatrice (1999), *Antonio Resines. De Yucatán a Berlín*, Málaga, Festival de Cine Español.

Fernando Rey

CEBOLLADA, Pascual (1992), *Fernando Rey*, Barcelona, CILEH.
AA.VV. (1992), *Quince mensajes a Fernando Rey*, Huesca, Festival de Cine.

Florián Rey

FERNÁNDEZ CUENCA, Carlos (1962), *Recuerdo y presencia de Florián Rey*, San Sebastián, Festival Internacional de Cine.
SORIA, Florentino, BARREIRA Domingo F. y FERNÁNDEZ CUENCA, Carlos (1963), *Redescubrimiento de Florián Rey*, Madrid, Filmoteca Nacional de España.
BARREIRA, Domingo F. (1968), *Biografía de Florián Rey*, Madrid, ASDREC.
SÁNCHEZ VIDAL, Agustín (1991), *El cine de Florián Rey*, Zaragoza, Caja de Ahorros de la Inmaculada de Aragón.
GARCÍA CARRIÓN, Marta (2007), *Sin cinematografía no hay nación. Drama e identidad nacional española en la obra de Florián Rey*, Zaragoza, Diputación.

Roberto Rey

REY, Roberto (1943), *Mi vida*, Madrid, Astros.

Antoni Ribas

RIBAS, Antoni (1994), *A la plaça Sant Jaume: contra la corrupció i l'amiguisme*, Madrid, Ed. Libertarias (versión castellana: *Ante el Palacio del Gobierno Catalán: contra la corrupción y el amiguismo*, Madrid, Ed. Libertarias).

Amparo Rivelles

RIVELLES, Amparo (1943), *Mi vida*, Madrid, Astros.
PACO, José de y RODRÍGUEZ, Joaquín (1988), *Amparo Rivelles. Pasión de actriz*, Murcia, Filmoteca Regional.

Antonio Román

COIRA, Pepe (1999), *Antonio Román. Director de cine*, Ourense, Festival de Cine/ Xunta de Galicia.

Joaquín Romero Marchent

AGUILAR, Carlos (1999), *Joaquín Romero Marchent. La firmeza profesional*, Almería, Diputación.

Francisco Rovira Beleta

SÁINZ, Salvador (1990), *El cine de Rovira Beleta*, Ibiza, Semana Internacional del Film.
BENPAR, Carlos (2001), *Rovira Beleta. El cine y el cineasta*, Barcelona, Laertes.

Emilio Ruiz

RUIZ DEL RÍO, Emilio (1996), *Rodando por el mundo: Mis recuerdos y mis trucajes cinematográficos*, Madrid, Semana de Cine Experimental.

José Sacristán

BAYÓN, Miguel (1989), *José Sacristán: la memoria de la tribu*, Murcia, Editora Regional.

José Luis Sáenz de Heredia

MÉNDEZ LEITE Jr., Fernando (1976), *La noche de José Luis Sáenz de Heredia*, Madrid, ICAA.
GUBERN, Román (1977), *«Raza», un ensueño del general Franco*, Madrid, Ed.99.
SÁENZ DE HEREDIA, José Luis (1984), *Clave de mí*, Madrid, Dyrsa.
VIZCAÍNO CASAS, Fernando y JORDÁN, Ángel A. (1988), *De la checa a la meca. Una vida de cine*, Barcelona, Planeta.
JULIO DE ABAJO DE PABLOS, Juan Eugenio (1997), *Mis charlas con José Luis Sáenz de Heredia*, Valladolid, Quirón.

Mercedes Sampietro

RODRÍGUEZ MERCHAN, Eduardo (2005), *Mercedes Sampietro. La voz y la mirada*, Huesca, Festival de Cine.

Luis Sánchez Polack

BRINES, Rafael (1999), *Luis Sánchez Polack, un sant varó*, Valencia, Fundación Municipal de Cine.

José Sancho

BRINES, Rafael (2000), *José Sancho, un «estudiante» aventajado*, Valencia, Fundación Municipal de Cine.

Andrés Santana

ROCA ARENCIBIA, Luis (2003), *Andrés Santana. El vuelo de la cometa*, Madrid/Las Palmas de Gran Canaria, T&B Editores/Festival Internacional de Cine.

Espartaco Santoni

SANTONI, Espartaco (1990), *No niego nada*, Barcelona, Bexeller.
— (1991), *Digan lo que digan*, Barcelona, Ediciones B.

Carlos Saura

BRASÓ, Enrique (1974), *Carlos Saura*, Madrid, Taller de Ediciones JB.
GALÁN, Diego (1974), *Venturas y desventuras de la prima Angélica*, Valencia, Fernando Torres.
GUBERN, Román (1979), *Carlos Saura*, Huelva, Festival de Cine Iberoamericano.
HIDALGO, Manuel (1981), *Carlos Saura*, Madrid, JC.
OMS, Marcel (1981), *Carlos Saura*, París, Edilig.
AA.VV. (1981), *Carlos Saura*, Munich, Hanser Verlag.
— (1983), *Le cinéma de Carlos Saura. Actes du colloque sur le cinéma de Carlos Saura*, Burdeos, Presses Universitaires.
— (1984), *Voir et lire Carlos Saura*, Colloque International, Dijon, Centre d'Etudes et Recherches Hispaniques du XXeme siècle, Université.
— (1984), *Carlos Saura*, Circuito Cinema, Comune di Venezia, Venecia.
PÉREZ-VITORIA, Blandine (1983), *Elisa, vida mía de Carlos Saura: découpage et étude filmique*, París, Editions Hispaniques.
EICHENLAUB, Hans M. (1984), *Carlos Saura. Ein Filmbuch*, Friburg, Reihe Medium im Dreisam-Verlag.
HROZKOVA, Eva (1985), *Carlos Saura*, Praga, Filmovy Ustav.
RUBIO ABELLA, José Ángel (1988), *Carlos Saura: la expresión cinematográfica*, Teruel, Instituto de Estudios Turolenses.
SÁNCHEZ VIDAL, Agustín (1988), *Carlos Saura*, Zaragoza, Caja de Ahorros de la Inmaculada de Aragón.
— (1994), *Retrato de Carlos Saura*, Barcelona, Círculo de Lectores/Galaxia Gutemberg.
BORIN, Fabrizio (1990), *Carlos Saura*, Florencia, La Nuova Italia.
SÁNCHEZ MILLÁN, Alberto (ed.) (1991), *Carlos Saura*, Huesca, Festival de Cine.
D'LUGO, Marvin (1991; 2.ª ed., 2004), *The Films of Carlos Saura. The Practice of Seeing*, Princeton (New Jersey), Princeton University Press.

TALVAT, Henri (1992), *Le Mystère Saura*, París, Climat
BLANCO, Jesús y COLLADO, Ignacio (1993), *Carlos Saura,* Córdoba, Filmoteca de Andalucía.
RUPPE, Sebastian (1999), *Carlos Saura und das spanische Kino: Zeitkritik im Film: Untersuchungen zu «Los golfos» (1959) und «Deprisa, deprisa» (1980)*, Berlín, Tranvía: Walter Frey.
BERTHIER, Nancy (1999), *De la guerre à l'écran: Ay Carmela!, de Carlos Saura.* Toulouse, Presses Universitaires du Mirail.
LARRAZ, Emmanuel (ed.) (2000), *¡Ay, Carmela!*, Dijon, Université de Bourgogne.
GÓMEZ GONZÁLEZ, Ángel Custodio (2002), *La reconstrucción de la identidad del flamenco en el cine de Carlos Saura: Un análisis de la presencia del flamenco en las estructuras narrativas cinematográficas*, Sevilla, Junta de Andalucía.
SAURA, Carlos (2003), *Flamenco*, Barcelona, Galaxia Gutenberg.
— (2006), *Fotografías*, Madrid, La Fábrica.
GARCÍA-RAYO, Antonio (ed.) (2005), *Las fotografías pintadas de Carlos Saura*, Madrid, El Gran Caíd.
TUDELILLA, Chus (coord.) (2007), *Carlos Saura. Los sueños del espejo*, Huesca, Diputación.
CUETO, Roberto (ed.) (2008), *La caza… 42 años después*, Valencia, IVAC.

Assumpta Serna

VIDAL, Nuria (1993), *Assumpta Serna*, Barcelona, Icaria.

Julieta Serrano

GARCÍA FERRER, J. M. y MARTI ROM, J. M. (2007), *Julieta Serrano*, Barcelona, Cine Club Associació Enginyers Industrials de Catalunya.

Carlos Serrano de Osma

PÉREZ PERUCHA, Julio (1983), *El cinema de Carlos Serrano de Osma*, Valladolid, SEMINCI.
ARANZUBIA, Asier (2007), *Carlos Serrano de Osma: Historia de una obsesión*, Madrid, Cuadernos de la Filmoteca Española núm. 11.

Nemesio Sobrevila

UNSAIN, José M.ª (1988), *Nemesio Sobrevila, peliculero bilbaíno*, San Sebastián, Filmoteca Vasca.
FERNÁNDEZ COLORADO, Luis (1994), *Nemesio Sobrevila o el enigma sin fin*, San Sebastián, Filmoteca Vasca.

Llorenç Soler

García Ferrer, J. M. y Rom, Marti (1996), *Llorenç Soler*, Barcelona, Associació d'Enginyers Industrials de Catalunya.

Amparo Soler Leal

Bejarano, Fernando (1999), *Amparo Soler Leal. Cuando se nace actriz*, Valencia, Fundación Municipal de Cine/Mostra del Mediterrani.

Gonzalo Suárez

Hernández Ruiz, Javier (1991), *Gonzalo Suárez: un combate ganado con la ficción*, Alcalá de Henares, Festival de Cine.

Cercas, Javier (1993), *La obra literaria de Gonzalo Suárez*, Barcelona, Quaderns Crema.

Suárez, Gonzalo (2005), *El hombre que soñaba demasiado*, Barcelona, Areté.

— (2006), *Dos pasos en el tiempo: De Aoom a El Genio Tranquilo*, Madrid, Ocho y Medio.

Cruz Ruiz, Juan (2008), *Gonzalo Suárez: Cuarenta años de cine y literatura*, Valladolid, SEMINCI.

Manuel Summers

Cotán Rodríguez, Zacarías (1993), *Manuel Summers, cineasta del humor*, Huelva, Festival de Cine Iberoamericano.

Enrique Torán

García Fernández, Emilio C. (coord.) (2004), *Torán, Escritor de la luz*, Madrid, Comunicación Audiovisual y Publicidad.

Ramón Torrado

Castro de Paz, José Luis y Pena, Jaime (1993), *Ramón Torrado. Cine de consumo no franquismo*, A Coruña, CGAI, Xunta de Galicia.

David Trueba

Cercas, Javier y Trueba, David (2003), *Diálogos de Salamina. Un paseo por la literatura y el cine*, Barcelona/Madrid, Plot/Tusquets.

Josep Truyol

Aguiló, Catalina (1987), *Josep Truyol. Fotògraf i cineasta 1868-1949*, Palma de Mallorca, Miquel Font Ed.

Eduardo Ugarte

Ríos Carratalá, Juan Antonio (1995), *A la sombra de Lorca y Buñuel: Eduardo Ugarte*, Alicante, Universidad.

UNINCI

Salvador Marañón, Alicia (2006), *De ¡Bienvenido, Mr. Marshall! a Viridiana. Historia de UNINCI: una productora cinematográfica española bajo el franquismo*, Madrid, EGEDA.

Enrique Urbizu

Angulo, Jesús, Heredero, Carlos F. y Santamarina, Antonio (2003), *Enrique Urbizu. La imagen esencial*, San Sebastián, Filmoteca Vasca.

Ricardo Urgoiti

Cabrera, Mercedes (1994), *La industria, la prensa y la política. Nicolás María de Urgoiti (1869-1951)*, Madrid, Alianza Editorial.

Fernández Colorado, Luis y Cerdán, Josetxo (2007), *Ricardo Urgoiti. Los trabajos y los días*, Madrid, Cuadernos de la Filmoteca Española núm. 9.

Imanol Uribe

Angulo, Jesús, Heredero, Carlos F. y Rebordinos, José Luis (1994), *El cine de Imanol Uribe*, San Sebastián, Filmoteca Vasca/Fundación Kutxa.

Gutiérrez, Begoña y Porquet, José Manuel (1994), *Imanol Uribe*, Huesca, Festival de Cine.

Aguirresarobe, Javier (2004), *Luces y sombras en el cine de Imanol Uribe*, Valladolid, SEMINCI.

Ladislao Vajda

Gómez Mesa, Luis (1965), *Ladislao Vajda, recuerdo y presencia*, San Sebastián, Festival Internacional de Cine.

Llinás, Francisco (1997), *Ladislao Vajda. El húngaro errante*, Valladolid, SEMINCI.

JOLIVET, Anne-Marie (2003), *La pantalla subliminal. Marcelino pan y vino según Vajda*, Valencia, Filmoteca.

José Val del Omar

SÁENZ DE BURUAGA, Gonzalo (coord.) (1995), *Insula Val del Omar: Visiones en su tiempo, descubrimientos actuales*, Madrid, Consejo Superior de Investigaciones Científicas (CSIC)/Semana de Cine Experimental.
— (2000), *Val del Omar. Más allá del surrealismo*, Huesca/Amiens, Festival de Cine/ Vol de nuit.
— y VAL DEL OMAR, María José (1992), *Val del Omar sin fin*, Granada, Junta de Andalucía/Filmoteca de Andalucía.
GUBERN, Román (2004), *Val del Omar, cinemista*, Granada, Diputación.

Felipe Vega

MARTÍN CUENCA, Miguel (2007), *Felipe Vega. Estar en el cine*, Almería, Diputación.

Concha Velasco

MÉNDEZ LEITE, Fernando (1986), *Concha Velasco*, Valladolid, SEMINCI.
ARCONADA, Andrés (2001), *Concha Velasco. Diario de una actriz,* Madrid, T&B.

Carlos Velo

FERNÁNDEZ, Miguel Anxo (1996), *Carlos Velo, cine e exilio,* Vigo, A Nosa Terra.
— (2002), *As imaxes de Carlos Velo,* Vigo, A Nosa Terra.
VELO, Carlos (ed. de Gustavo Luca de Tena) (1998), *Memoria erótica*, Vigo, O Fardel da Memoria.
REDONDO NEIRA, Fernando (2004), *Carlos Velo. Itinerarios do documental nos anos trinta*, Ourense, Festival de Cine.

Gerardo Vera

GOROSTIZA, Jorge (2005), *Gerardo Vera. Reinventar la realidad*, Madrid, SGAE.

Maribel Verdú

PACO, José de (1994), *Maribel Verdú*, Murcia, Filmoteca Regional.
ALEGRE, Luis (2003), *Maribel Verdú, la novia soñada,* Lorca, Semana de Cine Español.

Agustí Villaronga

PEDRAZA, Pilar (2007), *Agustí Villaronga*, Madrid, Akal.

Orson Welles

COBOS, Juan (1993), *Orson Welles. España como obsesión*, Valencia/Madrid, Filmoteca Valencia/Filmoteca Española.
RIAMBAU, Esteve (1993), *Orson Welles. Una España inmortal*, Valencia/Madrid, Filmoteca Valencia/Filmoteca Española.

X Films

UTRERA, Rafael y PALACIO, Manuel (eds.) (1998), *Gabriel Blanco*, Córdoba, Filmoteca de Andalucía.

Iván Zulueta

HEREDERO, Carlos F. (1989), *Iván Zulueta. La vanguardia frente al espejo*, Alcalá de Henares, Festival de Cine.
AA.VV. (2005), *Mientras tanto... Iván Zulueta*, Madrid, La Casa Encendida.
CUETO, Roberto (coord.) (2005), *Arrebato... 25 años después*, Valencia, IVAC.

Índice de películas

Índice onomástico

Índice

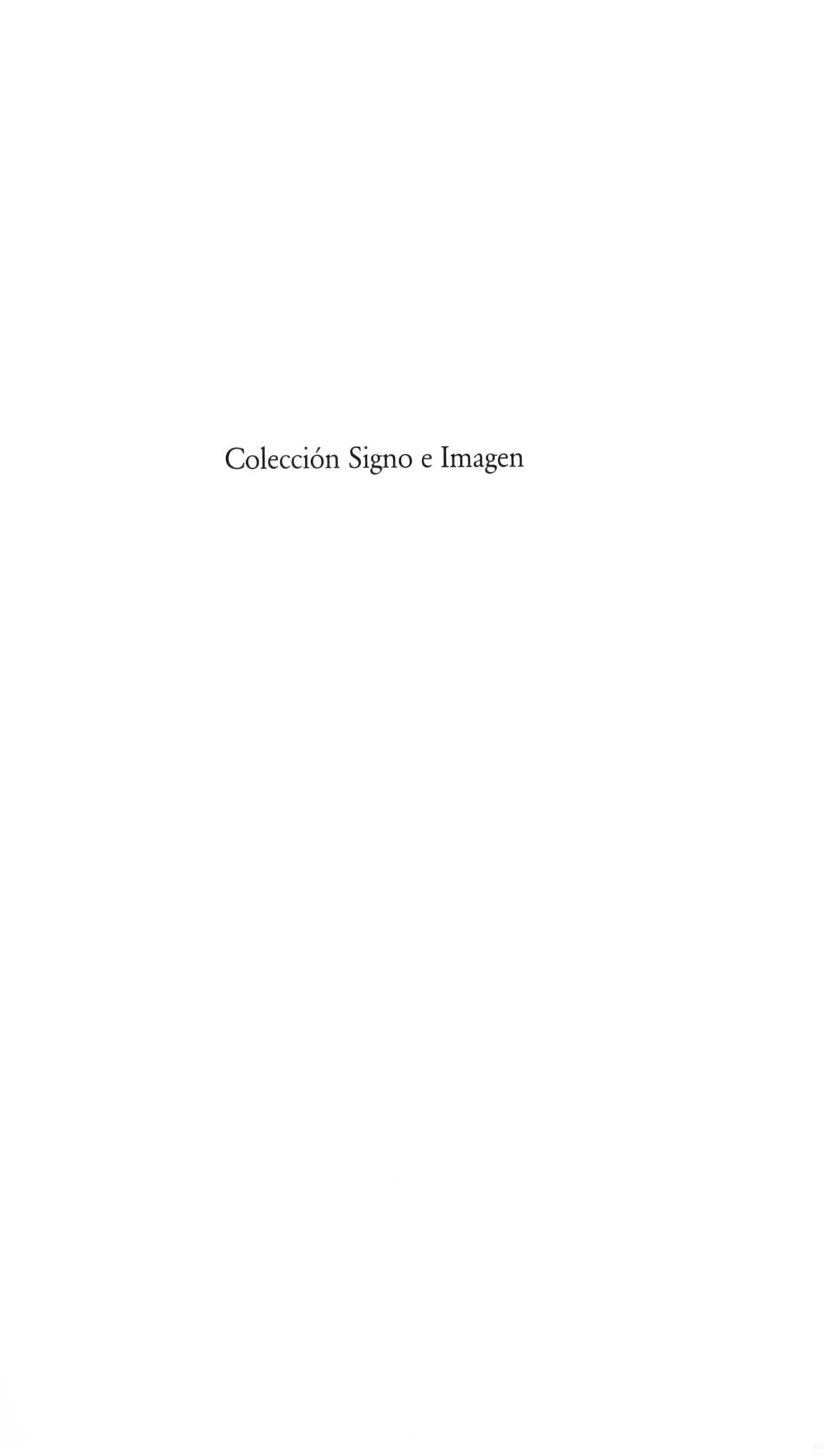

Colección Signo e Imagen

Último títulos publicados

86. *La comedia romántica del Hollywood de los años 30 y 40,* Pablo Echart.
87. *Documental y vanguardia,* Casimiro Torreiro y Josetxo Cerdán (eds.).
88. *El* Quijote *y el cine,* Ferran Herranz.
89. *Los mitos de la publicidad radiofónica,* Armand Balsebre (ed.).
90. *Rafael Azcona: hablar el guión,* Bernardo Sánchez.
91. *Cine de historia, cine de memoria (La representación y sus límites),* Vicente Sánchez-Biosca.
92. *Teoría de la narración audiovisual,* Begoña Gutiérrez San Miguel.
94. *Contracampo (Ensayos sobre teoría e historia del cine),* Jenaro Talens y Santos Zunzunegui (eds.).
95. *Al otro lado de la ficción (Trece documentalistas españoles contemporáneos),* Josetxo Cerdán y Casimiro Torreiro (eds.).
96. *La creatividad en el lenguaje periodístico,* Susana Guerrero Salazar.
97. *El campo vacío (El lenguaje indirecto en la comunicación audiovisual),* Daniela Musicco Nombela.
98. *Teoría de la publicidad,* Raúl Eguizábal (2.ª ed.).
99. *Guía del cine español,* Carlos Aguilar.
100. *Cómo se lee una fotografía (Interpretaciones de la mirada),* José Javier Marzal (2.ª ed.).
113. *La mirada plural,* Santos Zunzunegui.
114. *El* transformismo *televisivo,* Gérard Imbert.
115. *34 actores hablan de su oficio,* Arantxa Aguirre.
116. *Diccionario de onomatopeyas del cómic,* Luis Gasca y Román Gubern (2.ª ed.).
117. *La narrativa invencible (La influencia del cine de Hollywood en Madrid durante la Guerra Civil española),* José Cabeza.
118. *La larga sombra de Hitler (El cine nazi en España [1933-1945]),* Julio Montero y María Antonia Paz.
119. *Pasión y conocimiento (El nuevo realismo melodramático),* Josep M. Català.
120. *Cómo se escribe un guión (Edición definitiva),* Michel Chion.
121. *Historia del cine español,* VV.AA. (7.ª ed.).
123. *Guía del cine,* Carlos Aguilar (3.ª ed.).
124. *El cine español según sus directores,* Antonio Gregori.
126. *La lógica de la excepción cultural (Entre la geoeconomía y la diversidad cultural),* Rubén Arcos Martín.
127. *De la idea al film,* Julio Diamante.
128. *Aula de locución,* Margarita Blanch y Patrícia Lázaro.
129. *Realidad y creación en el cine de no-ficción (El documental catalán contemporáneo, 1995-2010),* Casimiro Torreiro (ed.).
131. *Cine e imaginarios sociales,* Gérard Imbert.
132. *El ojo tachado,* Jenaro Talens.